Ontmaskering

Talitha Stevenson

Ontmaskering

Vertaald door Maya Denneman

2007
uitgeverij Signature / Utrecht

Oorspronkelijke titel: Exposure
Vertaling: Maya Denneman

Omslagontwerp: Wil Immink Design
Typografie: Pre Press B.V., Zeist
Druk- en bindwerk: Koninklijke Wöhrmann, Zutphen

ISBN 978 90 5672 211 1
NUR 302

Dit boek is gedrukt op papier dat het keurmerk van de Forest Stewardship Council (FSC) mag dragen. Bij dit papier is het zeker dat de productie niet tot bosvernietiging heeft geleid. Een flink deel van de grondstof is afkomstig uit bossen en plantages die worden beheerd volgens de regels van FSC. Van het andere deel van de grondstof is vastgesteld dat hiervoor geen houtkap in de laatste resten waardevol bos heeft plaatsgevonden. Daarom mag dit papier het FSC Mixed Sources label dragen. Voor dit boek is het FSC-gecertificeerde Munkenprint gebruikt. Dit papier is 100% chloor- en zwavelvrij gebleekt en wordt geleverd door Arctic Paper Munkedals AB, Zweden.

Voor Jonty Elkington

Al onze mislukkingen zijn uiteindelijk
mislukkingen in de liefde

IRIS MURDOCH

1

Alistair Langford was vergeten waarin hij geloofde, alsof iemand de kamer was binnengekomen, waardoor hij de draad van zijn verhaal was kwijtgeraakt. Hij had zijn hele leven lang meedogenloze compromissen gesloten, gebaseerd op zijn idealen, en vond het verrassend om te merken dat die zomaar vervlogen waren. De rest van de mensheid was gewoon doorgegaan met autorijden, kinderen krijgen en lunchen. Hij glimlachte bitter naar de lucht, want het was zijn drieënzestigste verjaardag en hij had nooit gedacht dat hij die aan de rand van een klif zou doorbrengen.

Zeewater spoot omhoog, fijn krijtstof waaide als antwoord over de rand. Normaal gesproken was hij geen man die van overbodige ritjes hield, niet iemand die zijn huis zou verlaten om een gewone zonsondergang te bekijken, of zou gaan wandelen in het maanlicht. Maar nu keek hij zwijgend naar de grijze zee beneden en de golven die opwelden, aanzwollen en omsloegen.

Nooit eerder was hem iets beangstigends overkomen. Hij was altijd alle gevaar uit de weg gegaan. Hij had liever interesses dan passies gekoesterd en hij had zichzelf liever omringd met elegantie dan met gecompliceerde schoonheid. Hij schepte een heimelijk genoegen in zijn negentiende-eeuwse tafels, zijn John Cafe-kandelaars, zijn chippendalestoelen. Hoofdzakelijk combinaties van lijnen en hoeken, onderhevig aan de wetten van de trigonometrie.

De zee was heel anders. Hij keek naar zijn schoenen op het ruige, gele gras. Achter hem kwamen twee fleurig geklede meisjes aangelopen over het pad. Ze spraken een taal die hij niet begreep en lachten toen ze hem passeerden. Even was Alistair bang dat ze om zijn wandelstok lachten, maar hij liet die gedachte wegebben, samen met het geluid van hun stemmen en dat van hun voetstappen op het zachte krijt. Waarom zou hij zich in 's hemelsnaam nog zorgen maken over zijn waardigheid? Bovendien was het veel te heet.

Onder hem lag de zee, koud en woest, en hij genoot ervan hoe het water de onderkant van het klif raakte en in bogen over het krijt sproeide.

Hij kon zijn been pas sinds een week weer gebruiken en wist dat de fysiotherapeut hem zou hebben afgeraden zo ver te rijden of lopen. Het verbaasde hem zelf ook dat hij zomaar de autosleutels had gepakt en was vertrokken. Waarom? Hij wist het wel. Een sterke, voelbare herinnering had hem overvallen: het gevoel van ruimte, de weidsheid van het Kanaal voor je. Het had zich als honger in zijn maag genesteld. Voordat hij het zelf in de gaten had, was hij het oude huis van zijn moeder uit gelopen – zijn zoon was achtergebleven om de dierbare porseleinen en koperen relikwieën in te pakken die zij tijdens haar leven had verzameld – en hierheen gegaan.

Er waaide een warme wind. Zelfs voor augustus was het ongewoon heet. Toen hij door Dover reed, waren de straten witheet en verlaten geweest. Het deed denken aan hoe het er na een kernramp uit zou kunnen zien: droge, verbleekte gazonnen, de verschrompelde geraniums langs Maison Dieu Road, die angstaanjagend zwiepten in hun mandjes.

Hij was over de slingerende klifweg omhooggereden, had de auto op de parkeerplaats achtergelaten en was over het pad gestrompeld, op zoek naar het uitzicht. En daar was het dan: het Kanaal, grijsgroen en helemaal leeg tot aan Calais. Een lichaamloze vrouwenstem dreef op de wind, vanuit de immense veerbootterminal rechts, en verzocht de mensen in monotoon Frans of Duits de boot op of af te gaan. Het leek allemaal nogal onnodig ... maar toch ook heel attent. Het gekrijs van meeuwen, altijd lichtelijk opgewonden, was hoorbaar.

Het was eigenaardig hoe dit uitzicht nog altijd zijn dromen binnendrong. Als kind had hij zich hier vaak hele middagen verschanst en plannetjes gesmeed, maar nu was hij na amper tien minuten al uitgeput. Lichtelijk teleurgesteld bonsde hij met zijn wandelstok op de grond. Maar toch, dacht hij bij zichzelf, bleef het gevaar aanwezig dat hij door extreme eenzaamheid het incident zou gaan herbeleven. Dat vermeed hij nu in elk geval.

Er was eigenlijk geen enkele reden om daarover te tobben, want zijn hoofd was blanco wat het recente verleden betrof. Bizar genoeg spookte niet het incident door zijn hoofd, maar iets wat zijn vrouw erover had gezegd. In het ziekenhuis, haar hand op de zijne, had Rosalind haar bleke gezicht naar hem toe gedraaid en gezegd: "Maar hoe kun je ze niet gehóórd hebben, Alistair? Hoe? Dan moeten ze wel zo stil als hónden zijn geweest ..."

De onheilspellende uitdrukking op haar gezicht was zo vreemd, ze klonk alsof ze zo uit een intellectualistische *film noir* was weggelopen. Hij had zich er eigenaardig bedreigd door gevoeld. Het was alsof ze al die jaren een deel van zichzelf voor hem verborgen had gehouden. Ineens schoot de gedachte door zijn hoofd dat zij een verhouding gehad kon hebben. Misschien was zíj ontrouw geweest.

Hoe kon je dat zien aan anderen, zelfs al was het je vrouw? Hij was drieënzestig, maar kon hij nog steeds niet op zijn intuïtie vertrouwen? Nee, blijkbaar niet. En het was belachelijk; het idee dat Rosalind een verhouding zou hebben. In zijn eervolle verleden had hij bijna gewild dat ze er een had, want soms wilde hij dat ze die uitzonderlijke onberispelijkheid, waarvoor hij was gevallen, kwijt zou raken. Maar dat voelde nu als een gevaarlijk idee. Hij had haar gracieuze inschikkelijkheid meer dan ooit nodig, zoals angstige kinderen verhaaltjes nodig hebben voor het slapengaan. Eén gewelddaad had alles verscheurd wat bij hem hoorde.

Waarom had ze die vreemde zin gebruikt?

Ze was er niet bij geweest, maar het was eigenlijk wel een goede omschrijving. De twee mannen waren stil als honden geweest toen ze onder de straatlantaarns achter hem aan liepen, op hun lichte sportschoenen. En toen ze stilhielden waren ze onzichtbaar geweest, op een glinstering na, die van de gesp van de riem van de kleinste weerkaatste. Hij zag het en deed een paar passen achterwaarts, achter de telefooncel, en de ster doofde.

Precies op dat moment ging vier huizen verderop de voordeur open, waardoor het licht rijkelijk over het witte trapje en door de glanzend zwarte spijlen van het hek stroomde. Stroken schaduw vielen op de Londense stoep. Pianomuziek en het zangerige soort gelach, geen echt gelach, maar dat van een beschaafde samenzwering, walmden naar buiten op een flauwe geur van sigarenrook. De gastheer had zijn arm om de gastvrouw geslagen, die zijn pols met haar hand vasthield, waardoor haar armband of horlogewijzerplaat onbewust het licht weer op de riemgesp liet glinsteren. De gastheer zei: "Doe je Roz de hartelijke groeten van ons?"

"Natuurlijk doe ik dat", zei Alistair.

De kleinste man keek vluchtig naar de andere, grotere man. Hoewel het te donker was om de herkenning op zijn gezicht te zien, was die wel voelbaar: ja, dit was hem. Die lul van een advocaat.

"O, verdomme ... de káárt!" zei Alistair. "Heb ik jullie haar kaart gegeven? Verdomme! Dat ben ik vast vergeten. Ze had speciaal voor jullie een kaart geschreven, waar is dat rotding ...?" Hij doorzocht zijn zakken, beklopte ze allemaal twee keer.

Voor de gestalten in de duisternis leek het alsof hij tijd rekte. Maar hij had er geen idee van dat tijdrekken misschien noodzakelijk was; voor hem was het gewoon het einde van een avond.

"Nou", zei hij, "typisch iets voor mij. Ze had een kaart voor jullie – rozen voorop, een raam, een kat of zoiets – ik moest haar nog belóven niet te vergeten die te geven ..."

"Je bent volkomen waardeloos, Al. We hebben nooit begrepen waarom ze met je getrouwd is", zei de gastheer. Hij was een zeer lange, magere man, het type van wie op jonge leeftijd al talloze malen de bril van zijn hoofd was geslagen en die zijn leven nu zo had georganiseerd dat dat nooit meer zou gebeuren. Hij lachte net iets harder dan nodig was. Daarna sloeg hij Alistair op de schouder. "Doe haar nou maar de groeten", zei hij.

"Doe ik, Julian."

"En weet je zeker dat je geen taxi wilt? Laatste kans ... je móét wel meer gedronken hebben dan toegestaan."

De kleinste man voelde hoe zijn hart een slag oversloeg en hoorde de adem van zijn vriend stokken; om de klootzak weg te zien rijden in een taxi, na al de inleidende spanning, en gewoon terug te moeten naar de flat met een paar zakken van Burger King ...

"Nee, nee, écht, ik kan nog best rijden", zei Alistair glimlachend.

Het echtpaar bleef nog even in de deuropening staan, hand in hand en omlijst door het goudkleurig licht van de fonkelende kroonluchter achter hen. Ze zagen er vermogend en tevreden uit, terwijl de onzichtbare gezichten zich afvroegen of er ooit bij hen ingebroken was.

Het licht van de deur verdween achter Alistairs hakken toen hij in de richting van de nieuwe donkerblauwe BMW liep, die de twee mannen eerder hadden gesignaleerd toen ze erlangs waren gelopen. Ze hadden er beiden een sleutel langs willen halen, maar de grote had gezegd dat ze het moesten opsparen, álles moesten opsparen voor straks.

Nu het zover was, liepen ze geruisloos achter Alistair aan en zagen hoe hij in zijn zakken naar zijn autosleutels zocht. Uiteindelijk haalde hij ze uit zijn colbert ... samen met iets anders. Ze hoorden de vloek en het gromgeluid dat hij maakte toen hij de kaart in zijn hand herkende. Hij kwam net langs een vuilnisbak en vertraagde zijn pas. Zijn hand bewoog er onzeker naartoe, geplaagd door zijn geweten. Zou hij de kaart weggooien en zijn vrouw laten denken dat hij hem aan hun vrienden had gegeven? "*Suppressio veri* of *suggestio falsi?*" vroeg hij zich spottend af, in de wetenschap dat hij Rosalind vele schaamteloze leugens had verteld.

Op dat moment besprongen twee gedaanten hem en werd zijn verheven perspectief voor altijd veranderd.

Ze handelden snel: de een hield zijn armen naar achteren en de ander sloeg hard met de honkbalknuppel, vijf of zes keer, op zijn rechterbeen. Alistair hoorde het bot kraken en voelde hoe hij in elkaar zakte. Het was een vreemde, onvrijwillige beweging, alsof hij een duik nam in de golf van pijn. Toen ze hem op de grond gooiden moet een van hen een geparkeerde auto hebben aangestoten, want het laatste wat hij zich herinnerde was het geloei van een alarm en de knipperende koplampen, die de rennende gedaanten deden oplichten in hartslagen van tijd.

Alistair hinkte het klifpad af en zag de auto, die heet genoeg moest zijn om een ei op te bakken. Hij was zo onverstandig geweest hem in de zon te zetten. Het was de auto van zijn vrouw – hij kon niet in zijn eigen auto rijden – maar in haar automaat was het net te doen met zijn slechte been. Hij startte hem en meanderde Dover weer in, rijdend langs pension na pension, als ongetrouwde tantes die hij jaren niet had gezien: armoedig koket achter hun vlijtige liesjes.

De tijd was bepaald niet stil blijven staan sinds de laatste keer dat hij in Dover was. De bakkerij van Igglesdon Square met zijn kleine theesalon – hij kon de scones met jam nog proeven, het gevoel een brave jongen te zijn geweest – was nu een steriele winkel met boeken en kantoorbenodigdheden. Het Café de Paris, waarvan de naam zoveel onzin had opgeroepen en waarin hij had zitten dromen boven een doodgewoon kopje thee en een boek in het jaar voordat hij in Oxford ging studeren, was gesloopt en vergeten. Beach Street, met het huis van zijn vriendje Tommy, was met de grond gelijkgemaakt en vervangen door een parkeerterrein voor vrachtwagens.

Maar al die oude gebouwen hadden er nog wel gestaan in de fotoalbums van zijn moeder, die ochtend. Weggestopt voor in een van die albums zat een foto van een kleine, grijze vrouw met een kat op haar schoot. Dat was blijkbaar zijn moeder. Hij zou haar niet hebben herkend. De vrouw die hij had gekend, had kastanjebruin haar, zware heupen en mooie ogen. Waar was het glaasje zoete sherry of de sigaret in haar hand? Op de achterkant van de foto stond: "Beste June, bedankt voor de heerlijke dag en een geweldige lunch. Oktober 2000." Hij voelde een steek van jaloezie, van buitensluiting. Deze dunne vrouw met haar kat was vijf weken geleden overleden. Het was niet bij hem opgekomen zich af te vragen hoe zijn moeder eruitzag toen ze stierf. Het is moeilijk te geloven dat andere mensen blijven bestaan, als je ze nooit meer ziet.

Zijn moeder en hij hadden elkaar in geen veertig jaar gesproken of aangeraakt. Toch had ze bestaan; ze had zelfs een lunch voor haar vrienden verzorgd op een oktobermiddag. Haar leven was doorgegaan, zonder hem. Ze had een kat gehad. Waar was die gebleven? Wat was er met haar kat gebeurd, vroeg hij zich af.

Toen hij met zijn zoon Luke aankwam hadden ze een chaos aangetroffen. Het plafond van de hal had het begeven, waardoor regenwater naar binnen was gelekt en het tapijt had geruïneerd. Hij bedacht dat de kat waarschijnlijk was weggelopen, op zoek naar voedsel. Had hij watertandend toegekeken hoe zijn bazin door elke voedertijd heen had geslapen, drie lange dagen en nachten, terwijl ze in een vreemde hoop onder aan de trap lag? Het moest een heel stille dood geweest zijn, dacht hij, met alleen de kat als getuige.

Het was niet de manier waarop zijn moeders leven had moeten eindigen. Dat voelde hij opeens hartstochtelijk en er verscheen een kleur op zijn wangen en een glans in zijn ogen. Hij wist dat hij geen recht had op deze verbolgenheid. De verloren zoon had geen recht om te treuren. Hij was er onlangs achter gekomen dat al zijn gevoelens van tamelijk slechte smaak getuigden.

Hij stopte voor het huis. Twee Iraaks-Koerdische mannen liepen voorbij. Een van hen droeg een gescheurde vuilniszak met kleren; de mouw van een rode pull-over hing eruit en flapperde heen en weer achter zijn benen. De man stopte en draaide zich om. Zijn profiel was uitgemergeld, slecht geschoren en knap. Bij het laatste trekje van zijn sigaret zoog hij zijn wangen naar binnen. Hij gooide de peuk in de bosjes en herschikte het gewicht van de zak, tilde hem op zijn heup. Daarna knikte hij naar zijn vriend en gingen ze verder. Ze waren blijkbaar gewend zich aan te passen aan elkaars pauzes. Misschien hadden ze samen hun lange reis gemaakt. Was die vuilniszak alles wat ze hadden meegebracht?

De avond ervoor had hij op het nieuws gezien hoe een buslading asielzoekers Frankrijk werd uitgezet. Hij herinnerde zich een closeup van een man die kronkelde en huilde, zich letterlijk voor zijn kop sloeg en zich de haren uit het hoofd trok. Ze waren allemaal ontdekt in een Parijse kerk, en na een aantal dagen van bureaucratisch gesteggel, van scanderende menigten met zelfgemaakte borden, van tvreporters in het licht van hun schijnwerpers en gehurkte cameramannen, werd besloten dat ze ten onrechte in Europa waren.

Alistair deed de auto op slot en liep naar het huis waarin hij als kind had gewoond. Hij verwachtte nog steeds het bord te zien met QUEEN ELIZABETH PENSION. KAMERS VRIJ erop en de fleurige, gebloemde gordijnen. Maar die dingen waren net zo ver weg en achterhaald als zijn jeugd.

Blijkbaar was zijn moeder in 1980 gestopt met het runnen van het pension. Ze moest toen zesenzestig geweest zijn. Slechts drie jaar ouder dan hij nu was. Op een gegeven moment had ze geprobeerd de bovenhelft van het huis als appartement te verkopen, maar niemand wilde het hebben. Dover was tegenwoordig niet bepaald een fijne stad – hooguit een plek om doorheen te reizen, of tijdelijk te wonen.

Hij had deze feiten over het huis gelezen in de documenten die hem na zijn moeders dood waren toegestuurd. Ze was kennelijk op de begane grond gaan wonen vanwege de problemen met haar heupen, dacht hij. Over haar heupen had hij in het medische dossier gelezen.

Zijn moeders heupen, de brede heupen waarop hij was rondgedragen, met zijn duim in zijn mond, terwijl hij aan de plooien in haar katoenen jurk wriemelde en de warmte van haar zachte middel en buik tegen zijn blote benen voelde. Ooit was hij niet zichzelf geweest, maar het gênantste onderdeel van haar lichaam. Hij kon zich nog herinneren hoe ze hem steviger vastgreep terwijl ze zich naar voren boog om haar sigaret af te tikken. Ze ging problemen altijd per twee te lijf: je stofte met één hand, schudde de kussens van de bank op met de andere. Je maakte de wasbak schoon met het oude water uit de karaffen van de nachtkastjes.

Hij schrok ervan hoe vaak ze aan het schoonmaken was, in zijn herinnering. Altijd maar schoonmaken. Bedden opmaken, de keukenvloer dweilen, een spinnenweb van het plafond verwijderen met een roze plumeau. Het vaakst nog zag hij haar tijdens haar allerlaatste bezigheid op een zondagmiddag: het poetsen van de kleine beeldjes in hun eigen woonkamer. Hij herinnerde zich een beeldje van een papegaai op een schommel, dat ze had gekocht tijdens een uitje naar Bath (Joost mag weten waarom juist dat een souvenir uit Bath moest zijn), een zilveren kat die zijn poot zat te likken, een breed glimlachende herderin en dertig kleine porseleinen doosjes. Hij voelde nog haar aandoenlijke tevredenheid, wanneer het dressoir glansde en ze onderuit kon zakken met haar zondagse glaasje sherry. In zijn herinnering stond de radio op de achtergrond aan, achter een waas van sigarettenrook.

Zijn moeder verscheen intact in zijn herinnering, met haar krulspelden en haar angsten. Hij was zich nooit eerder bewust geweest van haar vastberadenheid. Nu scheen elk van zijn herinneringen doordrenkt met haar bovennatuurlijke vastbeslotenheid om de klus te klaren. Haar leven was meedogenloos ondergeschikt gemaakt aan een opgewekt stel principes: als je iets doet, moet je het goed doen en ledigheid is des duivels oorkussen. Hij voelde zich ineenkrimpen van liefde en afschuw. De geestdodende bescheidenheid van haar verwachtingen! Dit was wat hij van zich had afgeschud, toen hij die laatste keer naar de trein richting Londen was gerend, het raampje omlaag had geklapt zodra hij erin zat en grote happen lucht had genomen, terwijl de wielen in beweging kwamen.

We komen eigenlijk helemaal niet ver in het leven, dacht hij.

Maar kon je het hem kwalijk nemen dat hij dacht dat dat wel zo was, alsof hij op een andere planeet was herboren? Het thuis dat Rosalind en hij hadden opgebouwd in Holland Park, met de dikke damasten gordijnen, de notenhouten bijzettafels, de zware zilveren fotolijsten met foto's van hun tennissende kinderen en van het huis dat ze vaak huurden in Italië – elk aspect van hun leven was een uitvloeisel van de smaak die zijn vrouw had geërfd. En dat was precies hoe hij het had gewild. Hij had willen vergeten waar hij was opgegroeid en zich willen verliezen in de wereld van iemand anders. Hij had een schone, geordende wereld gekozen, zonder de geur van gebakken ontbijt of grote, vreemde mannen.

"Luke?" riep hij, terwijl hij de krappe hal binnenkwam. Door de achterdeur heen zag hij zijn zoon, die in de tuin een sigaret stond te roken en tegen losse graszoden schopte. Hij keek toe hoe Luke een vuist maakte met zijn rechterhand en die vlak voor zijn gezicht omdraaide, alsof hij probeerde in te schatten hoe sterk hij was. Alistair was zich nu bewust van het opgekropte geweld in mensen. "Luke? Ik ben er weer."

Zijn zoon ontspande de vuist en blies een wolk rook uit. "Ik rook effe een sigaretje, pap. Ik kom zo."

"Rustig aan", riep hij. Praten was moeilijk met Luke, altijd al geweest.

Alistair liep de woonkamer van zijn moeder in en keek naar alle stoffige beeldjes. Hij had niet geprobeerd ook maar iets aan zijn zoon uit te leggen, en tot zijn grote opluchting leek Luke te veel in beslag genomen om iets te vragen. Dit was een onwerkelijke toestand, het kon niet zo blijven, zelfs al had Luke voor het eerst hartzeer, zoals Rosalind het noemde. Zijn zoon moest toch wel verbaasd zijn over het verleden van zijn vader. Hij had er immers helemaal niets van geweten, tot gisteravond, toen ze in Dover waren aangekomen en samen een avondmaal van witte bonen in tomatensaus op geroosterd brood hadden gegeten in de keuken van een dode mevrouw.

Alistair had het gevoel dat hij op de een of andere manier iets moest uitleggen. Maar straks.

Zijn been deed behoorlijk zeer na de wandeling en het ritje, dus ging hij hijgend in de oude leunstoel zitten. De stilte had de intensiteit van de dood. Het was niet onaangenaam.

Hij zat waar zijn moeder had gezeten, op de foto. Er kleefden witte kattenharen aan de armleuning van de stoel. Haar stoel, die in de richting van de tv was gedraaid. Hij vroeg zich af waar ze naar had gekeken. Toen hij klein was luisterde ze graag naar detectiveverhalen op de radio. Detectiveseries misschien? Hij pakte een kattenhaar en rolde hem tussen duim en wijsvinger. Haar kat.

Dat hij in de afgelopen maanden het vertrouwen dat zijn echtgenote in de wereld had, wel vernietigd moest hebben, ook daaraan dacht Alistair maar liever niet. Die realiteit trof hem zo nu en dan in de vorm van een hevige samentrekking van zijn maag, waarop hij onmiddellijk een biografie of een krant begon te lezen, in een poging gedachten eraan te voorkomen. Hij had de gewoonte ontwikkeld nerveus aan de manchetten van zijn overhemd te trekken.

Het was vreemd dat hij nooit zichzelf had hoeven verdedigen, terwijl hij in zijn leven vaak drugsdealers en dieven had verdedigd tegenover sceptische jury's. De woorden bleven letterlijk in zijn keel steken nu hij ze het hardst nodig had, nu oogcontact met zijn ingetogen vrouw als een klap in het gezicht voelde. In zijn hele carrière als advocaat had hij zich nooit eerder afgevraagd wat de gedaagden hun vrouw vertelden, of er scènes waren geweest in de keuken, op de gang. Of er tranen waren.

Niet dat hij nu een toestand van nederigheid had bereikt. In werkelijkheid was het de gedachte dat het allemaal makkelijk verborgen had kunnen blijven, waardoor hij zijn boek neergooide en in zijn neusbrug kneep, alsof hij de twee kanten van zijn hoofd bij elkaar moest houden. Een paar andere details: als zijn belagers fitter waren geweest en voor de politie hadden kunnen vluchten; als hij echt van de afschuwelijke wijn had gedronken die Julian altijd serveerde en een taxi naar huis had moeten nemen, in plaats van heimelijk twee glazen in de gootsteen leeg te gieten en bijna nuchter te blijven. Of als Julian niet zo verdomde alert was geweest. Want hoeveel Londenaren komen er nou hun warme huis uit rennen als ze een autoalarm horen? Dat geluid hóórt gewoon bij de muziek van Londen.

Maar Julians dochter was enkele maanden geleden hardhandig beroofd en bij ieder geluid op straat sprong hij uit bed, beende naar het raam, en trok de gordijnen open, waardoor de straatlantaarns de slaapkamer doforanje kleurden. Zijn vrouw vond dat Julian er met iemand over moest praten, naar een therapeut moest gaan. Alistair had Rosalind daarover horen praten met haar aan de telefoon.

Het alarm was afgegaan toen een van de jongens tegen een auto stootte. Om het te kunnen horen, moesten Julian en Elise haast wel met andere gasten bij de voordeur hebben gestaan. En Julian kwam al aanrennen. Toen hij in eerste instantie alleen twee joyriders met een honkbalknuppel bij de auto van een van de buren had gezien, had hij met zijn mobiele telefoon het alarmnummer gebeld. Pas daarna zag hij zijn vriend ineengezakt op de grond. Hij was geschrokken teruggerend, het huis in.

Als ze gewoon in de nacht waren verdwenen, dacht Alistair, zou de hele wereld nu nog samenhangen. Dan zou hij zijn baan nog hebben, zijn goede naam en het respect van zijn vrouw en kinderen. Als hij de loop van de geschiedenis onbeduidend had veranderd door een paar minuten langer te blijven en dus ná de andere gasten te vertrekken, waren Julian en Elise ten tijde van de aanval misschien al naar de keuken gegaan, met de lege glazen. Het geluid van het autoalarm was dan mogelijk overstemd door dat van de vaatwasser.

Een paar aanpassingen hier en daar en de schade was beperkt gebleven tot ernstig beenletsel. Dan zou men medelijden met hem hebben gehad.

Maar Michael Jensen en Anil Bandari werden binnen een uur binnengebracht op bureau Chelsea en Julian kreeg complimenten voor zijn snelle handelen. Drie dagen later stond het bericht in alle kranten.

Sophie, zijn dochter, had Alistair sindsdien niet meer gesproken. Ze werkte voor de *Telegraph* en was natuurlijk gedwongen om te zien hoe haar collega's, die gekweld ineendoken boven hun toetsenborden wanneer ze langsliep met haar kop koffie, over haar eigen vader schreven. Hij wist het nog niet, en ze gaf het zelf ook niet toe, maar dit was voor Sophie de reden geweest die ze nodig had. Ze was op zoek geweest naar een manier om uit te kunnen leggen waarom ze met haar droombaan wilde kappen.

Alistair had geen idee hoe eenzaam Sophie was. Hij hield van zijn dochter, maar op een onbeholpen, gepassioneerde manier. Ze was het razend intelligente meisje met wie hij had kunnen trouwen. Als zijn vrouw zich zorgen maakte dat Sophie nog geen 'speciaal iemand' in haar leven had, schrok hij hoe weerzinwekkend hij dat idee vond. Hij kon er niet over praten. De laatste keer, toen Rosalind voorstelde James Marsden voor het eten uit te nodigen, had hij zijn knoop van zijn manchet gerukt.

"De zoon van Anthony, bedoel je? Dat is een ongelooflijke stomkop, lieverd. Die lult ze zo onder tafel", zei hij.

"O. Ik vind wel dat hij er goed uitziet. Vriendelijk, beleefd. Maar misschien heb je gelijk, lieverd. Dat zal dan wel."

Als tiener was Sophie heel ziek geweest, anorexia, en Alistair was er nog steeds verbijsterd over en was doodsbang voor de enorme wilskracht die ze had laten zien: veertig kilo, zwijgend aan tafel. Had hij deze rare ziekte veroorzaakt? Hij had er nooit iets over gezegd waar zij bij was. En hoewel ze altijd openhartig was, was zij er ook nooit over begonnen tegen hem. In plaats daarvan voerden ze heftige discussies over actualiteiten en terwijl ze zich voorhielden dat ze daarvan genoten, lag er altijd een onuitgesproken onderliggend gevoel van verraad onder de extreme standpunten die ze innamen. Zij was altijd de cynicus in deze discussies, altijd degene die corruptie bespeurde, terwijl hij de stem van conservatieve redelijkheid was. Geen van beiden vond dat ze zichzelf oprecht weergaven in dat ritueel na het eten. Ze beëindigden het gesprek somber gestemd en voegden zich dan bij de andere twee om naar het journaal te kijken.

"En, pap", zei Luke, die met zijn handen in zijn zakken de kamer binnenkwam, "nemen we wat dingen mee of niet? Ik bedoel, wat wil je met al deze ... spúllen?" Hij had een van de beeldjes opgepakt – een klein porseleinen hondje – en Alistair wilde het 't liefst uit zijn zoons handen trekken. Hij wist welk oordeel Luke zou vellen: hij zou denken dat zijn grootmoeder een ordinair iemand was, iemand zonder smaak. Het was ondraaglijk.

"Gaat het wel, pap?"

"Met mij? Ja, hoor. Ik ben alleen doodop."

"Je mag toch nog niet lopen? Waar ben je geweest?"

Alistair stond op en strekte zijn been. Daarna rekte hij zijn armen, draaide zijn hoofd, masseerde zijn nek en knakte met zijn vingers. "O ... nergens. Gewoon even een frisse neus gehaald. Ik denk dat ik je moeder maar even moet bellen om haar te laten weten wat we doen."

"Ja, wat dóén we eigenlijk?"

"Ik weet het niet ..." Alistairs stem was ongewoon zacht.

Hij keek vluchtig uit het raam, door de vitrage heen. Hij voelde een overweldigende drang om te huilen. Om de een of andere reden moest hij denken aan de brieven die zijn zoon altijd schreef toen hij op de kostschool zat, met ieder doelpunt dat hij had gescoord, ieder goed cijfer dat hij had gehaald. Sophie had nooit de moeite genomen om te schrijven. Het had eigenlijk andersom moeten zijn.

"Nou, we kunnen maar beter zeggen dat we snel terugkomen, pap, want mam belde net al en vroeg of we thuis zouden zijn voor het eten, je weet wel, omdat het je verjaardag is ...”

Alistairs vrouw bleef hem verbazen; haar vermogen om ongewenste dingen te onderdrukken en gewoon de tafel te dekken was ontzagwekkend. Luke wendde zich af, bijna net zo erg in verlegenheid gebracht door deze ongepaste verjaardag als zijn vader.

“Ja, dat moeten we haar even laten weten”, zei Alistair.

“Sorry dat ik het vergeten ben, pap.”

“Wat ben je vergeten?”

“Dat je jarig bent.”

“Och hemel, dat kan me niets schelen.” Hij wilde dolgraag iets bekennen aan zijn zoon. Hoe zou het zijn om zich simpelweg tot Luke te wenden en te zeggen: “Hoor eens, we weten allebei dat het belachelijk is om nu mijn verjaardag te vieren. Ik heb je moeders leven en dat van mezelf verpest. En nu staan we hier in het huis waar ik ben opgegroeid en je kunt met je eigen ogen zien dat ik altijd maar heb gedaan alsof, heb gelogen eigenlijk, al voordat jij geboren was.” Maar dat was onmogelijk. “Het kan me niets schelen”, zei hij nog maar een keer. Zijn zoon kuchte. Alistairs blik schoot naar de levenloze tv. Hij stelde zich voor dat hij hem aanzette om de stilte van de kamer op te vullen.

“Nou, gaan we vanavond terug of niet?” vroeg Luke.

“Ja, dat lijkt me het beste. Ik wilde alleen even een idee krijgen hoeveel er te regelen is.”

“Ze heeft toch een heleboel aan andere mensen nagelaten?”

Weer zat zijn zoon aan de beeldjes. Hij vroeg zich waarschijnlijk af wie er in ’s hemelsnaam blij zou zijn om zoiets te erven. Afgrijselijke prullen, dat moest hij wel denken. Luke liet het hondje achteroverhellen en het bekje viel open in een grimas.

Alistair pakte het uit zijn zoons hand. “Ja, een groot deel is aan anderen nagelaten. Maar Joost mag weten wie al die troep wil hebben, hè?”

Luke glimlachte, zich amper bewust van wat er gezegd was, maar gewoon blij met de kans om met genegenheid zijn vader in zijn droeve ogen te kijken.

Voor Alistair leek het alsof ze beiden lachten om zijn grapje. Zijn zoon en hij waren gemene samenzweerders in de mistroostige woonkamer van zijn moeder.

Perfect, dacht Alistair. Deze zoon heb je zelf gemaakt; je hebt je hele leven hard gewerkt om hem zijn vooroordelen te geven. Je hebt de skireisjes voor hem bekostigd, de kostschoolvrienden met hun landhuizen, de vriendinnetjes met hun glanzende blonde haar en pashminasjaals. En nu moet je met hem lachen om je moeders bezittingen. Zo maak je het verraad compleet.

"Kom op, laten we teruggaan naar Londen", zei hij en hij zette het beeldje voorzichtig neer.

2

Rosalind en Alistair hadden elkaar leren kennen toen zij achttien was en hij in zijn laatste jaar van Oxford zat. Het was 1958. Haar neef Philip had haar meegevraagd naar een meibal en haar moeder stond erop dat ze ging. Ze wilde niet, omdat Philip overduidelijk vond dat ze dom was. Hij was nooit ronduit lomp tegen haar, maar als het gesprek een wending nam naar serieuze zaken, zoals politiek, maakte hij zich zorgen dat zij het 'saai' zou vinden en veranderde snel van onderwerp. Hij vroeg haar dingen over feesten, wie samen waren gezien enzovoort. Ze kon er niets tegen doen. Zelfs al zou ze durven aandringen dat ze het niet saai vond, dat ze wilde leren en graag iemand wilde zijn die, nou ja, dingen dácht, dan nog zou ze het niet hebben gewaagd haar mening te geven. Maar ze luisterde graag. Ze had de gewoonte om haar twee witte handen om haar gezicht te vouwen en stilletjes voor zich uit te kijken. Mensen zagen dit soms aan voor zelfvoldaanheid.

Haar moeder verafgoodde Philip. Iedereen eigenlijk, maar haar moeder des te meer, omdat ze haar enige zoontje had verloren toen dat twee was – daarom was Philip haar lievelingsneefje geworden. Ze hadden een bijna flirterige relatie, en toen ze elkaar belden om Rosalinds reisschema naar Oxford te bespreken, vond Rosalind dat het klonk alsof haar moeder erheen ging en niet zijzelf. Haar moeder lachte onstuimig om Philips overdreven beschrijvingen van de chaotische voorbereidingen die op zijn universiteit werden getroffen, om studenten die verwoede pogingen deden verwilderde haren en baarden te temmen die hun een week eerder nog een filosofische uitstraling leken te geven. Rosalind voelde zich als een toevallige bijkomstigheid in een regeling tussen twee meer flamboyante persoonlijkheden.

Zo voelde ze zich vaak. Ze zou graag meer op haar oudere zus Suzannah lijken, die moppen kon vertellen en tegen hun vader zei dat ze in het communisme was geïnteresseerd, of in het boeddhisme. Maar wanneer Rosalind de ruzies hoorde die Suzannah met hun moeder had, begroef ze haar gezicht in haar kussen en bedacht hoeveel fijner het eigenlijk was om gewoon stil te zijn.

"Heb je je tong verloren, Rozzy?" vroeg haar vader soms tijdens de lunch. En daarna woelde hij door haar haar alsof hij dat juist zo leuk aan haar vond.

"Rechtop zitten, lieverd", zei haar moeder dan voor de zoveelste keer.

Ze haalde haar jurk tevoorschijn en legde hem uit op het hotelbed. Hij was van Suzannah, licht lilakleurig, wat heel goed paste bij haar donkere haar. Ze vond zichzelf mooi, maar niet beeldschoon zoals haar oudere zus. Voor echte schoonheid leek meer karakter nodig te zijn. Ze had eens lang gestaard naar een tijdschriftfoto van Marilyn Monroe, die haar halfgesloten ogen sensueel op de lens richtte. Het beeld joeg haar schrik aan. Ze vroeg zich af hoe het voor een man moest zijn om Marilyn Monroe te kussen – de grote borsten die tegen je aan drukten, de vlezige armen om je nek. Was dat wat ze wilden?

Weer werd ze bang. Deze wereld van gevoelens die nog onbegrijpelijk voor haar waren, kwam af en toe op bezoek. Het was alsof ze dan een geest zag. De uitdrukking op Monroes gezicht behoorde ertoe, en de keer dat haar zus dronken thuiskwam, met bloed op haar slipje en onderrok en bladeren in haar haar. Suzannah bleef maar lachen en zeggen dat ze niet geloofde dat dát alles was. Ze bleef lachen, tot boven aan de trap naar de eerste verdieping, bleef staan voor de slaapkamer van hun ouders en zei: "Het is gewoon zo ... onbenullig, wat er van je verwacht wordt. Zo ... onbenullig", en Rosalind moest haar hand voor de mond van haar zus houden. Ze had haar moeten uitkleden. De volgende ochtend schoof Suzannah een gouden armband, waarvan ze wist dat Rosalind hem mooi vond, onder haar deur door met een briefje waarop alleen maar stond: "Dank je wel."

Rosalind deed de armband om en klipte haar pareloorbellen vast. Ze was tevreden met haar uiterlijk als ze helemaal was opgetut. Ze wist dat ze aan de meeste criteria voldeed: slank, niet te lang, egale huid en heldere ogen. En ze wist dat Philip het maar half als grapje bedoelde, toen ze naar het hek van de universiteit liepen en hij zijn arm om haar heen sloeg en zei dat ze zijn reputatie eindeloos goed zou doen. Het was een koele avond en lichte regen druppelde op de serpentine en ballonnen. Ze schuilden zodra dat kon en Philip riep naar een vriend van hem, die er enigszins komisch uitzag in een smoking die hem een paar maten te groot was. "Al!" schreeuwde hij. De vriend draaide zich om, grijnsde naar hen en ze gingen achter hem in de rij staan. Hij had donker haar, blauwe ogen en een zeer bleke huid. Zo bleek dat Rosalind zich afvroeg of het wel goed met hem ging. Ze keek hoe zijn scherpe blik van haar gezicht naar de grond, naar de kerktoren en terug stuiterde.

"Al, dit is Rozzy. Rozzy, dit is Al." Ze kregen amper de kans om elkaar de hand te schudden of Philip stelde haar alweer aan iemand anders voor, een paar plaatsen verderop.

Alistair vond haar het best verzorgde en meest stralende meisje dat hij ooit had gezien. Hoe werd een mens zo schoon en glanzend? Je moest zo geboren worden, dacht hij. Hij had een smoezeligheid over zich die je er nooit af zou kunnen schrobben. Hij staarde naar de ongelooflijke symmetrie van haar krullen. Veel van de meisjes die hij onderweg was tegengekomen, hadden bloemen of linten in het haar, maar zij had alleen die glanzende donkere krullen. De vastberaden eenvoud ervan was bijna intimiderend. Ze was als een haiku, dacht hij (hij had er tijdens het avondeten een paar gelezen). Hij had haar graag een compliment willen maken, maar wist niet wat gepast was om te zeggen. Toen hij naar Oxford was gekomen, had het hem maar een paar dagen gekost om zijn eigen stem in te wisselen voor Philips kostschoolstem. Toch merkte hij nog vaak dat hij niet wist wát hij met die nieuwe stem moest zeggen.

Hij had zich, net als elk jaar, in de loop van de week steeds onzekerder gevoeld, terwijl hij zag hoe de universiteit werd getransformeerd tot een speelplaats vol gekleurde lampjes, ballonnen en witte luifels. Hij wist waar hij was als hij met zijn boeken in zijn hand over de binnenplaats liep en Philip na een college geduldig uitlegde wat deze niet had begrepen. Ze waren aan elkaar gewaagd: Philip was goed in lichtzinnigheid, Alistair had het aanmatigende, academische sarcasme onder de knie – samen geloofden ze helemaal nergens in. Philip rekende op de hulp van Alistair bij zijn essays en nam hem in het begin als dank mee uit voor een lunch of diner. Algauw hielp Alistair hem met al zijn essays en betaalde Philip voor al zijn maaltijden.

Maar nu, in Philips reservesmoking, zich bewust van de te lange mouwen en het feit dat hij niet kon dansen, en op een vreemde manier afgestraft door de onberispelijke bekoorlijkheid van dit onbekende meisje, zou Alistair het liefst gewoon terug naar zijn kamer gaan. Maar dan zou hij zich een mislukkeling voelen. Dit was het eerste bal waar hij heen ging; hij had in de laatste vakantie genoeg verdiend om een kaartje te kunnen kopen en was vastbesloten Oxford niet te verlaten zonder naar ten minste één bal te zijn geweest, hoe ongemakkelijk en onvoorbereid hij zich ook voelde.

Philip reikte hem een glas champagne aan. "Opdrinken", zei hij. Hij sloeg zijn eigen glas in één keer achterover en Alistair raakte in paniek. Roekeloosheid maakte hem bang, want het leven vereiste zoveel denkvermogen, zoveel beheersing.

Philip overleed toen hij begin vijftig was, in feite aan alcoholisme, en Alistair herinnerde zich dat soort gebaren van hem, die allemaal als klappen op een trommel in zijn gedachten aankwamen. Het was een vreemde begrafenis, vol flamboyant geklede homoseksuele mannen met droevige gezichten. Op het laatste moment voelde Philips partner zich niet in staat te spreken en dus werd Alistair gevraagd dit te doen. Hij was bang dat iemand zou denken dat hij ook homo was, en schaamde zich tegelijkertijd voor die gedachte, nu zijn goede vriend was overleden. Er was oprechte liefde tussen hen geweest, ook al waren ze uit elkaar gegroeid doordat Philips levensstijl steeds onconventioneler werd en die van Alistair juist steeds conventioneler. Philip gaf Alistair altijd complimentjes over zijn kleding, en Alistair was stilzwijgend dankbaar voor het diepe medeleven waaruit dat voortkwam. Philip had hem leren begrijpen in de vroege Rosalind-tijd en hij was iemand die nooit iemand veroordeelde, of vergat hoe belangrijk de dingen waren die hij over iemand wist.

Het was Philip geweest die het als eerste had voorgesteld: "Waarom vraag je haar niet of ze een rondleiding wil?"

"Een rondleiding?"

"Ja."

"Kan dat?"

"Hoe bedoel je?"

"Ik bedoel, zou ze dat niet vrijpostig vinden of zo?"

"Ze is niet zo stijf als ze eruitziet ... hóóp ik. Met haar moeder kun je in ieder geval gigantisch lachen. Daar heeft ze vast wel íéts van meegekregen." Philip gaf Alistair een por in zijn ribben, maar hij liet de grap doodvallen toen hij Alistairs angstige gezicht zag. "Het is volkomen normaal om een meisje zoiets te vragen", zei hij.

"Echt?"

Rosalind stond een stukje verderop, met een meisje dat bij haar op school had gezeten. Twee nerveuze meisjes onder een klein melkwegstelsel aan feestverlichting, die in een boom hing. Bestond er iets minder toegankelijks?

"Kom op, ik leid die andere wel af; ze kent me wel niet, maar dat maakt niets uit."

Op de een of andere manier vroeg Alistair het, en ze stemde in. Het waren kwellende seconden, maar Rosalind was onervaren genoeg om duidelijk te laten blijken vereerd te zijn, wat Alistair aanmoedigde. Hij merkte dat de schoolvriendin grijnsde en haar wenkbrauwen optrok en zag hoe Rosalind flauw naar haar lachte.

Ze liepen samen naar de rivier, waar stelletjes in punters afmeerden; de meisjes zaten op plaids en keken met hun gezicht schuin omhoog naar de hemel, alsof een of andere onweerstaanbaar romantische kracht hen daartoe dwong. Iedereen liet zich van zijn beste kant zien.

"Weet je, volgens mij kent die Philip Veronica helemaal niet", zei Rosalind, terwijl ze over een kleine voetbrug liepen. Philip was met open armen op het meisje af gerend, al roepend dat hij haar gemist had. Alistair keek naar Rosalind en vroeg zich af of ze erom zou moeten lachen, maar in plaats daarvan drong de implicatie van Philips schijnvertoning tot haar door en bloosde ze zichtbaar. Ze wendde haar blik af naar de rivier en trok haar handschoen op. "Mooi, hè? De bomen, bedoel ik ... met al die lichtjes", zei ze.

Hij was onder de indruk van haar. Hij bewonderde haar vermogen zich snel te herstellen. Ze glimlachte naar hem toen ze in de punter stapten, en toen hij zag hoe ze haar jurk onder zich gladstreek, wist hij dat ze de netste en meest ordentelijke persoon moest zijn die hij zich kon voorstellen. De rivier glinsterde en wiegde de boot terwijl ze wegvoeren. Hoe zou het zijn om in de nabijheid van die netheid te leven, om gerustgesteld te worden door de bewegingen van die sierlijke handen? Ze was het tegenovergestelde van hem, met zijn vernederende oefeningen voor de spiegel: Alistair die een sigaret rookt, Alistair die een dronk uitbrengt, Alistair die de krant leest en opkijkt als iemand hem een kop koffie brengt op zíjn sociëteit. De scènes die hij uitbeeldde! Ze was het levende bewijs dat hij nog geen kind voor de gek kon houden. Ze was tussen dat alles geboren. Ze had het leven geleefd dat hij stukje voor stukje bij elkaar puzzelde op basis van gesprekken met Philip – over lunch op zondag, gevolgd door een wandeling in regenlaarzen, over het Glyndebourne-operafestival in de zomer, borrels op frisse, regenachtige avonden in Londen en kalme gesprekken met je vader bij een glas port. Als hij zich Rosalinds leven voorstelde, vergat hij vaak dat ze een meisje was. Soms gebeurde het dat zijn dagdromen over haar op een detail vastliepen. Dan zág hij haar plotseling en was hij op een vreemde manier teleurgesteld, dus droomde hij maar weer over Philips leven, waarmee hij zich beter kon identificeren, in plaats van zich af te vragen hoe dat van Rosalind eruitzag.

Ze beschikte niet over Philips bevoogdende houding, maar had wel zijn indrukwekkende nonchalance als er iets heerlijks op haar pad kwam, zoals de met bloemen bestrooide tafel vol flessen champagne, die haar bij terugkomst een simpel "O, lekker" en een vlugge glimlach ontlokte. Hij vroeg zich af of hij nu al verliefd was.

Ze zeiden niet veel terwijl ze langs de andere stelletjes punterden, soms zo dichtbij dat Alistair zich geneerde toen hij een jongen hetzelfde praatje hoorde afdraaien als hij had gedaan: "En dat is de Magdalen Tower, waar ze op 1 mei altijd zingen", enzovoort. Hij had haar bijna uitsluitend verteld over de verschillende universiteitsgebouwen, aangemoedigd door de geruststelling van haar geknik en glimlachjes. Ze leek geboeid. Ze was heel anders dan de meisjes van de Dover Grammar School, die met hun ogen rolden als ze vonden dat je 'doorzeurde'. Die vonden hem saai, en de boeken waarmee hij zich nauwgezet had geprofileerd (hij probeerde vroeger vaak wel drie verschillende titels uit onder zijn arm, vóór hij het huis verliet), hadden hem niet populair gemaakt. Boeken waren een selffulfilling prophecy, begreep hij nu.

Maar op Oxford had hij zich voor het eerst gerespecteerd gevoeld, omdat hij goed kon debatteren op de sociëteit. Toch wist hij dat het niet meer was dan academische achting. Hij was zich ervan bewust dat de anderen het gevoel hadden dat ze hem niet konden uitnodigen voor een weekend thuis, of voor zomervakanties. Ze veranderden van gespreksonderwerp of vermeden de kwestie. Met zijn geweldige talent om het slechtste in de menselijke aard te aanvaarden, accepteerde hij dit gedwee en hij nam nooit het initiatief hen ergens bij te betrekken. Hij begreep het, hij voelde zelfs met hen mee. Hij ging ervan uit dat ze dachten dat hij niet wist 'hoe hij zich moest gedragen'. Dat zeiden ze vaak genoeg over andere mensen. Hij zou hen, of hun goede, verfijnde en liefhebbende ouders – die ze allemaal zeker hadden – niet graag in verlegenheid brengen.

In feite was Philip verantwoordelijk voor deze situatie. Hij was altijd bezorgd dat Alistair niet genoeg geld zou hebben voor vakanties, of zelfs voor een treinkaartje om een weekend weg te gaan, en dat hij zich vernederd zou voelen als hij hem geld zou lenen. Behoedzaam waarschuwde hij de anderen vooraf om het niet over vakanties of feestjes te hebben. De combinatie van Philips tact en Alistairs sombere visie op de mensheid betekende dat zijn leven beperkt bleef tot de trimesters en de roddels op de universiteit. Als Michael en Sam begonnen te praten over mensen in Londen, of wie waarheen ging met kerst, wendde hij zijn blik af en wachtte zwijgend. Hij probeerde er niet aan te denken dat hij naar huis moest gaan.

Deze gewoonte, dit door bittere ervaring geleerde vermogen om in de coulissen te wachten en filosofisch de grote voorstellingen van anderen te observeren, verklaarde het gevoel van herkenning tussen Alistair en Rosalind, ook al kwamen ze uit nog zulke verschillende werelden. Misschien ontstaan de sterkste menselijke banden op die manier: door het toeval van een gelijksoortig emotioneel verleden, hoe verschillend de gebeurtenissen waaruit die emoties voortvloeien ook zijn. Ze vulden elkaar op een handige manier aan. Rosalind verschafte hem authenticiteit: met haar conventionele bevalligheid en haar onnavolgbare accuratesse op het punt van goede manieren werd hij meteen opgenomen in de kleurige wereld die elke zomer zo dreigend voor zijn neus losbarstte als de feesten begonnen. Hij had het gevoel dat hij heel discreet werd binnengelaten, of zo vatte hij het tenminste op toen Michael Richardson zich naar hem toe boog en zei: "Ik wist niet dat jij Rosalind Blunt kende. Geluksvogel. Mooie meid."

Rosalind vond Alistair intelligent; overduidelijk en ontegenzeggelijk intelligent. Ze merkte dat de ogen van zijn vrienden zijn kant op schoten om te zien of hij hun grappen en citaten goedkeurde. Ze zeiden: "Vraag het Al", wanneer ze ergens niet uit kwamen.

Ze werden allebei aangetrokken door wat de ander toevoegde, als ze onder de mensen waren. Ze dachten er niet over samen alleen te zijn. Voor kwetsbare mensen waren het kortzichtige, maar sterke redenen om verliefd te worden.

Ze stonden vlak bij de punters, een glas champagne in de hand. Hij vroeg: "Wil je dansen?"

Ze keek hem vluchtig aan en glimlachte, keek toen naar de grond. Ziek van angst vroeg hij zich af of hij iets verkeerd had gedaan, zichzelf voor schut had gezet. Hij kreeg er een droge mond van. Hij zou nog liever een been breken of een vinger kwijtraken dan zichzelf voor schut zetten in het bijzijn van dit meisje. Hij schrok van de plotselinge gewelddadigheid van zijn verbeelding en hij sloot een paar tellen zijn ogen om die in te dammen. Hij moest kalm blijven.

"Misschien moeten we even wat met de anderen gaan drinken?" zei Rosalind.

"Ja. Ja natuurlijk. Sorry. Natuurlijk."

Ineens leek de muziek ondraaglijk vals, onheilspellend als het gezoem van wespen, en de dierlijke drijfveren achter alle linten, de serpentines en de gesteven witte overhemden sijpelden naar de oppervlakte. Dit meisje was te goed voor hem. Wie kon het wat schelen dat de debatclub je hoog waardeerde als je niet wist hoe je je moest gedragen?

En toen legde ze heel voorzichtig, heel even, haar hand op zijn arm – of eigenlijk op zijn mouw; ze drukte te zacht om contact met zijn huid te maken – en zei: "Laten we even met hen kletsen en dan vragen of zij ook willen dansen."

Hij vertelde zijn moeder niets over Rosalind, toen hij in de zomervakantie naar huis ging. Niet dat er veel te vertellen viel: amper een week na die avond was ze voor een aantal maanden weggegaan, eerst op vakantie met haar ouders en daarna logeerde ze bij een tante in Lyon voor een cursus Frans. Ze had beloofd een kaartje te sturen. Weer in de vochtige hal in Dover, met de geur van gekookte kool en het gesnurk uit kamer 3, bedacht hij dat hij wel gek moest zijn geweest om te denken dat ze deel van zijn leven kon uitmaken. Dat glanzende meisje ... hier.

"Wil je roerei of gewoon gebakken eieren?" vroeg zijn moeder. Ze was bezig het ontbijt te maken. Er waren vijf gasten.

"Gebakken", zei hij, al zijn teleurstelling in dat ene woord leggend.

Ze liep naar de koelkast voor de eieren en haar slippers flapten op het linoleum. "Jemig, wat is er met jou aan de hand? Als je geen trek hebt moet je ze niet nemen, zonde om ze te verspillen."

"Nee ... ik heb wel trek, mam", zei hij. "Erg veel trek."

"Ja, ik weet ook niet wat je nu gewend bent, hè. Cornflakes waarschijnlijk. Jus d'orange." Ze huiverde bijna.

"Nee. Ik wil graag eieren. Ik wil echt graag eieren", zei hij.

Ze had besloten dat ze op de universiteit geen fatsoenlijk Engels ontbijt aten en dat hij een afschuw van dit belangrijke onderdeel van zijn opvoeding had ontwikkeld. Hij kon haar met geen mogelijkheid geruststellen en van het tegendeel overtuigen, vooral niet omdat hij door de tentamenstress magerder dan normaal was thuisgekomen.

Ze maakte roerei, gebakken, gekookte of gepocheerde eieren. Een Amerikaan had eens de fout gemaakt om om een omelet te vragen. Spek, kippers, worst, tomaat, champignons, somde hij voor zichzelf op. Thee, koffie, melk, suiker. Terwijl hij naar het patroon van het plastic tafellaken staarde en er met zijn vinger overheen ging, herinnerde hij zich dat hij degene was die het antwoord op vraag 14a in het jurisprudentieopstel had ingevuld en zijn hart ging sneller kloppen van opwinding. Hij wist dat hij het goed gemaakt had. Het leek of er een orkaan in zijn borstkas woedde. Hij werd advocaat.

Zijn moeder legde een rij tomaten onder de grill en liet met haar andere hand de toast in een rekje glijden. Hij kende haar bewegingen uit zijn hoofd. Altijd vier stappen tussen de koelkast en de kookplaat.

Flap, flap, flap, flap, en dan de klik en het gerammel van de koelkastdeur die openging.

"Drink je je thee niet op?" vroeg ze. Ze draaide zich om en legde een hand op het aanrecht, terwijl ze haar sigaretten uit de zak van haar schort haalde.

"Wél."

"Als je het niet wilt, hoef je het niet op te drinken, hoor Alistair. Ik wil niet dat je denkt dat het moet."

"Dat denk ik helemaal niet. Wat heb je, mam?"

Ze pakte de asbak op en smeet hem weer neer. Als ze kwaad was kon je de woede letterlijk in haar ogen zien springen, als een wild dier in een natuurfilm – schermvullend. "Sla niet zo'n toon tegen me aan!" zei ze. "Waag het niet ooit zo tegen me te praten. Je komt hier helemaal vol van jezelf aanzetten en denkt dat je te goed bent voor het huis waar je bent opgegroeid en brengt al die tijd uit schaamte niet één van je Oxford-vrienden mee op bezoek. En nu praat je zó tegen me!"

En dit was zijn eerste ochtend thuis. Het enige waaraan hij kon denken wanneer hij haar observeerde, was hoe anders deze boze, verweerde vrouw was dan Rosalind. Hoe lang had hij haar al gehaat zonder het toe te geven? Ineens kon hij haar niet meer los zien van de verstikkende mufheid van haar keuken, de geur van bakvet en het manische geluid van de fluitende ketel. Hij staarde naar de vele aderen in haar hand, die gespreid op haar mollige, beschorte heup lag, en vroeg zich af hoe vaak ze in die houding onder aan de trap had gestaan om hem achter zijn bureau vandaan te roepen. "Kom op, Al, je bent jong. Waarom zou je een dag als vandaag aan die oude boeken verspillen?" Ze wilde hem altijd achter zijn bureau vandaan hebben. Dat begreep hij nu. Hij had er Rosalind – de puurheid en orde waarvan hij dacht dat ze hem die zou brengen – voor nodig gehad om het in te zien: zijn moeder had geprobeerd zijn leven te saboteren!

Ze drukte – of liever gezegd: stampte – haar sigaret uit en keek hem recht in de ogen aan. "Wie denk je wel niet dat je bent, Alistair?"

"Dat weet ik niet, hè?"

"Hoe bedoel je 'Dat weet ik niet'?"

"Ik bedoel dat ik het niet weet, mam, omdat jij me niks over mijn vader wilt vertellen, hè?" antwoordde hij. En toen verliet hij de kamer, de eieren en de thee nog onaangeroerd, want hij wist donders goed dat hij het onzegbare gezegd had.

"Waar denk je aan, pap?" vroeg Luke.

"Ik?"

Dat zei hij altijd: "Ik?" Altijd het ontwijken, de uitsteltechniek, alsof hij hoopte dat er iemand anders in de kamer was aan wie de vraag eigenlijk werd gesteld.

"Je keek even heel gek."

"O ... Ik vroeg me af of het druk zal zijn op de A2. Meer niet."

"Oké", zei Luke. "Eh ... je vindt het toch niet erg als ik naar mijn walkman luister?"

"Nee! Ga je gang", zei Alistair. "Luister maar."

"Dank je."

Het was voor beiden een opluchting dat ze niet hoefden te praten. Ze hadden elkaar nooit veel te zeggen. Luke morste vaak zijn drankjes of liet dingen uit zijn handen vallen wanneer zijn vader de kamer binnenkwam. Als zijn zus in de buurt was voelde hij zich een buitenbeentje en hij begreep niet waarom ze zich zo uitsloofden met hun lange, uitputtende discussies, als ze toch het buitenlandbeleid van de VS of president Mugabes wat-dan-ook niet konden veranderen. Hij ruimde de vaatwasser in met zijn moeder of ging kijken wat ze in de tuin had gedaan, terwijl Sophie en zijn vader aan tafel bleven zitten. In de laatste paar jaar, sinds hij goed verdiende, had hij er steeds minder problemen mee. Hij voelde zich niet meer zo ... dom.

Hij geloofde in zijn moeders liefde op een manier waarop hij niet in zijn vaders liefde kon geloven. Niet omdat zijn moeder en hij 'echte gesprekken' hadden, zoals sommige mensen, die in detail over hun relatieproblemen en seksleven en zo praatten. Nee, zijn moeder verdeelde haar liefde netjes en hygiënisch: ze zette bloemen bij zijn bed, dacht eraan als hij een afspraak bij de dokter had of kocht donzige handdoeken voor zijn appartement. Dat was haar manier om het uit te drukken: beperkt, maar oprecht. Hij wist nooit wat zijn vader echt dacht wanneer hij hem op de schouders sloeg en vroeg: "En, hoe is het, Luke?" en keek alsof hij liever naar zijn werkkamer ging dan een lang antwoord aan te moeten horen. Sophie vond dat hij zich dit inbeeldde. Ze zei dat hij volwassen moest worden en niet moest blijven hangen in het patroon van zijn kinderangsten. Het gekke was dat er helemaal geen 'patroon' was als hij van huis was. Zijn vrienden vonden hem cool en zelfverzekerd; als ze wilden weten wat de plannen waren, belden ze hem ... Het 'patroon' verscheen zodra hij door de voordeur naar binnen stapte. En zijn familie dacht dat dat de echte Luke was!

Het feit dat Alistair zijn verleden altijd verborgen had gehouden, veroorzaakte een kloof tussen hen. Luke wist niet wat hij daarover moest zeggen, of over het schandaal, hoewel dit meer uit bezorgdheid om zichzelf was dan om zijn vader. Het was bijna onmogelijk om te denken aan wat zijn vader had gedaan, zonder het gevoel te hebben dat de hemel naar beneden zou storten, laat staan om er echt iets over te zeggen. Hij had zich de afgelopen week een paar keer gerealiseerd dat Alistair dacht dat hij op het punt stond erover te beginnen en hij had angst, echte paniek, in zijn ogen gezien. Hij had zijn vader nog nooit eerder nerveus gezien, zelfs niet eens van zijn stuk gebracht.

Luke voelde zich weer net een tiener. Het was vreselijk hoe snel hij achteruit was gegaan in de twee weken dat hij thuis was. Even schaamde hij zich voor zijn spiegelbeeld, dat het autoraam hem voorschotelde: mokkend en met hangende schouders, koptelefoon op zijn hoofd. Hij was achtentwintig. Maar waarom zou hij zich schamen? Waarom zou hij de moeite doen? Zijn zus en hij waren toch zeventien gebleven in de ogen van hun ouders. Ze waren allebei openlijk verbaasd als hij voor de middag opstond. Normaliter zou hij regelmatig de tuin in moeten gaan om een sigaret te roken, tandenknarsend van woede, en denken: weten ze dan niet dat ik 75.000 pond per jaar verdien? Hadden ze zijn appartement niet gezien? Maar het was niet in zijn belang om nu zijn zelfstandigheid te benadrukken. Hij wilde weer kind zijn, voor een paar weken, tot hij Arianne terug had.

Hij had ook erg veel medelijden met zijn moeder en dacht dat het goed voor haar zou zijn om hem om zich heen te hebben om zich zorgen over te maken. Hij zag dat zij het gemakkelijker vond om voor hem te zorgen dan voor zijn vader, bij wie iedere onwillekeurige, vriendelijke daad eraan herinnerde dat er iets mis was, dat hij alles verpest had. Als hij er echt over nadacht, verbaasde hij zich erover dat ze nog onder één dak woonden. Maar hij geloofde dat dingen heel anders waren als je oud en getrouwd was. Eigenlijk *wílde* hij het geloven. Het huwelijk van zijn ouders moest onverwoestbaar zijn, anders zou hij instorten.

Vorige week, in een bar, had een vriend tegen hem gezegd: "Dat zeg je steeds, Luke, maar wat bedoel je met 'instorten'? Je leeft toch gewoon door? Gewoon blijven ademen, blijven doorwerken, eet een Big Mac, druk op PLAY. Je vindt echt wel weer een ander meisje, hoor. Je ziet er vreselijk goed uit en Arianne was toch alleen maar ellende? Ze was wel sexy, daarin moet ik je gelijk geven, kerel ..."

Luke dacht aan haar taille, haar borsten, de manier waarop ze haar kin vooruitstak als ze iets saais of een 'zwak' iemand negeerde. 'Ingestort' – zo zag zijn appartement eruit toen zij vertrok. Zo zag *híj* eruit, toen hij in zijn boxershort op de bank op vrijdagochtend zijn moeder belde. Hij zou Arianne terugkrijgen.

Toen Luke en Alistair thuiskwamen, stond er al een andere auto op de oprit.

"Suzannah", zei Luke met een zucht. "Waarom is ze hier?" Hij keek vluchtig naar zijn vaders gespannen gezicht.

"Ik ga met dit been geen kilometers lopen", zei Alistair. "Ik zet haar" – hij zette de de automaat knarsend in *drive* – "gewoon klem. Er zit niks anders op."

"O God, denk je dat ze blijft eten? Ik ben niet zo erg in de Suzannah-stemming."

"Nee. Ik ook niet", zei hij. Waarom had Rosalind haar uitgenodigd? Suzannah en hij hadden het nooit met elkaar kunnen vinden; Alistair wist gewoon dat ze het hem nooit had vergeven dat hij in haar minder mooie zus geïnteresseerd was geweest. Na alles wat er was gebeurd, kwam ze zich vast om hem verkneukelen. Waarom had Rosalind haar gevraagd te komen? Maar toen hij aan zijn vrouw dacht, aan haar doffe ogen, haar nieuwe, opgejaagde blik, en aan het leven dat hij voor haar opgebouwd én geruïneerd had, dacht hij: als dit haar wraak is, dan moet dat maar. "Och jezus", zei hij hardop, waarop Lukes blik even de zijne kruiste. Er sprong een vonkje humor over. Wie weet waarom mensen lachen? Misschien komt het door het instorten van het bouwwerk van logische argumenten, de ontdekking dat je de mensheid van je af kunt schudden in het puin om je heen. Er zat niets anders op dan je over te geven aan de fijne ontspanning van borst, buik en rug. Zo zaten ze samen te lachen in de auto. Alistair schudde zijn hoofd – dit hadden ze nooit eerder gedaan.

3

Suzannah zat bij de haard, op de leuning van de bank. Toen Alistair en Luke binnenkwamen, keek ze met een onschuldige uitdrukking op haar gezicht op. Ze had een boek in haar hand – Rosalind was even in de keuken bij het vlees aan het kijken – en deed duidelijk alsof ze erin verdiept was, in plaats van dat ze had zitten wachten op de komst van de auto. Ze schudde de poëtische vaagheid van zich af en gooide het boek op de bank.

"Hallo, hallo", zei ze, terwijl ze Alistair op beide wangen zoende en in zijn arm kneep om haar gemeende, welgemeende medeleven te betuigen, dacht hij. "En hallo Luke, lieverd. Hoe gaat het met je?"

"Niet zo best", zei Luke.

"Och hemel."

"Maar ik werk eraan. Het wordt vast wel weer beter."

"Is het de liefde? Of gaat 't om geld?"

"De liefde."

"Aha. Vertel op!"

Er kon geen sprake van zijn om zo frivool over het grote drama van zijn leven te praten.

"Eh ... ik moet me even omkleden en mijn tas boven dumpen", zei hij. "Waar is mama?"

"Je moeder is in de keuken."

"Oké."

"Iets briljants met het lam aan het doen of de aardappelen of zoiets. Ik ben vergeten wat ook alweer. Misschien was het de appelkruimeltaart ..." Ze keek hem gewichtig aan en grijnsde.

De manier waarop Suzannah zijn moeder bespotte, maakte hem altijd boos. "O, heeft ze appelkruimeltaart gebakken? Ze maakt de lekkerste appelkruimeltaart die ik ooit heb gegeten", zei hij. "Ze is echt geweldig in de keuken."

Suzannah zocht naar haar glas en mompelde vaag: "Ja ... ja, dat is

zo." Ze vond haar wodka-tonic op de schoorsteenmantel.
Luke ging zich omkleden. Alistair liep naar het raam en deed de gordijnen dicht. Hij trok er hard aan en keek hoe de rode stof het laatste strookje straat verhulde.
"En, hoe gaat het met je?" vroeg Suzannah. Hij luisterde naar het ijsgerinkel in haar glas. "Wat akelig van je moeder."
"Dank je."
"Ik hoop dat je het niet erg vindt dat ik dit zeg, maar wat zonde dat je nooit de kans hebt gehad om het goed te maken."
"Ja."
"Ik bedoel, dat lijkt me heel vreemd."
"Ja", zei Alistair, "dat is het ook."
"Pap en ik hadden natuurlijk vaak ruzie, altijd eigenlijk, maar vooral aan het einde. Het is raar ... Je verwacht toch dat het einde van het leven harmonie brengt, hè?"
"O ja?"
"Je verwacht eigenlijk een soort afronding. Je wilt toch dingen afsluiten."
"Dat hangt ervan af of er iets af te sluiten valt, denk ik. Soms valt alles gewoon in duigen." Bizar, dacht hij, dat hij hier zo tegen op had gezien en nu zelf het gesprek voortzette, terwijl zij zo onverwachts van onderwerp veranderde. Hij was verslaafd aan zelfsabotage de laatste tijd. Of had zij het bekokstoofd? Hij begon paranoïde te worden. "Wil je wat drinken?" vroeg hij.
Ze hield haar glas omhoog. "Ik heb al, bedankt."
"O ja, natuurlijk. Je hebt al. Maar ik ben wel toe aan een borrel."
"Ja", zei ze peinzend. "Ik heb steeds meer de drang om vrede te sluiten met mensen."
"Echt?"
"Ja." Ze lachte. "Hoe bedoel je dat? Je hebt altijd gedacht dat ik een ruziezoeker was, Alistair. Maar dat ben ik niet."
"Nee, nee. Ik ... Ik ... heb gewoon zin in een borrel."
"Dat zei je net ook al. Moet ik hem soms voor je inschenken?"
"Wat? O ... nee", zei hij. Hij was niet naar het dienblad met drankflessen gelopen. Ze stond naar hem te kijken. "Sorry. Ik ben er even met mijn gedachten niet bij."
Hij liep erheen en pakte de whiskyfles. Het was een heerlijke single malt, die Sophie bij haar laatste bezoek voor hem had meegebracht. Hij schonk wat in, nam een slokje en voelde de warmte door zijn keel glijden. Hij snoof de geur op en stak een handvol gezouten amandelen in zijn mond. Al kauwend liet hij zich troosten door de heerlijke

smaken, door de simpele handelingen van eten en drinken. Ook dit was het leven, dacht hij bij zichzelf. Hij kon het geroosterde lam in de keuken ruiken, de braadgeur van rozemarijn en knoflook.

"Ja, ik wil vrede sluiten met mensen", zei Suzannah weer. "Met Andrew, met Michael en zelfs met Stefan, mijn eerste ex.

Hij draaide zich weer naar haar toe. "En hoe ga je dat doen?"

"Hoe? Ik weet het niet. Misschien ga ik ze wel brieven schrijven. Brieven kun je niet negeren, toch? Een handgeschreven boodschap ziet er zo dringend uit tegenwoordig."

Ze zuchtte. "Waarom schrijf je Rosalind geen brief?"

"Haar een brief ... Omdat we in hetzelfde huis wonen, Suzannah."

"Het leek me misschien een manier om ..."

"Dat is aardig van je."

Ze hoorden Rosalinds voetstappen in de hal.

"Weet je, Alistair, ik ben minder vreselijk dan je denkt."

"O, dat zal best", zei hij.

Ze lachte hartelijk. Het was het soort opmerking dat bij haar gevoel voor humor paste. "Proosten?"

"Ja", zei hij. "Waarom ook niet?" Hij sloot zijn ogen terwijl hij de whisky doorslikte.

Rosalind stond in de deuropening met een leeg wijnglas in haar handen.

"Hallo, lieverd", zei Alistair. Hij liep naar haar toe en zoende haar op haar wangen. Een toevallige toeschouwer zou niet geweten hebben dat er iets niet goed zat tussen hen. Suzannah, die andere mensen nooit oppervlakkig observeerde, schrok en was onder de indruk van de ijzigheid van haar zus. Alistair wees naar Rosalinds glas. "Kan ik dat voor je vullen?"

"Ik had een fles chablis op het dienblad gezet."

"Dat zag ik." Hij nam haar glas mee.

Ze droeg haar lichtroze zijden blouse en een crèmekleurige broek. Haar haren, die ze donker verfde, waren nog net zo krullend en glanzend als vroeger. In tegenstelling tot Suzannah zag Rosalind er nog steeds goed uit. Suzannahs schoonheid zocht de risico's – de scherpe jukbeenderen en de volle, rode mond –, die van Rosalind was in feite gestoeld op evenwicht. Het baren van de kinderen, hun ziektes, de zomervakanties en alle supermarktritjes, files en sportdagen van school hadden er geen invloed op gehad. Ze had een sierlijke mond, niet vol en niet dun, lichtblauwe ogen en een licht bollend voorhoofd. Het was een onbewogen schoonheid, die zich stilletjes manifesteerde. Ze had de parelketting die hij haar voor haar verjaardag had gegeven, niet om.

De wijn voelde koud toen hij haar het glas aanreikte.
"Dank je", zei ze.
"Bedankt dat je voor me hebt gekookt. Wat een verwennerij."
Ze staarde in haar glas.
"O god, je bent jarig, hè? Ik ben helemaal vergeten je te feliciteren", zei Suzannah. "Nog vele jaren."
Ze keken toe hoe Rosalind een kussen opschudde en op de bank ging zitten. "Waar is Luke?" vroeg ze.
"Hij is boven, lieverd, zich aan het omkleden."
"Heb je nog spullen meegebracht?"
"Niet echt. Helemaal niets, eigenlijk."
"Maar daarvoor gingen jullie er toch naartoe?"
"Ja."
Ze keek hem even vertwijfeld aan. "En, was alles in orde? Is er veel te regelen?"
"Ik heb een behoorlijke stapel papieren om door te spitten. Het is een beetje een zootje doordat ze geen gedetailleerd testament heeft opgesteld. Er is geen executeur. Ik ben, zoals ze dat noemen, de uitvoerder omdat ik het enige levende familielid ben. De gemeente spoort je op. Je hebt geen keus."
"Maar je kent helemaal niemand ... met wie ze omging. Hoe kun jij dan beslissen wat je met dat alles moet doen?"
"Ik zal weer terug moeten, lieverd. Volgende keer ben ik efficiënter."
Even had Rosalind medelijden met hem. Boven op al het andere was zijn moeder ook nog eens overleden. Ook al had ze gedacht dat dat al jaren geleden was gebeurd, ze wilde hem toch troosten. Ze was zachtaardig, vond haar eigen woede pijnlijk verwarrend.
Luke kwam binnen in een schone spijkerbroek en een overhemd. Zijn haar was nat van de douche. Hij zag er erg jong en gezond uit, het laatste restje bruin van zijn vakantie nog op zijn gezicht. De sfeer in de kamer werd minder gecompliceerd nu hij er was. Hij gaf Rosalind een zoen. "Het ruikt heerlijk, mam", zei hij. "Hoe laat gaan we eten?"
"Heb je trek?" Haar eigen stem verraste haar. Haar opmerkingen kwamen haar vanzelf over de lippen en ze vroeg zich af of het altijd al zo geweest was, maar het leek of ze ze nu ook zelf kon horen. Ze leken totaal geen denkvermogen te vereisen.
"Nou, pap en ik hebben niet echt geweldig gegeten daar. Dover is nou niet bepaald het culinaire middelpunt van de wereld."
"Tjee, dat kan ik me voorstellen", zei Suzannah. "Wat heb je daar? Alleen een snelle hap in een pub of fish-and-chips? O nee, het zal nu zeker wel McDonald's zijn? Felroze milkshakes."

"Het was best te doen", zei Alistair.
"Vette plastic hamburgers."
"We hebben ons wel gered."
Zijn vader zag er vernederd uit. Weer voelde Luke een steek van medeleven met hem. "Natuurlijk hebben we ons gered. Het is alleen heerlijk om thuis te komen als jij iets hebt klaargemaakt, mam, meer niet."
"Ja, inderdaad. We zijn maar gezegend", zei Suzannah.
"Hou toch op zo'n ophef over het eten te maken", zei Rosalind. "Het is alleen maar geroosterd lam, hoor. Je stopt het in de oven en haalt het er weer uit." Ze bloosde en haar ogen waren even een beetje vochtig.
"Nou, ik denk dat ik maar eens een glaasje van die wijn neem", zei Luke.
"Ook eentje voor je eerbiedwaardige tante, graag ... Mijn wodkatonic is op."
Rosalind had een gevoel alsof de wereld in een andere kamer verderging, als een liedje dat zachtjes klonk op de radio beneden en dat je denkt te herkennen, waarvan je zelfs de woorden denkt te horen, totdat de melodie ineens verkeerd blijkt.
Ze was te geschrokken door wat er was gebeurd om te weten wat ze met zichzelf aan moest. Ze stond 's morgens op, ging in bad, smeerde crème op haar gezicht, krulde haar haar en deed haar poeder, mascara en lippenstift op. Ze pakte een broek en een linnen of een katoenen blouse – want het was nog steeds erg warm in Londen – en vertrok naar de showroom van de meubel- en interieurzaak die ze met twee vriendinnen dreef. Daar ging ze met een kop koffie aan de enorme tafel zitten en bestudeerde de nieuwe catalogus die ze hadden samengesteld. Rotan manden, geborduurde kussens, bamboe salontafels, spreien van imitatie-wolfsbont. De plaatjes en de woorden gingen aan haar voorbij. Ze ploos stapels facturen door, terwijl ze tijdens de lunch haar salade at.
Carol en Jocelyn waren geweldig voor haar geweest. Ze waren erg hecht geworden gedurende de drie jaar dat ze de zaak samen runden. Op de dag nadat het uitgebreid in de kranten had gestaan, was ze naar de showroom gekomen omdat ze niet weer een hele dag wilde voelen hoe Alistair naar haar keek. Carol had een zak met badschuim en crèmes voor haar gekocht om haar te verwennen; Jocelyn had hen mee uit lunchen genomen.
"Ga je bij hem weg?" vroeg Jocelyn toen de ober hun water bracht.
"Dat moet je nu niet vragen. Daarvoor is het te vroeg, toch?" zei

Carol. Ze legde haar hand op die van Rosalind en glimlachte. "Je bent in shock."

"Ja, maar wat ik eigenlijk wilde zeggen, was dat je altijd bij mij kunt logeren", zei Jocelyn.

"Of bij mij", zei Carol. "Dat spreekt vanzelf."

"Dank je. Dank je wel."

"Daar zijn we toch vriendinnen voor? En er is bovendien iets verschrikkelijks gebeurd. Neem een slokje water."

"Wat voel je?" vroeg Jocelyn.

Ze wachtten. Rosalind staarde naar haar schoot.

"Dat moet je haar niet vragen. Het is allemaal te veel. Logisch. Wat wil je eten, Roz? Zalmkoekjes? Dat klinkt heerlijk. Laten we liever daarover nadenken."

"Ik ben het niet met je eens, Carol. Door de kwestie te omzeilen kom je nergens. Niet dat het hiermee te vergelijken is, maar toen Tom aan 't rondstoeien sloeg, heb ik hem er ronduit mee geconfronteerd en dat heeft ons ongetwijfeld gered."

De zaak – Home From Home – was in feite van Jocelyn. Het was haar idee geweest. De andere twee waren aandeelhouders en ontvingen een salaris. Ze had het hun niet verteld, maar het geld dat ze gebruikt had als startkapitaal, was boetegeld; uit schuldgevoel dat hij haar had bedrogen, had haar echtgenoot een cheque uitgeschreven. Ze wist het en het kon haar niets schelen. Ze aanvaardde de oprechte verontschuldiging die eruit sprak, omdat ze zichzelf op het vlak van emotionele transacties als een realist beschouwde. En ze had het nu toch al meer dan terugbetaald. Ze was niemand iets verschuldigd, zeker hem niet.

"Ik denk dat je gelijk hebt", zei Rosalind. "Met negeren kom je nergens." Ze staarde naar Jocelyn. Die werd nerveus van die kritische blik. Het was alsof ze dit uiteindelijk over zichzelf had afgeroepen met al haar uitdagende opmerkingen. "Ik denk dat je gelijk hebt", zei Rosalind weer.

Carol keek haar aan. "Je bedoelt dat je wél bij hem weggaat?"

"Ik hou nog steeds van hem", zei ze. En toen begon ze te huilen.

Ze had het lam zelf gesneden en zette het op tafel. Met een achteloosheid die niet normaal voor haar was gooide ze de ovenwanten door de keuken naar het aanrecht. Alistair zag het. "Wat kunnen we pakken? Kunnen we iets op tafel zetten?" vroeg hij.

"Al het andere, lijkt me. Aardappelen in de oven, groenvoer op het aanrecht."

"Oké", zei Alistair. De ovenwanten waren op de grond gevallen. Hij pakte ze op en hing ze op hun plaats aan de deur van de oven. De anderen gingen aan tafel.

"Een fascinerende plek op het moment, Dover", zei Suzannah. "Vind je niet, Luke?"

"Je bedoelt wat er steeds in het nieuws is?"

"Ja. Precies."

"Maar een plek voelt nooit aan als in het nieuws. Ik weet nog dat ze een item over Eton hadden en dat we er allemaal naar keken en bedachten hoe geweldig het zou zijn als het echt zo raar en opwindend was geweest. Ze maakten er een verhaal van met een inleiding, een kern en een slot, terwijl het eigenlijk gewoon één grote brij was. Er waren gewoon doodnormale pestkoppen en je verstuikte je enkel met rugby en lette niet goed op bij geschiedenis. Een brij ... Weet je, niet zoals in een boek of een film, waar alles elkaar logisch opvolgt en betekenis heeft."

"Maar er zijn toch echt demonstraties in Dover geweest? Rellen? Dat is nogal wat."

"Er hingen wel vlaggen aan ramen ..."

"Echt waar? Wat apart. Maar ook apart dat onze eigen vlag ons opvalt, ons op de een of andere manier zo in verlegenheid brengt. Waarom is dat?"

"Er werd niet daadwerkelijk op straat gevochten of zo."

"Maar het gebeurt wel, Luke. Op het journaal. Er is daar laatst een Albanees neergestoken, gewoon op straat, door twee skinheads."

"Wat is dat toch ... die skinheads?" vroeg Rosalind. "Al die vreemde termen, en dan moeten wij maar weten wat het betekent. Waarom scheren ze hun hoofd kaal?"

"Ik weet het niet, mam. Het is gewoon een symbool, toch? Dat je erbij hoort."

"Zoals de parels in jouw oren", zei Suzannah. "Het lijkt iets priesterlijks om je hoofd zo kaal te scheren. Iets van jezelf wegsnijden. Je zuivert jezelf, laat zien dat het je menens is. Dan naar buiten om een paar asielzoekers neer te steken en door naar de pub voor een paar liter bier om het te vieren."

"Nee, Suzannah. Je overdrijft. De media overdrijven alles", zei Alistair.

"Foto's liegen niet."

"Suzannah, dat is belachelijk. Foto's kunnen onvoorstelbaar liegen."

"Net propaganda", zei Luke. "De nazi's."

"Toch zeker niet in Engeland?"

"Waarom niet?" zei Rosalind. "Ze belazeren ons waarschijnlijk voortdurend, en wij denken gewoon dat het de waarheid is." Ze trok haar stoel naar achteren en ging zitten. Ze keken allemaal hoe ze haar servet uitvouwde en op haar schoot legde.

"Het zou kunnen", zei Suzannah.

"Mogen we beginnen, mam?"

"Natuurlijk. Ik hou niemand tegen."

"Het ziet er verrukkelijk uit, lieverd. Zo'n ..."

Rosalind schoof haar stoel plotseling naar achteren en zei: "Peper en zout."

Alsof ze toegaf dat het ontzettend tactloos van haar was om een gesprek over kranten te beginnen, ging Suzannah fluisterend verder: "Maar over de realiteit van de dood valt toch niet te twisten, Alistair. Die man is neergestoken."

"Je kunt vragen zetten bij waarom het gebeurd is. De media interpreteren dingen."

"Dus je wilt me vertellen dat er geen raciale spanningen zijn, in plaatsen als Dover en Folkestone?"

"Ik zeg dat het moeilijk is om te weten hoeveel ervan overdreven of zelfs veroorzaakt wordt door de pers."

"Pap, ik zag een vrouw vanuit haar auto naar een buitenlander spugen. Het was niet normaal."

"Ik zeg niet dat er niks aan de hand is. Ik zeg ..."

"En bij het pension op de hoek van jouw straat hing een bord met ASIELZOEKERSTUIG NIET WELKOM. Dat vond ik ook nogal wat."

"Ze voelen zich bedreigd, Alistair. En dat is zo gek niet. Wij allemaal. We hebben geen gevoel van nationale identiteit meer. Probeer jij maar eens op het randje van een land te wonen – een vreemde voorpost – waar mensen voortdurend doorheen reizen, en nooit blijven. Veerboten die af en aan varen. Europa komt naar je toe. Dat maakt het alleen maar moeilijker om te weten wie je bent. Als een aanhoudend getij dat je heen en weer trekt en je uitput."

"Eh ... ik ben daar opgegroeid."

"O ja. Dat vergeet ik steeds", zei Suzannah.

Na het eten gingen ze in de woonkamer zitten, terwijl Rosalind en Luke koffie zetten. Er stond nog steeds een Chopin-cd zacht aan, op REPEAT. Alistair zette hem uit. Het voortdurende pianospel had iets vermoeiends.

"Waarom ben je zo geheimzinnig over je verleden geweest? Je weet toch dat het niets uitmaakt?" zei Suzannah.

Hij lachte. "Niet?"

"Het zou míj zeker niks kunnen schelen."

Je zou ervan gewalgd hebben, dacht hij. Jij bent de ergste snob van het hele zootje. Hij glimlachte naar haar. "Je zou het grappig hebben gevonden, omdat je vader er een probleem mee gehad zou hebben", zei hij. Hij bezat dus nog steeds het vermogen om hen te paaien, om hun walgelijke vooroordelen te verfraaien, speels en uitbundig te laten klinken. 'Hen', dacht hij. Na dertig jaar was het nog steeds 'ik' en 'zij'.

"Zou het? O god. Je zou weleens gelijk kunnen hebben. Misschien ben ik toch zo erg als jij denkt." Ze trok haar schoenen uit en liet zich onderuitzakken op de bank. "Mag ik trouwens een whisky?"

"Dat mag."

Het was gek. Ze hadden het nooit zo goed met elkaar kunnen vinden. Niet dat hij haar ook maar een moment vertrouwde. Ze glimlachte nog steeds op haar geheimzinnige manier, om niets bijzonders, alsof ze alles van hem wist.

Maar daar hoef je nu niet meer bang voor te zijn, zei hij tegen zichzelf, want het is ook zo. Hij gaf haar de whisky en zag hoe de verdorde bladeren aan de boom voor het raam zwiepten in de wind. Een van de doornige takken tikte tegen het raam, alsof hij vroeg of hij naar binnen mocht. Hij liep naar het raam en deed de gordijnen dicht.

"Wat ga je doen?" vroeg ze.

"Dat weet ik niet."

"Je kunt niet meer werken, toch?"

"Nee. Niet na dit alles, nee."

"Misschien kun je naar Frankrijk verhuizen of zo. Spanje."

"Misschien. Misschien moet ik gewoon weggaan."

Terwijl hij dit zei, voelde hij hoe een diepe kloof van spijt en verwarring zich in hem opende. Hij viel erin, viel in zichzelf.

Had hij dit met opzet gedaan? Na zo'n intensief beheerst leven was het alsof hij plotseling had toegegeven aan het deel van hem dat tijdens de laatste akte opsprong en zei: 'Sta op! Schreeuw het uit! Spuug!' Hij had ook respectabel in het publiek kunnen blijven zitten.

Laat die avond, toen hij de deur van de logeerkamer had dichtgetrokken en het nachtlampje had aangedaan, herinnerde hij zich die keer dat hij samen met zijn moeder zijn gebed opzei. Het was het eerste moment geweest waarop hij zich realiseerde dat zij niet alle antwoorden had. "Maar waaróm doen we dit?" had hij haar gevraagd.

"Omdat we dat 's avonds doen."

"Maar waaróm?"

"Hoe bedoel je 'waarom'? Omdat iedereen dat doet! Wil jij het enige jongetje zijn dat geen gebed opzegt voor het slapengaan?" Ze keek hem met gemaakte ontsteltenis aan.

Hij had er even over nagedacht, in zijn pyjama, op zijn knieën bij het bed, met zijn favoriete speelgoedsoldaatje in zijn hand. Hij opende zijn mond om ertegenin te gaan.

"O, zeg nou gewoon je gebedje, Al, wees een brave jongen. Ik ben doodmoe."

Wat was hij lastig geweest voor haar. Hij wilde er niet aan denken hoe moe ze moest zijn geweest.

4

De eerste keer dat Luke Arianne zag, stond ze op de tafel in de Noise, een kroeg. Ze had een van haar laarsjes met stilettohakken in haar hand en lachte om de man die voor haar op de grond stond. Hij leek door zijn op elkaar geklemde kaken te praten, zijn gebogen schouders schokten bij ieder woord en hij duwde zijn handen met een gewelddadig soort nonchalance in zijn zakken. Op dat moment viel bij de voeten van het meisje een glas om. Het rolde over de rand van de tafel en viel kapot. Ze zag het en schopte er nog eentje achteraan.

Toen het tweede glas kapotviel reageerde de omgeving alsof dat het signaal was waarop ze hadden gewacht. Het was alsof het achtervolgingsmuziekje van een actiefilm werd gestart. Er volgde een vlaag van bewegingen; onverwachts sprong een man op van de leren muurbank achter de tafel. Nu hij ernaar keek, zag Luke dat daar, ongelooflijk maar waar, drie mensen nog rustig zaten te drinken. De nieuwe man schreeuwde boven de muziek uit: "Oké, laat haar nu maar met rust, Dan. Het lijkt me wel genoeg zo." Het kostte hem genoeg moeite zijn jasje uit te trekken om de conclusie te rechtvaardigen dat hij heel erg dronken was. De mouwen kwamen binnenstebuiten te zitten en hij moest zijn handen losrukken, waarop een van zijn armen zo hard naar achteren schoot dat hij zijn evenwicht verloor. In T-shirt bood hij een referentiepunt, waardoor de ongelooflijke lengte en breedte van de andere man nog meer opvielen. Ook een van de meisjes die op de muurbank hadden gezeten, stond op. Niemand besteedde aandacht aan haar. Ze gleed onverschillig langs de twee mannen, alsof ze grote rotsen waren, en baande zich een weg naar de bar om drinken te halen.

"Haar met rust laten?" schreeuwde de grotere man ongelovig terug. "Ze is volkomen losgeslagen. Moet je nou kijken! Ze staat verdomme op de táfel, Andy. Waarom zou ik haar met rust laten? Zodat ze wat – de hele klotetent kort en klein kan slaan?"

"Eh ... hallo?" schreeuwde het meisje. Haar stem klonk doordringend, woedend.

"Je maakt haar alleen nog meer van streek. Ik bedoel maar, man."

"Nou en? Ze heeft zich de hele avond als een bitch gedragen. Kan mij wat schelen als ze van streek raakt. Ach, het arme kindje heeft een woede-uitbarsting."

"Hallo? Ik ben er nog bij, hoor, weten jullie dat wel?"

"O ja, Arianne? Ben je hier ... op dezelfde planeet als wij?"

"Ach, fuck you!"

"Fuck jezelf. Vind je het normaal of zo om op een tafel te staan en glazen op de vloer te schoppen? Wanneer heb je verdomme een brief van God gehad waarin stond dat dat oké was? Niemand anders heeft die gehad. Ik in elk geval nooit."

Hij klonk Nederlands. Het was een veramerikaanste Europese stem. Zijn gevoel voor dramatiek had hij duidelijk uit actiefilms: loodzwaar en opgeblazen, niet passend bij welke werkelijke omstandigheden dan ook. Zijn lichaam was gekunsteld, bereikt dankzij halters. Maar toch kon je voor de breedte van zijn schouders niets dan respect hebben.

Luke draaide zich abrupt om naar de vriend met wie hij aan de bar stond. "Is dat Andy Jones?" vroeg hij.

De dj liet het ene nummer overvloeien in het andere; er werd nu sneller gedanst op de achtergrond.

"Wie? Waar?"

"Die gozer. Bij de tafel met dat meisje erop. Andy Jones."

"Andy Jones ..."

"Díé gozer. Die rechter, voor de deur. Kun je hem niet zien?"

"Ik zie hem wel, Luke, ik kan me alleen niet herinneren wie Andy Jones in godsnaam ís. Ken ik hem? Is hij beroemd?"

"We hebben verdomme met hem op school gezeten. Deed hij niet iets met acteren of zo? Iets artistieks? Of zat-ie in het koor? Daar zat jij ook op. Ik weet zeker dat je Andy Jones kent."

Wat deed Andy Jones met die fantastische meid? Het leek tegennatuurlijk. Niet dat hij mét haar was; hij was eigenlijk alleen maar bij haar in de buurt. Ze leek onafhankelijk in het tafereel.

Arianne zou hem altijd die indruk geven, zelfs veel later, als ze de spiegel schuin zette, zodat ze zichzelf konden zien vrijen op de vloer van de slaapkamer. Dan zag hij hoe ze naar zichzelf keek, haar eigen voorstelling analyseerde. Hij was geboeid en eenzaam. Was het de angst voor anderen of de liefde voor zichzelf waardoor Narcissus tot zijn spiegelbeeld werd aangetrokken?

Ondanks haar schoonheid was Arianne niet echt ijdel. Haar obsessie met zichzelf was uit vervreemding ontstaan; toen ze al vroeg teleurgesteld besefte dat haar ouders een 'open huwelijk' hadden en dat het woord 'liefde' bij ontwikkelde geesten vatbaar was voor meerdere interpretaties. Het raadplegen van elk weerspiegelend oppervlak had louter tot doel haar onafhankelijkheid te versterken. Arianne was bang dat ze zich niet zou kunnen overgeven, niet afhankelijk van een ander individu durfde te zijn, wat voor oppervlakkig vertoon ze ook liet zien. Ze was zich er steeds meer van bewust dat dit oppervlakkige vertoon – financieel of praktisch – niet meer dan afleidingsmanoeuvres van een illusionist waren, door de jaren heen ontwikkeld. Ze waren uiteindelijk gedoemd te mislukken, konden haar noch de mannen die ze koos overtuigen.

"Ik denk dat ik er even naartoe ga", zei Luke.

"Je denkt dat je er even naartoe gaat. Oké. Waarom ook alweer?"

"Om Andy Jones gedag te zeggen."

"O, aha."

"Ben zo terug, goed?"

"Luke?"

"Ja?"

"Wedden voor een miljoen dat die brede gast haar vriend is."

Luke grijnsde en sloeg zijn glas achterover. "Hoor eens, we hebben het hier over Andy Jones. Zo'n kans kan ik niet laten schieten."

"Ja. Maar ga niet lopen flirten met meisjes die overduidelijk een steekje los hebben en ook nog met een ander zijn."

"Weet ik, weet ik", zei hij.

Hij zette zijn glas neer en wilde naar de tafel lopen, maar voor hij dat kon doen, werd er iets gefluisterd tussen de twee mannen, en sloeg de brede vent Andy Jones tegen de grond.

Het was een perfecte rechtse hoek tegen de kaak, een stoot die Dan altijd liefdevol zijn 'klassieker' noemde. De sfeer in de kroeg sloeg onmiddellijk om. Een vloedgolf van kroegpersoneel stormde langs de hoek van de bar en het onderscheid tussen dansers en drinkers verdween doordat iedereen stopte met bewegen. "Waar? Waar?" vroegen ze aan elkaar, terwijl ze zich uitrekten om te zien wat er gaande was. Ze wilden bloed zien, een beetje menselijk drama om deze avond van alle andere te onderscheiden. Het licht van de stroboscoop was duidelijker, langzamer en onheilspellender nu er niet meer werd gedanst. Het was als koud, flikkerend maanlicht dat overal weerkaatste: op de glazen en de tafelranden, op de geometrische aluminium stoelen. De kleine gewelddaad had de ruimte veranderd in een opslagplaats voor wapens.

Voor Luke leek het of de hele scène was bedacht door het meisje op de tafel, of ze iedereen om haar heen moeiteloos had gechoreografeerd. Een hele kroeg vol mensen. Hij zou deze observatie graag met zijn vriend James delen, maar die lachte hem altijd uit om de hoogdravende dingen die hij over meisjes zei. James vond dat meisjes er waren voor de seks en mannen voor de vriendschap, en het verbaasde Luke hoeveel vrouwen zijn vriend van zich af moest slaan.

Arianne stapte van de tafel af. Nu hij niet langer een mogelijkheid had om zich aan haar voor te stellen, voelde Luke zich onzichtbaar en bewoog hij met het kleine groepje mensen dat vlak bij de bar had gestaan mee in haar richting. Ze stonden minder dan een meter van elkaar af. Het woord 'ambulance' viel. Hij hoorde het meisje zeggen: "Fuck, waarom doe je verdomme nou zo, Dan?"

Ze was lang, ongeveer een meter tachtig, en door haar hakken rees de grote man – Dan – niet zo ver boven haar uit. Ze kreeg het op de een of andere manier voor elkaar om geïmponeerd te kijken toen ze haar laars weer aantrok en hield haar ogen op die van Dan gericht terwijl ze hem rechttrok. Zij had een accent – misschien wel Frans.

"Nee serieus, waarom ben je zo'n klootzak?"

"Waarom? Omdat jij verdomme die uitwerking op mensen hebt", zei Dan.

Luke zou nog vaak aan die woordenwisseling terugdenken. Dan herinnerde hij zich de onverwachte rilling van bezorgdheid op het gezicht van het meisje en hoe haar houding ogenblikkelijk zachter werd. "Hé, toe nou", zei ze. "Ik ben bezopen. Laten we geen ruzie meer maken, lief. Ik wil naar huis. Zullen we naar jouw huis gaan?"

Luke stond versteld van haar stem. Binnen luttele seconden was die veranderd van kokende woede in honingzoete kwetsbaarheid. Hij overwoog hoe een dergelijk bereik voor nog veel meer dingen goed kon zijn.

Alle anderen in de kleine menigte probeerden een glimp van Andy op te vangen, terwijl Luke alleen maar naar het meisje kon kijken. Ze stonden minder dan een meter van elkaar af, maar er was geen enkele reden waarom ze hem zou zien staan. Ze legde haar hand op Dans gezicht. "O, Daniel, je hebt hem pijn gedaan. Hoe kon je dat nou doen?" zei ze. De grote man bezweek voor haar als een circusolifant. Toen draaide ze zich om naar Andy, die getroost werd door de andere meisjes van de muurbank. Er kwam bloed uit zijn neus en hij zat op de grond. Ze boog zich naar hem toe. "Andy, liefje, doet het zeer?"

Dan volgde haar voorbeeld en schudde op een krachtige, speelse manier Andy's knie heen en weer. "Hé, het spijt me, man", zei hij. "Ik was even helemaal de weg kwijt." Toen bracht hij zijn arm omhoog en gaf Andy een joviale klap op zijn schouder.

Arianne greep zijn pols beet. "Dan heeft spijt", zei ze. "Het spijt hem heel erg en hij is een ongelooflijke oetlul. Ik bel je morgen, Andy. We hebben 't er nog wel over, lieverd. Maak je geen zorgen."

Ze klonk alsof deze onvergeeflijke daad niet vergeten zou worden. En toen zocht ze om zich heen naar haar handtas en vertrok ... met de dader.

Dit was niet zozeer gerechtigheid als wel een compromis.

Luke liep terug naar de bar. Hij had het gevoel alsof hij urenlang vlak onder een stel boxen had staan dansen, maar het was een ándere piep in zijn oren en die kwam niet door het geluid. Zijn hoofd weergalmde van verlangen, alsof er door zijn lust een bel afging. Achter zijn wezenloze blik ging de fantasie schaamteloos tekeer. James vertelde hem iets, maar Luke zag alleen maar voor zich hoe het meisje halverwege de trap naar de uitgang bleef staan (zoals ze net gedaan had kunnen hebben). De vriend liep door naar boven, om buiten op haar te wachten en zij rende terug naar beneden, naar de toiletten. Voordat ze bij de deuropening naar de hal was, ving ze Lukes blik op. Een knikje: ja, jij.

Hij was het niet gewend om onderdanig te zijn, want hij kon ieder meisje krijgen dat hij maar wilde – dat konden zijn vrienden beamen – maar hij vond het ongelooflijk opwindend. In zijn gedachten tenminste, en daar bleef het ook verborgen.

Tegen de tijd dat hij in de koele en donkere hal aankwam, waar de muziek gedempt klonk, trok het lange meisje haar zeer korte rokje al omhoog. Er was een voorraadkast met een slot erop en ze sloeg de deur hard achter hen dicht. Het licht scheen in een oogverblindende straal langs de rand van de deur. Zijn vingers kwamen zalig vast te zitten achter haar jarretelgordel en ze rukte die ongeduldig uit, terwijl ze schopte en kronkelde en met haar hak haar slipje op het tapijt trapte. Hij had nog nooit een meisje ontmoet dat hem zo graag wilde pijpen. Ze kon niet wachten; ze likte langs haar lippen en trok met haar tanden zijn boxershort naar beneden. Maar, dacht Luke, was dit eigenlijk wel verstandig? Misschien niet, besloot hij, en hij duwde haar weg. Ze keek even lichtelijk teleurgesteld, totdat hij haar optilde en tegen de muur duwde en ze haar tanden in zijn nek moest zetten om het niet uit te schreeuwen.

"Luke?" zei James. "Stoor ik? Het kan later ook wel als het nu niet zo goed uitkomt. Luke?"

"Sorry, wat?"

Op dat moment kwam de uitsmijter de trap af rennen. Hij keek kwaad. Hij was verderop in de straat sigaretten gaan kopen. Een van de barkeepsters had hem ge-sms't dat hij zo snel mogelijk terug moest komen. Hij liep naar de bar en Luke hoorde de barkeepster tegen hem zeggen dat hij boven in het kantoortje moest komen, onmiddellijk. "Schat, ik ben bang dat je het deze keer echt verkloot hebt", zei ze.

"Waarom? Wat dan? Was er een akkefietje?" De uitsmijter speurde de ruimte af, alsof hij de laatste ogenblikken ervan nog mee zou kunnen pakken. "Ik wíst wel dat er stront aan de knikker zou zijn. Ik ben verdomme twee seconden weg en dan is er een akkefietje."

Een akkefietje – dat was de correcte manier om een verhaal zonder begin of einde te omschrijven. Er was alleen het midden, het komische hoogtepunt: het meisje op de tafel, met haar laars in haar hand, alsof ze van plan was haar hak in het oog van de grote man te steken. Luke vroeg zich af waarom ze zo kwaad was geweest. Het verbaasde hem dat hij haar woede zo opwindend vond, en dat hij de valse noot in de scène niet wilde onderkennen. Toen hij haar de trap op zag lopen, hand in hand met haar enorme vriend, kwam het bij hem op dat het misschien gewoon allemaal een opwindend spelletje was geweest, als voorspel voor de seks. De jaloezie die deze gedachte opwekte, was ondraaglijk, recht evenredig met zijn lust.

Arianne had lange, gespierde benen en hij zag hoe ze de trap beklom, stelde zich voor hoe haar huid zou aanvoelen, zag haar al gebogen over hem heen staan, op moorddadig hoge hakken en stelde zich voor dat hij mocht doen wat hij wilde tussen haar dijen.

Toen hij die nacht in bed lag, blozend en uitgeput, nadat hij hun moment in de voorraadkast volkomen recht had gedaan, dacht hij eraan hoe Arianne het glas van de tafel had geschopt. Hij glimlachte. *Pats.* Hij was dol op die brutale, gewelddadige vrouwen. Je kon je hun bevredigende orgasmes voorstellen – je kon hun bevredigende orgasmes hóren –, je zag de schitterende schaamte, als je je buren de volgende dag op de trap tegenkwam, al voor je. Zijn vriendin Lucy was dol op pastelkleuren, herinnerde hem eraan zijn kleding van de stomerij te halen en zei 'Dat was fijn, lieverd' na de seks.

En hij had nog mazzel met haar, gezien de vele uren die hij op zijn werk doorbracht. Dat moest hij niet vergeten, zei hij tegen zichzelf. Nee, Lucy was geweldig. Ze was heel mooi, hield van hem, en dat gaf veel voldoening, zelfs al werd het onderwerp trouwen steeds meer een onuitgesproken kwestie tussen hen sinds haar beste vriendin verloofd was. Hoe vaak had hij haar wel niet moeten aanhoren over de schitterende diamanten ring van Tiffany's? Maar ze was tenminste vergevingsgezind, zelfs wanneer ze voor hem had gekookt en hij in slaap viel, te moe om te eten, als hij pas om halftwaalf van zijn werk was thuisgekomen.

Zou hij liever alleen zijn? Dat was de retorische vraag die hij zichzelf van tijd tot tijd stelde. Hij vond het idee om alleen te zijn afschuwelijk, vergelijkbaar met het gevoel van een vrije val in de duisternis. Zoals veel Engelse jongens was hij op jonge leeftijd naar een dure kostschool gestuurd. 'Alleen' was een gevoel dat het beste weergegeven kon worden door hoe hij zich voelde als hij op de eerste dag van het schooljaar in z'n eentje in zijn slaapkamer zat, met de laatste restjes van zijn glimmende, rozegesjaalde moeder nog in de lucht en het besef dat er niets anders op zat dan zijn koffer uit te pakken.

Die hele week had hij op het reclamebureau waar hij werkte een onlangs bedacht spelletje gespeeld. Er kwam een immens ingewikkeld stel regels bij kijken, precies verwarrend genoeg om ervoor te zorgen dat hij bijna altijd won, zonder er helemaal zeker van te zijn dat hij vals speelde. Voor de derde keer op rij gooide hij het propje van het chocoladepapiertje in de tienpuntenzone tussen het computerscherm en de telefoon. Dat, opgeteld bij de vier keer dat de stagiair naar de kopieermachine was gelopen vóór het op de klok kwart voor was, en de drie keer dat zijn collega Hamish in drie minuten snoof, betekende dat de score nu zo hoog was dat Luke de loop van de geschiedenis mocht veranderen.

Wat er nu eigenlijk was gebeurd, was dat hij naar de tafel was gelopen en Andy Jones gedag had gezegd. En Andy had hem natuurlijk meteen herkend, omdat Luke een belangrijk figuur was geweest op school: aanvoerder bij rugby, cricket en tennis. (Hij was zelfs de eerste in de geschiedenis van de school geweest – naast een op een rund lijkende jongen met een enorme kaak die Dorian Anderson heette en op oude, gekreukelde foto's uit de jaren zestig stond – die bij drie sporten tegelijk aanvoerder was.)

Andy zei: "Shit man, geweldig om jou zomaar tegen te komen!"

Luke stak afwezig een sigaret op. "Ja, ook leuk om jou weer te zien, Andy."

"Fuck man. Ik bedoel ... Luke Langford!" Andy sloeg zich tegen het voorhoofd en lachte. Op dat moment zwaaide Luke naar een meisje dat hij toevallig kende. (Een heel mooi meisje dat hip gekleed was, in bijvoorbeeld een minirokje of hotpants. Ze keek alsof ze op hem af wou stappen maar bang was hem te storen; ze dacht misschien dat hij zaken aan het bespreken was.)

Andy gaapte hem nog steeds aan. "Sorry, ik sta echt paf", zei hij.

"Het is minstens ... tién jaar geleden? Laat me je aan iedereen voorstellen. Eh ... ik bedoel, wil je mijn vrienden ontmoeten?"

"Nou ... goed, oké. Maar ik kan niet lang blijven, hoor, Andy."

"Nee, natuurlijk. Natúúrlijk. Gewoon even snel." Hij sloeg zijn arm om Lukes schouder. "Mensen, dit is Luke Langford. De held van de school!"

En op dát moment had Arianne op hem neergekeken vanaf haar voetstuk en naar hem geglimlacht, met een soort herkenning in haar blik.

Het was heel moeilijk zich op het Calmaderm-shampoo-account te concentreren. Hij wist dat hij vanmiddag beter zijn best moest doen, want op een reclamebureau vol neurotische creatievelingen was hij degene die het zootje bij elkaar hield. Iedereen rekende op hem. Gisteren nog was er een scène geweest tussen Adrian Sand, een van de creatievelingen, en het hoofd marketing van Calmaderm. Adrian had een idee gepresenteerd dat met een sarcastisch lachje 'net een beetje té excentriek' was genoemd, en hij had zijn handen in de lucht gegooid en gevraagd wat hij dan in godsnaam moest, want deze shampoo was precies hetzelfde als iedere andere kloteshampoo en ze konden hem wat hem betrof lekschieten. Er was een overweldigende stilte gevallen.

Het was maar shampoo, god nog aan toe, dacht Luke. Maar het was zijn taak als accountmanager om als schakel tussen de twee oorlogvoerende facties te fungeren en – zoals zijn baas Sebastian met een hand op Lukes schouder zei – te helpen het grote geld binnen te slepen. Luke stond bekend als iemand die goed met mensen kon omgaan. Hij wist heel goed dat het feit dat hij op zijn achtentwintigste al zo succesvol was, te danken was aan zijn sportersrust in tijden van crisis, aan zijn evenwichtige, bruggenbouwende glimlach en zijn manchetknopen.

Hij had een hele doos vol manchetknopen, geërfd van zijn grootvader van moederskant. Op een dag had hij, omdat hij zijn moeder, met wie hij ging lunchen, een plezier wilde doen, een stel naar zijn werk gedragen. Met een vreemd gevoel voor zelfspot was het Luke opgevallen dat, samen met zijn kostschoolaccent en slaphangende haar, de manchetknopen een effect van aristocratische autoriteit op zijn collega's hadden, wat hem geen windeieren legde.

Toen hij tijdens de lunchpauze naar buiten liep om een broodje te halen, keek Luke naar de ijsblauwe lucht boven Hoxton. De wind trok zijn broekspijpen strak om zijn enkels en blies zijn haar achterover. Het was ruw weer, het tegenovergestelde van zijn bedachtzame gemoedstoestand. Alles wat om hem heen bewoog, leek gekunsteld en op een dreigende manier met elkaar verbonden. Een blikje fris dat hij op het punt stond te kopen, stuiterde naast hem in de goot. Een vrouw haastte zich de weg op en er viel een borstel uit haar handtas; toen ze zich vooroverboog om die te pakken, reed er net een motor voorbij, waardoor haar lange haar opwaaide, wat door een glazenwasser werd gezien, die zijn spons liet vallen. Achter het gesopte glas vormden de lippen van een rij opblaaspoppen hun obscene 'O' en net toen Luke zich afvroeg wat die in godsnaam te maken hadden met de verkoop van net schoeisel, gooide iemand een sigarettenpeuk op de stoep, precies onder zijn nieuwe schoen. Hij trapte het stompje uit.

Wanneer was het leven begonnen aan te voelen als een opname met een steadycam, met hem als de lopende persoon?

Hij ging met zijn blikje frisdrank en zijn pitabroodje met gerookte eend onder een boom zitten op een nabijgelegen plein. Hij had geen trek, maar had de lunch uit gewoonte gekocht, had wezenloos in de rij van de delicatessenwinkel gestaan, gerustgesteld door de vertrouwde rijen broodjes en pakjes sap, met felle bordjes die de magische woorden 'gezond' en 'vers' garandeerden. Een chipszakje scheerde over het gras en kwam vast te zitten achter het hek. Hij stopte de lunch in zijn schoudertas en stak een sigaret op.

Wat als een vreemd spelletje was begonnen, was een obsessie geworden: hoe gemakkelijk had zijn levensverhaal anders kunnen zijn. Hij dacht aan de eindeloze reeks onwaarschijnlijkheden, de kleine toevalligheden, die zijn huidige bestaan hadden gecreëerd. Hij had een advertentie gezien van het bedrijf waarvoor hij nu werkte in een krant die iemand in de metro had achtergelaten. Wie? En zat hij toen niet in de verkeerde metro? Dronken? Op weg van het ene naar het andere feestje? Hij had de pagina opgevouwen en daarna in zijn jaszak gestopt. Had hij die avond niet een meisje ontmoet en was hij niet met haar naar bed gegaan? Hoe heette ze? Hij had zijn jas nog vergeten, en toen hij wel terug moest vanwege die advertentie, had hij maar net gedaan alsof hij ook vergeten was haar telefoonnummer te vragen.

Ze geloofde dat niet, van dat nummer, herinnerde hij zich. Hij had een grote, brede glimlach getrokken en haar ernaar gevraagd en ze had haar ochtendjas heel strak om zich heen geslagen en gebloosd. Ze gaf hem zijn jas bij de deur en krabbelde het nummer in een miezerig handschrift op een stukje papier waarboven "THINGS TO DO TODAY!!" stond. Hij herinnerde zich de geur van toast uit de keuken en het verkeer dat achter hem voorbijraasde terwijl ze schreef.

Hoe héétte ze nou? Hij kon zich haar bungelende borsten herinneren ... maar niet haar naam.

En in die leegte verdween ook de gemiste kans om Arianne te ontmoeten.

Kwam het door de tv dat je dacht dat de wereld kleiner was dan hij eigenlijk is? Hij werkte nu zes jaar in de reclame en wist dat hij beter zou moeten weten. Hij zou Arianne nooit meer zien, hoezeer hun aankooppatroon van gezonde yoghurtdrankjes of hun muzieksmaak ook overeenstemden hoe dwingend de jongerencultuur ook was, als je afging op tijdschriften of documentaires over twintigers.

Zijn mobiele telefoon ging en hij wist dat het Lucy was. Alles in zijn relatie met haar was bewust gepland. Hun relatie was gebaseerd op formules, ontworpen om het afschuwelijke gevoel te bestrijden dat hij het zich zelfs nu amper toestond te voelen. Wat was het eigenlijk voor gevoel? Het kwam tussen hartslagen door; het was als het klikken op een verkeerde link, waardoor je tegen je zin naar websites wordt geslingerd die je niet wilt zien, pop-ups die op het scherm tevoorschijn springen en vernederende producten adverteren die toch íémand aan zouden moeten spreken (maar wie? waar?), veelzeggende cookies die zich sneller opstapelen dan je op ESCAPE, ESCAPE, ESCAPE kunt drukken ...

Lucy en hij waren aan elkaar voorgesteld bij een diner omdat ze twee goed uitziende singles waren, en allebei zesentwintig jaar oud. Ze pasten goed bij elkaar, als stel. Hij liet het telefoontje overgaan.

Luke voelde zich buiten adem. Hij keek om zich heen naar de kantoren en de mensen, die hij door de verlichte ramen kon zien en die allemaal hun werk deden. Moeders, vaders, vriendjes, echtgenotes. Verraad, verlangens, zorgen, trots, liefdesverdriet, ambitie. Er liepen twee meisjes voorbij die samen uit een zak chips aten. Door de azijngeur liep het water hem in de mond.

"Wat ... zoals boeddhisme, bedoel je?" vroeg een van hen.

Hij voelde zich verpletterd door details, door hoe belangrijk de levens van andere mensen waren en het toeval van al zijn prestaties. Zijn hart ging tekeer terwijl hij een aspect van zijn leven probeerde te bedenken dat, onafhankelijk van zijn blinde geloof erin, bestond.

Hij kreeg de ingeving gewoon niet meer terug naar zijn werk te gaan, nooit meer. En zou het de sterrenhemel op de foto's van zijn sabbatical in Tanzania iets kunnen schelen? Zouden de stevig gebouwde paarden in zijn boek over Mongoolse vlakten zich er ook maar één seconde aan storen?

Maar nog erger dan al deze gedachten was het vermoeden dat hij, zoals altijd, de laatste was die ze had. Hij had de neiging om zijn handen op zijn oren te leggen – alsof men hem uitlachte om zijn traagheid –, maar deed op tijd zijn armen weer naar beneden en stak nog een sigaret op.

Amper drie weken later stapte hij bij zijn vriend Ludo in de auto en ontdekte Arianne op de achterbank. Ludo had gezegd dat hij met een paar vrienden wat zou gaan drinken en dat zijn 'gestoorde nicht' ook mee zou gaan.

Ludo's familie was een geraffineerd zootje ongeregeld dat zich had verspreid over de meest pittoresk klinkende steden van Europa. Luke had zich een chique dame voorgesteld, een Philippe of Sasha die Gauloises Blondes rookte, iemand die naar de manicure ging, met een wintersportkleurtje en een kasjmieren trui. Maar in plaats daarvan zat daar Arianne.

Ze had haar haar geblondeerd. Ze zat nors onderuitgezakt in een wolk van honing en jasmijn, haar knieën in een versleten spijkerbroek tegen de achterkant van de bestuurdersstoel. Ze verplaatste zich een stukje om Luke ruimte te geven.

"Cheers", zei hij, om haar te bedanken.

Cheers? Hij zei nooit 'cheers'. Het was een deprimerend woord, vol schraal bier en muffe rook. Dartwedstrijden en regen. Cheers? Dat was hij niet. Zelfs niet iemand die hij kende.

Ze reden weg en hij overwoog zich voor te stellen. Gewoon, een normaal praatje. Hij moest zijn naam zeggen en vragen hoe zij heette. Dat was wat mensen deden, normaal gesproken. Maar hoe kon het een normaal praatje zijn als hij haar naam al kende?

Arianne ... Alleen de naam al vervulde hem met dromen, met tienernostalgie. Het bracht alle onbereikbare Franse meisjes naar boven die hij destijds niet had kunnen krijgen. Onveranderd rekten ze zich in zijn fantasie als kittens uit op de witte stranden van Cap d'Antibes, wriemelden hun bikinibandjes los en rolden zich vakkundig op hun buik. Hij dacht terug aan de marteling die hij onderging als ze snel op hun slippers door de strandtent flipflapten, waar hij vadsig wegkwijnde met zijn flesje cola. Ze roken bijna eetbaar naar kokosolie, je zou ze af willen likken, maar je wist dat ze je zouden slaan of krabben als je dat probeerde. Ze riepen verrukkelijk verontwaardigd "*Oui, j'arrive! J'arrive!*" naar vrienden, als die vanaf hun waterfietsen een stukje verderop naar hen zwaaiden.

Arianne was een vakantienaam, die hem deed watertanden naar de smaak van perensap en croissants, van ieder slaperig ontbijt dat hij ooit op gezandstraalde hotelterrassen had gegeten, terwijl zijn ouders de kaart raadpleegden. Zijn geheugen had een diepblauwe zee opgeroepen, achter een terras met verblindend witte tafels, een gevoel van volledig vertrouwen in de wereld.

Vanuit zijn rechterooghoek keek hij naar Ariannes gezicht. Ze was een sms aan het schrijven en schonk geen enkele aandacht aan hem. Weer voelde hij zich veroordeeld tot onzichtbaarheid, net als in de kroeg. En weer genoot hij ervan, als een gluurder, of een dikke jongen in de strandtent. Het was zo vreemd om terug te keren naar deze puberrol! Helemaal omdat hij inmiddels ieder meisje kon krijgen dat hij wilde.

Ariannes huid was licht koffiekleurig, waardoor haar nieuwe blonde haar bijna metaalachtig leek. Het was in een bobkapsel uit de jaren twintig geknipt en zwaaide tegen haar gezicht als de auto een bocht maakte. Ze streek een goddelijk glimmende pluk achter haar oor. En profil stak haar mond iets uit en hij krulde scherp maar subtiel omhoog bij haar bovenlip; haar wipneusje scheen de vorm hoffelijk te imiteren. Maar als om haar gezicht te redden van eentonige, meisjesachtige schoonheid had ze een sterke, bijna mannelijke kaak. Ze had lange, gespierde benen, die Luke aan sport deden denken, tenniswedstrijden in de zon op rode gravelbanen in Zuid-Italië. Hij zag citroenbomen en hoorde cicades. Hij kon zich haar fabelachtige service inbeelden.

Zijn hoofd zat vol verre plaatjes terwijl hij naast haar in de auto zat.

Het was geen precieze, fotografeerbare schoonheid. Eigenlijk bestond die vooral uit karakter. Later zou Luke ondervinden dat haar gezicht een uitdrukking van haar geest was, of liever: alsof een kunstenaar de tegenstrijdigheden in haar geest had willen uitbeelden door de sterke kaak tegenover de kleinemeisjesneus te zetten. Haar hele fysionomie was onderhevig aan elke emotie die ze voelde. Op dat moment: lusteloosheid en ergernis, die sterker werd met iedere sms die ze ontving. Luke bedacht dat haar ongeduld een duidelijke seksuele component had en vroeg zich daarna schuldig af of hij zich dat misschien inbeeldde.

Hij besloot te wachten tot ze klaar was alvorens zich voor te stellen. Hij keek uit het raam en zag zijn goede vriendin Jessica, die stond te zwaaien bij metrostation South Kensington. Ludo stopte en ze nam voorin plaats.

Ze kenden Jessica van de universiteit; Luke vond het altijd leuk om haar te zien. Toen ze in hun tweede en derde jaar met z'n drieën samenwoonden, was ze als een soort grote zus voor hen geweest, hoewel ze in feite even oud was. Ze had voor hen gekookt, aangezien er altijd voor Luke gekookt was, en Ludo altijd buiten de deur had gegeten of eten had besteld. Dus waren ze geen van beiden veel waard in de keuken en ze verorberden haar wonderbaarlijke *shepherd's pies* en pasta's dan ook als uitgehongerde kinderen. Ze hadden haar de administratie toevertrouwd en schreven afwezig een cheque uit als ze daarom vroeg. Zowel hij als Ludo voelde zich daar beschaamd en verward over als ze er nu aan terugdachten. Luke was er onlangs achter gekomen dat Jessica in het geheim bij een Pizza Hut in een stadje vlakbij had gewerkt om haar studiebeurs aan te vullen en de rekeningen te kunnen betalen. En dat terwijl haar huisgenoten drie jaar lang hadden geluierd, katerig van alcohol en drugs, en lampen lieten branden, warm water en ventilatorkachels aan lieten staan en het geld van hun ouders achteloos verkwistten.

Jessica wurmde zich half tussen de stoelen door naar achteren en kuste Arianne, die ze blijkbaar eerder ontmoet had, en gaf Luke daarna een dikke pakkerd. Ze was zo iemand die er altijd op stond fatsoenlijke knuffels en kussen te geven, zelfs wanneer ze ervoor over een tafel in een restaurant moest klimmen. Haar haar rook koud en kerstachtig, ze voelde ijskoud aan op Lukes gezicht. Ze glimlachte naar hem. "Alles goed, schat?" Hij knikte en glimlachte terug, waarna ze aan de radio van de auto begon te draaien, op zoek naar een liedje dat ze leuk vond. Ze keek vluchtig naar Arianne via het spiegeltje boven de passagiersstoel. "Ben je nog stééds aan het sms'en? Dat heeft ze gister ook de hele avond gedaan. Ben je eigenlijk wel opgehouden tussendoor?"

"Voor elkaar", zei Arianne. "Klaar. Ik zal nooit, maar dan ook nooit, nooit, nooit van mijn leven meer een sms versturen." Ze liet de telefoon nonchalant in haar tasje vallen. Arianne was dol op definitieve uitspraken.

Ze reden weer verder en Luke voelde zich steeds ongemakkelijker. Toen hij heen en weer gleed in snelle bochten raakte zijn been drie keer bijna het hare. Waarom zei Ludo niets? Ineens ergerde hij zich aan zijn vriend, die daar gewoon maar zat, met zijn knieën stuurde en meezong met David Bowie, met zijn sigaret in zijn mondhoek. Het was absurd. Het was Ludo's taak om hen aan elkaar voor te stellen.

Luke balde zijn vuist en wendde zich met zijn allerbeste glimlach tot Arianne. Maar ongelukkigerwijs draaide er, vóór hij iets kon zeggen, een staalgrijsblauwe jeep uit een zijstraat King's Road op en die ramde de passagierskant van de auto.

Het had geijzeld en ze draaiden honderdtachtig graden door de heldere, koude lucht en kwamen tegen een boom tot stilstand.

De eerste klap had hen allemaal overrompeld, maar de tweede kwam met een vredige onontkoombaarheid. De stam van de boom werd groter en groter in het zijraam, totdat hij het hele beeld vulde. Het voelde als dansen, alsof Londen hen zelf had weggeslingerd, weg, weg, weg, en hen daarna aan de andere kant weer had vastgegrepen.

De zijramen barstten op het moment van de botsing. En daarna volgde de zachte regen van glas op de stoep, het tot stilstand komen, de auto die in zijn nieuwe vorm werd geperst en de twee meisjes die stilletjes huilden. Er heerste een vreemde, bijna nachtelijke stilte terwijl het decor om hen heen vorm kreeg. Voorbijgangers kwamen dichterbij en staarden hen aan, stom en nieuwsgierig als vee.

Als die boom er niet geweest was, waren ze dwars door het raam van het Indiase restaurant gevlogen. De winterzon weerkaatste op de enorme ruit, waarachter tafeltjes stonden. Hij bleef intact, een glinsterend wonder. Ze leefden nog.

En zo kwam het dat twintig minuten later de ongelooflijke vrouw in Lukes armen lag te huilen, achter in een ambulance, nog voor hij haar zelfs maar zijn naam had verteld.

Arianne had geen Frans accent meer. Luke ontdekte later dat dat kwam en ging, afhankelijk van haar stemming. Haar moeder was Frans, maar zelf was Arianne alleen maar op vakantie geweest naar Frankrijk. Ze wilde actrice worden en verwachtte dat anderen deze en andere kleine leugens accepteerden als deel van haar levendige opvoering. Acceptatie was niet genoeg; ze had moeite met de nuchterheid van haar vrienden.

Godzijdank was geen van hen ernstig gewond. Ook de andere bestuurder was ongedeerd en had Ludo met een bange blik in zijn ogen zijn gegevens gegeven. Een opzichtig blonde vriendin kwam hem ophalen. Ze bekeek de gehavende tegenpartij en klemde haar fuchsiarode lippen op elkaar toen ze bedacht dat het wel op een rechtszaak zou uitdraaien.

Ludo en Luke hadden een lichte whiplash en Jessica, wier gewicht was opgevangen door de autogordel, had haar heup goed bezeerd. Ariannes voet was op twee plaatsen gebroken. Het viel Luke op dat ze nauwelijks klaagde over de pijn. Ze had het alleen over de schok van wat er was gebeurd, alsof het vol duistere belangen was geweest, als een afschrikwekkend lawaai dat midden in de nacht uit een leegstaand huis komt.

Arianne bezat een diepgeworteld pessimisme, dat op een sensationele manier in haar fantasie tot uiting kwam. Het was niet ongewoon om haar te zien huiveren om mogelijke verwondingen en verraad, terwijl ze haar haar borstelde of kleren aantrok. Ze voelde een bosbrand van onheil, die net voorbij de horizon woedde – als ze er te dichtbij kwam viel ze als reactie in slaap, alsof ze bedwelmd was door de rook.

Ze brachten de hele middag door in het ziekenhuis; er werden röntgenfoto's gemaakt, ze wachtten op de arts die hen zou onderzoeken en vulden formulieren in. Na een tijdje werd hun gevraagd in een wachthokje plaats te nemen. Ze voelden zich gedegradeerd, van het podium gestuurd op hun grote dag, maar ze protesteerden niet. Ze wachtten zo lang dat ze de verpleegsters die langs hen liepen met eigenaardige, volkomen onbekende voorwerpen, niet langer om informatie vroegen. Arianne sliep vredig op een verrijdbaar bed, terwijl de anderen op plastic stoeltjes zaten. Ze waren te moe om het ongeluk opnieuw te beleven, dus stopten ze met praten en keken naar het komen en gaan van andere patiënten. Zich meer en meer bezoedeld voelend begrepen ze dat dit een wereld vol ongeluk was, die ze normaal gesproken negeerden.

Ze konden de verhalen om hen heen reconstrueren. De vrouw in het hokje naast hen had op de een of andere manier een ketel kokend water over haar nek en borst gekregen. Haar man weigerde haar alleen te laten met de verpleegster. "We willen haar alleen maar een paar vragen stellen, meneer McPherson", zei de verpleegster nog een keer. "Meer niet."

"Wat voor vragen? Er is niets waarop ik geen antwoord kan geven", zei hij.

Tegenover hen lag een oude vrouw op een verrijdbaar bed; een jonge man hield haar hand vast. Ze sliep vreedzaam, haar kleine hoofd diep in de kussens. Om de zoveel tijd zei hij paniekerig: "Mam? Mám?" De oude vrouw glimlachte dan en tilde haar vrije hand op, alsof ze te moe was om hem met woorden te beantwoorden. En dan wreef de jongeman onder zijn bril in zijn ogen, alsof hij probeerde wakker te worden. Twee kinderen renden met mondkapjes voor heen en weer door de hal en riepen "Piew! Piew!" naar elkaar, hun handen als pistolen geklauwd.

De arts was niet veel meer dan een jaar ouder dan zij. Haar naam was dokter Bandari. Ze schreef hun pijnstillers voor en zei dat ze naar de apotheek van het ziekenhuis moesten gaan. Ze zei: "Je kunt beter geen alcohol drinken als je deze slikt", en glimlachte. Ze droeg een hijab en ze waren blij te kunnen ontvluchten aan haar zuiverheid en haar correcte inschatting van hun levens.

Toen ze weer op straat stonden leek het verkeer snel en gevaarlijk. De duisternis was ongemerkt aan komen sluipen terwijl ze in het raamloze ziekenhuis zaten, en de koplampen en fel blinkende winkelruiten zagen er dreigend uit. Ze voelden de behoefte om bij elkaar te blijven. Ze waren met elkaar verbonden door een belangrijke gebeurtenis en waren er nog niet klaar voor om anderen toe te laten.

"Laten we naar mijn huis gaan", stelde Luke voor.

"Is goed. Perfect zelfs", zei Ludo. "Jij hebt dvd's en zo. Bij jou kunnen we chillen."

"Ja, daar kunnen we ons verschuilen."

"Precies. Dan nemen we niet eens onze telefoon op", zei Jessica.

Dit vonden ze allemaal een goed idee. Ze hielden een taxi aan.

Luke was blij dat hij had voorgesteld om naar zijn huis te gaan. Hij wilde dat Arianne zijn appartement zag. Hij wilde dat ze zag hoe het eruitzag, wat het over hem zei. Zijn vader had Sophie en hem om te kunnen starten allebei honderdduizend pond gegeven en hij had op zijn tweeëntwintigste zijn eerste woning gekocht. Die had hij met flinke winst verkocht tijdens de hausse in de Londense huizenmarkt en hij had al het geld in deze nieuwe woning gestopt. Het was in Notting Hill. Een open appartement. Je nam een verkwikkende douche en liep daarna blootsvoets en ontspannen over de gepolijste houten vloer. Je gasten dronken martini's op de suède bank. Dat was het helemaal. Hij had onlangs een witte, 32-inch plasma-tv laten bezorgen, een limited edition, als ze om dat soort dingen gaf. Irritant genoeg hielden de meeste meisjes er niet van en hij wist dat Lucy had gedaan alsof, terwijl ze de gebruikelijke dingen zei als: "Ooo. Heeft-ie surround sound?", wat hij natuurlijk had!

In de taxi erheen kwamen ze langs Ludo's auto. Die zat erger in de prak dan ze zich hadden gerealiseerd. De motorkap was samengeperst en de passagierskant was precies tussen de voorkant en de achterbank ingedeukt; Jessica en Luke waren op enkele centimeters na niet geraakt. Ze knipperden allebei met hun ogen toen ze hun lichamen aan de kant van de deuk voor zich zagen en ondergingen een volledig abstracte vorm van pijn, het idee van pijn. Iemand had een bos bloemen op het dak gelegd in de veronderstelling dat er geen overlevenden waren.

"Het is net alsof je getuige bent van je eigen dood", zei Arianne. Ze waren allemaal even stil.

"We moeten een fles champagne of zo opentrekken", zei Luke. "We hebben verdomde mazzel dat we nog leven. Laten we onderweg een paar flessen champagne kopen om het te vieren."

Arianne liet haar hoofd op zijn schouder rusten. Hij had iets gezegd wat haar beviel. Het gevoel was onmiddellijk verslavend. Hij merkte dat hij uit het raam keek alsof hij ruimte zocht voor de stortvloed van trots. Ze kon hem met het kleinste teken van goedkeuring van wanhoop naar verrukking brengen. Nog maar een paar weken later zou hij in staat zijn zich failliet te verklaren voor haar, zijn baan op te zeggen en al zijn bezittingen te verkopen. Haar persoonlijkheid vernietigde ieder gevoel voor verhoudingen, zoals de hoogte en snelheid van een vliegtuig een bos eruit kan laten zien als mos, vlak voor je gezicht. Luke zocht zijn herinnering af, op zoek naar een schaal waarmee de belangrijkheid van haar opmerkingen gemeten kon worden. De vorm van haar hoofd tatoeëerde zich in zijn schouder.

Wat veroorzaakte het effect dat ze had? Hij was niet de eerste man die het voelde.

In feite was de verklaring, samen met haar onbetwistbare uiterlijke schoonheid, verbazingwekkend simpel. Er zijn maar weinig voorbeelden van ongekwalificeerd succes in het leven. Succes wordt over het algemeen bedorven door alle mislukkingen die eraan voorafgaan, of afgezwakt door een proloog van volharding en compromissen. Mensen zijn van nature geneigd grenzen te verleggen. Sommigen beklimmen bergen, want wie kan er nu weerstand bieden aan een fluitende top, met een rots om je schoen op te plaatsen? Anderen springen uit helikopters, weer anderen zwemmen met haaien. Voor degenen die bereid waren het te zien, vormde Arianne een vergelijkbare uitdaging. Ze vormde een onoplosbaar probleem: ze had een leegte in haar hart die, zoals ze zou uitleggen, nooit maar dan ook nooit gevuld zou kunnen worden. Die was lang geleden ontstaan en ze daagde ieder vriendje uit zijn best te doen. En elke keer hoopte ze oprecht dat, als iemand zich erin wierp, hij niet zomaar, zoals zijn voorganger, zou verdwijnen.

In wezen was ze verschrikkelijk eenzaam, had geruststelling nodig en had, gezien haar langdurige blootstelling aan een meermalen overspelige en narcistische vader (met zilverkleurig haar en een wenkbrauwlift), bijzonder veel verstand van het mannelijke ego. Ze kon mannen verleiden om van een klif af te springen, alleen maar om hun duikvaardigheid te bewijzen, maar hun zelfmoord maakte dat ze zich maar een heel klein beetje beter voelde. En daarna bleef ze natuurlijk alleen achter.

"O, dat is een heel goed idee, Luke", zei ze. "We halen een paar extra grote flessen."

Ze droegen de champagne, de Chinese afhaalmaaltijd en wat extra dvd's de trap op naar Lukes appartement. De schoonmaakster was die dag geweest en elk oppervlak glom. De geweldige tv stond er, als een poort naar een ander universum. De stereo-installatie was gestroomlijnd en minuscuul ... wonderbaarlijk. Dat waren zijn hightech bezittingen en hij was blij dat zij ze zag. Hij zette een film op waar niemand echt naar keek. Ze waren allemaal lichtelijk aangeslagen.

"Ben jij bewusteloos geweest, Luke? Dat niemand van jullie zich herinnert hoe lang ik *out* ben geweest, zeg. Ik heb vast en zeker een hersenschudding", zei Ludo. "Maar ik zou verdomme voor geen goud in dat ziekenhuis blijven voor observatie."

"Jij wilt geen observatie, je wilt een publiek, schat", zei Arianne. "Maar vandaag geen rock-'n-rolldood voor jou. Volgende keer beter."

"Volgende kéér? Ik stap nooit meer in een auto. Ik loop voortaan overal heen en steek ook geen straat meer over", zei Ludo.

"Wat betekent dat je nergens meer heen kunt."

"Ik zwaai wel naar vrienden, als ik aan het einde van mijn straat kom. Ik laat mijn eten bezorgen. Ik koop wat fitnessapparatuur."

"Je komt net uit een taxi", zei Luke. "Je hebt alweer in een auto gezeten."

"Wat? O ... niet zo streng, dan ga ik huilen."

Luke lachte en gaf hem een fles. "Hier, drink wat."

"O, ik heb er een hekel aan om die open te maken."

"Dan doe ik het wel."

Jessica gooide het tijdschrift waarin ze had zitten bladeren op de grond. "Fuck. Fuck. Fuck. We hadden allemaal wel dood kunnen zijn", zei ze in het bloedeloze stemgeluid dat ze die dag allemaal van tijd tot tijd hadden aangemeten. Deze observatie was al honderd keer eerder gemaakt, maar iedere keer kwam hij weer aan met de kracht van het onverwachte. Ze schrokken allemaal van de plop van de champagnekurk en lachten. Jessica gaf hun een voor een een glas aan en sprak nu opgewekter, filosofischer: "Het is wel waar. We hádden nu allemaal dood kunnen zijn."

"Misschien zijn we dat ook wel", zei Ludo tegen haar. Hij zette op een komische wijze grote ogen op.

"Ja, misschien zijn we dat inderdaad wel."

"O, hou op. Je maakt me bang en ik ben kwetsbaar. Waarom ziet niemand dat ooit?"

Jessica wapperde haar hand naar hem en draaide zich van hem weg. "Ben jij bang voor de dood, Luke?"

"Ikke? Ik ... Daar denk ik nooit zo over na."

"Nee. Ik ook niet. Waarom niet, eigenlijk?"

Ludo zei: "Omdat we jong zijn, lijkt me. We hebben een vals gevoel van onoverwinnelijkheid. En daar ben ik heel blij mee."

"Echt waar?"

"Ah, waarom niet, Jessica?"

"Alleen maar omdat het zelfbedrog is. Ja ja ... gaap gaap. Hoor eens, ik weet dat je denkt dat ik zwartgallig doe ..."

"Wat ook zo is."

"... maar we kúnnen ieder moment doodgaan. Er is geen reden waarom dat niet zou kunnen, alleen maar omdat we pas twintig zijn."

"Het is het lot. Chaos", zei Arianne. "Toch? Ik bedoel ... Ah, je weet wat ik bedoel."

"Nou, ik zorg gewoon dat ik fit blijf, dat ik elke dag mijn kweekgrasdrankje neem, suiker, vet en intraveneuze opiaten vermijd, behalve wanneer ik héél erg braaf ben geweest ... en dan denk ik dat het wel goed komt."

"Maar dat is niet zo, Ludo. Ooit zul je toch sterven."

"Dank je, Jessica. Zover was ik al."

"Ik bedoel dat we onszelf niet écht laten nadenken over de dood. Toch? Daarom is dit zo'n schok. Moet je ons nou zien. Waren we erop voorbereid?"

"Wat wil je? Bijbels? Testamenten? Oké, Luke, jij mag mijn dvd-collectie *Asian-babes* hebben, goed, maatje? Verder heb ik niets van enige waarde. Jessica, we zijn verdomme uitgeput."

"Nee, het is meer dan dat", zei Arianne. "Ze heeft gelijk."

"Kijk! Je eigen nicht is het met me eens. Wat ik wilde zeggen is dat we tegenwoordig alleen nog maar denken aan ouder worden. Echt waar, dat doen we. We maken ons zorgen over rimpels, over dat alles slap gaat hangen."

"Maar het gaat om de dood", zei Arianne. "Het is allemaal angst voor de dood. Daar zijn al die gezichtscrèmes voor. Zodat je de voortekenen van de dood niet ziet."

"Waarom vertel je mij dit?"

"Niet alleen jou, Ludo."

"Vertel het dan aan hem. Heb je ooit iemand gezien die er nog meer zelfingenomen uitziet dan Luke? Kijk eens naar die brede, betrouwbare schouders. Rotzak. Maar goed, ik ga niet naar de sportschool en zorg niet voor mijn huid omdat ik bang ben om dood te gaan."

"Weet je dat honderd procent zeker?"

"Nee, Arianne. Ander onderwerp graag. Van wie heb je dit? Tante

Marie? Niet van mijn kant in elk geval."

"We kunnen niet van onderwerp veranderen", zei ze. "We waren bijna dood. We hebben de dood aan ons zitten, in ons haar en in onze kleren, als sigarettenrook als je thuiskomt uit een club."

Ludo had aan de achterkant van de slaapkamerdeur Lukes panamahoed en ochtendjas gevonden. Hij zette de hoed op, trok de jas aan en dronk uit de champagnefles. Hij vond altijd en overal wel een clownspak.

"We hebben het overleefd, schat. Dat is het belangrijkste, en bovendien is dat het wetenschappelijke feit. De rest is speculatie."

"Dat is wetenschap tegenwoordig toch ook?" zei Arianne. "Volgens mij zijn het niet meer alleen maar feiten. Die indruk krijg ik tenminste. Niet dan?"

"Kan mij het schelen. Maar ik zal je één ding vertellen dat verdomme wel een feit is: ik ga die klootzak aanklagen, helemaal uitkleden en dan ga ik weg naar een leuke plek. Waar dan ook op heel de wijde wereld. Waar zal ik eens heen gaan?"

Niemand zei iets.

"Ga je met me naar Chili, Luke? Opnieuw beginnen?"

"Zekers", zei Luke. Hij grijnsde en keek naar zijn handen.

Ludo en hij groeiden steeds meer uit elkaar. Luke schaamde zich steeds vaker voor wat hij zag als onvolwassenheid van zijn vriend, diens onwil om over iets te praten waardoor hij zichzelf, zijn geld en zijn vakanties misschien in twijfel zou trekken. Ludo's vertoningen hadden altijd blijmoedig geleken, maar nu waren ze leeg en onthullend. Zijn haargrens begon zich ook al terug te trekken.

Ludo had geen baan. Hij had een trustfund en had verder geen geld nodig. Hij was een tijdje een soort assistent geweest bij het bedrijf in onroerend goed van zijn vader, maar het werk was langzamerhand verdwenen ... of vergeten. Luke snapte niet hoe zijn vriend zo weinig ambitie kon hebben, ook al vond hij het vanzelfsprekend dat Ludo doordeweeks bij hem langskwam om met hem te lunchen, en was hij beledigd als Ludo een keer zei dat hij het daar te druk voor had. Lange tijd had Luke hem de driedaagse weekendjes Parijs of Rome hartstochtelijk benijd en hij had in een toestand van verlangen en bewondering verkeerd, in het schijnsel van die hoogglans van nietsdoenrijkdom. Maar nu wilde hij verschrikkelijk graag dat de meiden niet zouden denken dat ze van hetzelfde laken een pak waren. Hij moest zichzelf onderscheiden.

"Het is wel waar, Ludo", zei hij, en hij voelde zich een verrader. "Het was puur toeval dat we het hebben overleefd." De twee meisjes bogen zich naar hem toe, als erkenning dat hij aan hun kant stond. Het voelde fantastisch.

"Precies", zei Jessica. "Hoe kun je nu niét nadenken over wat er is gebeurd? Als ik bijvoorbeeld was vergeten mijn gordel om te doen, wat me vaak genoeg gebeurt, was ik dwars door de voorruit gevlogen en had ik met een gebroken nek op straat gelegen. Ik had wel een schedelfractuur kunnen hebben!"

Het woord 'schedel' was choquerend; het had iets van dat eerste dode huisdier, die eerste gebrekkige uitleg van een volwassene, dat opa ergens daar boven aan het uitrusten was, en nee, het was niet mogelijk hem daar te bezoeken. Ze wisselden angstige blikken met elkaar en Jessica zei: "Maar hé, het is niet gebeurd." Ze rilde. "Oké, misschien heb je gelijk, Ludo."

"Precies. Dank u."

Ze luisterden hoe Arianne een sms verstuurde, haar telefoon uitzette en hem – alweer – nonchalant in haar tasje liet vallen. Jessica haalde een zakje wiet uit haar jaszak. "Ja, ophouden met dat gewauwel. Heb je Rizla, Luke? Ik heb niks meer."

"Trouwens, we denken wel aan de dood", zei Ludo onverwachts, "constant. Wat dacht je van het journaal? Terrorisme, hongersnood, aardbevingen? Ongelooflijke horrorverhalen, de hele dag door!"

"Ja, maar het lijkt wel alsof we het op die manier aankunnen, denk je niet?" zei Jessica. "Als het ongelooflijk of verschrikkelijk is. Of als het in een ander land gebeurt. Of als het onnatuurlijk is, als je van sigaretten of de straling van een magnetron doodgaat. Of een gemene ziekte: aids, kanker. Nog beter, een ongelooflijke en verschrikkelijk gemene ziekte door iets onnatuurlijks uit een ander land. We kunnen gewoon het feit niet aan dat het ons allemaal kan overkomen, op een volslagen normale manier. Zelfs als je pas in de twintig bent."

"Probeer je te zeggen dat wanneer je op tv kijkt naar, zeg maar, honderden mensen die dood zijn gegaan door een aardbeving, je niét aan de dood denkt?"

"Niet vanuit je luxe woonkamer in Portobello, nee. Niet zoals de aanblik van je dode oom dat doet, of het meemaken van een auto-ongeluk."

"Misschien heb ik het verkeerd", zei Luke, en hij zocht bevestiging bij Jessica, "maar op een vreemde manier lijkt het wel of je je er beter van gaat voelen als je naar het journaal kijkt, naar de mensen die doodgaan van de honger in Afrika, enzovoort. Dan zie je hoe ver van je bed het is, hoe erg het niet in jouw lifestyle past."

"Lifestyle? Ja hoor, reclamemeneer", zei Ludo. "Wat heeft dat ermee te maken?"

Arianne zei: "Je moet hem niet uitlachen ... Hij heeft best wel gelijk. Jij lacht altijd maar, hè? Wist je dat het een teken van onzekerheid is als je nooit iets serieus kunt nemen?"

"O ja? Mijn god, dat verklaart alles!" zei Ludo. Achter zijn glimlach leek hij ietwat gekwetst.

Arianne sprak hem geduldig toe: "Luke bedoelt dat het op een akelige manier geruststellend is. Zoals enge films over gekke, demonische psychopaten. Want iedereen zegt als hij een echte seriemoordenaar in de krant ziet: 'Maar hij lijkt zo ... normaal.' Normaal ... zoals onderweg naar de kroeg het loodje leggen in de auto van je vriend."

Haar ogen waren gericht op een voorwerp op de salontafel, haar vuisten lagen gebald in haar schoot. Er leek een afschuwelijke gedachte door haar hoofd te gaan. Ze schudde die van zich af en keek weer op. "Op school hebben we het een keer over de chaostheorie gehad. Ze lieten ons figuurtjes zien met een projector."

"Fractals", zei Luke, die zich nu zelfverzekerd voelde.

"Fractals. Precies. Ik weet alleen niet meer wat het precies waren. Weet jij het nog?"

"Alleen maar dat het iets met chaos te maken had. Sorry." Meteen wilde hij dat hij niets had gezegd.

"Ach, wie weet nog wel wat er met die figuurtjes was? Het idee is in elk geval dat een piepklein dingetje, dat je nooit zou hebben opgemerkt, álles kan veranderen. In de atmosfeer kan het de beweging van een deeltje zijn. Verander één deeltje en je kunt de hele wereld beïnvloeden. De luchtstroom verandert langzaamaan, er ontstaat wind, de zee wordt ruw" – je zag haar gedachten achter haar ogen springen – "haaien verplaatsen zich richting het land, naar kinderen toe." Ze stak een sigaret op en nam een diepe haal. "Stel je voor dat er een stel is dat van plan is naar het strand te gaan. Ze luisteren in de keuken naar de radio." Ze deed de radiostem na: "'In de omgeving van Summer Beach zijn haaien gesignaleerd.' Ze besluiten thuis te blijven en de dag in de tuin door te brengen. Hij heeft onlangs een fonteintje aangelegd waarvan ze genieten en, hé, zij heeft nog zelfgemaakte limonade in de koelkast." Ze glimlachte ter illustratie van het vreedzame einde. Daarna veranderde ze abrupt haar gezichtsuitdrukking. "Ergens anders, tien minuten later, heeft een vliegtuigje moeite met de wind. De piloot is onervaren, heeft pas een week zijn vliegbrevet. De lessen waren een verjaardagscadeautje van zijn vriendin. Hij verliest de controle en het vliegtuig begint naar beneden te vallen." Ze draaide zich naar het donkere raam, nam nog een haal van haar sigaret en tekende cirkels in de lucht met haar hand, waarbij ze knipperende, neerdalende beweginkjes met haar vingertoppen maakte. "Vallen, vallen, vallen", zei ze. Haar stem was zacht en vriendelijk, zoals de wereld soms kon lijken.

"Hoe dan ook, na het ongeluk, als alle tv-reporters zich op straat verdringen omdat dit een geweldig menselijk drama is – een vliegtuig dat neerstort op een huis in een rustig, klein woonerf – is er maar één buurvrouw die wel geïnterviewd wil worden. Ze vertelt de reporter hoe triest het is dat God meneer en mevrouw Jones heeft gekozen, want het was zo'n lief stel en ze hielden zo van die tuin. Ze hadden per slot van rekening pas een nieuwe fontein."

Ze staarden haar allemaal aan. Ariannes gevoel voor rampen getuigde van ervaring: ze had haaien vlak bij kinderen gelaten, ze had vliegtuigen laten neerstorten op mensen die rustig limonade dronken. Ze lachte om zichzelf en drukte de sigaret uit. "Oké, mijn fantasie slaat weleens op hol. Maar ach. De grote, vette, wetenschappelijke ontdekking is dat het letterlijk onmogelijk is om te voorspellen wat er gaat gebeuren."

"O ja?" vroeg Ludo. "Dat kan niet kloppen. Dat klinkt niet goed."

"Ik denkt dat het klopt", zei Luke. "Ik heb er iets over op tv gezien. Een vlinder slaat met zijn vleugels en veroorzaakt een orkaan."

"Ja ... ja, dat is een voorbeeld", zei Arianne tegen hem. "Dat kennen we allemaal. Je hoort het wel vaker."

Of jij, dacht Luke, wat jij nu al met mijn hoofd hebt gedaan, met mijn leven. Ineens bedacht hij dat het feit dat hij Arianne weer had ontmoet, na zijn verspeelde kans toen ze met Andy Jones in een kroeg was, een soort teken of boodschap zou kunnen zijn.

"Maar wat betekenen die figuren? Iets met sneeuwvlokken en computers", zei Arianne, zich niet bewust van zijn gedachten.

Hij voelde zijn hart racen, net als toen op die ijskoude middag, toen hij dacht dat hij dat ongelooflijke meisje nooit meer zou zien.

"Ik bedoel, hoe staat het allemaal met elkaar in verband? Ze zeggen van alles over oneindige mogelijkheden, willekeur, toeval", zei ze, en ze raakte opgewonden door de duistere poëzie van de woorden, "over parallelle universums ... zwarte gaten ..."

Ze maakte hem bang.

"Het zou kunnen dat ik je nooit meer had gezien", zei Luke. Hij staarde haar hartstochtelijk aan, blozend.

Er volgde een stilte. Jessica probeerde een aansteker aan te krijgen, draaide vele malen aan het wieltje, waarna het geluid volgde van de vlam die de sigaret aanstak. Arianne draaide haar gezicht naar hem toe. "Hoe bedoel je, Luke? We hebben elkaar toch nog nooit ontmoet?"

"Nee, dat weet ik. Ik bedoel. Het was maar een voorb... Ik ... Ik dacht dat ik je al eens eerder ergens gezien had, meer niet. Niet ontmoet. Alleen gezien ..."

Hij stond op om de Rizla te zoeken waar Jessica om had gevraagd en voelde zijn eigen hartslag in zich opzwellen, alsof die daadwerkelijk zijn lichaam vervormde. Toen hij zich weer in staat voelde om zich om te keren, zag hij dat ze vaag glimlachte en een onzichtbare haar van haar trui plukte.

Jessica lachte om de ongemakkelijke stilte op te vullen. "Dus", zei ze, "misschien gaan we allemaal wel met je mee naar Chili, Ludo. Daar zijn waarschijnlijk minder zwarte gaten ... vanwege alle zonneschijn en zo."

Jessica had medelijden met Luke, die zichzelf vaak voor schut zette als er meisjes bij waren. En hij had geen enkele reden om zenuwachtig te zijn, want volgens haar was hij alles wat een vrouw wilde: hij was lang en vriendelijk, hij had brede schouders, enzovoort. Hij was in ieder geval de knapste jongen die ze kende. Maar hij was uitzonderlijk onzeker over zijn intellect. Jammer, maar begrijpelijk met een neurotische, briljante zus en een uitermate tragische, onbereikbare vader, die alle opmerkingen van zijn zoon afdeed als onbelangrijk en verwend.

Waarom deed hij dat? Waarom zou je je kind privileges geven om het vervolgens te haten omdat het ze aanneemt, terwijl het niet beter weet? Jessica zag zelden mensen die zo met zichzelf in de knoop zaten als meneer Langford, die voortdurend in een toestand van zowel aanbidding voor als walging van zijn eigen rijkdom scheen te verkeren. Hij leidde een luxueus leven – soms zelfs op het ordinaire af, wat ze wel kon waarderen – met zijn dure kleding en zijn goede wijn, maar wanneer hij werd uitgedaagd door de onverholen linksheid van zijn dochter, viel hij ten prooi aan momenten van snerpende schaamte. De dochter was zich hier duidelijk van bewust en was het enige gezinslid dat, als ze daar zin in had, invloed op haar vaders stemming kon uitoefenen. Dit spelletje schaak ging Luke, die alleen een relatie met zijn moeder leek te hebben, boven de pet. Mevrouw Langford was een lieve, intuïtieve vrouw die, zoals te veel vrouwen van die generatie, naar Jessica's mening, haar waarde naar beneden haalde door zich altijd met een excuus te presenteren, alsof ze de troostprijs was voor diegenen die niet zo gelukkig waren de aandacht van haar man te krijgen.

"O, oké", zei Ludo tegen haar, "er mogen ook meisjes mee naar Chili. Nu gaat het tenminste ergens over. Hé, Luke, heeft Davina's moeder daar geen huis?"

"Davina's moeder? Waar?"
"In Chili."
"Oké, oké. Mag ik jullie iets vragen?" vroeg Jessica. "Hoe komt het dat iedereen die jullie kennen wel vijf huizen heeft of zo?" Ze likte de Rizla dicht en trok haar wenkbrauwen op.
"Da's niet waar", zei Ludo.
"Jawel."
"Wat wil je nou zeggen? Wil je beweren dat we verwende rijkeluiskindjes zijn, met een beperkt sociaal netwerk? Nou en? Jij hebt ook op een kostschool gezeten, lieverd."
"Ja, met een beurs", zei ze met een knipoog, "dus dat telt niet echt."
"O ja? Dat heb ik nooit geweten", zei Luke. Hij wilde dat hij Jessica aantrekkelijk kon vinden, maar ze was te gewoontjes voor hem. Ze was het kille, intelligente type meid. "Wat doe je hier eigenlijk nog? Moet je niet naar de redactievergadering van de *Socialist Worker* of zoiets?"
"Hou je kop."
"Bier drinken met écht arme mensen?"
"Hier, je krijgt een prachtig gerolde joint van me, Ludo", zei ze.
"Je bent een schat. Je bent een uiterst begaafde jongedame en zult later een voortreffelijk echtgenote worden."
"Vast wel", snoof ze minachtend.
Arianne trok haar benen onder zich op de bank en stak haar glas uit naar Ludo. "Ik heb een hekel aan snobs. Mijn vader is een vreselijke snob." Ze vertrok haar gezicht tot een extreme karikatuur. "'Waarom ga je niet eens uit eten met de Edelachtbare Idioot, lieverd?' Ik kan daar geen respect voor hebben. Het is zo'n achterlijke houding. Hij loopt me altijd te pooieren, de klootzak."
"Je dochter pooieren klinkt als een achterlijke houding, ja", zei Jessica. "Jezus."
Ludo wees met de champagnefles naar Arianne alsof het een microfoon was ... of een pistool. "Wacht eens even, mevrouw Tate. Ben jij uit eigen vrije wil ooit met een man uit geweest die níét stinkend rijk was?"
Jessica giechelde en Arianne keek haar aan. Even dacht Luke dat er vijandelijkheid was tussen hen. Misschien was Jessica jaloers op het mooiere meisje.
Maar toen liet Arianne haar hijgerige gelach horen, haar zondagochtend-in-bed-lach (ze scheen geen andere te hebben). "Oké, je hebt me te pakken", zei ze.
"O, wat ontzéttend stuitend", zei Jessica, naar adem snakkend. "Ik nam aan dat het een grapje van Ludo was!"

"Ik weet het. Het is stuitend. Ik ben gewoon niet onafhankelijk, zoals jij."

"Onafhankelijk? Hoe bedoel je? Je weet dat ik niet rijk ben."

"Ik bedoel niet op die manier. Ik bedoel op de belangrijke manieren."

Deze oprechte onthulling van haar kwetsbaarheid was ontwapenend. Het mooie meisje, zo eerlijk over haar tekortkomingen, was moeilijk te weerstaan. Jessica vroeg zich af of ze dat wist.

Arianne haalde haar schouders op. "Nou, rijke mannen hebben een soort gezag over zich waardoor je ... Ik weet het niet, het geeft me een veilig gevoel."

"Ja, dat krijg je als je altijd wordt bediend, altijd de beste tafel krijgt. Een gouden horloge met kerst, een skireisje, een nieuwe auto. Volkomen oppervlakkig", zei Jessica. "Niet persoonlijk bedoeld, jongens."

Luke wilde haar zeggen dat hij geen geld meer van zijn ouders kreeg.

"Ja, ik weet dat het onzin is. Zoals met alles denk ik dat het je voor de gek kan houden als je dat zelf wilt, zolang dat kan", zei ze.

Arianne was zonder meer de hoofdpersoon in de kamer. Haar roekeloze eerlijkheid maakte haar boeiend om naar te kijken. Ze riskeerde haar waardigheid op een manier die het lef van de anderen, en hun gevoel voor stijl, te boven ging. Ze was bezig met spectaculair schoonspringen van de hoge duikplank en kwam volkomen als zichzelf het water weer uit.

"Ja, dat is natuurlijk allemaal fascinerend, schat", zei Ludo, "maar hoe zit het dan met die bruut van een Dan? Ik bedoel echt. Echt ..."

"Dan? Dat is een schatje." Ze keek weg, beschaamd om haar eigen onoprechtheid, want Dan en zij hadden die dag zesendertig boze sms'jes uitgewisseld. Hij putte haar uit. Ze vond hem niet aantrekkelijk meer en beet haar kaken op elkaar als hij bij haar naar binnen drong. Hij had zichzelf voor schut gezet, om haar, en ze had al besloten dat het tijd was om ermee te stoppen.

Ludo zuchtte. "Arianne, Dan is een stomkop die alles wat je zegt totaal verkeerd begrijpt. Het is onmogelijk om een gesprek met hem te voeren over iets anders dan proteïnenshakes of de beste manier om je buikspieren te trainen. Die wil ik dus niet in onze genenpool hebben, hè."

"Maar 'veilig'? Daar wil ik het graag over hebben", zei Jessica. "Hij kon je vandaag toch ook niet beschermen? Wat betekent 'veilig' nou helemaal? Verveel je je niet met die stomkop?"

"O, dat heb ik haar ook al eens gevraagd. Ze zegt dat verveling beter is dan angst."

"Dat is gestoord! Verveling is totale vervreemding van wat er om je heen gebeurt. Het is zo eenzaam en beangstigend als maar kan", zei Jessica. "Het moet verschrikkelijk zijn om met iemand te zijn die je verveelt. Ik zou nooit met zo iemand naar bed kunnen gaan. Dat zou emotioneel nog minder betekenen dan masturberen."

"Jezus, Jessica", zei Ludo.

Ze blies een mondvol rook uit. "Wat?"

"Gewoon ... wat je zei ..." antwoordde hij. Even voelde Ludo een flits van onzekerheid, alsof er onverwachts een camera op hem werd gericht. Hij vroeg zich af of ze wel iets met hem zou willen áls hij haar mooi genoeg had gevonden om het te vragen. Hij bestudeerde haar gezicht, dacht dat ze was afgevallen en dat haar trekken nu duidelijker uitkwamen. Daarna pakte hij een cd-hoesje op, bezorgd dat door zijn laatste opmerking iedereen zou denken dat hij preuts was in bed, wat ook echt zo was.

"Je bent een enorme romanticus, Jessica", zei Arianne.

"Oké. Zo ben ik dus nog nóóit genoemd." Ze schonk Ariannes glas bij en ze glimlachten naar elkaar.

"Weet je zeker dat je goed zit op de grond? Kom maar hier zitten, als je wilt." Jessica stond op en Arianne klopte op de bank. Toen Jessica was gaan zitten, legde Arianne haar hoofd op haar schoot. "Mag dat?"

"Ja, hoor. Natuurlijk", zei Jessica zacht.

Enkele seconden lang vulde de filmmuziek de kamer. Op de universiteit waren de twee jongens gewend geraakt aan dergelijke licht-erotische uitingen van vrouwelijke solidariteit. Maar op de een of andere manier was dit anders dan het gebruikelijke prikkelende vertoon van haar vlechten en nekmassages. Opvallend afwezig was het standaardrepertoire van 'mmm's' en 'o ja's', zonder meer bedoeld als erotische belofte aan de aanwezige mannen. In plaats daarvan waren hier twee vrouwen die elkaar aardig vonden en een intiem onderonsje hadden. Geen van beide jongens slaagde erin iets te bedenken om het te onderbreken.

Arianne stak nog een sigaret op en blies de rook omhoog. De kleine wolk om hen heen plaatste hen in hun eigen wereldje. Ludo deed de hoed af, trok de badjas uit en schonk wat champagne in een glas.

Luke zag hoe Jessica een stukje verschoof om Ariannes schouder ruimte te geven. Hij voelde zich verward en onzeker, maar meer opgewonden dan ooit tevoren. Hij voelde zijn telefoon gaan in zijn zak en wist dat het Lucy weer was. Niets ter wereld zou ervoor gezorgd kunnen hebben dat hij nu opnam. Zijn intense nieuwsgierigheid naar Arianne was gelardeerd met vrees, een diepe angst voor wat ze hem zou kunnen vertellen en voor hoe onbereikbaar ze misschien zou blijken te zijn. Ze was duidelijk boven zijn gebruikelijke versiertrucs verheven en haar spontane, bedwelmende intimiteit was onrustbarend ongewoon. Hij kon de juiste woorden niet vinden, de juiste benadering voor een gesprek. Hij wilde haar iets over haarzelf vragen, maar in plaats daarvan zei hij: "Arianne, je lijkt mannen wel erg laag aan te slaan."

Ze stak haar arm uit naar Ludo voor de champagnefles. "Die arts zei toch dat we niet moesten drinken? Dat zei ze toch? Maken we ons zorgen?"

"Nee, we maken ons geen zorgen. We hebben allemaal al veel ergere dingen gedaan, en overleefd. Hé, maar wat is er met ons mannen? Waarom zo weinig achting?" vroeg Ludo.

"O, ik ben gewoon een suffe muts", giechelde Arianne. Daarna glimlachte ze hartelijk naar Luke en hield zijn blik even vast, "dus let maar niet op wat ik zeg."

Dat was het einde van het gesprek, maar Luke had het idee dat het werd afgekapt, dat hij was weggewuifd, zonder dat te merken. Hij was gekrenkt, maar was ook bang genoeg dat hij niets had begrepen van wat dit meisje had gezegd, om er niet verder op door te vragen. In plaats daarvan hoopte hij maar dat hij er echt zo goed uitzag in zijn rode T-shirt als Lucy altijd beweerde, en met het licht van de tv dat zijn biceps opvallend modelleerde, vermoedde hij dat dat zo was.

Ze concentreerden zich allemaal op het roken van joints en kijken naar de afgezaagde goede afloop van de film. Luke deelde wat borden, bestek en de dozen Chinees eten uit en de kamer vulde zich met de geur van hete soep en gebakken noedels. Ze luisterden hoe Ludo de cashewnoten door zijn saus vermaalde. Het stel in de film kreeg een kind. De vader hield zijn pasgeboren baby vast, voor een raam van het ziekenhuis, en keek neer op de waanzinnige drukte van New York. Het was herfst. De muziek was krachtig, hartstochtelijk, vastberaden.

Tegen drie uur 's nachts waren ze allemaal in slaap gevallen ... behalve Luke. Hij was onrustig. Hij stond op en liep door zijn appartement, liet de anderen languit op bankkussens en zitzakken achter bij het blauwe flikkerlicht van de tv.

Eerst liep hij zijn keuken in en deed de koelkast open. Hij keek lang naar alle flessen en de prachtige verpakkingen die hij regelmatig weggooide en opnieuw kocht. Hij at nooit thuis, maar hield ervan een volle koelkast te hebben. Hij zag hem graag vol met tropisch fruit, papaja's, ananassen, kiwi's en exotische Europese delicatessen als gravadlax, kapperbessen en serranoham. Hij was dol op die collectieve, dure geur.

Waar hij onbewust naar zocht als hij zijn koelkastdeur opendeed, was reizen, of liever: een intiemer soort vervoering. Zijn koelkast bevatte de essentie van zijn ambities – rekwisieten in de fotografische beelden die in zijn hoofd opkwamen als hij nadacht over zijn levensstijl en zich afvroeg of hij aan de criteria ervan voldeed. Zijn koelkast hielp hem zichzelf te vinden.

Hij liet zijn vingers over de knoppen van de magnetron glijden, op weg naar het belangrijkste voorwerp van zijn keuken: het achtpitsgasstel dat hij nog nooit had gebruikt, zelfs niet om een sigaret mee aan te steken. Hij had het gekocht omwille van de gezellige foto in de brochure. Hij zag zichzelf er al achter staan om lam te roosteren, met lachende meisjes op de achtergrond en grote glazen Cab Sauv. Maar daar had hij nooit tijd voor – geen tijd om boodschappen te doen, mensen op te bellen, de afspraak te verzetten vanwege onvoorziene omstandigheden.

Wat deed hij dan met al zijn tijd? Werken, de stad doorkruisen, de vertragingen, files en uitgevallen metro's als spanning opslaan tussen zijn schouderbladen. Hij checkte zijn mail, hij had gemiste oproepen op zijn mobieltje en luisterde naar de boodschappen op zijn voicemail. Hij had vrienden die hij in geen jaar had gezien.

Slechts twee jaar geleden hadden de dagen nog lang geleken, veerkrachtig bij mislukte planningen, flirterig ontvankelijk voor ongeplande dingen. De tijd was mysterieus en overvloedig geweest, een natuurlijke bron. Hij had erin kunnen zwemmen. Maar nu leek het slechts een idee in zijn eigen hoofd. Hijzelf bepaalde de eigenschappen, de structuur ervan: of hij de tijd ervaarde als de surreële kleine sprongetjes van telefoontjes en vergaderingen, of als kantoorkwanta, of als golvende lunaire tijdspannen achter zijn computer in het weekend, waarin zijn mond brandstof kauwde als zijn wekker hem daarop attendeerde. Dit was een nieuwe vorm van verantwoordelijkheid, van artistieke controle. Maar hij wilde niet dat tijd als kunst aanvoelde; het moest voelen als wetenschap.

Hij bestudeerde de data op een paar potten cornichons, zongedroogde tomaten en amandelolijven. Het waren prachtige glazen potten, schitterende verpakkingen. Het voelde als blasfemie om ze in de grote, zilverkleurige pedaalemmer te gooien.

Hij liep zijn slaapkamer in en opende zijn kledingkast. Hij keek naar de rekken vol schoenen die hij nooit droeg, de informele kleren waar hij nooit informeel genoeg voor was. Als hij eerlijk was, was het enige wat hij echt gebruikte de rij met werkoverhemden die zijn werkster netjes had gestreken. Evengoed bestelde hij regelmatig sweatshirts en stoere sweaters via internet, als postuum vergaarde souvenirs uit ongehaaste dagen, toen hij nog begin twintig was. Nog geen drie jaar geleden was het niet nodig geweest een skireisje van vier dagen zes maanden van tevoren te plannen. Hij zou die stoere sweaters in een sporttas hebben gepropt, er wat Rizla en een fles wodka bij hebben gestouwd ... en weg.

Nu vlogen de dagen voorbij tussen het optillen van het dekbed en er weer onder kruipen. Hij begon in te zien waarom mensen een gezin wilden. Je zou alleen al een gezin willen om iets te hebben wat niet wegging of uit de mode raakte voor je daar erg in had.

Hij ging met zijn handen over de plank met T-shirts en trok er een uit dat hij tijdens zijn sabbatical had gedragen. Er stond een afbeelding van een joint op de voorkant. Hij zag zichzelf nog staan, onder de klok van Waterloo Station, wachtend op zijn vader, met zijn surfplank onder zijn arm en zwerend dat hij nooit zijn baard zou afscheren, nooit in een normale baan vast zou komen zitten. Ludo lachte om dit verloren idealisme, maar schaamde zich er net als de meesten van zijn vrienden nog steeds voor dat hij zo gewoon bleek te zijn, en veranderde snel van onderwerp als het ooit ter sprake kwam.

Maar Luke dacht geen moment dat hij het anders had kunnen doen. Hoe zou je het je anders kunnen veroorloven om in Londen te wonen, lid te zijn van een goede sportschool en in een fatsoenlijke auto te rijden? Hij vroeg zich af waarom zijn zus, Sophie, er nog steeds van droomde terug te gaan naar India, naar de plaatsen die ze op haar achttiende had bezocht. Die zouden nu zeker niet meer hetzelfde zijn. Backpacken was smerig, Europese hotels waren aangenaam; dat waren de axioma's van een volwassen redenering.

Maar hij kon zich nog steeds niet aan het gevoel onttrekken dat Sophies uitstekende cijfers en het feit dat ze op de basisschool al viool en piano speelde, aantoonden dat ze een stevigere grip op de realiteit had dan hij. Als hij haar van sentimentaliteit of nostalgie verdacht, kreeg hij het gevoel dat hij misschien gewoon de strekking niet had begrepen. Dat zei ze tenslotte ook altijd: "Je begrijpt het niet, Lulu. Je luistert niet naar wat ik je vertel. Je hoort clichés."

Normaal gesproken zou hij, nadat hij zich zo'n vernietigende opmerking had herinnerd, geneigd zijn tot piekeren, maar op dit moment was zijn geest daarvoor te opgejaagd en te geïrriteerd. Hij sloeg tegen zijn voorhoofd en vroeg zich af of hij eigenlijk ooit eerder echt fysiek verlangen had gevoeld, want wat hij nu voelde was bijna vernederend. Steeds weer dacht hij erover de woonkamer in te gaan, Arianne wakker te maken en haar zijn auto, zijn salaris, wat dan ook, aan te bieden als hij maar haar kleren uit mocht trekken – al was het alleen maar haar spijkerbroek – en met zijn mond langs haar benen omhoog mocht gaan. Het maakte niet uit of ze ook iets bij hem deed, dat hoefde niet meteen. Hij wilde gewoon om te beginnen knielen voor de bank, met het gewicht van die prachtige benen op zijn schouders, die dijen beschermend tegen zijn wangen, zijn lippen en tong verloren in haar smaak en geur, en naar haar gezicht kijken, zien wat híj met haar gezicht kon doen.

Maar waarom zou ze hem in vredesnaam zijn gang laten gaan? En waarom wilde hij dit nooit bij Lucy doen?

Hij keek naar het T-shirt in zijn handen en vroeg zich af hoe lang het geleden was dat hij het voor het laatst had aangeraakt. Twéé jaar? We hebben te weinig tijd om de spullen die we bezitten aan te raken, dacht hij. Hij stond op het punt in tranen uit te barsten.

"Hé? Voel jij je ook een beetje raar?" vroeg Arianne. Ze leunde tegen de deurpost. "Ik voel me raar door die pijnstillers. Of misschien komt het door de champagne. Ze had toch gezegd dat we niet moesten drinken, die arts?"

Hij beeldde zich in dat ze hem had betrapt terwijl hij tussen háár kleren snuffelde, in plaats van die van hem, en legde het T-shirt snel terug. "Wat is er? Ben je misselijk?" vroeg hij.

"Misselijk? Nee ... nee. Het is iets anders ..." Het was altijd 'iets anders' bij haar. Ze kon zich op de meest onverwachte momenten overdreven gematigd uitdrukken. Ze gebruikte woorden die kleine lichamelijke tintelingen beschreven om een diepgaande emotionele verandering duidelijk te maken.

"Heb je pijn in je hoofd?"

"Nee ... dat is het ook niet. Nee, het was gewoon ... Ik droomde dat ik God zag." Ze liep naar zijn bed en klom erop.

Hij voelde dit intieme contact in zijn eigen lichaam. "Dat ... Dat is niet de eerste de beste", zei hij.

Ze trok een kussen naar het midden van het matras en liet haar hoofd erop rusten. Maar bijna ogenblikkelijk zat ze weer rechtop en trok met een ruk haar benen onder zich. "Ik wil je er wel over vertellen. Wil je weten hoe het met God zit?"

"Eh ... oké."

"Nou, er was dat 'felle licht' waar mensen het altijd over hebben", zei ze. "Je weet wel, bij talkshows en zo, waar mensen dat soort onderwerpen bespreken."

Hij knikte.

"Maar het was geen aangenaam fel licht. Het was een brandend, allesverslindend licht als na een kernexplosie en ik wist dat ik blind zou worden als ik erin zou kijken. Het was alsof mijn huid zou afbladderen als ik eraan werd blootgesteld. Je zou onmiddellijk kanker krijgen als je erbij in de buurt kwam, je cellen zouden allemaal afsterven. Het was alsof je werd vermoord door licht, alleen wist ik dat ik al aan het doodgaan was, anders zou ik het niet mogen zien." Ze keek hem verschrikt aan. "Het slaat nergens op", zei ze.

Toen glimlachte ze en schudde haar hoofd, alsof ze niet kon geloven hoe suf ze deed, en barstte in tranen uit. Lange halen, die pijnlijk waren om aan te horen. Ze bedekte haar gezicht en hij ging naar haar toe en legde een arm om haar heen, intuïtief, met alleen de bedoeling een meisje te troosten. "Hé, hé ... je gaat niet dood. Niets gaat je vermoorden", zei hij.

"Ik ben gewoon soms zo bang ..."

"Ik ken het, ik ken het ..." zei hij. Hij kende het.

"Zo ontzettend bang."

"Ja, ik ken het, ik ken het ... Hé, ik ken het ook, ik ken het ..."

Maar zijn woorden werden algauw een betekenisloze herhaling, hun delicate oprechtheid werd overwonnen door lust. Slechts enkele ogenblikken later bemerkte hij dat hij haar zoutige mond zoende ... of zij die van hem?

Haar ribbenkast schokte door haar abrupte, stuipachtige ademhalingen. Weer vertoonde haar lichaam, naar het ontwerp van de kunstenaar, een tegenstrijdigheid. De volwassen, gespierde benen lagen in de clinch met de kwetsbaarheid van haar bovenlichaam. Fysiek leek Arianne boven zichzelf uit te stijgen, haar aardse benen achter zich te laten, minder werelds te worden met iedere centimeter die ze hemelwaarts ging.

Een politieauto reed met loeiende sirene langs en Luke wilde dat hij stil was, oprotte, voor het geval de betovering werd verbroken en ze hem zou zeggen van haar af te blijven. Precies op dat moment trok ze zich van hem los en keek hem woest aan.

Zijn hart zonk en hij begon een excuus te verzinnen. Maar voor hij het wist trok ze haar shirt uit, drukte zijn vingers zacht tegen haar beha en fluisterde: "Zorg jij dat ik me beter voel, Luke?"

Misschien wordt stijl altijd voorafgegaan door pijn, zowel in zijn oorsprong binnen een persoonlijkheid als in elk van zijn latere manifestaties. Zonder pijn heeft een sterk karakter geen diepgang, geen doordringende duisternis waardoor het naar een zonovergoten opluchting wordt gesmeten.

Luke had nooit iemand ontmoet die om beurten zo verslagen en zo krachtig kon zijn. Ook was hij nooit onderworpen geweest aan een esthetisch instinct dat van tijd tot tijd zelfs zijn eigen dominantie vereiste. Nadat ze een sceptische wenkbrauw naar hem had opgetrokken, veranderde Arianne plotseling in een feest van zachtheid en soepelheid: ze liet in een vreugdevolle explosie haar behabandje zwichten voor zijn vingers en hij moest denken aan de nectarines die Sophie in Portugal als verrassing voor hen had geplukt. Ze was giechelend uit de tuin naar binnen komen rennen, haar zomerjurk vol met iets, en stortte drie miljoen nectarines rollend en stuiterend uit over de lunchtafel.

Met verbazing keek hij neer op de stapel kleren en daarna naar de hete, uitgestrekte vrouwelijkheid in zijn armen: een zware en lichtelijk angstaanjagende verantwoordelijkheid.

Arianne ging lief glimlachend rechtop zitten en draaide hem op zijn rug. Haar gezicht zakte naar hem toe, tot alles donker was en hij alleen nog maar haar parfum, haar zweet en de wijn in haar adem rook. Ze bracht een volledige zonsverduistering teweeg en trok daarna met een geoefende ruk zijn spijkerbroek open. Haar warme handpalmen duwden zijn polsen in het dekbed en Luke dacht dat dit, hier en nu, overduidelijk alle Franse meisjes in Cap d'Antibes waren die hij ooit gewild had.

Desondanks werd hij er door zijn opvoeding op gewezen dat hij iets zou moeten zeggen! Hij wist dat hij de handelingen moest onderbreken omdat ze een meisje was, omdat het feit dat je een meisje was betekende dat je dingen op een speciale manier voelde, en hij moest haar echt zeggen dat ze niets overijld hoefden te doen, als ze het niet zeker wist ... als ze hem niet goed genoeg kende, wat natuurlijk het geval was.

Maar hij was doodsbang dat dat haar er echt van zou weerhouden haar slipje uit te trekken. Dus zei hij niets – behalve een paar keer haar naam – en op een gegeven moment gooide ze haar slipje over een foto van zijn roeiteam (triomfantelijk grijnzende jongens na afloop van het schoolkampioenschap), zei: "Die boffen!", en giechelde.

En toen kronkelde ze met een serieuze uitdrukking op haar gezicht van hem weg en ging met haar achterhoofd op de kussens liggen. Ze observeerde hem angstvallig, alsof ze zich afvroeg wat er nu zou gebeuren en bang was dat hij het haar zou laten zien. Hij klauterde achter haar aan en greep haar enkel vast om haar tegen te houden, bezorgd dat als ze hem nu zei dat hij moest stoppen, hij van frustratie een hartaanval zou krijgen. Maar ze liet hem begaan en toen hij veilig in haar was, voelde hij zich gevaarlijk en bijzonder. Of was het wanhopig en middelmatig? Het was vreemd genoeg onmogelijk om te zeggen wat, maar dat scheen niet veel uit te maken. Eigenlijk deed niets er meer toe, zolang hij maar niet onderdeed voor de wilde bewegingen van haar heupen en kon voorkomen dat het bed instortte zonder haar ook maar het idee te geven dat hij ooit zou willen dat ze ermee ophield.

Ze voorzag zijn hoogtepunt en – met wat later een bovennatuurlijk gevoel voor timing leek – hield haar hand voor zijn mond om te voorkomen dat hij de anderen wakker maakte. En hij likte haar vingers, als een dankbare hond.

5

Toen ze wakker werden, waren de anderen al vertrokken. Ludo en Jessica hadden klaarblijkelijk een simpel verhaal gereconstrueerd en de deur stilletjes achter zich dichtgetrokken. Het was zaterdagochtend, een uur of elf. Luke en Arianne lagen op bed naar elkaar te staren.

"Ga niet weg vandaag", zei Luke, die niet wist waar 'weg' was. "Moet je weg?" Ze glimlachte en zei nee, ze hoefde nergens naartoe. Ze draaide haar rug naar hem toe en nestelde zich tegen hem aan, trok zijn arm om zich heen en overstelpte zijn hand met kussen.

Waarom voelde hij zo'n intense vreugde? Hij glimlachte met zijn kin tegen haar haar, grijnsde in het glanzende, witblonde bobkapsel. Ze was natuurlijk beeldschoon, maar er was veel meer dan dat. Ze was de eerste die hij ontmoette met zo'n bruisend karakter, alsof ze overliep van verborgen passies. Ze gaf hem het gevoel dat hij op het punt stond iets ongelooflijk spannends te ontdekken. Het leven was een duistere vlakte geweest, nauwelijks zichtbaar onder de donkere hemel, en Arianne was de bliksemflits waarop hij had gewacht.

Tot zondagavond deden ze niets anders dan slapen, wakker worden en weer vrijen. Ze waren niet meer dan de totale som van monden en handen, verlangen, honger en dorst. Hun verlangen overschaduwde al het andere. Soms kregen ze trek en bestelden ze eten. Maar zodra ze de bezorger munten en papiergeld hadden toegeworpen en de dozen uitzinnig hadden opengescheurd, lieten ze het bijna onaangeraakt liggen. Het was alsof hun zintuigen al iets anders beloofd was, een hevig fysiek verlangen waar ze om lachten en waardoor ze ten prooi vielen aan gekke impulsen: bijten in een pols die naar een fles water greep, en zulke plotselinge begeerten dat lampen van tafels werden gestoten en omgevallen glazen over de vloer gleden.

Ze trokken hun kleren pas weer aan toen Ludo die zondagavond langskwam, nieuwsgierig omdat hij gehoord had dat Arianne er nog steeds was. "Hé, jij hier?" zei hij op overdreven cynische toon toen ze de deur voor hem opendeed. "Is dit even een interessante ontwikkeling!"

Toen de bel ging was Luke naar de keuken gegaan om wat te drinken te halen. Een klein deel van hem wist dat hij zich eigenlijk aan het verstoppen was. Hij zag ertegen op zijn vriend te zien lachen om het idee dat Arianne en hij samen waren. Ludo – en iedereen, waarschijnlijk – zou denken dat hij gewoon goeie ouwe Lulu was: betrouwbaar, maar niet slim of geraffineerd genoeg voor een meisje als zij. Hij moest al zijn moed bijeenrapen voor een vertoning van mannelijke onverschilligheid. Hij voelde zich ook schuldig – alsof hij Ludo persoonlijk gekwetst had – en hij wist niet zo goed waarom.

Hij vroeg zich af of hij gewoon extra gevoelig was door fysieke uitputting en slaapgebrek. Terwijl hij drie glazen pakte moest hij aan de jetlag denken die hij een paar jaar geleden had gehad nadat hij naar een rugbyoefenwedstrijd in Australië was geweest, en hoe moeilijk het was om daarna met zijn ouders te praten tijdens het diner. Het eten smaakte hem vreemd, anders dan anders. Uien waren net plastic, sperziebonen knarsten als rubber tussen zijn tanden. Op dit moment voelde hij zich net zo onwennig als toen.

Ludo en hij omhelsden elkaar zonder elkaar aan te kijken en Arianne maakte de fles wijn open. Luke nam een slokje, maar het smaakte net als de wijn tijdens dat rare diner, en hij zette zijn glas weer weg. Hij stak zijn vingers achter in Ariannes spijkerbroek, liet ze rusten tegen de zachte huid die nog warm nagloeide van het vrijen, en voelde een steek van verlangen in zijn handpalm omdat hij haar op veel meer plaatsen wilde aanraken. Haar lichaam was in deze kamer de enige werkelijkheid.

"Dus ik was eigenlijk van plan om naar de Blue Monkey te gaan, maar ze zeiden allemaal: 'Kom naar de Noise, Bas draait daar, Bas draait daar'", zei Ludo, en hij rolde met zijn ogen. "Dus werd het een hele onderneming – vier taxi's vol – en het was behoorlijk waardeloos. Niet waardeloos, maar je weet wel, gewoon zo'n niksavond."

"Een niksavond", herhaalde Arianne. "Zei Bas erg rare dingen over mij?"

"Nee. Waarom? O, god, dát was ik helemaal vergeten. Nee, hij heeft zich gedragen. En hij had het trouwens druk. We hebben alleen gedag gezegd. Hij is best goed, hè? Maar het lijkt zo verdomd veel moeite te moeten kosten om te bepalen waar je heen gaat dat je, wanneer je er eenmaal bent, het niet meer kunt opbrengen het naar je zin te hebben. Sms'en, bellen, luisteren naar zeikerige voicemailberichten van Saskia: 'Ludo, waar ben je nou? Heb je coke voor me, want ik ben een suffe muts en kan niks zonder jou.' Je weet hoe ze kan zijn. Een stom rund. Jezus, ik denk dat ik misschien maar twee keer heb gedanst of zo. Ik denk eigenlijk dat ik nog een hersenschudding heb. Dat ik me door jullie heb laten ompraten niet in het ziekenhuis te blijven voor observatie! Ik zou waarschijnlijk op zaal hebben moeten liggen en zo. Aan monitoren."

Terwijl Ludo en Arianne verder kletsten, dacht Luke terug aan de kleine galerie die zijn tante Suzannah een tijdje gerund had. Hij moest een jaar of zeven geweest zijn toen ze daar waren, want hij had de pet op gehad die deel uitmaakte van het uniform van zijn basisschool. Hij herinnerde zich nog goed hoe hij daar stond in zijn houtje-touwtje-jas, gemarteld door frustratie naast een marmeren beeldhouwwerk dat hij niet mocht aanraken. Het beeldhouwwerk was tot gladde perfectie opgepoetst; het was gewelfd en zwaar, alsof het gemaakt was om de hand te behagen. Maar zijn moeder had zijn pols vastgegrepen toen hij zijn arm ernaar uitstak.

Waarom zou je iets maken wat zo fijn was om aan te raken als niemand dat mocht doen, had hij willen weten. Hij had het heel graag willen weten, à la minute, ook al was tante Suzannah aan het huilen. (Ze was tenslotte altíjd aan het huilen.) Maar zijn moeder had alleen ferm haar hoofd geschud en gezegd dat ze lekkere koekjes voor hem in de auto had als hij braaf was, maar anders niet. Volwassenen hadden altijd dit soort tovermiddelen achter de hand, leek het.

Luke glimlachte in zichzelf op de bank. Hij was ervan overtuigd dat Arianne hem kon helpen vergeten waarheden over zichzelf naar boven te halen.

Op dat moment lachte ze uitbundig om iets onzinnigs wat Ludo zei en kronkelde zich achterwaarts, tegen Lukes vingers aan, waardoor ze achter het elastiek van haar slipje bleven steken. Haar gezicht straalde een volmaakte rust uit en hij keek vluchtig naar zijn nietsvermoedende vriend, en genoot van haar bedrieglijkheid.

Maar dat gevoel maakte al snel plaats voor een angstig voorgevoel. Hij bevond zich tenslotte in de aanwezigheid van een beginnend actrice, en in tegenstelling tot Lucy kon zij alles verbergen wat ze voelde. Met Lucy waren er tranen, waren er rode wangen ondanks haar pogingen om kalm te blijven. En als er al iemand de boel voor de gek had gehouden, was hij dat geweest, wanneer hij deed alsof hij niets gemerkt had, zodat ze gewoon verder konden eten, konden vrijen en slapen.

Zijn leugens waren altijd pragmatisch geweest. Maar Arianne leek er plezier in te scheppen. Ze verborg niet alleen van alles, maar ging veel verder door precies het tegenovergestelde van wat ze voelde voor te wenden, louter en alleen omdat ze daar zin in had. Als hij reden had om te denken dat ze daar op dat moment mee bezig was, stond Luke versteld van haar talent en joeg het hem tegelijkertijd schrik aan. Wanneer hij naast haar zat, leek het soms alsof ze met haar hand voor haar mond om niet te giechelen de kamer uitgeslopen was en een namaakmeisje op haar plaats had achtergelaten.

Actrices waren gevaarlijk. Zelfs Ariannes armen en benen konden acteren: haar vingers tikten om beurten tegen haar duim, alsof ze iets overwoog waar ze eigenlijk allang een beslissing over genomen had; haar benen strekten zich nonchalant uit terwijl haar hart samentrok van woede; ze kon een 'persoon-die-dagdromend-uit-het-raam-kijkt' spelen wanneer ze juist gespannen op iets wachtte, of haar schouders en nek als de hangende kop van een lelie laten verslappen bij een praktische kwestie waarvan ze wist dat Luke die snel zou oplossen.

Veel later begon Luke te vermoeden dat ze zelfs in haar slaap leugens vertelde. Hij luisterde naar hoe ze zich installeerde en zuchtte met de zachte gebaren van een vrouw, en vroeg zich af in welke mate deze houding haar kritische vastberadenheid overschaduwde.

Toen Ludo vertrok ging ze met haar rug naar de deur staan en duwde die dicht met haar achterwerk. Luke trok haar spijkerbroek naar beneden, lachend om de zalige rimpeling van knopen. Levenloze dingen werden onweerstaanbaar betrokken bij de muziek van de lange middagen die ze samen doorbrachten: het matras bonkte door de val van hun gewicht; de poten van het bed schuurden over de houten vloer; het hoofdeinde gaf de muur een high-five en het water spetterde vreugdevol het bad uit en kroop giechelend over de tegels.

Met haar sterke rechterbeen schopte Arianne haar spijkerbroek uit, waarna ze zich bukte en "Voorzichtig, voorzichtig met mijn zere voet, gekkie" zei om Lukes haastige vingers. Ze stond er in haar T-shirt, met het woord 'GENETIC' in versleten gele letters over haar borsten heen. Dat trok hij ook uit. En pas toen hoorden ze hoe iemand een deur dichtgooide en Ludo de trap af liep!

Arianne had gewoon maar aangenomen dat ze bij hem introk. Zelfs deze veronderstelling liet ze in het vage, door aanwijzingen die te subtiel of vanzelfsprekend waren om achteraf de bedoeling ervan te begrijpen. Luke realiseerde zich eenvoudigweg dat ze voor hem besloten had en omdat hij het idee geweldig vond, had hij er geen behoefte aan vragen te stellen.

'Samenwonen' was al maanden een discussiepunt van Lucy en hem.

Hij deinsde terug voor de voorzichtige, ingetogen hints: de roze tandenborstel die ze netjes naast de zijne had gezet en het flesje reinigingsmelk dat in het kastje discreet maar goed uitgedacht een paar centimeter voor zijn scheermesjes stond. Op de een of andere manier had geen van haar tactieken gewerkt.

Maar Ariannes gevoel voor voorbestemming was altijd sterker dan dat van ieder ander met wie ze in contact kwam; buitenstaanders werden erdoor in een verwarrende berusting gebracht. Voor Luke was deze berusting slechts een van de vele vormen van sensuele overgave, nauw verbonden met de neerwaartse beweging van zijn oogleden als haar vingers zijn riem losmaakten.

Stilletjes, heel stilletjes, verwijderde hij alle kleine tekenen van Lucy's aanwezigheid uit het appartement en hij stopte ze bij elkaar in een plastic zak onder de gootsteen, wat iets minder akelig leek dan ze weg te gooien. Het luchtte op ze weg te stoppen; het leek alsof ze luidruchtig waren, of heet, of pijnlijk voor de ogen. Hij vond een roman met de titel *O, Serena!*, een flesje roze nagellak en een zeldzame foto van Lucy en hem met zijn moeder waarop hij, vreemd genoeg, ook een camera vast had en tegen de zon in tuurde. Hij vond een lichtblauwe haarband bij de waterkoker. Hij las de laatste regels van de roman:

> "Nou, dat komt dan goed uit", zei Gus. "Ik heb hier nog een vliegticket. Want ik hoopte al dat je met me mee zou gaan."

Terwijl hij zich afvroeg of je daadwerkelijk kon sterven door een schuldgevoel gooide hij het boek in de plastic zak.

Later die ochtend zag hij Arianne Lucy's reinigingsmelk gebruiken en van schrik ging zijn hart als een razende tekeer. Hij stond in de deuropening en kreeg geen woord over zijn lippen, totdat ze naar hem glimlachte met een wattenschijfje voor haar ene oog en "Kom er zo aan" zei, alsof het niet bij haar was opgekomen dat deze fles weleens van een ander meisje zou kunnen zijn.

Maar ze had helemaal geen uitleg nodig, alsof ook die overbodig was voor haar opvoering om te geloven wat ze wilde. Arianne consumeerde op elk gebied zonder twijfel of geweten. Als ze trek had pakte ze iets uit de koelkast, rook er afwezig aan of plukte eraan en liet het daarna op het aanrecht liggen om te bederven.

Luke vond het allemaal even prachtig. Anders dan zijn schuldgevoel wanneer hij iets verspilde en zijn onhandige gepruts met huishoudfolie was dit stoutmoedig; dit was de decadentie van koningen. Het betekende een groot gevoel van eigenwaarde en hij was niet van plan daartegenin te gaan.

Hij vond een lekkend pakje roomboter, een hard geworden plak ganzenlever en een fles vlierbessensap die ze alleen maar had opengemaakt toen ze alweer verleid werd door een andere lekkernij. Hij smeet ze in de vuilnisbak alsof hij een doelpunt scoorde. De koelkast boezemde hem niet langer angst in. Hoewel deze 'luxeartikelen' het tastbare bewijs van zijn ambitie en idealen waren, voelde het goed om ze aan haar te verspillen. Het voelde als een luxe om ze aan haar te verspillen. Ze vervormde zijn schuldgevoel, trok de verspilling, de uren die ze in bed doorbrachten en het feit dat hij zijn arbeidsethos verkwanselde naar het domein der zelfexpressie.

Misschien komen belangrijke mensen pas op cruciale momenten in je leven, dacht hij. Ze was gekomen op het punt waarop hij zich er steeds meer van bewust werd dat hij voor een doel werkte waarin hij niet langer geloofde. Hij kon niet eens meer bedenken wat dat doel was geweest, hoewel hij zich wel kon herinneren dat hij er slechts enkele weken geleden nog vurig in had geloofd. Hij herinnerde zich vroege ochtenden, late avonden, weekends die hij biddend doorbracht. Hij herinnerde zich boetecornflakes als avondeten bij het ratelende geluid van de printer.

Maar in werkelijkheid was het verlies van geloof in zijn werk slechts een kleine verschuiving van steentjes en niet de oorzaak van het afschuwelijke, donderende geraas. Er spookten andere vragen door zijn hoofd.

Op een avond, een maand eerder, was er een oud vrouwtje de metro in gestapt en naast hem gaan staan. Door middel van een klassieke Londense duik (blik op oneindig, armen strak tegen het lichaam, en gáán) had hij een zitplaats bemachtigd. Daar zat hij dan, gehavend maar zegevierend. Natuurlijk wist hij dat hij nu op hoorde te staan, maar hij scheen het niet van plan te zijn en drukte zijn aktetas instinctief voor zijn borst, als een schild tegen het volksoordeel.

Vrij plotseling kwam er een verontrustende gedachte in hem op: wat als het gewoon niet uitmaakte of hij de vrouw zijn plaats aanbood of niet? Zouden ze hem neerschieten? Zou hij ervoor naar de gevangenis moeten? Langzaam, tartend, liet hij zijn schild zakken.

Daar stond ze ...

1. oud
2. een vrouw.

Met haar door artritis opgezwollen vingers hield ze zich aan de leuning vast. Hij nam haar in zich op: de grijze gemaksschoenen, de bruine, huidkleurige panty, de zoom van de jas met Schotse ruit, en hij voelde alleen maar ... ergernis. Waarom droegen ze toch allemáál dat lelijke spul? De metro vertrok en ze greep de mouw van de man naast haar vast, zich met trillende stem verontschuldigend.

Hij had graag gewild dat iedereen zou weten dat hij de energie had opgebracht om vierentwintig uur lang door te werken in het belang van een bedreigd shampoomerk en dat zelfs zijn tenen en zijn haar moe waren. Had hij zelf geen recht op die zitplaats? Ja, hij was jong, maar hij was een moe, belastingbetalend jong mens. En, wat nog het allerbelangrijkste was: zijn ouders GAVEN HEM GEEN GELD MEER.

In de rechterbenedenhoek van zijn gezichtsveld verschenen constant gehallucineerde inkomende e-mailvensters van onheilspellende strekking.

Hij keek vluchtig naar de naar beneden gerichte gezichten: meisjes wier oorbellen bungelden als de metro bewoog; mannen die het sportkatern lazen en hun stropdassen losser hadden getrokken; twee scholieren die over een mobiele telefoon gebogen zaten met oranje, schedelvormige waterijsjes. In plaats van hem te stenigen, was het volk volkomen door zichzelf in beslag genomen.

En zelfs al zou een van hen toevallig opkijken en denken dat hij een naar mens was dat de plaats van een oud vrouwtje inpikte, zou diegene na deze dag ook nog maar één keer aan hem terugdenken? Het voelde alsof mensen de stand bijhielden.

Maar hij hield zelf toch ook geen stand bij; hij zag boze, in trainingspak geklede vrouwen lusteloze peuters met kleverige gezichten slaan, hij zag schoolkinderen Marsrepen in hun zak steken in buurtwinkeltjes, hij zag in de bioscoop tienerjongens langs geërgerde portiers glippen ... En dan mompelde hij misschien afkeurend, maar meer ook niet. Daarna was hij het kwijt. En op dezelfde manier zou alle herinnering aan hem vervagen zodra de metrodeuren sissend achter hem dichtgingen.

En wat kon het iemand trouwens schelen wat volslagen vreemden ook maar voor heel even dachten? Het feit dat zijn ouders zo waren had zijn zus altijd geïrriteerd, zelfs nog iets meer dan het vermogen van haar eigen broer om hen te paaien. Hij wist dat hij Sophie altijd had geïrriteerd wanneer hij nonchalant zijn schouders ophaalde, zijn talent om met kerst het nette pakje aan te trekken zonder ogenschijnlijk iets van zijn identiteit te verliezen.

Natuurlijk was hij ook niet blij met dat kersttenue. Hij had het toch ook alleen maar aangetrokken omdat de kans dan groter was dat zijn ouders hem langer op zouden laten blijven, of naar buiten lieten gaan, of iets voor hem zouden kopen? Hij had gewoon al vroeg begrepen dat de wereld zo in elkaar zat. Maar in de grond was hij toch nog gewoon zichzelf? Toch? Hij maakte zijn eigen regels. Of had er altijd meer achter gezeten? Misschien had het beeld van het ideale gezinnetje hem net zo aangesproken als zijn ouders. Mogelijk schepte hij er behagen in de keurige jongen in de kerk te zijn en door iedereen gezien te worden (zo had hij trots gehoopt) als toekomstig gevechtspiloot en tennisster.

Het was een prachtig plaatje: de goed verzorgde, vroegtijdig gespierde, jonge Luke Langford tussen de mooie moeder en de belangrijke vader in. Maar dan was er ook nog Sophie, die het plaatje verpestte. Ze verfde haar haar blauw, scheurde haar geruite kerstjurk uit protest kapot, zat naast hem in de kerkbank wel een halve meter van hen af en zweeg van woede. Dus werd ze vroeg naar bed gestuurd. En hoewel hij er nu liever niet meer aan terugdacht, had hij eens in haar kamer gestaan en (voordat haar borstel een hap uit zijn linkersnijtand sloeg) geduldig uitgelegd dat hij vond dat zijn ouders in dat opzicht meer dan redelijk tegen haar waren.

Er verscheen nóg een spookmail in zijn ooghoek.

Hij pakte een krant uit zijn tas en sloeg hem open. Op dat moment kreeg de oude vrouw het voor elkaar dat ze haar bril, zonder welke ze waarschijnlijk blind en weerloos was, op de vieze vloer liet vallen. Een meisje bukte zich om hem te pakken, maar verloor haar evenwicht toen de metro slingerde. Er ontstond een hartverscheurende pantomime van altruïsme toen een aardig persoon een ander aardig persoon hielp te blijven staan, totdat de bril uiteindelijk terug in de bevende hand werd geplaatst. "Dank je, lieverd, dank je. Héél aardig van je", zei de oude vrouw met haar trage, trillende stem.

Luke was te verlamd van blinde agressie om de krant op zijn knie te lezen. Hij bekeek de naar beneden gerichte gezichten en één vraag bleef in zijn hoofd spoken: *Wat nou als het niet uitmaakt of je je goed gedraagt?* Hij had zich die vraag nooit eerder gesteld.

Het was zeker niet zo dat Arianne hier een antwoord op had; daarentegen zorgde ze juist voor een nieuw soort angst. Een meeslepende, allesverterende angst. Terwijl de as aan haar sigaret bungelde en af en toe op het kleed sneeuwde, zat ze afwezig of verveeld of depressief maar wat te zitten, en Luke keek naar haar, doorzocht zijn hart, ziel en lichaam naar een manier om haar te amuseren.

Hij had Lucy nog steeds niet teruggebeld. Vrijen met Arianne overwon zijn schuldgevoel keer op keer. Vrijen met haar overwon alle schuldgevoel, angst, ambitie en tekortkomingen. Hij vergat ze allemaal met zijn handen op haar heupen, zijn achterhoofd in het kussen gedrukt.

"Ik moet mijn spullen bij Dan gaan halen", zei ze die zondagnacht om drie uur. "Breng je me er morgen naartoe?" Ze vlijde haar hoofd tegen zijn borst en zuchtte. "En dan zal de dag erna van niemand anders zijn."

Hij staarde uit het raam naar de kale takken, die afstaken tegen de hemel, en glimlachte. De dag erna zou van niemand anders zijn ...

Hoe kon hij nou tekortschieten in haar verwachtingen van romantiek? Hij zag in dat hij die week vrij moest nemen. Dit jaar had hij nog geen enkele vrije dag opgenomen. Hij had het niet gedurfd, want in tegenstelling tot die van de creative managers werd zijn baan eerder veiliggesteld door vertrouwen dan door een geweldig talent. Hoe zielig het ook was, hij had het gevoel dat hij er gewoon móést zijn.

Maar het leven leek zo ondraaglijk kort! Al achtentwintig jaar verspild ... Met gesloten ogen rolde hij naar Arianne toe. Ze sloeg haar benen om hem heen en slokte hem na een verbazingwekkend behendige beweging van haar achterwerk en heupen op.

Elke keer – letterlijk elke keer – voelde het alsof hij door tuindeuren een prachtige zomer in vloog. En ze had zulke lange ledematen en ze was zo ... elastisch! Met haar nagels zocht ze een weg langs zijn dijen omhoog, haar tong likte de binnenkanten van zijn ellebogen, zijn oorlellen, zijn oksels, zijn handpalmen, zijn tepels, zijn lippen. Ze was een erotisch zoeklicht en zijn zintuigen gingen erin mee als jongens zodra het licht uitging.

In het begin was hij bevangen door angst en begon hij soms nerveus te lachen. Die reacties waren het enige wat hem weerhield van een hete, succesvolle, langbenige, jasmijngeurige toekomst. Ze maakten deel uit van zijn verleden, van Lucy die fluisterde: "Vind je het zo niet lekker, lieverd? O, sorry, dat moet je wel zeggen, hoor. Zal ik het dan wat harder doen?" Hij wierp ze van zich af. Dit bleek voor hen beiden een bevredigend besluit.

Nadat ze het laatste beetje uit elkaar hadden geperst, rolde Arianne steevast warm en rillend tegen hem aan, met haar gezicht van hem af gewend en haar haar voor haar ogen. Heel even bestond hij dan niet voor haar, en hij knipperde met de ogen onder de prachtige blonde sluier en genoot van het gevoel van haar hart dat tegen het zijne klopte. Ze was overal en omvatte alles, of in elk geval alles wat voor hem op de wereld van belang was. Arianne was haar eigen klimaat, met een miljoen veranderlijke seizoenen, en de wereld die zich daarbuiten bevond was zo ... traag, en zo stil.

Die avond reden ze naar Dans appartement. Luke wachtte in de auto terwijl ze de deur opende. Ze rende de trap op, onder een eenzaam hangend peertje door, voorbij bouwspullen en potten verf. De deur zwiepte dicht.

Het was hem langzaamaan duidelijk geworden dat het feit dat ze haar relatie met Dan beëindigde, betekende dat Arianne geen huis meer had. Die gedachte overweldigde hem en trok hem tegelijkertijd sterk aan. Ze had geen geld; ze kreeg niets van haar ouders omdat haar vader soms wel en soms geen contact met haar onderhield, afhankelijk van of hij een vriendin had of niet, en haar moeder het te druk had met haar eigen liefdesaffaires en rechtszaken om enige betrokkenheid bij haar dochter te tonen. Ze waren egoïstisch zoals alleen mensen die ooit heel rijk zijn geweest dat kunnen zijn. Ze hadden al hun geërfde geld verloren met een reeks investeringen die riskant genoeg waren om alleen diegenen aan te trekken die door het weldadige geschitter van hun kroonluchters overtuigd waren van hun goddelijk recht op rijkdom. Als gevolg daarvan waren ze extreem alert geworden, altijd vermoedend dat ze niet hun rechtmatige deel kregen, of dat nu om geld of respect of gepofte aardappelen ging. Meneer en mevrouw Tate waren gescheiden, maar waren vervolgens niet door liefde maar door gezamenlijk procederen inniger verenigd dan ooit. En vanaf haar achtste jaar werd Arianne, in plaats van een algemene, morele scholing te krijgen, grootgebracht met bittere preken over hoe oneerlijk de wereld was, en effectenmakelaren in het bijzonder.

Haar ideeën over normen en waarden waren hierdoor enigszins vervormd, en soms zat ze zomaar aan haar haar te friemelen en vroeg ze zich af (hoewel ze wist dat het nergens op sloeg) of het uitmaakte of je gelukkig was zolang je maar rijk was. Daarna barstte ze in tranen uit.

Ondanks haar charisma was Arianne eigenlijk helemaal niet zo populair. Ze had geen vriendinnen omdat ze jaloezie opwekte bij andere vrouwen, wier goede relatie gevaar liep zodra zij de kamer binnendanste. En ze maakte al haar mannelijke vrienden onbetrouwbaar. Wanneer ze hun avances afsloeg – met op haar gezicht een mengeling van tact en schroeiend schuldgevoel – straften ze haar met hun machtsvertoon. Zodra ze zei dat ze niet 'op die manier' iets voor hen voelde, wist ze wat er komen ging. Ze zette zich schrap.

En op een gegeven moment lieten ze haar wachten in restaurants. Ze sms'ten botte afzeggingen voor haar etentjes en kwamen dan op het laatste moment toch, behoorlijk ontstemd. Ze waren maar al te blij om haar in de wacht te kunnen zetten vanwege een ander telefoontje. Ze zorgden ervoor dat ze het begin van toneelstukken, films en concerten miste waarvoor ze haar vrijgevig hadden uitgenodigd. Ze vertelden haar hoe geweldig kleine brunettes waren. Ze wachtte veel buiten, rookte dan sigaretten om bezig te lijken en blies in haar handen om warm te blijven. En als ze eindelijk kwamen opdagen protesteerde ze niet, omdat ze begreep dat dit in zekere zin gerechtigheid was: vergelding voor het blonde haar en de waanzinnige benen met hun onevenredige macht.

Zoals Luke het zag, was Arianne feitelijk een wees. Ze woonde gewoon bij de vriend met wie ze op dat moment was en wist dat wanneer lust of liefde werd verdrongen door bezitterigheid en jaloezie, het tijd zou worden om nieuwe woonruimte te zoeken. Hij voelde een steek in zijn hart om haar, echte, pijn. Godzijdank had ze nu hem gevonden. Godzijdank kon ze dat alles nu achter zich laten.

Hij keek omhoog en zag haar in het verlichte raam met Dan praten. Ze hadden gehoopt dat hij niet thuis zou zijn, op zijn werk of 'trainen' in de sportschool waar hij twee keer per dag kwam. Waar dacht die sukkel eigenlijk voor te trainen? Luke keek naar de clichématige vertolking van ruzie: handen die smekend omhooggehouden werden, palmen naar boven gericht, bedekte gezichten, schuddende hoofden. Daarna keek hij weg en stak een sigaret op.

Hij wilde niet aan Dans gevoelens denken. Hij wilde zich hem als een stereotype herinneren: een sukkel in een kroeg, een uitslover, iemand van wie Arianne nooit enige serieuze verwachting gehad kon hebben. Hij voelde eerder schuldgevoel jegens Lucy dan enig medeleven voor Dan. Als hij deed alsof Arianne en hij elkaar ontmoet hadden terwijl ze single waren, hoefde hij niet aan Lucy te denken ... of haar terug te bellen. Precies op dat moment voelde hij zijn telefoon in zijn zak trillen en hij kon het akelige toeval niet geloven. Hij voelde het zweet langs zijn rug kruipen, maar toen hij de telefoon tevoorschijn haalde zag hij dat hij zich maar had ingebeeld dat hij overging.

Opgelucht vroeg hij zich weer af of het iets uitmaakte. Wat maakte het in de ellenlange geschiedenis van de wereld uit als hij zich als een klootzak tegenover Lucy gedroeg? En niemand wist het tenslotte, want ze hadden geen gezamenlijke vrienden, en trouwens: niemand hield toch de stand bij.

Tien minuten later hinkte Arianne de straat over naar hem toe met een grote sporttas en een doos in haar handen. Gek genoeg was haar haar nat.

"Hij heeft een fles water over me heen gegooid", legde ze uit. "Dat was in plaats van een stomp in mijn gezicht."

"Jezus christus."
"Wat?"
"Het was niet bij me opgekomen dat hij je zou kunnen sláán."
Ze zette haar spullen op de achterbank. Hij zag dat er een föhn en een paar ingelijste foto's in de doos zaten, een bijouteriedoosje en een pluizige konijnenknuffel met een lint om zijn nek waarop gesabbeld leek te zijn. Weer ... o, die pijn in zijn hart.
"Nou, ik heb mazzel gehad dat hij me amper heeft geraakt. Alleen in mijn ribben", zei ze. Ze tilde haar sweatshirt op en liet de rode plek zien waar Dans hand naar haar had uitgehaald. Ze had geen beha aan, zag hij. Ze zei: "Geef me maar een sigaret, oké? Word ik wat rustiger van."
Luke merkte nu dat hij trilde – onbegrijpelijk, aangezien het al voorbij was. "Ik kan niet geloven dat-ie je geslagen heeft. De klootzak ..." zei hij. Hij dacht aan de grote handen die, nog niet zo lang geleden, toestemming hadden gehad om haar overal aan te raken en naar haar te graaien. Hij liet de sigaretten op de vloer van de auto vallen en stootte zijn hoofd toen hij zich vooroverboog om ze te pakken.
"O, god. Begin er niet aan, Luke. Hij zou je binnen tweeënhalve seconde villen."
Met zijn ogen op de weg gericht en zijn kaken op elkaar geklemd gaf hij haar een sigaret. Hij was beledigd. Zoveel magerder dan Dan was hij niet. Oké, zijn borstspieren had hij een beetje verwaarloosd, maar zijn bicepsen waren nog prima. Dan was gewoon een beest van een vent en waarschijnlijk schizofreen van alle steroïden. En dan te bedenken dat ze ooit de handen van die gorilla aan zich en in zich had gewild, hem bij haar binnengelaten had, en zelfs nu dacht hij nog dat hij zijn pootafdruk op haar ribben kon achterlaten!
Ze zeiden een tijdje niets tegen elkaar terwijl hij zich ongelooflijk kwaad zat te maken, tot ze zich naar hem toe boog, haar hand in zijn broek stak en zachtjes zei: "Kom op, laten we terug naar jouw huis gaan en doen waar we goed in zijn."
Arianne wist hoe ze een mannelijk ego moest herstellen, net zoals ze wist hoe ze het met de grond gelijk kon maken.

Als laatste gebaar van liefde en steun, voor Arianne de smerige wijde wereld in gestuurd werd om te tobben en wroeten voor haar leven, hadden haar ouders beloofd haar lessen aan de toneelschool te betalen. Geen van beiden was ook daadwerkelijk al over de brug gekomen, want er was een discussie gaande of dit nou een vaderlijke of moederlijke verantwoordelijkheid was, maar Arianne had werkelijk talent en de directeur liet haar de lessen zolang gewoon volgen.

Ze belde haar leraar om uit te leggen waarom ze niet naar de les zou komen. Hun relatie klonk eigenaardig, maar Luke stelde zich gerust met de gedachte dat hij niets van de toneelschool wist en verheugde zich bovendien over het idee dat hij toegang kreeg tot veelkleurige, excentrieke personen. Levendige, artistieke mensen ... voor etentjes! Hij had nooit iemand gekend om lam voor te roosteren. Nu voorzag hij een met kaarsen verlichte toekomst waarin mensen naar het geslaagde stel kwamen voor exquise dineetjes. Aan het einde van de avond zouden gasten met tegenzin hun jas aannemen en terugkeren naar hun koudere, donkere levens, zich er al te pijnlijk van bewust dat ze noch Luke, noch Arianne waren.

"Ha Jon, lieverd", zei Arianne, terwijl ze aan het telefoonsnoer draaide. "Ik kan deze week niet naar de les komen omdat ik bijna ben omgekomen bij een afschuwelijk auto-ongeluk." Luke keek hoe ze een haal van haar sigaret nam en een slokje koffie terwijl ze naar het theatrale antwoord luisterde. "Ik weet het, ik weet het", zei ze. "Ik heb heel veel pijn. Zo verschrikkelijk veel pijn, Jon." Zangerig medeleven volgde. Toen zei ze: "En ik heb God gezien in een droom."

Haar stem werd een muziekinstrument wanneer ze dat wilde. Ze zong vanuit de diepten van haar middenrif en was een genot voor het oor. Ze was een actrice en zou op een dag beroemd worden! Luke zuchtte toen hij haar al midden op het podium zag staan om boeketten aan te nemen, waarna ze vervuld van geluk naar hem toe zou rennen.

Dat ze veel pijn had was waar. Het was plotseling verergerd. Haar ene been kon haar gewicht maar heel kort dragen, alleen als ze liep. Toen ze met haar spullen bij de buitendeur van zijn appartement waren aangekomen, merkte Luke haar gehink pas op. Hij kon niet geloven hoezeer hij door zichzelf in beslag genomen was geweest. Hij stelde voor haar de trap op te dragen naar de deur. Ze lachte ... Dat was belachelijk, ze was véél te zwaar, zei ze. Maar ze stemde toch toe en ging zwaar achterover in zijn armen liggen, als een vrouw die bewusteloos uit een brandend gebouw wordt gedragen. Hij droeg haar met een sterke behoefte nuttig te kunnen zijn naar de deur. Daarna rende hij weer naar beneden voor haar tas en de doos en haar hart-, long- en maagverscheurende knuffelkonijn.

De gewoonte sloop erin. Algauw droeg hij haar de trap op en af. Soms tilde hij haar in bed. En toen hij de daaropvolgende week weer naar zijn werk ging, riep ze hem toen hij de buitendeur openmaakte en zei dat ze wat dingetjes uit de winkel nodig had. Hij was al later doordat ze uitgebreid had willen vrijen terwijl zijn wekker hem vanaf het nachtkastje sarde en opjoeg. Er was een drogisterij aan de overkant van de straat. Hij keek op zijn horloge. “Dan ga ik wel even snel”, zei hij. “Wat heb je nodig?”

“O, nee joh, laat maar. Ik red me wel.” Ze boog zich voorover om over haar arme, pijnlijke voet te wrijven. “Het zijn dingen die ik zelf moet uitzoeken, Luke. Je weet wel, meisjesdingen. Crème en zo. Jij weet toch niet welke ik moet hebben.”

Hij keek weer op zijn horloge en glimlachte daarna met een zucht terwijl hij zijn aktetas op de grond liet vallen. Ze giechelde toen hij de trap weer op rende om haar te halen, met twee treden tegelijk en zijn armen uitgespreid als een vader tijdens een sportdag.

Die middag kreeg hij een e-mail van Lucy.

> Van: Lucy, Whittome <lucy.whittome@hddl.com>
> Verzonden: Maandag, 18 april, 2002 13:00:46
> Aan: Luke, Langford <cool_hand68@hotmail.com>
> Onderwerp: Hallo!
>
> Lieve Luke,
> Raar om niets van je te horen. Ik hoop dat alles goed is met je. Ik weet dat je de 17e je belangrijke presentatie moest voorbereiden, dus ik neem aan dat dat al je tijd in beslag heeft genomen. Natuurlijk begrijp ik dat. Met mij gaat het goed. De verkoudheid is voorbij, eindelijk!!! Geen vreselijke hoest meer waar je gek van wordt, goed om te horen, hè? Ik ben het afgelopen weekend naar huis geweest en je moet de groeten van papa en mama hebben. Mam heeft me nog drie potten van haar jam voor je meegegeven. Je lievelingssmaak: framboos. Ik hoop snel iets van je te horen. Vandaag misschien? Ik hou van je. Hoop dat alles goed met je is.
> Lxxx
> PS Het spijt me als ik vorige week na de film chagrijnig was. Ik weet dat je moest werken en dat je je best hebt gedaan om er op tijd te zijn, en je had gelijk, het was maar een film. Ik ben af en toe gewoon een beetje dom.

Hij bedekte zijn gezicht. Natuurlijk was het niet ‘maar een film’ geweest. Het was haar droom en verwachting geweest dat hij haar ten huwelijk zou gaan vragen en zij had daar op een vrijdagavond in haar eentje mee in de bioscoop gezeten terwijl hij e-mailde en treuzelde op zijn werk. Hij was laat geweest door gebrek aan liefde voor haar.

Waarom zou je het verbloemen? Het kwam neer op: je bent niet goed genoeg voor mij.

De dingen zijn veel eenvoudiger dan we willen toegeven, dacht hij. Maar het is altijd aan ons het te merken.

Toen schreef hij haar terug, want hij had besloten dat hij dat maar het beste meteen kon doen. Hij sloeg de toetsen hard aan.

> Van: Luke, Langford <cool_hand68@hotmail.com>
> Verzonden: Maandag, 18 april, 2002 13:25:01
> Aan: Lucy, Whittome <lucy.whittome@hddl.com>
> Onderwerp: Re: Hallo!
>
> Lieve Lucy,
> Ja, het is hectisch geweest op het werk. Ik bel je morgen. Fijn dat je je beter voelt.

Hij dacht even na en schreef toen: "Luce, misschien kunnen we beter even afspreken. We moeten praten", maar hij had er meteen spijt van. Hij zag voor zich hoe ze zou schrikken als ze dit op haar werk las. Hij kende haar; ze schepte tegen haar vriendinnen over hem op. Ze vulden tijdens de lunch astrologische liefdesmatches in. Hij dacht aan de roman onder zijn gootsteen:

> "Nou, dat komt dan goed uit", zei Gus. "Ik heb hier nog een vliegticket. Want ik hoopte al dat je met me mee zou gaan."

Dat was het einde waar ze van droomde.

Zijn vinger bleef op DELETE rusten tot hij zich had hernomen. In plaats daarvan schreef hij dat hij haar zou bellen zodra het 'rustiger' was en hij zette eronder: Liefs, Lx. Misschien zou het aantal kusjes haar een hint geven, want ze zetten er altijd drie.

Maakte je het zo uit met je vriendin? Door het enthousiasme terug te schroeven, door kusjes weg te laten? Hij haatte zichzelf.

Maar de waarheid was dat hij al zo ver bij Lucy vandaan was als maar kon. Hij vond het zelfs moeilijk om te bedenken hoe ze eruitzag. Hij kon zich helemaal geen voorstelling meer van haar maken; niet van haar geur, of het gevoel van haar huid, het geluid van haar stem. Ze maakte deel uit van een stilgevallen leven waarin niets echt opviel.

Even was hij ontzet door zijn gevoelloosheid, de manier waarop hij eenvoudigweg zijn hart had meegenomen en verder was gegaan. Maar het was op z'n minst geruststellend om te weten dat hij zich nooit, maar dan ook nooit meer zo zou gedragen. Niet nu hij Arianne had ontmoet.

Kon je eigenlijk niet zeggen dat er goede dingen uit waren voortgekomen, vroeg hij zich voorzichtig af. Vreselijke dingen gebeurden nou eenmaal – en in dit geval overkwamen ze Lucy – maar je moest het verleden gewoon achter je laten en inzien dat het nu eenmaal zo gaat in het leven. Lucy moest dit net als ieder ander leren accepteren. Hij wist dat hij dat in haar positie ook zou doen en vermoedde dat het hem sterker en wijzer enzovoort zou hebben gemaakt. Ineens moest hij glimlachen uit hoop voor hen alle drie: voor hemzelf en voor Arianne, en voor Lucy, waar ze ook was.

Die middag sms'te Arianne hem een foto van haar blote benen op de onopgemaakte lakens van zijn bed. Paarse nagellak op haar tenen. Aan de rand van de foto zag hij een reep chocola, een pakje sigaretten en een tijdschrift. Dit was haar leven. En hij miste het. Hij voelde een steek van verlangen, zo intens dat het leek alsof hij door een paard in zijn buik werd getrapt.

Hij keek op zijn horloge en vroeg zich af of hij nog meer dagen vrij kon krijgen, of hij zou kunnen zeggen dat hij nog steeds pijn had ... ergens. Het zou moeilijk worden om overtuigend te klinken, aangezien hij dit niet van tevoren had gepland door af en toe te rillen, te hinken of zijn nek te masseren. Terwijl hij daar zo zat na te denken kreeg hij nog een sms'je: "Mijn vingers zijn gewoon veel minder mooi. Hoop dat je de foto ontvangen hebt ...?"

Zij was het leven en het kantoor was slechts een illusie.

Het was pas drie uur. Hij pakte zijn colbert en zijn jas en vertrok, denkend dat hij die paar uur vast niet gemist zou worden, want er waren geen presentaties. Hij beloofde zichzelf dat hij terug zou komen; hij zou de hele avond werken.

Natuurlijk ging hij niet terug. Zijn secretaresse, of 'assistente', aangezien het een niet-hiërarchisch bedrijf was, belde om zes uur om te vragen of ze zijn computer misschien uit moest zetten. Omdat hij dacht dat het maar beter was niet te laten merken dat hij wist dat hij zich vreemd had gedragen, zei hij alleen maar: "Graag, Jenny. Dank je wel. Tot morgen." Hij hoorde dat Arianne het bad voor hen liet vollopen. De stoom kroop als rook onder de badkamerdeur door toen hij ernaartoe sjokte.

Met Arianne over straat lopen (zij hield zijn arm vast en hinkte; ze hadden de stilzwijgende afspraak dat ze alleen de trap niet op en af kon) was een ongemakkelijke ervaring. Hij had gedacht dat hij zich trots en mannelijk zou voelen, maar hij was geschokt door het onaangename gedrag dat ze bij anderen opriep. Ze werd nagefloten door rokkenjagers. En als auto's naar haar toeterden draaide zijn hoofd alle kanten op om te zien waar het geluid vandaan kwam, alsof hij op zoek was naar een scherpschutter. Mannen die in tweetallen voorbijliepen maakten zelfs opmerkingen over delen van haar lichaam. Ze kreunden: "Die benen", of: "Die tieten", en wezen ernaar vol zinnelijke waardering.

Luke was verbaasd dat het haar niets deed. Ze slaagde erin het te negeren en trok hem mee als een kind bij een vuurwerkdemonstratie, leidde hem af met 'ooo' en 'aaah' bij onbetaalbare diamanten, of door naar relatief goedkope schoenen en handtassen te staren, die hij dan opgelucht voor haar kocht.

Op een middag stond ze in een boekwinkel te bladeren door een verzameling foto's van haar favoriete actrices: Hepburn, Monroe, Grace Kelly. Haar gezicht was kalm van bewondering, zacht en vredig in dromen verzonken. Hij keek vertederd naar haar. Dit was verliefdheid, zei hij tegen zichzelf. Niet dat hij er ook maar een seconde aan getwijfeld had. Wat kon het tenslotte anders zijn?

Hij werd geroerd door alles wat ze deed. Ging van opwinding naar droefheid naar tevredenheid, en dat allemaal gedurende één middag, één maaltijd. Ze had het spectrum van zijn emoties verbreed en daarna liet ze hem voortdurend van het ene naar het andere uiteinde hollen, alsof ze wilde dat de kleur niet van zijn wangen verdween.

Op dat moment wilde hij haar én kussen én van een afstandje bekijken. Een zalige kwelling! Hij bladerde door een boek met luchtfoto's van de aarde – bergen, zeeën, woestijnen –, maar had geen enkele behoefte ernaar te kijken. Wat deden deze wonderen ertoe naast Arianne in een slonzig blauw T-shirt en haar zichtbare, peperkleurige behabandjes?

Plotseling viel hem een beweging op. Achter een stellage stond een man in een lange grijze jas door een gat tussen de boeken naar haar te kijken, terwijl zijn hand als een gek in zijn broek bewoog. Luke staarde er ontzet naar. Ineens wilde hij niets liever dan dat ze dit walgelijke tafereel niet zou zien. Het was van het grootste belang dat ze niet wist dat dit aan de gang was. Hij ging voor de boekenplank staan en zei: "Zal ik het voor je kopen, Arianne?"

Ze keek op alsof hij haar wakker had gemaakt. "Wat?"

"Dat boek."

"Dit boek?"

"Ja, kom op, slaapkopje. We nemen het. Ik wil het voor je kopen."

Hij probeerde het uit haar handen te pakken en richting de kassa te lopen, maar ze hield hem tegen. Ze lachte toen ze het woud van tassen bij haar voeten overzag, sloeg haar armen om zijn nek en zei dat nog nooit iemand zo lief voor haar was geweest. Ze kochten altijd alleen maar ondergoed voor haar, zei ze: slipjes, beha's, jarretelgordels ... dingen voor hen, niet echt voor haar. Maar hij was anders. Ze leek op het punt te staan om in tranen uit te barsten.

En hij wilde alleen maar dat ze de man in de grijze jas niet zag. Hij raakte ervan buiten zichzelf. Hij draaide haar om, en ze hinkte op haar goede been, alsof ze aan het dansen waren, richting de kassa. Hij wierp een onechte, gespannen glimlach terug naar haar lachende gezicht en vroeg zich af waar hij nou eigenlijk zo bang voor was. Dacht hij haar onschuld te beschermen? Ze had toch wel bewezen te weten wat mannen in hun broek hadden. Of liep hij zelf risico? Was het de inbreuk die hij laakte, de wetenschap dat een ander met graffiti knoeide waar hij alles wat hij over liefde wist aan het schrijven was?

"Kom op, we kopen dit boek en gaan", zei hij met kloppend hart en warme wangen van paniek. Ze sloot even haar ogen, stak daarna haar hand naar hem uit en liep hem achterna.

Toen ze thuiskwamen bekeek ze het boek urenlang, liet hem de foto's zien en riep naar hem, terwijl hij het avondeten klaarmaakte, hoe prachtig de kleren waren. Ze vertelde hem verhalen over haar moeder. Het waren allemaal anekdotes over bewonderaars en de cadeaus die ze haar gegeven hadden. Ze klonken onaannemelijk; het product van haar moeders wazige nostalgie en ijdelheid. Maar Arianne vertelde ze met het kinderlijke vertrouwen waarmee ze aanvankelijk in haar bewustzijn waren terechtgekomen. Ze sperde haar ogen en haar blik bewoog zich vlug door de kamer terwijl ze sprak. Over parelkettingen, diamanten armbanden, rozen, sonnetten (eentje met de zin AMOR VINCIT OMNIA diagonaal in beide richtingen!). Er was eens een magnum champagne met twee dozen lelies bescheiden voor de deur achtergelaten, die de vuilnisman vervolgens had meegenomen. Dat was grappig!

O, het was een sprookjeswereld geweest, zoals Arianne het vertelde. Ze zuchtte en lachte. "En soms speelden ze een potje poker of roulette om uit te maken wie haar ten dans mocht vragen. Dat kun je je nu niet voorstellen, hè? Tegenwoordig niet meer. De clubs waar wij komen en hoe mannen nu zijn."

"Ze klinkt geweldig", zei Luke, die door haar haar streek.

"O, ze was zo mooi."

"Net als jij."

Ze keek beledigd. "God, nee. Véél mooier dan ik. Ik ben niets. Ze was de mooiste vrouw die mijn vader ooit heeft gezien, laat staan ontmoet. Dat zegt hij nog steeds."

Luke zei bijna: "Maar je vader was haar al vanaf het begin ontrouw", want dat was wat Arianne hem met tranen in haar ogen verteld had, iets waarvan ze zei dat ze het nooit had kunnen vergeten. Ze had zijn arm vastgegrepen toen ze hem dat vertelde, alsof ze wilde dat hij het ook nooit meer zou vergeten, en hij had nog even gedacht dat ze van hem verwachtte dat híj zijn verontschuldigingen ervoor zou aanbieden.

Haar vader was veelvuldig en op vernederende wijze overspelig geweest. Arianne had hem thuis tijdens het kerstfeest echtgenotes van anderen zien versieren; ze had hem een keer in haar eigen slaapkamer betrapt met een halfnaakt, roodharig meisje. En vanaf haar vijfde was ze zich bewust van haar moeders pogingen de andere vrouwen weg te lachen, de schaamteloze nachtelijke telefoontjes te negeren. Mevrouw Tate stond alom bekend als het toonbeeld van zelfbeheersing, maar twee keer toen Arianne thuiskwam van balletles had ze haar moeder bewusteloos aangetroffen. Ze had met het lege pillendoosje in haar hand een ambulance gebeld.

Natuurlijk vond haar vader het allemaal heel erg. Max Tate had zo verschrikkelijk veel spijt gehad dat hij kleine avondjurken in haar maat liet maken om te appelleren aan de zich ontwikkelende smaak van zijn dochter. Hij rolde met zijn liefhebbende ogen terwijl hij haar de make-up van zijn vriendin liet uitproberen en nam haar daarna mee voor eten en champagne, en noemde haar 'liefje' om mee te spelen in haar schattige fantasie dat ze man en vrouw waren.

Luke vroeg zich af hoe ze al die verschrikkingen ineens kon zijn vergeten. Het leek erop dat de mooie en nare verhalen in haar verbeelding van elkaar gescheiden konden worden. Het zou respectloos zijn om te dwingen die twee bij elkaar te laten komen, maar hij merkte dat hij dat toch dolgraag wilde. Hij was bang voor de afwezige, bijna extatische blik in haar ogen, voor de pure fantasie waar ze zich blijkbaar in kon bevinden. Hij had de neiging om haar met harde feiten wakker te schudden, want dit was opnieuw een middel waarmee ze ontsnapte en hem alleen achterliet met de angst dat ze genoeg van hem zou krijgen. Maar hij voelde zo met haar mee dat hij niets anders kon dan haar haar en nek strelen, en haar liet doorpraten.

Die avond scheen ze niet met hem te willen vrijen. Ze legde haar hoofd op zijn schouder en trok haar benen op onder haar trui. Ze dronken een fles Chianti en deden flink hun best op de lasagne die Rosalind hem had leren maken en waarvan hij altijd vergat dat die voor zes personen was. Toen zei Arianne dat ze moe was. Ze sliep doorgaans naakt, maar die avond trok ze een van zijn overhemden aan toen ze in bed stapte. Ze was in slaap gevallen met het knuffelkonijn in haar armen en hij voelde zich bijna beestachtig, gevaarlijk en harig toen hij naast haar in bed stapte. Kon hij niet beter op de bank gaan slapen? Ze was zo moe en had onlangs geklaagd dat hij snurkte. Weer deed zijn hart zeer van de beschermingsdrang die hij voor haar voelde en die hij niet kon uitdrukken; hij probeerde onhandig haar gezicht te strelen, maar stootte daarbij met zijn elleboog een glas van het nachtkastje. Gelukkig was ze te diep in slaap om erdoor gestoord te worden.

Na dat alles was het nogal een verrassing dat ze hem de volgende ochtend om zes uur wakker maakte door zijn overhemd los te knopen, boven op hem te klauteren en verwoed in zijn oor te fluisteren. Ze beet zo hard in zijn nek dat er een cirkel van paarse vlekken ontstond. Het hoofdeinde raakte los van de muur.

6

Luke vond het steeds moeilijker zichzelf te overreden naar zijn werk te gaan. Hij belde erheen en stelde Sebastians niet-hiërarchische medeleven op de proef met het onberedeneerde excuus dat hij Adrian Sand eens had horen gebruiken: hij zei dat hij 'problemen thuis' had en dat hij op de laptop wilde werken, als dat goed was.

"Natuurlijk is dat goed", zei Sebastian. "Je bent tenslotte niet iemand die zich voortdurend drukt of er vaak met de pet naar gooit, Luke. Ik hoop dat het allemaal snel opgelost is voor je, jongen."

Met de beste bedoelingen deed Luke de laptop aan en daagde zijn kater uit tegen het felle licht en de euforische trillingen ... en stapte daarna zijn bed weer in, naar de warme vlakten van Arianne.

Liefde leek Luke een decadente vorm van overgave. Hij zag geen reden de wereld in te stappen. Nu hij alle andere belangrijke aspecten van zijn leven had opgegeven – zijn werk, vrienden en familie – merkte hij dat hij nog nooit zo gelukkig was geweest. Maar soms, als hij zijn vreedzaam grijnzende gezicht in de spiegel zag, werd hij overvallen door een opwellende paniek: hij zou toch íéts moeten doen? Arianne zou toch ooit genoeg krijgen van zijn grijns? Toch? Wat verwachtte ze van hem?

Hij keek door de deuropening naar de keuken, waar ze nonchalant in een belachelijk kleine roze beha en een van zijn boxershorts gekleed een fles cola open probeerde te maken. Ze worstelde er even mee en smeet de fles daarna hard in de vuilnisbak, als om hem te straffen.

Natuurlijk zou ze genoeg krijgen van zijn stomme grijns! Het was een ziekmakende zekerheid. Er moest toch iets zijn wat een man kon doen om ervoor te zorgen dat de vrouw niet verveeld zou raken?

Hij wilde dat hij een of andere heroïsche daad kon verrichten. Wat hij voor zich zag was de iconografie van alle Hollywoodfilms die hij gezien had: de mannen die een kogel voor iemand opvingen of uit helikopters sprongen om de zwakkeren uit de ijskoude zee te redden.

Maar hij kon Arianne alleen maar de trap op en af dragen en na een tijdje scheen ze daar niet meer van onder de indruk. Hij kon haar niets verwijten. Ze lag achterover in zijn armen, dit was tenminste nog nodig, en terwijl hij haar droeg gleed haar blik over het behang.

Op een avond keek hij toe hoe ze haar make-up aanbracht, terwijl ze aan een glas wijn nipte dat hij voor haar vasthield en hem iets gemeens en grappigs vertelde over een van de meiden uit haar klas. Hij hoorde niet echt wat ze zei. In een aanval van trots en angst om haar te verliezen bedacht hij dat Arianne het meisje was van wie hij altijd gedroomd zou hebben ... als hij gezegend was geweest met een goede fantasie. Maar ze was een idee dat te geweldig was voor de reikwijdte van zijn verwachtingen. Hij keek toe hoe ze rouge op haar wangen aanbracht en nette zwarte lijntjes onder haar ogen tekende. Het was een angstaanjagend, maar ook verrukkelijk gevoel dat hij niet in staat was haar volgende handeling te voorspellen.

Zijn relatie met Lucy had hem ongelukkig gemaakt juist doordat die hem macht gaf. Hij haatte zijn vermogen om haar verwachtingen met een enkel woord de grond in te kunnen boren. Vreemd genoeg begon haar kwetsbaarheid op wreedheid te lijken, want hij kreeg er een enorm schuldgevoel van. Ze construeerde een complex symbolisme rond de dingen die ze van hem vroeg, legde al haar verwachtingen in een stom feestje of lunchafspraak; het waren net glazen kerken.

Lucy en hij hadden samen vermoeiende agendasessies.

"O, oké. Nee, dat geeft niet. Eh ... ben je de zevenentwintigste wel vrij voor de lunch dan? Dan is mama jarig, Luke. Ze geven een lunchpicknick. Hannah en Sam komen ook, én Jane en Benjy ..." (*Een man die met je wilde trouwen ging naar je moeders verjaardagslunch. Een man die echt van je hield liet zijn werk niet voor een belangrijke familiebijeenkomst gaan.* Hij zag het haar uitdenken. En hij vond dat ze gelijk had. Hij verfoeide het – en haatte haar er soms om – dat ze gelijk had. Was de nonchalance in zijn stem bedoeld om een en ander te relativeren, of om bij haar in te wrijven hoe ver ze van haar doel verwijderd was?)

"O, Luce, ik kan écht niet. Ik moet werken. Ik heb, eh ... die belangrijke presentatie die maandag." En dan moest hij toekijken hoe de glazen kerk achter haar ogen aan gruzelementen viel en zag hij de teleurstelling langs haar mond trekken.

"O, natuurlijk. Dat was ik denk ik vergeten", zei ze. Ze schreef "*L – PRESENTATIE*!!!" in nogal manische hoofdletters over de hele maandag, alsof ze die dag met niets anders bezig zou zijn.

Zijn ego zou gestreeld moeten zijn geweest door het gezag dat hij over haar had. Dat vertelden jaloerse vrienden hem. Maar hij vond het verschrikkelijk. Macht spreekt alleen degenen aan die zich gezonder en veiliger voelen wanneer ze anderen hun menselijkheid ontzeggen. Aangezien hij was opgegroeid met twee ouders die er alles aan deden om hun gelukkige huwelijk en goede vriendschappen als een onvervreemdbaar recht te beschouwen, had Luke veel vertrouwen in de natuurlijke gerechtigheid van de wereld. Misschien niet in Afrika, nee, natuurlijk zag hij dat het in warme, door oorlog geteisterde gebieden anders was, maar hier in Engeland waren mensen over het algemeen fortuinlijk en goed, en hij vertrouwde ze. Hij was zich eerder bewust van zijn angst om eenzaam te worden dan van de verontrustendere angst voor verraad.

Daardoor had hij liefde altijd als een soort halfreligieuze ervaring gezien: het verliezen van het ego, het overgaan in een ander. Met andere woorden, liefde was precies het tegenovergestelde van de macht die hij over Lucy had. Het enige wat hij wilde was dichterbij komen – altijd dichterbij – bij Arianne. Hij kon het niet verdragen om haar ook maar een seconde aan een van haar ontsnappingsmethoden te verliezen.

Tegen het einde van de maand begon Luke te voelen dat ze op zijn werk anders naar hem keken als hij binnenkwam. Hij zag ambitieuze, jongere collega's opkijken en daarna weer snel hun ogen neerslaan wanneer hij te laat binnensnelde, "sorry" roepend en zich ervan bewust dat hij naar sigaretten stonk en er tandpasta bij zijn mondhoek zat.

Om toewijding uit te stralen at hij zijn lunch aan zijn bureau. Het werd halfeen en, opvallend genoeg, hij verroerde zich niet. De anderen stonden natuurlijk allemaal op, maar hij klikte alleen maar met zijn muis en riep: "Veel plezier, jongens!" tegen de frivole jongelui. Hij vond dat hij idioot gedrag vertoonde. Aan je bureau eten was zielig, en dan morste hij ook nog ketjap op zijn toetsenbord, waar het als een teerachtige substantie opdroogde die, bedacht hij, ook verontrustend veel op gedroogd bloed leek.

Tijdens een van die bureaulunches kwam zijn assistente Jenny naar hem toe en ze vertelde hem deels uit bezorgdheid, deels uit kwaadaardigheid dat tijdens een bestuursvergadering een opmerking was gemaakt over zijn regelmatige afwezigheid. Gek genoeg deden feiten minder met hem dan paranoïde inbeelding, en hij zat er eigenlijk niet zo mee. Hij bood haar een sushirol aan.

"Ooo, mmm, dank je. Maar, wat is er aan de hand?" vroeg ze. Hij grijnsde naar haar en ze schudde haar hoofd. "O jee. Ik hoop dat het legaal is." Ze stopte de rol in haar mond. "Deze zijn echt heerlijk. Je gaat toch altijd naar die chique tent op de hoek? Armoede dwingt, rijkdom springt."

Ze zag er mollig en vergevensgezind uit in haar om haar borsten gespannen roze bloesje en de zwarte broek die strak om haar over elkaar geslagen benen zat. Hij waardeerde haar goedaardige spot, vooral omdat hij het gevoel kreeg dat hij de controle over zijn baan aan het verliezen was en haar geknipoog en geglimlach die angst beteugelden. Hij wilde een reden bedenken om haar te vragen te blijven, om haar lunch samen met hem aan het bureau te eten en een bondgenoot te zijn tegen de jonge gezichten die zich duidelijk allemaal afvroegen of Arianne bij hem weg zou gaan. (Nee, dat was het niet. Ze wisten niets van Arianne. Doe in godsnaam normaal.)

Maar Jenny moest verder met haar eigen werk. Terwijl de voering van haar broek langs haar dijen schoof, liet ze zich van het bureau af glijden. "Hupsakee. Zal ik de file die Damian Green gestuurd heeft, uitprinten of gewoon mailen?"

Haar plotselinge zakelijkheid kwetste hem. "O. Eh ... stuur maar door. Ik heb een exemplaar. Ja, doe dat maar. Dank je." Hij hoopte dat ze hem weer zou vragen of alles goed met hem was, want hij zou haar nu graag over Arianne willen vertellen. Hij wilde met de glimlachende, mollige Jenny ergens een kop koffie drinken en haar vertellen over zijn hevige angst om zijn vriendin kwijt te raken. Hij zou graag haar glimlachende, mollige interpretatie van dat alles horen. Was het normaal, de paniek die hij voelde wanneer Arianne wegkeek, het raam uit of diep in haar glas? Was het gebruikelijk dat je tijdens het avondeten het gevoel had dat je in een liftschacht viel?

Een paar nachten eerder had Arianne in een van haar wanhopige stemmingen gezegd: "Ik móét mijn léven op de rails krijgen, Luke. Ik heb stabiliteit nodig. Ik moet iets opzetten waar ik in kan geloven. Weet je wel? Waarom is dat zo verdomde moeilijk?"

Ze smeet een borstel tegen de muur, die terugstuiterde en op de haren naar hen toe gleed. Ze keken hoe hij steeds langzamer ging en tot stilstand kwam.

"Hé, jij hebt mij, Arianne. Ik ben toch stabiel? Ik hóú van je." Hij probeerde de blouse die ze net aandeed open te knopen, maar ze sloeg zijn hand weg.

"Ik meen het, Luke. Ik bedoel échte stabiliteit ... geld, carrière." Ze zuchtte diep en sloeg haar wijn achterover.

Luke dacht eraan hoe graag hij Jenny's gezicht nu zou willen zien luisteren, knikken, de glimmende roze lippen meelevend op elkaar geperst. Kon hij zielig kijken en haar aandacht terugwinnen? Hij zag haar weglopen door de kantoortuin, de gierende prairie. Was het normaal, dit verlangen om iedereen te vragen hoe ze over de meest persoonlijke details van zijn leven dachten? Misschien moest hij zijn moeder bellen, dacht hij. Hij keek naar zijn telefoon om te zien of Arianne een sms'je gestuurd had. Dat was niet zo.

Waarom? Wáárom had ze hem geen sms'je gestuurd? Nog geen drie weken geleden stuurde ze hem er een of twee per uur.

Hij probeerde zijn ademhaling onder controle te krijgen en opende een e-mail van Lindsey Wicks van Calmaderm.

Zonder dat ze het erover hadden gehad, gingen Arianne en Luke samen naar vrienden in plaats van al hun tijd met z'n tweeën door te brengen. Luke dacht dat de stimulans haar goed zou doen. En hij kwam erachter dat het hem ook goeddeed. Op een avond was hij tijdens een diner bij Ludo thuis aangenaam verrast om Jessica te zien, die de laatste tijd dag en nacht aan een of andere film werkte en erom bekendstond alle uitnodigingen af te slaan wanneer ze ergens mee bezig was.

Aan het begin van de avond had Ludo Luke teleurgesteld verteld dat Jessica niet kon komen vanwege haar werk. Maar rond halfelf belde ze om te zeggen dat ze eerder klaar was, en of er nog kliekjes over waren? Ludo zei haar dat ze snel moest komen omdat de tiramisu er walgelijk lekker uitzag. Toen bleek ze al voor de deur te staan met een fles wijn.

Dat was typisch Jessica. Ze had ongelooflijke trek en at met plezier de lauwe restjes couscous en twee porties tiramisu, en Luke was de rest van de avond met haar aan het bijkletsen. Ze was coproducent van een documentaire en hij was oprecht geïnteresseerd in de dingen die ze hem over het filmen vertelde. Luke was gek op fotograferen en had er ooit lessen in willen volgen, maar hij was van mening dat hij zoiets niet aan anderen kon vertellen. Tijdens het jaar dat hij ertussenuit was had hij een heleboel foto's gemaakt en dat deed hij nog steeds wanneer hij op vakantie was, maar het was een merkwaardig feit dat hij er nog nooit een in Engeland had gemaakt. Geen enkel kiekje. In zijn eigen land was hij zich op de een of andere manier altijd bewust van het oordeel van zijn vader of zus, en hij wist zeker dat zelfs zijn moeder vond dat foto's totaal niets voorstelden vergeleken met olieverfschilderijen. En bovendien wist hij donders goed dat hij niet creatief was. Hij was accountmanager.

Jessica en hij hadden een natuurlijke, gemakkelijke vriendschap, en voor even was hij echt blij bevrijd te zijn van de verplichting om Arianne te amuseren. Hij voelde dat hij ontspande en van het gezelschap van een andere persoon kon genieten. Praten met Jessica was alsof je de evenaar overstak naar een gematigd klimaat.

"God, jullie tweeën hebben wel in jullie eigen wereldje gezeten, hè?" zei ze. "Je wordt gemist, weet je dat? Ik wil niet prekerig zijn, maar vrienden zijn belangrijk."

"Ja, dat weet ik", zei Luke. Hij kon wel in tranen uitbarsten. Wat een prachtig, vredig, simpel iets was vriendschap toch. Hij kon niet geloven hoezeer hij dat de afgelopen weken geringschat had.

"Het gaat toch wel goed met je, schat?" vroeg Jessica hem. "Je ziet er droevig en moe uit. Moet ik me zorgen maken?"

"O, god, nee hoor. Met mij gaat het prima. Ik ... Ik vóél alleen zoveel de laatste tijd. Begrijp je wat ik bedoel?"

"Ik denk het wel", zei ze. Dit was helemaal niets voor hem en ze vroeg zich af of hij door Arianne te veel coke gebruikte. Ze beschouwde Luke altijd als iemand die ontzettend ingetogen en Engels was ... net als zijn moeder. Ze kon deze ontboezeming niet plaatsen. "Schatje, je belt me als er iets is, toch?"

Hij bekeek haar zachte, intelligente, vergevensgezinde gezicht. "Je bent heel geweldig, Jess", zei hij.

Toen ze afscheid namen omhelsden Jessica en hij elkaar lange tijd. Ze fluisterde: "Weet je dat je met een zeer fijnbesnaarde meid gaat?"

"Ja, dat weet ik", zei hij. "Soms is het wel moeilijk. Maar liefde hoort ook veeleisend te zijn, toch? En, nou ja, kíjk naar haar."

Ze keek niet naar Arianne maar glimlachte naar hem, en hoewel hij teruglachte schrok ze evengoed van het zwaarmoedige onbegrip in zijn ogen. Hij leek in de war gebracht door dit meisje. "O, Luke, wees alsjeblieft voorzichtig. Je moet ook aan jezelf blijven denken. Anders heeft ze niks aan je."

"Nee, je hebt volkomen gelijk. En dat doe ik ook", verzekerde hij haar.

Op de terugweg zweeg Arianne. Ze had hem ervan beschuldigd haar tijdens het eten te hebben genegeerd. Ze had iets in zijn oor gesist in de hal. De manier waarop haar paardenstaart op en neer zwiepte terwijl ze Ludo's trap af trippelde, was het meest angstaanjagende wat Luke ooit had gezien. En op de achterbank van de minitaxi keek hij met toenemende paniek hoe de straatlantarens over haar gesloten ogen en haar prachtige, rustige gezicht gleden. Toen ze thuiskwamen liep ze regelrecht naar de badkamer en deed de deur op slot.

Dit was de eerste keer dat ze aangaf privacy te willen. Luke zat in de keuken en luisterde ontstemd naar het water dat over haar lichaam spoelde. Hij was stomverbaasd over hoe jaloers dat hem maakte. Hij dacht er zelfs over na de koude kraan aan te zetten om te zien of het water dan heet over haar heen zou stromen, wat haar zou doen opspringen en de afspraakjes met haar minnaar zou beëindigen. Toen bedacht hij dat hij gek was geworden en lachte, masseerde zijn slapen en schonk een groot glas gin-tonic voor zichzelf in. Was hij jaloers op wáter?

Maar hij voelde zich niet op zijn gemak tot hij de douche hoorde afslaan en de deur opengaan. Ze kwam de keuken in, naakt, met een witte handdoek om haar haar gewikkeld. Er kwam warmte van haar huid af en ze rook naar shampoo en bodylotion. Ze stopte bij de fruitschaal en rolde een druif tussen haar vingers.

"Arianne?" zei hij.

Ze liet de druif langs haar arm rollen en mikte hem van haar elleboog zo weer in haar handpalm. Haar bewegingen waren allemaal heel precies. Hoe zouden haar gedachten in elkaar zitten? Ze was soepel en gloeide na van de douche.

"Hé, het spijt me echt heel erg", zei hij, hoewel hij geen idee had wat hij fout had gedaan. Ze dacht toch zeker niet dat hij iets in Jessica zag?

"Ik ken jouw vrienden niet, Luke."

"Je kent Ludo en ... nou, Jess ken je ook."

"Je bent niet bepaald een gentleman als je een vrouw zo lang alleen laat. Dat is niet mannelijk."

Hij kon niet begrijpen wat ze bedoelde. Ze had tussen zijn vrienden Sam en Joe gezeten, die allebei erg onderhoudend waren, en Joe had haar duidelijk verbluffend mooi gevonden, wat haar altijd plezierde. Maar hij had zich op een bepaalde manier niet 'mannelijk' gedragen. Hij geloofde haar op haar woord en was ontzet. "Het spijt me heel erg", zei hij. "Het zal niet meer gebeuren."

Ze stopte de druif in haar mond. "Oké."

"Echt waar, Arianne. Ik heb je geen moment willen kwetsen."

"Het is al goed. Hou op met je te verontschuldigen. Ik ben een trut. Vergeet alles maar."

"Maar ik heb je gekwetst."

"Nee, dat heb je niet. Ik ben gewoon ... Ik ben gewoon gestoord." Ze bedekte haar gezicht met beide handen. "Luister alsjeblieft niet naar wat ik zeg! Ik ben verschrikkelijk en jij bent geweldig. Ik ben een stomme trut en jij bent een goede, eerlijke man. En nu gaan we naar bed en zal ik alles doen wat je maar wilt, oké? Alles. Het maakt me niet eens uit of het pijn doet. Ik wil zelfs dat het pijn doet."

Hij stond enigszins onzeker op en nam haar in zijn armen. Hij kuste haar even en de kus bevatte de volledige kracht van een lastminute-respijt, een briefje dat aan de beul wordt gebracht. Toen draaide ze zich om en boog zich over de keukentafel, draaide haar hoofd en wierp hem een brede glimlach toe, terwijl haar handen de aluminium poten vastgrepen.

In dat stadium zou het moeilijk zijn te zeggen wat de expressie en wat de werkelijke liefde, seks of emotie was. Zijn lichaam en geest waren onlosmakelijk verbonden. Emotie vormde seks en seks riep de emotie op. Van geen van beide was verlossing mogelijk. Erna lag hij naast haar, denkend en voelend, voelend en denkend tussen de verwarde lakens.

Het leek hem logisch dat hij de verantwoordelijkheid voor al Ariannes praktische zaken op zich nam. Hij had het gevoel dat dat het minste was – terwijl hij bang was dat het het belangrijkste was – wat hij kon doen. Hij stond borg voor een lening bij haar bank, die sceptisch was geweest over de financiële zekerheid van veelbelovende jonge actrices. "Je bent mijn beschermengel", zei ze. "Dat ben je echt, schatje", en Luke wist dat hij zich nog nooit zo trots had gevoeld.

Hij zorgde ervoor dat de lokale delicatessenwinkel al haar lievelingseten bezorgde: gewone yoghurt en mueslirepen, karamel-chocolade-ijs en wodka, appels – groene, géén rode, die fatale fout had hij één keer gemaakt – en boter, honing en warme bolletjes. Een breed scala aan dingen.

"Volgens mij brengt het me in evenwicht", legde ze uit. "Of misschien ook niet. Ach, wat maakt het uit?"

Hij genoot ervan om haar te zien eten, het maakte eigenlijk niet uit wat, maar vooral die harde bolletjes. Ze warmde ze spontaan midden in de nacht na een bubbelbad op. Dan zat ze in haar slipje in de vensterbank met een mond die glansde van de boter en liet ze hem de druppels warme, stroperige honing van haar blote benen likken terwijl ze tegen hem giechelde: "O, Luke, dat kietelt!"

"Sorry, lieveling. Moet ik ophouden?"

"Nee, nee. Ga maar door, 'lieveling'", plaagde ze, met de rest van het broodje in haar mond.

Hij betaalde de taxi's waarmee ze heen en weer naar haar toneellessen ging. Ze werden van tevoren besteld. Als het aan haar lag, hoefde ze nooit te lopen. Haar voet was niet meer zo opgezwollen, maar ze hinkte nog steeds erg. Ze weigerde naar een dokter te gaan en zei dat ze er zeker van was dat het volkomen normaal zou genezen. Dacht hij soms dat er iets mis met haar was, wilde ze weten, dat ze te onbenullig was om beter te kunnen worden zonder een of andere man in een witte jas? Dat was seksistisch!

"Je hoeft me echt niet te dragen als je het niet wilt, hoor, als je dat soms wilt zeggen", zei ze. "Maar dan moet je wel extra tijd rekenen als we uitgaan of zo, want je weet dat ik niets snel kan doen, Luke, met die pijn."

Hij voelde zich afschuwelijk. Ze vroeg zich altijd af wat mensen 'willen zeggen'. Ze had geen vertrouwen in het letterlijke. Ze verwachtte leugens en onderliggende bedoelingen.

"Hé, doe niet zo gek, lieverd. Ik maak me gewoon zorgen om je, dat is alles. Ik vind het leuk om je de trap op te dragen. Dat is romantisch."

Ze glimlachte naar hem – een droeve, niet-overtuigde glimlach.

Hij kastijdde zichzelf. Wat dacht hij wel niet? Weer had hij haar teleurgesteld met zijn afgezaagde gezeur over dokters. Hij verdiende de steek van angst, de schok van bezorgdheid veroorzaakt door de woorden 'extra tijd rekenen'.

Wat voor 'extra tijd', dacht hij. Hij spendeerde nu al al zijn tijd aan haar. Hij had geen tijd om te werken en minder tijd dan ooit om zijn vrienden te zien. Ze eiste hem helemaal op. En wanneer ze droevig wegkeek, terwijl hij al zo zijn best voor haar deed, volgde hij toch haar blik naar de woestenij van zijn eigen ontoereikendheid. Hij moest haar geen reden geven eraan te twijfelen of hij het wel aankon, nog geen seconde.

Op deze manier verbruikte hij al zijn energie.

Toen, op een avond een paar weken later, kwam hij thuis en vond Dan op zijn suède bank. "Alles goed? Gaat het lekker?" zei Dan. "Laat me raden, jij bent vast Luke." Hij stak zijn hand uit als een krijger die in vrede kwam.

Ongeloofwaardig genoeg zaten Dan en Arianne samen thee te drinken. Ze had koekjes op een schaal gelegd alsof hij een familielid was dat op visite kwam. Met zijn enorme vingers hield hij een chocoladekletskop vast. "Dan is even mee naar binnen gekomen", legde Arianne uit. "Ik kwam hem tegen toen ik uit de toneelschool kwam. Hij was naar iemand onderweg. Toch, schatje?"

Dan knikte en nam een hapje van het koekje.

"Aha. Oké", zei Luke, terwijl hij naar haar staarde.

"En, hoe was je dag, lieveling?" vroeg ze hem met haar nasale, Amerikaanse accent. Ze kon het niet laten hun huiselijkheid te hekelen waar anderen bij waren. Maar moest dat nou waar Dan bij was, dacht hij.

Hij zou niet eens weten waar hij moest beginnen met vertellen over hoe zijn dag was. Op zijn bureau lag nu zijn lichaamsgewicht aan ongelezen papieren te wachten. Hij droomde zelfs over papier; het achtervolgde hem door steegjes, duizenden stukken papier joegen als een sneeuwstorm door zijn verbeelding. Hij was ervoor op de vlucht zodra hij wakker werd en zijn kostbare sportmansrust werd nu geheel in beslag genomen door de noodzaak dit voor zijn collega's te verbergen. Maar nu hij tot zijn grote consternatie werd geconfronteerd met Dan in zijn appartement merkte hij dat al het papier weggeblazen was. "Mijn dag was prima, dank je", zei hij. "En de jouwe?"

"O, Jon zegt dat ik opnieuw goed over mijn Shakespeare-rol moet nadenken. Mijn Miranda. Verdomme mijn allerbeste rol. Ik ben dit trimester erg teleurgesteld in hem als leraar." Ze glimlachte naar hem, half verwachtingsvol. Moest hij antwoorden?

"Aha", zei hij. "Dat is rot voor je."

Ze pakte haar theekopje en dronk het leeg. Toen keek ze in haar pakje sigaretten en zag dat dat leeg was. Ze pruilde terwijl ze het pakje verfrommelde. "Helemaal op. Niet eerlijk", zei ze, waarna ze onschuldig naar hen beiden glimlachte. Naar de een, en daarna naar de ander. "Dus, Dan wil dat we met hem uit eten gaan."

Luke legde zijn sleutels neer en keek naar haar, niet in staat iets te bedenken om te zeggen.

Dan schraapte zijn keel. "Eh ... eigenlijk bedoelde ik dat ik met jou alléén uit eten wilde, Arianne. Even goede vrienden, man", zei hij.

Dan keek naar hem, en daarna keek Arianne naar hem. Luke kon niets aflezen van haar gezichtsuitdrukking.

"O", zei ze. "Oké."

Hij voelde een hevige schok, het zweet brak hem uit, zijn haren gingen recht overeind staan en hij beantwoordde haar blik als een verdwaald, zwetend dier in een glazen kooi.

"Ja, ik dacht dat we wel naar Lanton's konden gaan, lieverd", zei Dan. "Je weet wel, met die kussens en al die wierook en zo. Daar houd je toch van?"

Ze klapte in haar handen als een klein meisje. "O, ja, dat klopt. Ik ben dól op Lanton's! Ze hebben daar de zaligste crème brûlée, Luke. Niet te zoet, niet te zacht. Het is helemaal goudkleurig met suiker erop en als je je lepel erin zet, zegt het ... krak! Helemaal perfect." Ze zuchtte met haar gezicht nog steeds naar Luke gedraaid. Weer gaf het niets weg. Had hij zelfs ooit eerder zo'n blanco gelaatsuitdrukking gezien?

Dit was toch zeker een afbeelding van een gezicht?

"Je vindt het toch wel oké, man?" vroeg Dan. "Ik bedoel, ik heb Arianne, eh ..., zowat een maand niet gezien of zo. Daar heb ik het best moeilijk mee gehad. Begrijp je wat ik bedoel?"

Hij stond op en liep de kamer door, waarbij zijn leren broek knarste om zich aan de druk van zijn dijen aan te passen.

"En ik weet dat ze mij ook gemist heeft. Natuurlijk. Je vindt het toch niet erg dat ik dat zeg?" drong Dan aan. "Tja, eh ... een relatie met échte gevoelens is gewoon niet zomaar in één keer over." Hij stompte met zijn rechtervuist in zijn linkerhandpalm, met een afgrijselijke smak.

Arianne ging zitten en sloeg haar benen over elkaar. Ze had nog sigaretten in haar jaszak gevonden en stak er een op. Ze keken toe hoe ze de rook uitblies.

"Je begrijpt wel wat ik bedoel, man", herhaalde Dan. "Toch?"

"Ja, ik begrijp wat je bedoelt", zei Luke. Zijn stem klonk zwak.

"Ik heb gewoon, eh, het gevoel dat het allemaal wat overhaast is gebeurd. Oké? Ik bedoel, jullie krijgen dat ongeluk, ja? Je voelt je" – hij tekende aanhalingstekens in de lucht met zijn vingers, als konijnenoren aan beide zijden van zijn hoofd – "'verbonden', onlosmakelijk ... Maar dan, eh ... wóónt ze plotseling bij jou? Vraag je eens af of dat wel klopt. Ik wil gewoon wat tijd om met haar te praten, oké?"

Arianne brak een koekje doormidden en liet het daarna onaangeroerd liggen. Het was onmogelijk je niet bewust te zijn van het knipperen van haar ogen, haar ademhaling, de manier waarop ze keek. En het was onmogelijk om Dan verkeerd te begrijpen. Luke staarde naar Arianne, die naar hem terugstaarde. Weer die afbeelding, de uitdraai van onbegrijpelijke cijfers waar je menselijke expressie zou verwachten.

"Waarom?" zei hij onnozel. "Wat wil je dan tegen haar zeggen?"

"Volgens mij begrijpen we elkaar wel", zei Dan.

Enig teken van emotie? Enige reactie hierop? Luke staarde, smeekte haar vanachter zijn verlamde gezicht. Ze drukte haar sigaret netjes uit en ging met een piepende vinger over een vlekje op haar schoen.

"Arianne en ik gaan dus uit eten", zei Dan.

Het viel Luke op dat hij dit herhaaldelijk bevestigde om of hem, of Arianne uit te lokken hem tegen te spreken. Nauwelijks merkbaar trok hij zijn schouders naar achteren.

"Oké? Want ik wil haar gewoon alleen meenemen naar een mooi restaurant voor een aangenaam diner, zodat we kunnen práten, wat we nog niet goed hebben kunnen doen vanwege deze hele situatie."

Hij gebaarde met zijn hand naar de kamer, doelend op de meubelen, de muren. Hij zag er emotioneel uitgeput uit.

En Luke kon niets tegen hem zeggen. Hij had zich nog nooit zo beschaamd en bang gevoeld. Hij besefte dat hij niet in staat was zich lichamelijk tegen deze enorme, door steroïden opgepepte man te verdedigen en dat iedere opmerking die hij zou kunnen maken, als provocerend zou kunnen worden ervaren. Hij zou in Ariannes bijzijn knock-out geslagen worden, net als Andy Jones. Hij zou voor haar ogen vernederd worden. Zich geen raad wetend observeerde hij alleen maar.

"Het is een mooi restaurant. Waar we lekker kunnen eten, een beetje wijn erbij, en dan gaan Arianne en ik eens wat praten ..." zei Dan, nog een poging wagend. Luke besefte dat hij die techniek waarschijnlijk uit ervaring geleerd had; het was heel moeilijk om te weten wat ze echt dacht. Hij had haar interesse voor andere bewonderaars blijkbaar afgemeten aan het feit of ze tranen liet wanneer hij ze neersloeg.

Beide mannen wachtten af. En toen, plotseling, door een van haar wonderlijke manieren van communiceren, een simpele ontspanning van haar houding, liet Arianne weten dat ze niet van plan was op te staan, de deur uit te lopen en met Dan naar Lanton's te gaan. Luke zag het en zette bevend de aktetas neer die hij nog steeds dwaas vasthield. Hij liep naar de voordeur en zette hem open, vurig wensend dat hij het teken niet verkeerd begrepen had.

Hij hoorde gemompel, daarna gekraak, en toen voetstappen. Vanuit zijn ooghoek zag hij de enorme massa zwart leer naast hem komen staan. Het pauzeerde – meerdere eeuwigheden lang – en liep toen met een sterke, zoutige lucht van koeienhuid voorbij.

Toen Luke de deur dichtdrukte en zich omdraaide, was Arianne haar rok al aan het uittrekken. Hij was te moe om te begrijpen wat er gebeurd was. Hij accepteerde het vreemde, theatrale gebaar van haar zoenen met het gevoel dat hij ze niet verdiende.

"Waar haalt die gozer het lef vandaan?" zei ze, maar ze leek eerder afgeleid dan verontwaardigd. "Je bent heel geweldig, Luke", zei ze hem, maar het klonk niet overtuigend.

Was dit haar eerste gebrekkige opvoering? Ze moest toch weten dat hij een lafaard was geweest, dacht hij.

Er volgde een zenuwslopende stilte, waarna ze haar slipje op de salontafel smeet en hem op zijn knieën duwde. Hij ging met zijn hoofd tussen haar benen en voelde zich verloren. Na een tijdje trok hij zijn hoofd terug en wilde haar net naast hem op het kleed trekken, toen hij zag dat de tranen over haar wangen stroomden. "Arianne, wat is er?"

"Het spijt me", zei ze. "Ik ben niet goed genoeg voor je. Je moet me dit niet met je laten doen." Ze duwde zijn handen van haar benen, rende weg naar de badkamer, gooide de deur met een klap dicht en deed hem op slot.

Later die week kwam hij in een club terug van de dansvloer en zag haar met een tequila in haar hand het zout van zijn vriend Joes nek af likken. Joe had hem niet de tafel zien naderen en Arianne gaf Joe ook geen teken, hoewel ze Luke duidelijk gezien had. Hij hield het stukje limoen tussen zijn tanden en zij sloeg de tequila achterover en beet erin, keek toe hoe zijn ogen Luke in de gaten kregen terwijl haar tanden zich in het fruit boorden. Hij trok zich terug, waardoor de limoen in haar mond bleef zitten, die ze vervolgens op de tafel spuugde.

"Hé, Luke!" zei Joe, die opsprong. "Kom, neem ook wat."

"Nee, dank je."

"Oké dan", zei Joe. "Ook goed. Ik denk dat ik even ga kijken waar Sam is. Goed?" Hij kneep even in Lukes arm toen hij langs hem liep.

Luke keek hem na. "Wat waren jullie aan het doen?" vroeg hij.

Arianne hield het lege glaasje omhoog en zwaaide ermee naar hem: "Tequiiiiiiila." Ze lachte dronken door haar neus. Ze was slecht te verstaan, haar wangen waren rood. Ze zag er ongelooflijk mooi uit, alsof ze net seks had gehad. "Je wéét wel, Luke ... zout, tequila, happen in limoen?"

"Maar moest je het van zijn nék likken ...?"

"Wat? Bij Joe?"

"De limoen uit zijn mónd pakken? Ja, bij Joe."

"Joe?" Ze haalde haar schouders op. "Dat wilde hij graag en hij had de drankjes betaald, dus ik dacht: waarom niet?"

"Omdat hij de drankjes betaald had ...?"

"O, wat wil je daar verdomme mee zeggen, Luke?"

"Niets."

"Jawel."

"Nee, Arianne. Niet waar."

"Bullshit."

"Wat is bullshit?"

"Je hebt niet het recht om dat te insinueren. Je vindt jezelf heel geweldig, hè?"

Had hij dit niet eens tegen Lucy gezegd? Lucy, met haar oneindig grotere, puurdere liefde voor hem terwijl hij alleen maar in staat was om een bezoedeld soort tederheid voor haar op te brengen? Hij schudde de gedachte en de betekenis ervan verschrikt van zich af.

"Néé, Arianne."

"Wél. Je vindt mij een slet. Slet, hoer, slet. Je vindt dat ik maar een stomme trut ben die moet worden neergeschoten en op de vuilnisbelt gedumpt."

Hij had haar eerder zo horen praten: lange monologen die bestonden uit afschuwelijke beledigingen van zichzelf. Ze kon nogal hysterisch doen. "Alsjeblieft, lieverd. Doe dit niet", zei hij zachtjes.

Jessica, die aan de andere kant van de tafel zat, zei iets over dat ze nu echt eens moest gaan dansen en stond op. Luke staarde haar na. Op dat moment leek het of haar aanwezigheid het laatste restje beschaving vertegenwoordigde. Hij zag Ludo vanaf een verhoging mensen besproeien met een fles champagne. Zijn vrienden verkeerden allemaal in een andere wereld en hun vreugde was als een nachtmerrie voor hem. Hij wilde dat hij zijn hoofd kon bedekken.

Liefde had zijn lichaam en geest onlosmakelijk verbonden, en nu hadden jaloezie en haat hen net zo doeltreffend uit elkaar gerukt. Als zijn lichaam echt een expressie van zijn geest was geweest, hadden ambulancebroeders zich nu met defibrillators een weg door de menigte moeten banen en '*Aan de kant!*' geroepen, waarna ze duizenden volts door zijn hart zonden om het weer aan de gang te krijgen. Een klein groepje mensen zou om hem heen hebben gestaan, zich verwonderend over het feit dat hij het had overleefd.

Maar hij glimlachte en ging uit akelige noodzaak, uit een overweldigende angst het nog erger te maken, naast Arianne zitten. "Hé, toe nou", zei hij. "Ik wil dat je het naar je zin hebt. Laten we geen ruziemaken, oké? Oké, lieverd?" Hij kuste haar op haar wang.

Hij was onlangs gaan beseffen hoe vrij hij, relatief gezien dan, in het verleden geweest was in het tonen van zijn emoties – als kind, als tiener. Hij herinnerde zich dat zijn vader hem had gezegd dat hij zich moest vermannen toen een schoolvriend het andere lid van hun bende van drie had meegevraagd op vakantie. Dit verraad vond plaats op de verjaardag van zijn zus en Luke moest zich omkleden voor een groots familiediner. Om de een of andere reden was hij even alleen met zijn vader, die zei: "Het is pech, maar er komen nog wel meer vakanties en je moet je gewoon vermannen voor mama en Sophie, Luke."

"Je begrijpt het niet, pap!" schreeuwde hij, terwijl hij van hulpeloos verdriet zijn hockeystick door de keuken smeet.

"Ik begrijp het wél, Luke", had zijn vader gezegd. "Het is heel moeilijk als je iets misloopt en het voelt alsof iemand anders altijd geluk heeft terwijl jij het net zo hard hebt verdiend. Maar soms moet je je er gewoon overheen zetten. Dus, kop op, kin omhoog." Luke was de trap op gerend, stikkend en snikkend om deze belediging van zijn emoties, dit afstompende, eet-je-groenten-nou-maar op advies.

'Soms moet je je er gewoon overheen zetten.' Je hart werd er gewoon koud van.

Hij sloeg een arm om Arianne heen en kneep in haar schouder. Hij dacht terug aan de dag waarop tante Suzannah langskwam om zijn moeder te vertellen dat hun vader was overleden. Ze hadden een poos onder vier ogen gepraat en toen Suzannah weg was, met haar grote donkere zonnebril op haar neus, was zijn moeder de tuin in gegaan met haar handschoenen en zonnehoed. Ze zei dat ze alleen even de border ging wieden omdat die er niet uitzag. Ze glimlachte naar haar gezin, dat aan de lunchtafel de krant zat te lezen en sloot de deur achter zich.

Ze hadden allemaal aangenomen dat er niets met haar aan de hand was, totdat ze rond acht uur trek kregen en zich realiseerden dat er geen kooklucht hing. Het bleek dat ze nog altijd buiten was en op handen en voeten zat te wieden. Bedroefd observeerden ze haar door het raam en vroegen zich af wat ze moesten doen. Luke herinnerde zich dat zijn vader naar haar toe was gegaan met een glas whisky in zijn hand en Sophie en hij vanachter het keukenraam toegekeken hadden hoe ze elkaar omhelsden in het schemerlicht. Toen ze binnenkwam, zei ze: "Het spijt me zo ontzettend. Ik heb totaal niet op de tijd gelet. Jullie zullen wel uitgehongerd zijn."

Maar zijn vader had niet toegestaan dat ze ging koken. Hij nam hen mee uit eten en hield de hele avond haar hand vast. Dat was in de Holland Park Brasserie, haar favoriete visrestaurant.

Even later stond Luke bij de toiletten van de club te huilen om de gedachte aan de tederheid die er soms tussen zijn ouders was. Er leken lange perioden voorbij te gaan waarin zijn vader de aanwezigheid van zijn moeder niet echt opmerkte, maar soms deden ze hem en zijn zus versteld staan met een plotselinge, kleine demonstratie van duurzame liefde. Hij moest ineens aan Lucy denken en aan hoe het met haar ging, hoe het geweest moest zijn om die laatste e-mail van hem te krijgen, met de logische verklaring:

> Het is het simpelst om het gewoon zo te doen, Lucy, want je weet dat er alleen maar een afschuwelijke scène van komt als we zouden afspreken. Je weet dat je wilde trouwen en ik gewoon niet die kant op ging en we dat allebei eigenlijk niet konden begrijpen, want je bent heel geweldig, Luce. Maar ik denk dat ik

het nu weet. En waarom ik zo zeker ben is omdat ik datgene heb gevonden waar iedereen naar op zoek is: iets wat 'gewoon goed voelt'. Ik weet dat je me vast een eikel vindt, maar ik denk dat het uiteindelijk voor ons allebei het beste is.

Dat was weken geleden. Ze had nooit geantwoord. Lucy was een goed mens. Ze had oprecht van hem gehouden. Die ochtend had hij haar moeders jam op warme croissants gegeten en de smaak van Arianne was misdadig goed samengegaan met de eigengerijpte aardbeien en de romige boter en met de enorme, door orgasme veroorzaakte trek.

Hij ging terug naar de tafel met de tequila's en ze dronken samen cocktails en praatten met de anderen. De ruzie was overgewaaid. Het was zo'n goede vertoning dat Joe zelfs durfde terug te komen en bij hen kwam zitten. Maar later, toen Luke haar de trap op droeg naar het appartement en haar gewicht nog zwaarder dan anders voelde na alle tequila, schoot er een verschrikkelijke gedachte door zijn hoofd. Het kwam in hem op dat hij, als hij het zou willen, Arianne zo over de rand van de leuning op de marmerstenen vloer zou kunnen laten vallen.

Het was almaar warmer geworden en het was de heetste juni in vijftig jaar. Londen onderging een van zijn vlugge gedaanteverwisselingen. Bovennatuurlijk witte ledematen die aan de lucht blootgesteld waren, werden langzaam roze, er zweefde muziek uit winkels, volwassenen aten ijslolly's op straat en je zag kleren in alle kleuren van de regenboog. Iedere avond vulden de met rijen bomen omzoomde lanen zich met de geur van barbecues: een mengsel van bier, verbrande worst en houtskool. Met die geur kwam het geluid van lachende volwassenen mee en van kinderen die vreugdevol hun gezag ontdoken en aan het andere eind van de tuin een eigen kamp opzetten.

Op een zondagavond waren Luke en Arianne met een fles rosé op weg naar het huis van zijn vriend Matt. Arianne was Luke openlijk gaan minachten en dus had hij als kortetermijnoplossing besloten direct oogcontact met haar te vermijden.

Matts vriendin Leila deed de deur voor hen open en zei: "Hé! Kom binnen," met een stem die honingzoet was geworden door de zonneschijn. Ze droeg een blauwe katoenen jurk die achter in haar nek was vastgeknoopt. Achter haar klonk in *surround sound* de Franse dj die iedereen een week geleden ontdekt scheen te hebben. Ze liepen haar achterna naar binnen, richting de lichte openslaande tuindeuren waarachter groepjes mensen met glazen in hun hand stonden te praten.

Arianne was nu al bijna twee weken niet in de stemming geweest om met Luke te vrijen. Zijn frustratie was zodanig dat het zelfs pijnlijk erotisch voor hem was om toe te kijken hoe haar vingers een pakje sigaretten openmaakten. In de tuin keek hij verlekkerd naar moorddadige voorgerechtjes van rauwe ham en meloen. Matt hield de schaal voor hun neus. "Hoi, gozer. Hé, lekker ding. En, hoe gaat het met het gelukkige stel?"

Luke vroeg zich af of uit alles wat mensen zeiden twijfel aan hem te merken was.

Het feest ging door en door, genadeloos lang. Kaarsen brandden op en de peuken stapelden zich op in de schalen. De warme avondlucht veranderde ijs op bordjes in plassen waar onschuldige vliegen en motten in bleven kleven. Luke praatte over koetjes en kalfjes met vrienden die hij maar een of twee keer per jaar zag, en bij ieder van hen herinnerde hij zich weer waarom dat zo was. Arianne was al een tijd geleden weggesleept door een meisje dat Laura heette, aan wie ze net was voorgesteld. Laura was een lang, uitgemergeld, hysterisch meisje van het soort dat hartstochtelijke vriendschappen met vreemden aanging, om ze vervolgens aan het eind van de avond weer samen met haar lege sigarettenpakje weg te doen. Ze leek bijna verliefd op Arianne. Luke kende haar al lang en meed haar vaak op feestjes.

Hij liet ze hun gang gaan. Hij had gehoopt Jessica er te zien, maar ze sms'te hem dat ze tot laat op de set bleef werken en het niet redde. Hij verwerkte de teleurstelling en nam een fles wijn mee naar het achterste gedeelte van de tuin. Het was niet zijn soort mensen: allemaal *drama queens*, literaire types die duidelijk dachten dat hij een domme rugbyspeler was die niets origineels te vertellen had. Nou, misschien was dat ook wel zo. Hij rolde en rookte een joint en viel daarna in slaap op het koele gras.

Rond drie uur werd hij wakker door het lawaai van een meisje dat door de ligstoel zakte waar ze op had staan dansen. Arianne was niet meer in de tuin. Ineens bezorgd stond Luke op en ging naar haar op zoek. Er was geen licht aan in het huis en zelfs toen hij in grote cirkels met zijn handen over de muur tastte, kon hij geen enkel lichtknopje vinden. Hij stootte zijn teen tegen een zinken boeddha naast de bank en struikelde daarna over een slakom die op de keukenvloer stond. Aan het einde van de hal leek een licht te branden, waar hij zich een weg naartoe baande. Toen hij de deur openduwde zag hij een jongen die hij niet herkende, overgeven in de wc.

Langzaamaan wenden zijn ogen aan de duisternis en hij ging de trap op naar boven, waar nog een paar kaarsen in kleine roze bakjes brandden die over de overloop verspreid waren. Uiteindelijk vond hij

Arianne in de badkamer. Ze zat in een leeg bad met Laura en Laura's vriend JJ. Arianne was met Laura aan het zoenen en JJ's hand lag op een zatte, nonchalante manier op haar borst.

Luke stond in de deuropening.

"Luuuhuuke. Hé, hallo! Kom je erbij?" vroeg Laura. "Ik heb je zalige vriendin even geleend."

JJ zei iets onverstaanbaars, wat hij zelf blijkbaar erg grappig vond.

"Sorry, dat gaat niet, Laura. We gaan", zei Luke.

"Gaan we? Echniiiiie", zei Arianne tegen hem. Ze klonk ongelooflijk dronken.

"Wel", zei hij.

"Hoebedoelje, wel? Níét."

"Wel. De taxi is er, Arianne."

"Wélke taxi?"

"Ik heb er een besteld."

"O, echwaar? Nou, danstapje der toch lekkerin."

Laura stak haar hand op om het gesprek te onderbreken. "Of", zei ze, "of hij stapt het bad in." Ze hees zich er zelf half uit om haar glas te pakken, dat tussen de shampooflessen stond, en smakte daarna weer naar beneden, waardoor ze wat van de wijn in haar schoot morste. Ze zei: "Woepsie, wie is hier een dom mokkel?"

"O, die is makkelijk, liefje ... jij!" zei JJ.

Laura negeerde hem en staarde naar Luke terwijl ze haar hoofd scheef hield. "Weet je, ik vin jouw vriend wel leuk, Arianne. Kennem al jaren, maar hij heefnooit interesse getoond. Verdomme best beledigend. Eigenlijk dachtik dat-ie een van die rugbyhomo's was. Je weewel, degene die netietsteveel zeuren?"

Arianne vond dit uitermate grappig.

Laura ging door: "Maarnu heeft-ie jouw. En om zulke tieten kunnen we echt niet heen."

Arianne keek naar haar decolleté en giechelde.

Laura zei: "Ik zou bijna willen dat ik een echte pot was, en niet alleen op feestjes. Maar ik heb toch liever hem. Hij's knap, hè? Erg knappe jongen. 'k Wil wel dat-ie bij onz in bad komt. Gooi je charmen in de strijd, schat. O, toenou, Lukey-Luke, wees nou nie de knappe, breedgeschouderde spelbreker."

Ze waren stoned en stomdronken. Hij ergerde zich aan hun idiote manier van praten. Het werd als geraffineerd gezien om als een verwend kind te praten wanneer je het over seks had.

"Kanje 'm niet dwingen, Arianne? Voor Laura?" vroeg ze pruilend. "Dan zouwewe zooooveel lol hebben."

"Hij doet't toch niet, schatje. Enige waar hij instapt is z'n stomme taxi. Kijkmaar." Luke draaide zich om en liep weg. Hij hoorde Arianne lachen: "Ziejewel, weggisie. *That's all, folks.*"

Maar natuurlijk stapte Luke niet in een taxi, want hij had er helemaal geen besteld. Hij liep door de donkere straten terug naar zijn huis. Dat duurde bijna twee uur.

De tijd waarin hij naar een manier van zelfopoffering verlangde was voorbij. Al dat zelfingenomen gefilosofeer! Hij kon niet geloven dat hij daartoe in staat was geweest. Nu wilde hij alleen maar dat ze hem niet vernederde, hem niet midden in de nacht zou verlaten. Hij had zelfs de gewoonte ontwikkeld op de vreemdste momenten wakker te worden om te zien of ze er op dat kwetsbare tijdstip nog wel was. Dan luisterde hij naar haar gezucht en vroeg zich af over wie ze droomde. Andere mannen? Dan? Of waren het wanhoopszuchten? Werd ze wanhopig van zijn onvermogen haar te begrijpen?

Het was halfzes toen hij haar terug hoorde komen van Matt en Leila. Hij hoorde dat ze een glas water inschonk in de keuken, haar kleren op de slaapkamervloer liet vallen en het bed in stapte. Hij stond voor de badkamerspiegel verwoed zijn tanden te poetsen en te huilen.

Was dit normaal? Dit huilen? En dit tandenpoetsen?

Maar Arianne verliet hem niet midden in de nacht. Ze verliet hem op een zonnige namiddag. Ze zei: "Hoor eens, jij weet het en ik weet het. Je wéét dat je het weet."

"Nee, ik weet het niet."

"Wel waar. Je weet het echt, als je echt nadenkt over wat goed voor je is."

Hij had haar nog nooit zo redelijk horen praten. Normaal gesproken waren haar gevoelens een diepe blauwe zee waar ze in verdronk tot hij haar eruit sleepte. De laatste tijd was ze uit zijn handen geglipt en nu was ze op de een of andere manier op het droge verschenen en zwaaide nonchalant vanaf de overkant. Hem verlaten bracht blijkbaar het beste in haar naar boven.

Ze rookte haar sigaret geoefend tot het laatste restje op en haar blik schoot het appartement rond op zoek naar spullen die van haar waren. Ze zag een stel oorbellen op een boekenkast en liep ernaartoe. Haar hakken klonken luid op de houten vloer; ze had haar voet volkomen genezen verklaard en kon ze nu weer dragen. Ze liet de oorbellen in haar zak glijden.

Luke zei: "Maar ik hou van je, Arianne. Ik bedoel dat ik écht van je hou."

Dat ging haar te ver. Ze draaide zich vliegensvlug om en begon wild te gebaren, spreidde beide armen uit als iemand die goede, frisse lucht aanbeval. "Het is niet gezond, Luke."

Had hij haar niet precies hetzelfde gebaar zien maken door het verlichte raam van Dans appartement? "Waarom is het niet gezond? Waarom?"

"Dat weet ik niet. Maar het is gewoon zo. Dat is niet te doorgronden. Je hebt iemand nodig die meer ... meer jij is dan ik ben. Je weet wel wat ik bedoel."

"Nee, dat weet ik niet."

"Zeg, ik vind het echt heel erg. Ik wil niet dat je denkt dat ik het niet erg vind. Dat is het belangrijkste."

Dat was niet het belangrijkste.

"Maar waar ga je dan heen?" vroeg hij.

"O, ik red me wel."

De angst voor wat deze zelfverzekerdheid impliceerde was bijna ondraaglijk, maar hij kon het niet aan de vraag nogmaals te stellen. Ze ging de slaapkamer in en kwam weer tevoorschijn met de kartonnen doos, Dans oude sporttas en een arm vol truien en andere voorwerpen. "Waar liggen je plastic zakken?" vroeg ze. "Het is natuurlijk schandalig dat ik dat nog moet vragen."

"Onder de gootsteen." Hij keek hoe ze de keuken in liep. Hoezo zou ze zich wel redden? Met wie zou ze zich wel redden?

"Hé, Luke, wat is dit? Van wie is dit allemaal?" riep ze. "Je hebt make-up en zo onder je gootsteen staan. Wat heeft *O, Serena!* in godsnaam te betekenen?"

Hij was nooit in staat geweest Lucy's spullen terug te sturen. De timing van deze ontdekking sloot naadloos aan op het verschrikkelijke moment. Het was moeilijk om achter de cyclus van hartzeer niet een ingenieus netwerk te bespeuren. Arianne glimlachte veelbetekenend toen ze weer de kamer in kwam. Ze zei: "Ik gok dat die spullen van de eigenaar van de reinigingsmelk uit het badkamerkastje zijn."

Dus dat had ze wel begrepen? Ze was er alleen nooit over begonnen omdat ze er alle vertrouwen in had dat dit andere, schimmige meisje een onbelangrijk detail was vergeleken met haar aanwezigheid. Met het oog op het totale plaatje had ze besloten geen ongemakkelijk gesprek te beginnen vol irriterende, warrige details.

"De mysterieuze dame van de roze tandenborstel", zei ze lachend. En met botte logica hield ze haar hoofd scheef en voegde eraan toe: "Nou, zie je wel, Luke? Het leven gaat door, hè. Toch? Het is allemaal eigenlijk niet meer dan een spoor van plastic tassen, ja toch?"

Arianne zette haar spullen op de salontafel. De vreemde, pijnlijke mengelmoes van voorwerpen in de tas bevatte een afschuwelijke onthulling over wat er met hen was gebeurd, maar op het moment kon Luke nog even niet zeggen wat. Hij nam een paar details in zich op: de rechterbovenhoek van het boek met *Hollywood Icons* dat hij voor haar gekocht had, een stuk van de schaal die ze op een rommelmarkt gevonden hadden, het snoer van haar föhn en de boezem van de Russische pop die ze in een antiekwinkel ontdekt hadden en die ze gewoon móést hebben.

"Oké. Dus eh ... ik moet gaan. Ik heb morgen een belangrijke auditie."

Dit voorproefje van haar onafhankelijke leven bezorgde hem een droge mond. "Een auditie? Hoe kom je daaraan?"

"O, gewoon ... via iemand die ik heb ontmoet. Voor een toneelstuk op West End. Het heet *Hotel*. Een nieuwe schrijver, zo te horen een briljant man."

"*Hotel*", herhaalde hij verdoofd. "Kun je niet blijven zodat we dit uit kunnen praten?"

"Hoor eens, dit is altijd iets tijdelijks geweest, Luke. Het leven is als een reis, toch? Wie wil zich nou settelen?"

"Ik! Ik wil me settelen. Ik wil dat je blijft."

Ze pakte haar spullen; ze liet de doos op haar heup balanceren en hield de twee tassen in haar rechterhand. De bel ging. Ze had tranen in haar ogen. "Shit, mijn taxi is er", zei ze. "Luke, ik wil dat je weet dat ik het erg vind dat het leven zo verdomde moeilijk en pijnlijk is. Maar ik kan daar niks aan doen. Probeer dat alsjeblieft te onthouden."

En toen ging ze weg. Hij luisterde hoe ze de trap af rende.

7

Dat Arianne weg was, was alles wat Luke van de wereld en zijn plaats daarin hoefde te weten. Voedsel was grotesk, grote lompen van een substantie die om een vergeten reden moesten worden doorgeslikt. En de prozaïsche voldoening van het drinken van een glas water, dat was een belediging voor de complexiteit van zijn gevoelens. Hij wilde niets tot zich nemen of ontvangen dan haar. Hij was zich bewust van een allesomvattende pijn en vroeg zich af of het mogelijk was dat zelfs zijn lichaamscellen pijn deden. Hij kreeg geen rust; hij werd zo uit zijn slaap de grote zwarte hemel in geslingerd. Hij zat op de bank met de tv aan en liet het felle signaal op het vernis van zijn leed kletteren.

Met weinig interesse luisterde hij naar de ontwikkeling van het verhaal in boodschappen van zijn werk die hij op het antwoordapparaat afspeelde.

"Hoi, Luke, met Jenny", zei zijn assistente. "Ik bel even omdat we niks meer van je gehoord hebben en Calmaderms antiroos nu voor maandag gepland staat. Ik dacht dat je dat wel wilde weten."

Toen, de volgende dag: "Luke, Sebastian hier. Kun je je zo snel mogelijk bij mij melden? Het is nu kwart over negen. Dank je."

En de dag erna: "Eh ... Luke ... weer met Jenny." Ze praatte zacht. "Is alles wel goed met je?"

Hij slaagde erin Sebastian te bellen en uit te leggen dat hij buikgriep had en ontzettend misselijk was. Als hij ze had willen verbazen, had hij een beroep gedaan op het feit dat hij zich nooit eerder ziek had gemeld. En het was nog wel zo makkelijk. Hij snapte nu het gedrag van de neurotische 'creatievelingen'. Te bedenken dat hij altijd had gedacht degene te zijn die de waarheid in pacht had, terwijl zij dat al die tijd bleken te zijn geweest! Hij had ontzettend uit de hoogte gedaan. Hij had de gevoeligheid van Adrian Sand bijvoorbeeld altijd absurd gevonden en was niet in staat geweest in te zien waarom Adrian zo kwaad werd wanneer iemand tijdens een vergadering een van zijn ideeën bekritiseerde. Het was verdomme maar werk; een zaak van het verstand. Waarom zou dat je iets doen?

Waarom zou dat je iets doen? Omdat er niets belangrijkers was! Alleen het hart deed ertoe! Luke legde zijn hoofd in zijn handen.

Al met al verkoos hij de tv boven het leven buiten zijn appartement. 's Avonds verkochten mensen hun huizen; ze knapten ze op met teams van deskundigen zodat ze ze goed konden verkopen en ergens anders heen konden verhuizen. Overdag probeerden ze nieuwe manieren uit om af te vallen, gaven ze gezichtscrèmes een cijfer en belden over kindermishandeling of alcoholisme of een laag zelfbeeld. Luke kreeg steeds meer sympathie voor bepaalde presentatrices. Hij voelde zich heimelijk gezegend wanneer ze naar hem glimlachten. Op de vierde ochtend nadat Arianne bij hem weg was gegaan, keek zijn favoriet liefdevol zijn kant op in haar zacht lavendelkleurige V-halsshirt en fonkelende, karamelkleurige highlights, die licht langs beide kanten van haar gezicht krulden. Luke glimlachte zwakjes terug naar het scherm. Ze zei: "Je kunt ons vandaag bellen over koolhydraatarme diëten", en een geheugenreflex trilde binnen in hem, als een zenuwtrekje in het gezicht. Je kon toch over huiselijk geweld bellen? Pas toen realiseerde hij zich dat hij al op de bank zat sinds de vorige aflevering van het programma vierentwintig uur geleden werd uitgezonden.

Hij had er geen zin in zich af te vragen of dit normaal was of niet. Er was slechts één instinct in zijn lijf, een fysiek verlangen: mama. Hij kon alleen nog maar aan zijn moeder denken. Zij zou het begrijpen. Toen hij het nummer intikte, opende zich een nieuwe kloof van zelfmedelijden binnen in hem van waaruit hij een onverstaanbare schreeuw gaf.

"O, Luke! Lieverd?" zei Rosalind. "Probeer rustig te worden, lieverd. Rustig ademhalen. Probeer dat eens." Ze wachtte een paar tellen. "Zo, dat is al beter, hè? Wat is er gebeurd, Luke?"

Hij begon weer te huilen en ze zei: "Luister, je hoeft me nu niet uit te leggen wat er gebeurd is als je dat niet wilt."

"Het is allemaal ... allemaal ... verpest", zei hij.

"O, lieverd, je klinkt doodmoe. Wil je soms een paar dagen thuis logeren om weer tot jezelf te komen? Zou je dat fijn vinden?"

Luke kon de bestendige structuur van thuis al achter haar voelen, zo anders dan dit weerzinwekkende, wankele decor waarin hij zich bevond: de opzichtige plasma-tv, de paarse suède bank met zijn afschuwelijke, veelzeggende vlekken. Hij kon zijn moeders bloemengeur door de telefoon heen ruiken. Hij stotterde en snifte zich door het woord 'ja'.

“Zal ik je komen halen, Luke? Is dat een goed idee?”
“Mmm. Misschien wel. Is wel een goed idee, mam.”
Toen hij de telefoon had neergelegd, zette hij de televisie uit en begon te snikken. Hij huilde aan één stuk door, veertig minuten lang, alsof het een klus was die geklaard moest worden, totdat hij het gevoel had dat hij met zijn gebroken hart een lang en zwaar eind gehold had.
De bel ging, ergens op een van de verste planeten. Hij liep naar de intercom terwijl de tranen van zijn kin rolden en op zijn smerige overhemd spatten, en liet zijn blote voeten gedachteloos – *bons, bons, bons* – op de vloer ploffen. Dit zou van nu af aan het geluid van zijn bestaan zijn, zei hij tegen zichzelf: *bons*. Hij leunde tegen de deur en luisterde hoe zijn moeder de trap op kwam.
“O, hemel, Luke”, zei ze. Ze schrok ontzettend van hoe hij eruitzag. Haar zoon was vel over been, uitgeput. Het woord ‘drugs’ schoot door haar hoofd. Ze hield met haar voet de voordeur open terwijl hij zich in haar armen stortte.
Hij begroef zijn gezicht in haar haar, haar geur, haar katoenen blouse.
“Luke, lieverd”, zei ze weer, half vragend.
En hij hield van haar, hij hield van haar, hij híéld van haar. Zijn hart klopte tegen het hare toen hij zich aan haar vastklampte in de hal. Ze was volmaakt, zoals altijd; de zachte kleuren die ze droeg weerspiegelden de voorbijgaande seizoenen en de rustige muziek van haar bestaan. Hij dacht graag aan haar zoals ze weleens omhoogkeek naar de lucht en zich afvroeg of er misschien een regenbuitje voor haar rozen zou komen.

Waarom had het bij hem moeten zijn opgekomen dat er iets mis was in haar leven? Hoe had hij kunnen weten dat ze, pas twee dagen geleden, in haar eigen huis door de politie was gebeld? Rechercheur Pendry had haar met spijt moeten meedelen dat meneer Langford door twee jongeren met een honkbalknuppel was aangevallen. Ze had het haar kinderen nog niet verteld. Op de een of andere manier kon ze het niet en stelde ze het telkens uit. Niet zozeer was ze bang hen ongerust te maken, maar eerder, zo legde ze het aan zichzelf uit, dat ze eerst ‘alles op een rijtje wilde zetten’ in haar hoofd. Ze schrok terug van de eigenaardige betekenis hiervan. Twee keer had ze geprobeerd haar dochter te pakken te krijgen, maar ze had er een hekel aan als haar stem werd opgenomen en liet zich graag door een voicemail uit het veld slaan.
Zodra ze na het telefoontje van rechercheur Pendry de hoorn op de

haak had gelegd, pakte ze haar handtas en haar sleutels. Ze rende naar boven voor Alistairs pyjama en ochtendjas en rende daarna weer naar beneden voor een zakje vers fruit. Daarna reed ze naar het ziekenhuis.

Dit was haar echtgenoot overkomen! Niet iemand op het zesuurjournaal, maar Alistair. Ze was de hele rit bezig met de essentiële vraag: in wat voor wereld leven we als goede mensen 's nachts nare dingen overkomen? Toen ze bij het ziekenhuis aankwam was ze zo vol van dringende tederheid en verontwaardiging dat ze te ongeduldig was om naar de verpleegster te luisteren die haar de weg wees naar de kamer. Later vond ze dat ze onbeleefd was geweest en schaamde ze zich voor zichzelf.

Maar ze zou het moment dat ze door de deur van Alistairs ziekenhuiskamer liep en de wijze waarop haar verontwaardiging als een teleurgestelde glimlach van haar af was gevallen, nooit vergeten. Iets in zijn gelaatsuitdrukking, in de totale afwezigheid van zelfmedelijden, het gebrek aan enige behoefte aan haar medeleven, kapte haar instincten bij de wortels af. De tranen droogden op haar gezicht. Ze voelde zich verlamd en beroofd van ieder vocabulaire toen ze naast zijn bed zat. Ze pakte zijn hand vast om te voorkomen dat het tafereel uit elkaar viel – en hij gaf haar de zijne om dezelfde reden –, maar ze voelde slechts een groeiend gevoel van angst. Ze keek naar zijn gezicht, alleen als hij wegkeek. Hij zei dat hij nog niet kon praten over wat er gebeurd was, maar dat het wel ging met hem, zoals ze zelf kon zien. Ze bekeek het gewonde been. Ja, dat kon ze zien.

Op de draagbare tv bij zijn bed keken ze naar een nachtprogramma over tuinieren, waar hij normaal totaal geen interesse voor zou hebben. Ze zat daar maar, wetende dat er iets uit hun leven was verdwenen, wetende dat deze vreemde wake het einde betekende van een soort onschuld dat ze nooit als corrumpeerbaar had gezien.

Er waren nu al twee dagen voorbijgegaan en nog liet ze haar gedachten over de wetenschap gaan zoals vingers een knobbeltje, een veelzeggende afwijking in de huid, zouden betasten.

Rosalind vond een sporttas in de kast van haar zoon en vulde die met T-shirts en spijkerbroeken, schone sokken en boxershorts. Onbewust koos ze kleding uit die hij op zijn negentiende had gedragen, toen hij nog bij haar had gehoord en in haar huis had gewoond.

Luke keek een tijdje naar haar tot hij de moed bij elkaar geraapt had om zijn tandenborstel en scheerapparaat uit de badkamer te pakken. Dit was verreweg de gevaarlijkste ruimte; het was een Arianne-mijnenveld: rondzwervende glanzend blonde haren, weggegooide make-up, een lege fles van haar shampoo in de vuilnisbak. Op de wasbak zaten twee foundationvlekken. Hij zag dat een ervan de vorm van een half hart had. Hij keek naar de shampoofles. De fles zei 'haren' tegen hem en het woord 'haren' zei 'hoofd' tegen hem en het woord 'hoofd' zei 'gezicht'. En het beeld dat hij voor ogen kreeg van Ariannes gezicht schoot een laserstraal van ziedende, pure pijn recht in de roos van zijn lichaam. Hij moest de badkamer uit gaan, of sterven.

"Kom, lieverd. Laten we naar huis gaan", riep zijn moeder naar hem. Hij volgde haar de trap af met het gevoel dat dit het einde was van een mislukt experiment: volwassen zijn.

"Alles goed met pap?" vroeg Luke, nadat hij een hap van de koude erwtensoep met munt had genomen die ze voor zijn neus had gezet. Hij keek de tuin in naar de oude rozen, de kamperfoelie en de oranjebloesem. Hij zuchtte en voelde zich als een invalide die zich tegen een fris, schoon kussen aanvlijt. Rosalind legde haar lepel neer en streek een pluk haar naar achteren. "Ik was van plan Sophie en jou daar later vandaag over te bellen, Luke", zei ze. "Hij ligt momenteel een paar dagen in het ziekenhuis omdat hij gewond is. Niet schrikken, het is niet al te ernstig."

"Hè? Wat? Wat is er gebeurd? Een auto-ongeluk? O, Jezus."

"Nee, nee, het was geen auto-ongeluk. Hij is aangevallen, Luke."

"Beroofd? Is pap beroofd?"

Ze stemde maar al te graag in met zijn simpele verklaring.

"Ja", zei ze. "Beroofd. Nadat hij bij Julian en Elise was geweest. Ik was er niet bij."

"Is pap in Knightsbridge beroofd?"

"Ja."

"Niet te geloven. Dit is echt heel erg."

"Hij ligt in het ziekenhuis", zei ze. "Ze zorgen goed voor hem. Zijn knieschijf is gebroken en zijn been zit onder de blauwe plekken. Maar ze zeggen dat hij morgen al naar huis mag, dus er is geen reden om in paniek te raken."

"Mijn god, mam."

Ze stond op om de kan vlierbessenwijn te pakken. Luke had het gevoel dat ze zich wat vreemd gedroeg en vroeg zich af of ze hem beschermde, voor hem verborg hoe ernstig zijn vaders verwondingen in werkelijkheid waren.

Ze voelde hem naar haar staren en zette met een ruk het keukenraam een beetje verder open. Ze zei: "Het belangrijkste is dat hij er helemaal bovenop komt, Luke. Het is niet al te ernstig. Zijn arts was hartstikke aardig. Er is echt totaal geen reden voor paniek." Ze deed nog een paar ijsblokjes in de kan. "Wil jij nog wat vlierbessenwijn? Ik vind het heel verfrissend. Gek, zo plotseling, hè?"

Luke wilde net somber met haar instemmen dat de wereld inderdaad vol onverwachte auto-ongelukken, berovingen en hartzeer was, toen hij zich realiseerde dat ze het over het weer had. De schok van het prozaïsche deed hem duizelen van verwarring. Voor hem was de buitenwereld niet meer dan een verzameling van beginnende ideeën die min of meer met het verlies van Arianne in verband stonden. Wat kon anders de onnoemelijke pijn verklaren die hij voelde wanneer hij naar zijn tweepersoonsbed keek, of het gevoel van afgekapte idealen wanneer hij met zijn vingers over de paarse suède bank ging? Misschien nog het meest schrijnend van allemaal waren zijn overpeinzingen over de appels in de fruitschaal. Het waren háár appels, en dat was wat appels met hem deden, en zo zou het van nu af aan de rest van zijn leven bij iedere appel gaan. Zelfs het warme weer was een afschildering van koortsig verdriet.

Zijn moeder zei: "Ja, het schijnt boven de achtendertig graden te worden dit weekend. Echt snikheet."

Hij probeerde op een rijtje te zetten wat ze hem allemaal verteld had sinds hij aan tafel was komen zitten. Ten eerste dat zijn vader gewond was en in het ziekenhuis lag. Ten tweede dat zijn vader beroofd was. Ten derde dat vlierbessenwijn erg verfrissend was en dat het dit weekend snikheet zou worden. Wat was er in godsnaam aan de hand? Hij schraapte zijn keel. "Moet je niet bij hem op bezoek, mam?"

"O, jawel. Maar natuurlijk. Ik ga zo", zei ze. "Het bezoekuur is tot halfzeven, dus er is geen haast bij."

Geen haast? Er was zeker iets aan de hand. Dit was niets voor zijn moeder. Ze kwam altijd ogenblikkelijk in beweging voor zieken: maakte soep, legde haar koele hand op je bezwete voorhoofd en stond erop dat je genoeg vloeistof tot je nam. Ze haastte zich – zonder acht te slaan op de officiële bezoektijden – alsof ze gezegend was met een kleine kans om de kracht van haar liefde te bewijzen.

Maar net zoals Rosalind Alistair niet durfde te vragen wat zijn vreemde berusting te betekenen had, durfde Luke haar hier niets over te vragen. Zo functioneerde hun gezin. Alsof ze allemaal vreesden dat er op een dag op de deur geklopt zou worden voor een grootscheepse gedwongen verkoop van de meubels en al hun goede herinneringen, en alsof het enige wat ze konden doen zich stilhouden was om niet vroegtijdig de aandacht op zich te vestigen. Alleen Lukes zus, Sophie, negeerde of bestreed dit instinct, en de andere drie konden haar niet recht in de ogen kijken wanneer ze haar vork neersmeet en om communicatie schreeuwde aan de eettafel. Luke begreep sowieso nooit waarom ze dat altijd juist tijdens het eten moest doen en ook niet waarom ze de gewoonte had dit tijdens hun moeders lekkerste maaltijden te doen. De rundstoofschotel gevolgd door perenamandeltaart met crème fraîche was bijvoorbeeld al meer dan drie keer gevoelloos vergald.

Rosalind glimlachte naar haar zoon. "O, wat heerlijk om je hier te hebben, lieverd. Ook al is het om een trieste reden, ik vind het heerlijk om je hier te hebben." Toen ze de tuin in keek, kneep ze even haar ogen tot spleetjes, als iemand die moeite heeft met een ogentest. Het begon haar te dagen dat ze straks twee mannen in huis zou hebben voor wie ze moest zorgen. Twee mannen die lunch en avondeten zouden willen. Even irriteerde deze gedachte haar en wilde ze alleen naar de showroom rijden en zich op de administratie storten. Ze had geen zin in deze dubbele komst van mannelijke emotie; een veeleisende, onhandelbare aanwezigheid, als het verwende kind van een ander.

Maar jaren van moederlijke zelfdiscipline, van de behoeften van haar kinderen ver voor de hare plaatsen, brachten Rosalinds focus abrupt terug op haar zoon. Luke had haar altijd bewogen tot bijna pijnlijke beschermingsdrang. Ze staarde aandachtig naar zijn gezicht. "Wil je me vertellen wat er gebeurd is, lieverd?" Ze veegde het haar van zijn voorhoofd. "Alleen als je het wilt ..."

Hij keek naar zijn slabord en kieperde met zijn vork een bergje walnoten en barbarakruid omver. "Mam, ik hou echt van haar", zei hij. "Echt waar."

Ze was enorm opgelucht dat dat alles was. Geen ziekte, geen drugsverslaving, alleen een ellendig meisje, zei ze tegen zichzelf.

"Maar Lucy houdt ook van jou, Luke", zei ze tegen hem. "Ik heb nog nooit een meisje gezien dat zo duidelijk verliefd op iemand is. Lucy is dol op je, lieverd. Dat weet je. Het is niet mijn bedoeling om dit ook maar een seconde te onderschatten, maar denk je niet dat jullie er wel uit zullen komen?"

Luke schaamde zich diep. Ze had geen idee wat er gaande was geweest. Hoe kon hij zijn verachtelijke leventje aan zijn moeder voorleggen? Beschamende beelden die met zo'n leven meekwamen schoten door zijn hoofd: Arianne met JJ en Laura in een bad, de tas met Lucy's spullen onder de gootsteen bij de schoonmaakmiddelen en de theedoeken, Arianne in haar doorschijnende negligé met stroop op haar dijen. De dingen die hij bij haar gedaan had, in de auto, in de hal voor ze ook maar zijn voordeur hadden bereikt. Hij had haar billenkoek gegeven toen ze hem daarom smeekte en haar 'stoute meid' genoemd, hij had gekwelde uren aan het hoofdeinde van het bed vastgeketend gelegen terwijl zij ondergoedcombinaties uitprobeerde en zo af en toe wanneer het haar uitkwam met haar tong over op een na al zijn erogene zones was gegaan. En hij had een afschrikwekkende scène gespeeld in de gemeenschappelijke hal van zijn appartement – hoewel het hem oprecht beangstigd had dat ze dit wilde –, waarin hij een verkrachter was en zij een jong meisje dat uit school kwam. Vieze dingen op openbare plekken. Zijn moeder zou hem nooit vergeven.

"Het gaat om een ander meisje, mam", zei hij.

"O. Niet Lucy?"

"Nee."

"Maar jullie ..."

"Ja, ik weet het. Maar dit was een ander meisje." Hij tilde een lepel soep omhoog, maar zijn mond verzuurde van zelfwalging en hij liet hem weer zakken.

"Probeer te eten", zei Rosalind. Ze legde nog wat meer kaas op zijn bord naast de onaangeroerde salade. "Het wordt alleen maar erger als je je ook nog ziek voelt."

Luke was altijd blij dat zijn moeder niet wist hoe laakbaar zijn leven was. Hij wilde graag denken dat haar leven alleen uit Kerstmis en hun verjaardagen en de tuin en de zondagse lunch bestond, en dat een tijdloos deel van haar onophoudelijk bezig was wortels voor hem en zijn zus te snijden. Maar nu stond hij voor een dilemma. Voor het eerst in zijn leven kon hij haar volwassen advies – of in ieder geval haar volwassen medeleven – gebruiken, want ze moest toch iets over liefde weten, toch, ook al was ze zoveel ouder? Maar hij zag in dat als hij dit van haar zou vragen, hij hiermee een ideaal zou verliezen, dat hij haar uit haar Eden zou moeten halen. Nu zijn principes overal waar hij keek vergruisden, als gedoofde sigarettenpeuken, leek dit een te grote prijs.

Dus in plaats van haar over Arianne te vertellen besmeerde hij het walnotenbrood met boter en at hij genoeg van de groene salade, zoals ze had gezegd. Hij at een kom aardbeien met slagroom als toetje, zoals ze had gezegd. Met iedere hap voelde hij dat hij de sereniteit van zijn moeder tot zich nam, de lieve eenvoud van zijn moeder. Het verbaasde hem niet dat hij zich daarna slaperig voelde.

"Wat dacht je van een dutje, Luke? Dan maak ik je rond vier uur wel wakker, zodat je vannacht ook nog slaapt."

"Oké, mam." Hij stond op.

"Goed zo. Volgens mij is dat precies wat je nodig hebt. O, nee, lieverd, laat dat maar staan. Ik doe het zo wel in de vaatwasser. Ga jij maar lekker slapen boven."

Haar woord 'dutje', de vaas met bloemen die ze bij zijn bed had gezet, de volle maag, de geur van haar parfum die in iedere ruimte van het huis hing; zijn kindertijd samengevat ... Hij ging in de foetushouding op het kleine eenpersoonsbed liggen en viel in slaap.

Het was zijn eerste ononderbroken uur slaap sinds Arianne bij hem weg was. Hij droomde over zijn vaders beroving. Hij droomde dat de daders zijn vaders armen en benen braken en hem op straat helemaal uitkleedden. Eerst was Luke er ondersteboven van, voelde hij zich wraakzuchtig. Zijn gezicht trok van woede samen in zijn slaap. Maar toen de dokter hem vertelde dat zijn vader héél erg lang in het ziekenhuis zou moeten blijven, voelde hij zich vreemd genoeg opgelucht. Hij voelde zich lichter. Het bleek dat het eigenlijk allemaal maar beter was zo, want zijn moeder en hij zouden heel gelukkig zijn in het huis zonder zijn vader. Het leven zou zelfs helemaal beter zijn zonder hem. Dit was de conclusie van zijn droom.

Hij werd wakker van het geluid van zijn moeder die op de deur klopte. Luke walgde van zijn eigen fantasie, van het geweld dat hij zijn eigen vader scheen toe te wensen. Rosalind ging op het voeteneinde van zijn bed zitten en keek naar haar handen. Ze had haar blouse omgeruild voor een donkerblauwe linnen blouse. Ze had iets met haar haar gedaan zodat het voller leek.

"Ik ga even langs papa", zei ze. "Het leek me dat ik net zo goed nu kon gaan. Dan is het maar gebeurd, toch? Red je je wel, schatje?" vroeg ze.

"Ja hoor."

"Ga je lekker in bad? En ik heb wat dingen voor bij de thee laten staan ... die karamelkoekjes die je zo lekker vindt."

Daar was hij dol op geweest toen hij een jaar of twaalf was. "Dank je. Je bent geweldig, mam."

"Nee. Helemaal niet." Ze streek haar haar achter haar oren. "Verre van. Nou, ik ga maar."

"Het komt toch wel goed met papa, mam?"

"O, ja. Ja, natuurlijk. Ze zeiden dat hij morgen naar huis mag", vertelde ze hem weer.

"Ik ... Ik dacht dat je me misschien niet ongerust wilde maken. Je houdt toch niet voor me achter hoe erg het is, hè?"

"Nee, nee ... Het zijn alleen zijn knieschijf en de blauwe plekken op zijn scheenbeen. Wat natuurlijk al erg genoeg is. Arme papa."

"Heeft hij met de politie gesproken? Ik bedoel, de politie is toch zeker ingelicht?"

"Ja. Ze hebben ze zelfs al te pakken, de twee jongens. Julian zag ze wegrennen en heeft in een mum van tijd de politie gebeld."

"Heeft hij ze gezien? Dus het was vlak bij zijn huis?"

"Ja, ik weet het, erg om je voor te stellen, hè. Gewoon verderop in de straat, vlak bij Julians auto."

"Wat wilden ze? Geld? Dat was het natuurlijk."

"Ik weet het niet, Luke. Ze hebben hem niets afgenomen", zei ze.

"Wat? Helemaal niets? Wil je zeggen dat Julian ze heeft verjaagd?" Hij zag zijn spichtige, bijziende peetvader dit voorval al uitentreuren uitmelken.

Rosalind glimlachte en haalde haar schouders op, als om te zeggen dat ze zijn scepticisme begreep maar dat dit toch echt was wat er gebeurd was. Ze wist eigenlijk heel goed dat Julian ze niet had verjaagd. Hij had Rosalind verteld dat de twee mannen al wegrenden toen hij het huis uit kwam. Ze hadden hem alleen niets afgenomen. Julian had gezegd dat hij dat nogal vreemd vond, zij niet dan?

"Ik weet er ook niet zoveel vanaf, lieverd. Papa heeft er nog niet over willen praten", vertelde ze Luke.

"Echt? Echt waar niet?"

Nu klonk niks hem meer normaal in de oren. De logica van zijn vader was meedogenloos; zijn juridische geest zou de feiten al van de indrukken hebben gescheiden voor hij de pijn in zijn been ook maar was beginnen te voelen. ("Dat is geen steekhoudend argument, Luke. Het is helemaal doorwrocht van emoties", kon hij zijn vader nog tegen hem horen zeggen, zoals hij zo vaak had gedaan wanneer Luke een gesprek met hem probeerde aan te gaan.) Instinctief wist Luke dat dat deel van zijn vader er gewoon van zou genieten de verpleegsters en politie te laten zien wat een geweldig goede advocaat hij was. Zo wezenlijk vreemd, vond Luke Alistair. Wanneer hij als kind huilde, had zijn vader altijd klaargestaan met een rationele oplossing. Hij kwam ermee op het juiste moment, als de hysterie voldoende was afgenomen, met het ware gezag van zijn gerechtelijke gereserveerdheid.

Luke had het gevoel dat Rosalind wachtte tot hij iets zou zeggen. Hij bekeek haar bezorgde gezicht. "Nou, als je erover nadenkt, heeft pap eigenlijk heel veel mazzel gehad", zei hij. "Hij moet wel de slechtste straatdieven van Londen getroffen hebben."

"Dat moet wel, ja."

Rosalind lachte, duidelijk opgelucht. Daarna stond ze op en begon snel zijn kleren van de sporttas naar de lege kastladen over te hevelen. Hij keek toe hoe ze de T-shirts opnieuw opvouwde en een paar sokken oprolde dat uit elkaar was gegaan. Het stelde hem erg gerust om ernaar te kijken.

Hij had toen nog geen idee dat zij het net zo nodig had om dit te doen als hij om ernaar te kijken.

Toen ze klaar was, zei ze: "Nou, dan ga ik maar. Ik blijf niet lang weg, maar het verkeer zal wel een hel zijn. Ik verwacht rond halfzeven thuis te zijn. Als het ook maar enigszins kan, ben ik eerder."

Ze boog zich voorover en gaf hem een zoen, net zoals wanneer hij toen hij klein was schoolziek was, zodat hij precies zo door zijn moeder gezoend zou worden.

De met fluweel beklede stilte van een auto was altijd een plaats geweest waar Rosalind kon nadenken. Ze voelde de afzondering om zich heen gewikkeld, zo luxueus als een kasjmieren sjaal. In de twintig jaar waarin ze haar portie wel gehad had van afscheidszoenen geven op het vliegveld, boodschappentassen in de achterbak van de auto laden, Alistair op King's Cross afzetten of Sophie bij pianoles of Luke bij rugby ophalen, had ze geleerd van deze rustmomenten te genieten. Eerst de moderne, hightech klik wanneer het portier sloot en daarna: plotselinge immuniteit.

Na de schrik van wat er met Alistair gebeurd was, had ze niets liever gewild dan even alleen te zijn om na te denken, maar het dak van de serre werd gerepareerd en tot twee keer toe had een van de bouwvakkers toen ze met haar kop koffie op de trap zat met dreunende stem gezegd: "Hé, lach 'es. Zo erg kan het toch niet zijn."

Of het nu haar zus of haar vriendinnen of de bouwvakkers waren, er was altijd wel iemand in de buurt die zich afvroeg waar ze aan dacht, vroeg of het wel goed met haar ging, of ze misschien hoofdpijn had. Ze had verdomme geen hoofdpijn!

Keek Luke nu naar haar vanachter zijn raam? Ze startte de auto en reed weg. Er kwam altijd wel iemand aan de deur om iets te verkopen of te bezorgen. De wereld was niet privé genoeg. Een beeld van de woestijn kwam in haar op: rood zand dat zachtjes tot rimpels geblazen werd. Ze had nog nooit een woestijn gezien.

Ze zette de richtingaanwijzer naar links aan en reed de hoofdweg op. En weer moest ze aan hun vriend Julian denken op de avond van het voorval. Hij had erop gestaan bij haar te blijven in de wachtkamer van het ziekenhuis terwijl er een röntgenfoto van Alistairs hoofd werd gemaakt. Julian had haar een geribbelde plastic beker met kokendhete koffie aangereikt. "Oeps, ik geloof dat ik je geld in mijn eigen zak heb gestoken", zei hij.

"Wat?"

"Voor de koffie. Je wisselgeld." Na veel gezoek haalde hij een glimmend en blinkend twintigpencemuntje uit zijn zak en hij gaf het haar. Ze keek hem aan alsof hij haar zojuist een watermeloen had gegeven.

Julian fronste. "Weet je waar ik steeds aan moet denken? Ik denk steeds maar dat het toch wel een beetje vreemd is, Roz", zei hij, "dat ze niet geprobeerd hebben om hem iets af te nemen. Zijn geld niet, of zijn horloge of portemonnee, of iets." Hij dacht aan de beroving van zijn dochter. Ze hadden al haar geld meegenomen, creditcards, oorbellen, haar jas, haar schoenen.

Rosalind bracht het bekertje naar haar lippen, maar dronk niet.

"De politie deed er nogal vaag over", vertelde hij haar. "Belachelijk, eigenlijk. Ze vroegen me of er een reden zou kunnen zijn waarom iemand wraak op hem zou willen nemen."

"Wraak?"

"Ja, gestoord, hè? Ze moeten dingen uitsluiten, denk ik."

Nou, dat moest dan inderdaad maar snel uitgesloten worden, dacht ze. Dit begrip hoorde niet in hun leven thuis. Het woord had net zo'n opzichtige glans als het kleine zakje wit poeder dat ze ooit in Sophies oude winterjas had gevonden, of de keren dat Suzannah dronken bij hen op de stoep had gestaan en snel uit het zicht van de kinderen gewerkt moest worden. Nog erger, het was net zo dreigend, gaf net zo'n ruis af, als het choquerende tijdschrift dat ze in Lukes kamer gevonden had toen hij een jaar of veertien was.

In werkelijkheid had Lukes 'energieke' vriend Ben het hem als verjaardagsgrap gegeven. Luke had niet geweten wat hij ermee aan moest, hoe zich van het bewijsmateriaal te ontdoen, bang dat hij door God veroordeeld zou worden, maar ook door de vuilnismannen, die hij vaak bedenkelijk in de vuilniswagen had zien kijken terwijl het afval heen en weer schudde. Dus had hij het verborgen. De enige ogen die erin gekeken hadden waren zelfs die van Rosalind geweest – naar de gespreide benen, de close-ups van clitorissen, de kruisloze onderbroeken en open beha's. Ze stopte het behoedzaam terug in zijn rechterskischoen en haastte zich weer naar de telefoon om te zeggen dat, hoewel het haar speet, Lukes schoenen maar maat 44 waren, dus Rory, de zoon van haar vriendin, zou er niets aan hebben.

"O, god, Roz, het is vast een standaardvraag," zei Julian, waardoor ze zich nog meer zorgen ging maken. "Het komt gewoon doordat het midden in de nacht is. Alles voelt raar aan midden in de nacht, vind je niet? We zijn aan slaap toe."

Ze knikte naar hem met de platlippige berustingsglimlach die mensen gebruiken om de orde in hun gezicht te herstellen. "Precies", zei ze. Daarna nam ze een slokje van de koffie en voelde zich getroost door de manier waarop het brandde in haar keel, net als wanneer je kokend water over die smerige mieren in de keuken heen gooit.

"Je ziet er moe uit, Roz."

"Echt waar? Niet zo gek, lijkt me."

"Ja. Wat een stomme opmerking", zei Julian. "Het spijt me. Waarom zeggen mensen dat?" Hij was een door zichzelf in beslag genomen man die zichzelf vaak op de vingers tikte bij kleine grammaticale foutjes, of met een overdreven dramatische gezichtsuitdrukking een los draadje aan zijn trui vond. Ze ergerde zich eraan. Het had iets weerzinwekkend vrouwelijks en ze was dankbaar dat Alistair af en toe kortaf tegen haar was, wat ze zag als zijn mannelijke ongeduld omdat hij met belangrijkere zaken verder wilde. Ze was blij dat ze nooit was gezwicht voor de charme van al die liefdesbrieven die Julian haar een miljoen jaar geleden had geschreven. Hij was nu zeker een goede vriend, maar het was haar een raadsel hoe Elise het uithield met zijn eindeloze woordspelingen, zijn lichtzinnigheid en zijn zenuwachtige blikken in de spiegel.

Ze staarde naar hem en voelde een nijpend schuldgevoel. Sinds wanneer ergerde ze zich aan de mensen van wie ze hield?

Nu parkeerde ze volledig verward de auto. Waarom verdacht ze haar echtgenoot zo makkelijk van ... wat? Waarvan nou eigenlijk? Een geschoolde man, een succesvolle man, een aanzienlijke advocaat, zei ze tegen zichzelf. Ze dacht aan hoe hij stilletjes de biografieën of geschiedenissen die hij met Kerstmis had gekregen zat te lezen met een kopje koffie naast zich. In een ontwrichte herinnering keek hij op en glimlachte toen ze door de kamer liep met een plantenpot voor in de serre en glimlachte zij terug, dankbaar voor het leven dat ze samen hadden. De kinderen thuis met Pasen, Alistair die zat te lezen, een lelie die moest worden geplant. Zo was het goed.

Maar een deel van haar had altijd geweten dat Alistairs scherpe juristenbrein haar de waarheid en niets dan de waarheid vertelde, maar niet de hele waarheid. Sterker nog: ze wist dat ze in de eerste plaats zelf ruimte had gemaakt voor zijn oneerlijkheid. Er waren plekken in dat brein van hem waar ze hem heen zag gaan, als naar een maîtresse die ze in al die jaren stilletjes was gaan accepteren.

De verpleegster ging haar voor naar Alistairs kamer. Hij draaide zijn hoofd om toen ze binnenkwam. Hij keek naar haar op alsof hij vergeten was de deur van het toilet op slot te doen, dacht ze. Er lag een ongelezen boek op de lakens naast hem. "Hallo, lieverd", zei hij. Hij boog zich naar voren zodat ze hem een zoen kon geven.

Ze koos voor zijn voorhoofd. "Hoe gaat het met je been?" vroeg ze.

Ze keken allebei naar het gips.

"Prima, eigenlijk. Prima. De pijnstillers werken fantastisch. Iedereen is heel geweldig hier."

"We zullen de verpleegsters een bedankje sturen", zei ze.

"Ja, lieverd. Jij hebt altijd zulke goeie ideeën."

Ze luisterde niet echt naar hem. Hij staarde haar aan met een sentimentele blik en dat beangstigde haar. Alles begon haar te beangstigen. Haar zoon had zich letterlijk op haar gestort in de hal van zijn appartement, een drenkeling.

Wat zat er in de lucht? Het was net een vloek, dacht ze, een vloek uit de oudheid: 'een vloek op vaders en zonen'. Ze zei: "De verpleegster zei dat de politie weer bij je was geweest."

"Ja, ze waren weer hier, dat klopt", zei hij. Hij gebruikte de evenwichtige stem die bedoeld was voor de lagergeschoolde leden van de jury. Voor de eerste keer was ze zich ervan bewust dat dat volkomen misplaatst was.

"Waarom, Alistair?"

"Waarom? Eh ... het is nogal ingewikkeld."

Alistair wist dat zijn oude leven nog maar een seconde of dertig zou duren. Hij klampte zich eraan vast met knipperende ogen en een kloppend hart en keek aandachtig naar zijn evenwichtige vrouw.

8

Vlak achter de ingang van de Old Bailey staat een rij politiemannen achter een groot raam van kogelvrij glas. Naast hen staan een doorlichtingsapparaat zoals je die op het vliegveld ziet, en een metaaldetectiepoort. Na binnenkomst door de draaideur moeten juryleden, rechters, verslaggevers, advocaten en procureurs, griffiers en leden van de Queen's Counsel, kantinemedewerkers en getuigen-deskundigen onder de verveelde kritische blik van de politiemannen door deze tweede ingang.

Niemand is vrijgesteld van verdenking. Jaren van IRA-rechtszaken hebben geleerd dat het kind met het roze rugzakje of de bebrilde mevrouw met de geborduurde schoudertas best een bom bij zich kan hebben. Iedereen wordt onderzocht op vuurwapens, explosieven, messen en drugs. De ogen van de agenten bij het doorlichtingsapparaat stralen een treurige wijsheid uit, voortgekomen uit de jarenlange kennis van de inhoud van tassen van vreemden.

Bij tijden is het een netelige procedure, en wanneer de advocaten erdoorheen gaan, tonen de gezichten van de politiemannen uiterst behoedzaam oordeel noch verdenking. Op hun beurt doen de advocaten alsof ze zich slechts met verheven aangelegenheden bezighouden en alleen hun fysieke zelf aan deze veiligheidscontrole met de enigszins absurde eisen onderwerpen; de jongere doen vaag en bijdehand, de oudere zetten hun tas op de lopende band met een air van welwillende behulpzaamheid. Deze afstandelijke houding is het enige wat hen beschermt tegen de verbazingwekkende dingen die mensen iedere dag doen. Voor een advocaat is verbazing een beroepsrisico, een gevaar voor het gezonde juridische verstand, en dat moet onderdrukt worden, evenals angst, haat en wanhoop. De Old Bailey is een gebouw dat op elk gebied gewijd is aan het bestraffen en onderdrukken van het instinct, in naam der wet.

Alistair en Sandra Bachelor, de junior advocaat die hem assisteerde, en haar pupil, Ryan Townsend, gingen nu al twee weken iedere dag door die dubbele ingang. De zaak Regina tegen Giorgiou was het soort zaak dat advocaten graag zagen: langdurig en winstgevend, kortom, echt interessant. En uiteraard was het niet geheel onbelangrijk je naam in de kranten te zien. Het ging om een ontvoeringszaak die betrekking had op de zoon van een rijke Griekse scheepvaartfamilie die vaak in de roddelbladen stond. Alexis Giorgiou was een knappe jongeman van begin dertig met een verschrikkelijke gokverslaving.

Gedurende de verontrustende periode van losgeldonderhandelingen had de politie meneer en mevrouw Giorgiou bijgestaan, die beiden uiteraard voor hun zoon vreesden. Zonder de onbedachtzame volharding dat, hoewel hij dit weerlegde, meneer Giorgiou gemakkelijk twee miljoen pond in contanten kon ophoesten omdat hij daar tenslotte alleen maar 'die achterlijke tekening van Reardon' voor hoefde te verkopen, zou er geen reden zijn geweest criminele betrokkenheid van hun eigen zoon te vermoeden. Maar, zoals meneer Giorgiou zei terwijl hij lijkwit wegtrok, zijn stropdas losser deed en als een blinde naar de hand van zijn vrouw graaide: niemand wist van deze verborgen schat af. De tekening werd in een bankkluis in Zwitserland bewaard en de bijbehorende documenten zaten in een van de mappen in een vergrendelde ruimte in zijn kleedkamer, waarvan alleen zijn zoon en zijn vrouw een sleutel hadden gekregen. Om het bestaan van de tekening te kunnen ontdekken, zou een grondig beraamd onderzoek door een van de twee nodig zijn geweest.

De politie viel vervolgens het al lang getraceerde adres van de ontvoerders binnen, en trof zowel de beide kidnappers als Alexis Giorgiou aan, die een fles rode wijn deelden en poker speelden.

Alistair werd onbewust beïnvloed door Ryan Townsends naïeve enthousiasme over de zaak. De jongen stuurde sms'jes naar zijn moeder als er een kans was dat ze hem op het lokale nieuws zou kunnen zien. Het was een ander soort enthousiasme dan dat waarmee hij zijn carrière was begonnen. Ryan leek het wel spannend te vinden dat hij erbij mocht zijn; hij volgde de gerechtsprocedures alsof het een spectaculaire show was waar hij kaartjes voor gewonnen had. Alistair was eigenlijk altijd afwerend en ijdel geweest; hij had altijd met zijn kaartje gewapperd en zijn aandacht gevestigd op het effect dat zijn carrière had op zijn persoonlijkheid, zijn houding en zijn zoektocht naar zelfverbetering. In wezen keek Ryan naar buiten terwijl Alistair naar binnen keek, en net als alle in zichzelf gekeerde mensen bemerkte Alistair een uiting van morele beminnelijkheid in de vrolijke glimlach van de extraverte persoon.

Sandra Bachelor bleek uiterst bekwaam. Ze was goed en nuttig in de samenwerking, en Alistair genoot ervan rechtspunten met haar te bespreken. Maar het grootste genoegen schepte hij, zoals altijd, in de geweldige taak het loden gewicht van vijftien ringbanden om te smelten tot het pure goud van een goed betoog. Als hij aan het werk was, en hij was bijna altijd aan het werk, dacht hij in deze termen: van lood en goud, goed en fout, schuldig en onschuldig. Het elimineren van elke onduidelijkheid gaf hem rust.

Alistair hield van zijn leven als advocaat. Het collegiale gevoel van de Inner Temple, de camaraderie van de togakamer, de lekkere geur van gebakken eieren en sigaretten in de kantine van het gerechtsgebouw voor een hoorzitting, en het vriendelijke geplaag ('Lángford? Jemig, laten ze jou hier nog steeds binnen?').

Er hing een gelijkgezinde sfeer. Hij hield ervan buiten de deur te lunchen met intelligente procureurs en dankbare klanten. Hij ging graag wat drinken bij El Vino, waar vrouwen nog steeds niet aan de bar mochten bestellen en mannen verplicht waren een das te dragen. Hij at graag, vaak alleen, een goede steak met een glas rode wijn in een restaurant aan Fleet Street, met zijn papieren voor zich uitgespreid op tafel. En hij schepte er plezier in Latijnse spreuken in zijn dagelijkse werk te gebruiken. Wie had er nou zo'n voorrecht? *Prima facie, sui generis, mutatis mutandis*: de woorden zelf droegen de geur van oude boeken en kerken met zich mee. Ze waren oud en vertrouwd; ze authenticeerden de gebruiker. Door ze tijdens een zitting uit te spreken bereikte je het ontmoetingspunt tussen intellectueel en sensueel genot.

Bij het vallen van de duisternis keek Alistair door het raam van zijn kamer in de ambtsvertrekken uit op het binnenhof, dat veel op een binnenplaats in Oxford leek en 's avonds nog met gas verlicht werd. Van daaruit zag hij de onophoudelijke Londense regen, die onverschillig op zowel de auto's van de advocaten als op de advocaten zelf viel wanneer zij zich haastten, altijd haastten, met hun rode tas over hun schouder. Het voelde goed om naar die vertrouwde dans te kijken, naar de passen met hun waardigheid van eeuwenlange Engelse rechtspraak.

Voor Alistair gold: wat oud is, is veilig; oude bewoordingen, tradities, gebouwen, wetten ... Als voorwerpen in een museum werd wat oud was beschermd door een dik koord, waar de menigte niet te ver overheen mocht leunen.

Maar de moderniteit sloop overal binnen. Je mobiele telefoon ging over in je zak en zorgde ervoor dat je de draad van je redevoering kwijtraakte. "Mijn pacemaker, edelachtbare", had hij eens gevat opgemerkt toen dit hem gebeurde, tot groot plezier van de rechtszaal. Maar hij was daarna niet meer op dreef gekomen en had het idee dat hij de jury was kwijtgeraakt. Hij had het dat opvallende kleine machientje nooit vergeven. Toch had hij geleerd hoe hij met e-mail om moest gaan toen het kantoor voor iedereen werkaccounts aanmaakte. Maar hij gebruikte het zonder vreugde, met dezelfde ambitieuze grondigheid die hij vroeg in zijn leven had ontwikkeld om zijn angst voor verandering aan te vechten. Alistair was nooit makkelijk voor zichzelf geweest en had altijd vermoed dat hij vatbaar was voor buitenproportionele angsten.

Zijn kamer stond propvol boekenkasten met massa's en massa's juridische verslagen, juridische tekstboeken en stapels in lint gebonden opdrachten; donkerroze was een verweer, wit was een eiser. Hij had een victoriaans mahoniehouten bureau met notenhouten inlegwerk en stukken ivoor. Op iedere hoek een gegraveerde leeuwenkop: grote, massieve gravures van brullende leeuwen.

Natuurlijk was het geen werk zonder frustraties. Hij had pas op de relatief late leeftijd van tweeënvijftig tot de Queen's Counsel mogen toetreden. Advocaten die hoopvol wachten totdat ze die ererang van advocaten bereiken, worden *senior juniors* genoemd, wat een teleurgestelde bijklank heeft. Het deed Alistair altijd aan net iets te korte broekspijpen denken.

Gezien zijn uitstekende staat van dienst wist hij zeker dat de vertraging veroorzaakt was door een brief die hij naar de *Times* had geschreven na een bemoedigende discussie – of liever: een uitgebreide en euforische overeenstemming – met twee collega's in El Vino. In de precieze bewoordingen die zijn collega's met een vierde fles Bourgondische wijn geëerd hadden, klaagde hij in de brief over het overschot aan tot veroordeling geneigd zijnde rechters in de Old Bailey. Wat moeten we maken van rechters die herhaaldelijk tijdens de verdediging de advocaat onderbreken, was de vraagstelling in de brief, en van rechters die feitelijk zelf de getuigen aan een kruisverhoor onderwerpen, van rechters wier theatrale opsomming van de feiten voor de jury de zaak op een sensationele manier in twijfel trekt?

De kwestie spookte door zijn hoofd omdat hij net iemand in een moordzaak vertegenwoordigd had voor het meest opmerkelijke voorbeeld van dit soort rechters. Alistair wist dat het stom van hem was niet te hebben voorzien dat zijn woorden persoonlijk opgevat zouden worden. Hij zou zich altijd de schok van verbijstering herinneren die hij voelde toen zijn griffier hem de daaropvolgende maandagochtend wenkte en zei: "Susan heeft ons allemaal uw brief laten zien, meneer. Dat moet die oude, keiharde rechter Simpson de stuipen wel op het lijf gejaagd hebben, nietwaar?"

Simpson was een uiterst onzekere man die altijd lichtelijk naar whisky rook. Hij was ook een goede vriend van de pas benoemde openbare aanklager en van de minister van Binnenlandse Zaken, die zelf ex-advocaat was. Het bleek dat ze gedrieën onafscheidelijk waren geweest op Cambridge. De bron van opdrachten voor goede zaken die Alistairs griffier gewend was voor hem te ontvangen, droogde simpelweg op. Dit ging zo vijf jaar door en het kostte Alistair er nog eens drie om zijn vroegere zekere positie terug te winnen.

Hij betreurde het de brief geschreven te hebben omdat het helemaal niets veranderd had, en hij had hem alleen maar gestuurd omdat hij zo tevreden was geweest over zijn formulering. Hij dacht er met plezier aan hoe collega's hem op zondagochtend bij hun toast met jam zouden lezen. En hij had gedacht dat hij de overgebleven gêne die hij over zijn toespraak op het advocatencongres van vorig jaar voelde, zou uitbannen. Hij had nog steeds last van deze gêne omdat hij een heel stuk vergeten was van wat hij had willen zeggen, ook al wist hij dat de dingen die hij gezegd had over het algemeen uitstekend waren gevonden.

Alistairs brief zette aan tot een aantal artikelen over de kwestie en hij moest het ergerlijke herhaaldelijk noemen van zijn naam verdragen, die er steeds maar weer mee in verband werd gebracht, en de schouderklopjes van collega's van wie hij wist dat ze vonden dat hij onbezonnen had gehandeld. "Goed zo", zeiden ze, "een verdomd goed geschreven brief."

Dit was de schaduwzijde van de camaraderie: het sterke medeleven met de missers van een collega.

Boven op de inkomensderving doordat hij de goede zaken misliep, werd Alistair gedwongen toe te kijken hoeveel van zijn vrienden eerder dan hij toetraden tot de Queen's Counsel. Een voor een vroegen ze hem wat met hen te gaan drinken om het te vieren. Soms waren het etentjes. Hij hief zijn glas en voelde zich overgeslagen.

Maar uiteindelijk gebeurde het ... na een vertraging van negen jaar. Eindelijk kwam dan toch de ceremonie in het Hogerhuis, waar de Lord Chancellor hem de eed afnam. Rosalind was met hem meegekomen en zag er prachtig uit in een lichtblauw pak. Hij besefte dat de foto die zijn dochter Sophie die middag nam in één flits de verwezenlijking van bijna al zijn ambities had vastgelegd. Hoeveel mensen kunnen er nu zeggen dat ze dát voor elkaar hebben gekregen?

Hij ging in het Hogerhuis naar het toilet en moest een zenuwachtige lachaanval onderdrukken toen hij bij het urinoir stond. Raakte je ooit het gevoel kwijt ongenood naar binnen te zijn geslopen? Hij fatsoeneerde zijn overhemd en herinnerde zichzelf eraan dat hij de uitnodiging voor deze plek eerlijk verdiend had. Deze gedachte gaf hem een voldaan gevoel, hoewel het wel een net van onzekerheid over de rest van zijn leven uitwierp. Hij stapte monter naar buiten en sloeg een glas champagne achterover.

En nu stond de bewuste foto van die dag op zijn bureau tussen een foto van Rosalind op een boot bij Kreta en een van Luke en Sophie in hun skikleding toen ze ongeveer veertien en zestien jaar oud waren. Alistair merkte dat hij naar die foto's keek om zich aan zichzelf te herinneren, hetzelfde als wat Luke deed wanneer hij in zijn koelkast keek. Maar Alistair zou de overeenkomst niet gezien willen hebben; hij vond zichzelf uitermate verschillen van zijn atletische en licht dyslectische zoon. Hij was ook van mening dat dit soort gedachten filosofisch gezien zinloos was en het verbaasde hem daarom dat hij ze zo vaak had. De gedachte dat hij op de een of andere manier gescheiden was van zijn eigen geest, dat die in zekere zin zonder hem doorwerkte, stond hem niet aan. Dit klonk chaotisch, riskant ... en, natuurlijk, filosofisch gezien zinloos. Want wie beweerde dit nou eigenlijk? Hij werd moe van de vraag. Hij kwam erdoor op de gedachte naar de kast te lopen voor een deel van *Blackstone's Commentaries*: dik, in leer gebonden en zwaar in de hand.

Op de foto voor het Hogerhuis hield Rosalind in het briesje haar lichtblauwe hoed vast en Alistair had onlangs opgemerkt dat er een eenzame vogel in de lucht boven haar hing.

De verwezenlijking van bijna al mijn ambities, dacht hij ...

Wat resteerde er nog? Hij was nu elf jaar lid van de Queen's Counsel. Hij had de mogelijkheid gekregen om rechter te worden, maar had gedacht dat hij het leven als advocaat zou missen en dat rechterlijke eenzaamheid niets voor hem zou zijn.

Hij was een populaire man onder de advocaten, hij werd gerespecteerd en, ook al at hij soms graag alleen, hij vroeg net zo vaak collega's mee of hoorde een vriendelijke klop op zijn deur wanneer hij op kantoor werkte. Het was prettig om tussen zoveel gelijkgestemden te werken. Het deed hem denken aan zijn tijd in Oxford. Alleen wist hij nu hoe hij moest praten; hij had alle juiste accessoires.

Aan zijn kleding, zijn huis in Holland Park, zijn nette vrouw en zijn kinderen kon niemand afzien dat hij in een armoedig pension was opgegroeid en niet wist wie zijn vader was. Alistair had een zijden tas voor zijn pruik en toga, net als de anderen.

Ian, zijn griffier, had nogal ophef over de ontvoeringszaak gemaakt. "Hiermee kom je wel in de kranten", zei hij toen hij de opdracht en de eerste doos ringbanden kwam brengen. En Alistair had algauw gedacht dat Ian weleens gelijk kon krijgen, hoewel je nooit wist wat precies media-aandacht zou krijgen. In ieder geval was het een interessante zaak. Het Openbaar Ministerie had het hem gestuurd op verzoek van de junior advocaat Sandra Bachelor, die heel graag wilde dat juist Alistair haar zou begeleiden. Hij had haar nog nooit ontmoet. Het was altijd een genoegen om nieuwe advocaten te leren kennen, helemaal wanneer ze je zo'n compliment maakten.

Ze was midden dertig, had krullerig bruin haar en acnelittekens op haar wangen. Sandra's intelligentie deed haar stotteren, alsof ze haar observaties er haastig uit hoosde uit angst erin te verdrinken. Soms knipperde ze zo verwoed van frustratie dat ze een contactlens verloor (ze droeg reservelenzen bij zich voor als dit gebeurde). Haar pupil, Ryan, was vierentwintig en had net zijn omscholingsjaar voor rechten afgerond nadat hij zijn eerste graad in geschiedenis had gehaald aan Edinburgh University. Hij was niet erg welbespraakt en Alistair vermoedde dat hij geen aanstelling bij Sandra's kamer zou krijgen. Het was tegenwoordig zo'n concurrentiestrijd. Misschien was er een carrière achter de schermen bij het Openbaar Ministerie voor hem weggelegd.

Hij was een uitzonderlijk knappe jongen met lichtbruin haar en een lichte, gladde huid. Hij gebruikte nogal vaak het woord 'fascinerend'. Dit ontlokte Alistair en Sandra keer op keer een glimlach, waarbij ze elkaars blik vermeden om niet in lachen uit te barsten. Zijn enthousiasme was aanstekelijk en ze genoten van zijn schoonheid, ook al versterkte het Alistairs gevoel van seksuele onzichtbaarheid als hij zag hoe vrouwen naar Ryan staarden, met zoveel openlijk verlangen. Ooit was er zo naar hem gekeken.

Ze hadden de zaak over een periode van vele weken in talrijke conferenties voorbereid. Toen hij voor de rechter kwam hadden ze zich al snel ingegraven en was het duidelijk dat deze zaak in al zijn gecompliceerdheid vóór alle andere verplichtingen zou komen.

Rechtszaal dertien in de Old Bailey werd een vertrouwde omgeving. Het was een van de moderne rechtszalen, met tl-verlichting en de steriele geur als van een nieuwe auto, die er voor altijd bleef hangen. Iedere dag tussen halfelf en één uur en na een pauze voor 'het korte reces' – bij gewone mensen ook wel bekend als lunch –, gevolgd door de middagzitting, zaten ze in deze zaal. De gedaagde zag er breedgeschouderd en bijna gemeen fit uit naast zijn nietige advocaat, Randall Schaeffer.

Randall had tegelijk met Alistair op Oxford gezeten, twee jaar boven hem. Hij was altijd dun geweest, maar nu had hij ook nog een kromme rug. En hij leek te loensen. Het plotselinge ouder worden van zijn vrienden choqueerde Alistair. Niet alleen maar een gerimpeld voorhoofd of grijs haar, maar pijnlijke ledematen en daadwerkelijk gewichtsverlies. Wanneer je mensen tegenkwam die je een jaar niet gezien had, leken ze in hun kleren te zijn gekrompen. Dit zou natuurlijk snel genoeg ook hem overkomen.

Sinds een paar jaar was hij spiegels gaan vermijden. Tussen zijn twintigste en dertigste levensjaar was hij nauwelijks veranderd: de jeugdigheid had welig getierd. Tussen de dertig en de veertig had hij slechts een geringe achteruitgang geconstateerd, meestal op vakantie, wanneer hij zich uit een zwembad omhooghees en zich van zichzelf bewust was alsof hij op een foto was vastgelegd, als filmmateriaal: het water dat langs zijn gebruinde rug liep, de sterke, mannelijke benen die hij over de rand van het zwembad zwiepte. Maar tussen de veertig en drieënzestig waren de veranderingen snel en heftig geweest. Zijn haar was dunner geworden en de textuur ervan was nu anders: grover en minder netjes. Het was alsof hij net als het gras en de varens geëvolueerd was, door aanhoudende, onbedwingbare blootstelling aan licht. Zijn rug- en schouderpijn deed vermoeden dat hij een lange reis met zware tassen had gemaakt. Hij werd twee of drie keer per nacht wakker omdat hij naar de wc moest, en steevast verscheen er dan wanneer hij voor de pot stond een kort fragment van een triest en gênant gesprek in zijn gedachten. Zijn oude vriend Henry had zich – in de metro nota bene – naar hem toe gebogen en gekweld gefluisterd: "Mijn gereedschap doet het niet meer, Al. Katherine heeft niks meer aan me. Helemaal niks." Henry sloeg met zijn krant tegen zijn been.

Alistair las Pascal en Montaigne om zich uit deze lichamelijke zorgen te verheffen. Maar de leeftijd van drieënzestig maakte dat hij zich 'lichamelijk' voelde, wellustig op een manier die hij nooit eerder gevoeld had. Hij keek naar jonge vrouwen – en, heel stiekem, ook naar jonge mannen – en lust werd een soort afgunst, een verlangen naar de soepelheid van de jeugd.

Ze gingen door de metaaldetector en sloegen rechts af richting de liften naar de bedrijfskantine en de togakamer van de advocaten. Toen ze de deuren door kwamen roken ze de geur van eieren met spek die vanuit de keuken de trap af dreef.

Ze gingen de kantine in voor een kop koffie en een korte bespreking van de zaak. De tafels in de kantine waren al ongelijkmatig bezaaid met kranten en borden, en advocaten in pruik en toga zaten koffie te drinken en te roken terwijl ze gehaast een rede schreven.

"Goedemorgen, Langford", zei Richard Evans. Hij stond vooraan in de korte rij en betaalde net voor zijn fruit en yoghurt. Hij was een van die mensen die zichzelf fit hielden; hij had altijd een enigszins verdacht gebruinde huid.

Alistair glimlachte en knikte. "Evans." Veel van de oudere advocaten spraken elkaar nog met de achternaam aan, zoals ze dat op de kostschool gewend waren geweest. Alistair had natuurlijk nooit op een kostschool gezeten, maar dat detail was geheim.

Evans zei: "Tijd niet gezien. Je hebt een goeie, hè? Hoe staat het ermee? Een echte Atheense playboy, hoorde ik?"

"De gedaagde? Ja, dat klopt. Maar ik ben de tegenpartij, Schaeffer verdedigt die knul. Het gaat niet slecht, dank je. Vanmiddag ondervraag ik zijn vriendin, als alles goed gaat."

"Echt? Blond en bloedmooi, ongetwijfeld. *Playboy bunny!*" Evans gniffelde wellustig en Sandra Bachelor liet pardoes een paar sinaasappels over de grond rollen.

Ze pakte ze snel op en legde ze terug in hun mand. Ze zei: "Oeps! Wat een stoethaspel ben ik. Sorry", en kreeg een dieprode kleur.

Hij begon te stralen en stapte met uitgestoken hand op haar af. Hij gedroeg zich onberispelijk tegenover vrouwen. "Volgens mij kennen wij elkaar nog niet", zei hij. "Richard Evans."

"Hoe maakt u het? Ik ben Sandra Bachelor." Haar hele arm ging op en neer toen hij haar de hand schudde. "En dit is mijn pupil, Ryan Townsend", vertelde ze hem.

"Ik ben haar pupil", herhaalde Ryan, die nog steeds de noodzaak voelde zijn aanwezigheid in deze verheven omgeving te rechtvaardigen. Hij herkende Richard Evans omdat hij hem had horen spreken op het etentje van de Law Society. Een fascinerende toespraak over juridische hervormingen. Ryan vond dat de oudere mannelijke advocaten een priesterlijke, naar wierook geurende plechtstatigheid bezaten. Daar stuntelde hij gehaast op af, doodsbang dat hij anders weer afdreef en hele dagen lang 'Dragonman 4' zou gaan spelen, net zoals hij had gedaan voor hij besloot rechten te gaan studeren.

"Nou", zei Evans. "Ik moest maar eens in beweging komen. Ik word in rechtszaal negen verdacht van drugssmokkel. Gelóóf je dat nou? Er zat víjf kilo pure cocaïne in mijn achterbak vol knuffelbeesten."

"Echt waar?" vroeg Alistair.

"En ik heb absoluut geen flauw idee hoe het daar gekomen is."

"Wat apart."

Ze gingen verder met hun superieure riedeltje (dit enigszins onmenselijke spel was ook een manier van afstand nemen, een overlevingsstrategie) terwijl Richard Evans zijn toga goed deed en Alistair zijn ontbijt afrekende.

"Jaaaa. Geen flauw idee ..." verzuchtte Richard Evans hoofdschuddend. Hij drukte de dikke stapel papier tegen zijn borst en draaide zich om richting de trap. "Hij gaat voor de bijl, ben ik bang. Ik kan niet veel voor hem doen."

Ze wisselenden een wrange glimlach.

Alistair zei: "Ga je volgende week donderdag naar Philips pensioendiner?"

"Ja. Jij?"

"Ik zie je daar."

"Goed, goed." Richard knikte naar Ryan en maakte een bijna formele buiging naar Sandra Bachelor. Hij ging er prat op extra hoffelijk te zijn tegenover minder aantrekkelijke vrouwen.

Toen ze hun ontbijt op hadden en de strategie hadden besproken die Alistair zou gaan gebruiken bij zijn ondervraging van politieagent Radley, die de arrestaties had verricht, hoorden ze hun zaak over de intercom omgeroepen worden: "Willen alle partijen in de zaak-Giorgiou alstublieft zo snel mogelijk naar rechtszaal 13 komen? Alle partijen in de zaak-Giorgiou."

Tegen de tijd van het korte reces beloofde het een saaie dag te worden. Sandra ging even langs de drogist, Ryan las een roman over een succesvolle Amerikaanse advocaat en Alistair at in stilte zijn shepherd's pie, terwijl hij de krant doorbladerde. Hij zag dat er een nieuwe biografie van Gladstone uit was die heel goede recensies kreeg en dacht erover hem te gaan kopen.

Daarna werd het eerste deel van de middag gewijd aan een aantal getuigen-deskundigen. Professor Aitken en dr. Ellis gaven hun respectievelijke analyses van bandopnamen en verscheidene medische details, zoals de merkwaardige afwezigheid van schuurplekken op de polsen van Giorgiou, die zeven dagen lang vastgebonden zei te zijn geweest.

Na een enorme hoeveelheid technische details was het duidelijk dat de aandacht van de jury verslapte, en vond de rechter het verstandig om ze even bij te laten komen. Hij stelde een kort reces voor. Om kwart voor vier zou de zitting worden hervat.

En dus schuifelden de menselijke componenten van de rechtszaal na hun broodjes en repen chocola, telefoontjes en snelle toiletbezoeken weer terug naar hun plaats, voor de laatste sessie van die middag.

De procureurs, die zich tijdens de lunch buiten de Old Bailey hadden gewaagd voor een uitgebreide kerrieschotel, zaten in een sloom groepje achter de advocaten. Op banken aan de zijkant van de zaal zaten de twaalf juryleden in uiteenlopende soorten en gedaanten. Voor in de zaal bevond zich de verhoging van waaraf de rechter presideerde. Een niveau lager zaten de griffier, een corpulente vrouw met een opzichtig, sceptisch gezicht, en de bezielde gestalte van de stenograaf, die onophoudelijk over zijn toetsen gebogen zat.

Nadat iedereen was gaan zitten, weer was gaan staan voor rechter Morton en opnieuw was gaan zitten, ontstond er een verwachtingsvolle sfeer in de zaal.

Uit het oogpunt van amusement was het een karige dag geweest. Inspecteur Radley was een man zonder bijzondere eigenschappen gebleken, zowel lichamelijk als in zijn gedrag. Hij had muisgrijs haar, een nietszeggend, gelijkmatig gezicht en een eentonige, bureaucratische stem. Tijdens zijn verslag over de toestand waarin hij en zijn collega's Alexis Giorgiou gevonden hadden, vochten verscheidene juryleden tegen de slaap of ze vroegen zich af hoe het leven van zo'n kleurloos individu zou zijn. At hij 's morgens in zijn eentje een gekookt eitje? Had hij een kat? Maakte hij in z'n eentje een wandelingetje door het park?

En de beide getuigen-deskundigen waren ook al geen reden voor een feestje. Ze hadden het gebruikelijke uiterlijk van ongewassen wetenschappers en hun getuigenissen deden algauw terugdenken aan eindeloze natuurkundelessen op school.

Maar zelfs zonder deze taaie dag zou de komst van Karen Jennings een happening zijn geweest. Hoe ongepast ook, de juryleden hadden ontzag voor Alexis Giorgiou, die er, zoals de voorzitter van de jury moest toegeven, uitzag 'als een echte beroemdheid'. Iedereen vroeg zich af hoe de vriendin van deze trotse, gespierde Griek, die zo uit de tv gestapt leek te zijn, eruit zou zien.

Niet een van hen had het juist. Ze was niet lang en elegant, ze was niet bekakt, ze was niet verwend en nukkig. Ze was een kleine, muisachtige blondine met een erotisch figuur als in een stripverhaal en een permanente grijns op haar gezicht.

Toen de bode haar naar binnen begeleidde, keek Karen Jennings om zich heen en ze leek niet in staat haar lachen in te houden. Ze had het voorkomen van een giechelend schoolmeisje dat bij de hoofdmeester werd geroepen en haar kleine, mollige, speels spottende aanwezigheid had een vriendelijke uitwerking op de zaal. Ze maakte vermoeide mensen (zowel mannen als vrouwen) aan het glimlachen. Sandra

Bachelor, die een van hen was, oordeelde ogenblikkelijk dat Karen het soort meisje was dat wanneer ze om een likje van een ijsje vroeg, niemand ter wereld het haar kon weigeren. Haar sexappeal had iets onschuldigs, want hoewel haar rondingen bijna een parodie op de vrouwelijke vormen waren, leek ze een ongecompliceerd behagen in haar lichaam te scheppen en genoot ze net zoveel van haar jeugdigheid en gezondheid als van haar verleidingskunst. Ze scheen het gewoon naar haar zin te hebben, het een avontuur te vinden, een lachertje, en dat ten koste van niemand.

Karen was in werkelijkheid niet langer dan een meter zestig, maar was een en al uitdagende sensualiteit. Deze houding gaf haar meer kaliber dan ze eigenlijk had, en hoewel men er niet bang van werd, maakte het het wel onmogelijk haar te negeren. Sandra Bachelor bemerkte met lichte afgunst (omdat haar lange, dunne lichaam nooit dit effect had of ooit zou hebben) dat sommigen van de mannelijke juryleden verrukt waren. Ze keek in het bijzonder hoe de man met stoppels en tatoeages in de achterste rij tegen de bebrilde man naast hem fluisterde. Ze waren onwaarschijnlijke vrienden, maar bij de aanblik van deze fikse dosis vrouwelijkheid grijnsden ze allebei dezelfde grijns.

Karen droeg een gedeeltelijk doorzichtige witte katoenen blouse en een adembenemend strakke, donkerblauwe rok. De hakken van haar schoenen waren zo hoog en spits dat het bijna een wonder was dat ze erop kon lopen. Haar kleding leek te zijn ontworpen om haar te hinderen, maar alsof het allemaal deel uitmaakte van een verdorven, gelogen waarheid, benadrukte die alleen maar de soepele bewegingen van haar taille en haar heupen.

Zodra ze haar eed had afgelegd, die ze vergezeld liet gaan van nieuwsgierige, vluchtige blikken door de zaal, schraapte Randall Schaeffer zijn keel en begon: “Bent u juffrouw Karen Jennings uit appartement 234, River Court, Balham?”

Karen haalde diep adem en giechelde daarna van opluchting: “Nou, die is tenminste makkelijk”, zei ze.

Een aantal juryleden glimlachte omdat ze zich in haar konden inleven; ze voelden mee met haar maar al te menselijke zenuwachtigheid en maar al te gewone Londense accent. Dit was een meisje dat fish-and-chips at met haar broers en zussen, wier vader naar het voetbal keek met een blikje in zijn knuist. Ze was niet zoals de rijke Giorgious of de spottende advocaten. Karen had onmiddellijk een sfeer van ‘wij tegen zij’ gecreëerd: overwerkte, droge, opgeblazen advocaten tegenover jonge, mollige, glimlachende meisjes. Ze drukte met haar hand op haar borst om haar zenuwen de baas te worden, en zelfs de vrouwelijke leden van de jury waren zichtbaar gecharmeerd.

Sandra Bachelor geloofde geen seconde dat Karen last van zenuwen had. Ze keek uit naar Alistairs kruisverhoor en hoopte dat Randall de vragen van de verdediging niet te lang zou rekken.

Gelukkig werkte Randall mee en was het algauw Alistairs beurt. Hij stond op en bladerde zoals altijd een paar seconden door wat papieren om een air van onverstoorbare vastberadenheid uit te stralen. Daarna zei hij met een strenge stem, die deed vermoeden dat hij de exorbitante borsten, de onstuimige ronding van de heupen of de onbeschroomde randen van haar slipje onder de donkerblauwe rok niet opgemerkt had: "Juffrouw Jennings, heb ik gelijk als ik zeg dat u en de beklaagde nu al zo ongeveer achttien maanden een relatie onderhouden?"

Karen knikte en haalde haar schouders op.

"Antwoordt u alstublieft alleen met ja of nee, juffrouw Jennings", zei de rechter.

"Sorry. Ja, dan. We hebben" – ze ging zachter praten en fronste er gewichtig bij – "nu al iets meer dan achttien maanden 'een relatie onderhouden'. Het was sinds ik donkerder blond ben geworden, zo onthou ik het. Dus, ja, zoiets." Ze trok haar neus iets op om haar eigen suffigheid.

"Aha", zei Alistair. "En heb ik gelijk als ik zeg dat u meneer Giorgiou gewoonlijk iedere vrijdagavond ontmoette in Buzzy's Restaurant en Casino in Piccadilly?"

Karen leek ongewoon gevleid en verbaasd dat dit persoonlijke detail openbaar gemaakt werd. "Ja", zei ze, "dat hebt u."

"En heb ik gelijk als ik zeg dat u ná het eten altijd naar het casino beneden ging, waar meneer Giorgiou vervolgens ging gokken?"

"Nou, u hebt mij niet echt nodig, hè?"

Onder de jury was onderdrukt gelach te horen. Sandra zag hoe Karens ogen op een discrete manier controleerden hoe haar borsten in de strakke blouse uitkwamen; ze zag ook dat Alistair last van zijn pruik had. Hij trok hem telkens recht aan de achterkant, op een nogal irritante en zichtbaar afleidende manier. Het was enigszins een raadsel, maar hij leek wel in verlegenheid gebracht. Het was een jongensachtige verlegenheid ... een echte, hoewel onbegrijpelijke, kwelling. Hij zag eruit als een tiener die naast zijn ouders op de bank de laatste stuiptrekkingen van een seksscène op tv ondergaat.

"Beantwoordt u alstublieft gewoon de vraag, juffrouw Jennings", zei de rechter weer.

"Sorry", zei ze. "Ja."

Alistair ging verder: "Juffrouw Jennings, zou u meneer Giorgiou een betrouwbare man noemen?"

"Meent u dat nou?"

"Ik zal het anders formuleren", zei hij. "Zou u meneer Giorgiou een punctuele man noemen?"

"Nou, dat hangt er dus van af of het om gokken of om seks gaat, hè? Zoals bij alle mannen. Als het om eenentwintigen of poker gaat, of iets anders wat hij wil, kun je de klok op hem gelijkzetten."

"Aha. En heb ik het juist als ik zeg dat u vrijdag 5 februari zoals altijd naar Buzzy's Restaurant en Casino ging en verwachtte met hem te dineren?"

"Ja", zei ze. "Dat hebt u juist."

"U verwachtte met hem te dineren en daarna door naar het casino te gaan om te gokken, zoals altijd?"

"Ja", zei ze, waarna ze glimlachte omdat ze deze ontwijking absurd vond. Ze fluisterde terzijde, maar goed hoorbaar: "Om te gokken en daarna seks te hebben."

"Ja, dat begrijp ik. Maar die avond kwam meneer Giorgiou niet opdagen, toch?"

"Nee, dat klopt."

"En u hebt enkele uren op hem gewacht, klopt dat? Tot het restaurant sloot?"

"Ja."

"Waarom wachtte u zo lang?"

Karen lachte ongelovig. "Zie ik eruit als het soort meisje dat het gewend is dat iemand haar laat zitten? Ik dacht maar steeds dat hij ieder moment binnen zou kunnen komen met een bos bloemen", zei ze.

Sandra Bachelor keek vluchtig naar de jury, die naar een tenniswedstrijd leek te kijken. Ze begon zich zorgen te maken dat in deze hilarische sfeer het belang van Alistairs vragen niet tot hen zou doordringen. Als hij zo door zou gaan, met zijn strenge stem, zou dat alleen maar aan het komische effect van Karens show bijdragen, maar ze zag ook wel in dat hij weinig keus had. De hevigheid van zijn verlegenheid verbijsterde haar nu en ze staarde naar het kleine mensje in de getuigenbank en vroeg zich af hoe het zou zijn om deze nogal beschamende uitwerking op een man te hebben.

"Ah. Ja, ik begrijp het", zei Alistair streng. "Dus u was uitermate verbaasd dat hij niet kwam opdagen. Zou dat een correcte beschrijving zijn?"

"Een beleefde beschrijving. Ja."

“U was verbaasd omdat hij, zoals u zegt, punctueel is wanneer het om gokken gaat en omdat u, – hij boog zijn hoofd, want ook hij kon acteren voor de jury – “natúúrlijk niet het type meisje bent dat regelmatig door iemand in de steek wordt gelaten?”

“U vat hem helemaal”, zei ze, terwijl ze een wenkbrauw optrok.

“Maar uiteindelijk ging u naar huis.”

“Nou, ja. Ik heb ook zo mijn grenzen.”

Weer giechelde de jury collectief. Alistair vond dat ze even dreigend overkwamen op een potentiële meinedige als koerende kerkduiven. In al zijn jaren als advocaat had hij zelden iemand gezien die zo weinig van haar stuk gebracht was door de plechtigheid van een rechtszaal als Karen. Hij had genoeg boze opstandigheid gezien, bij bleke autodieven of duistere pooiers, maar dat had tenminste nog een erkenning van of een gekrenkt ontzag voor het gezag van de rechtbank doen vermoeden. Karen daarentegen kon haar lachen amper inhouden. Ze was een ongeveinsde anarchiste ... en hij kon het niet helpen dat hij dat ontzettend opwindend vond. Hij voelde zijn gezicht rood worden en vroeg zich af of het zichtbaar was. Die gedachte was ontstellend.

Hij ging nog strenger verder: “En de daaropvolgende vrijdag, vrijdag 12 februari, ging u wéér naar Buzzy’s Restaurant en Casino en wachtte u wéér enkele uren op meneer Giorgiou?”

“Ja. En ik kan u vertellen dat ik niet blij was”, zei ze licht pruilend.

Alistair voelde dat hij nog dieper kleurde en was ineens bang dat hij zichzelf daadwerkelijk voor schut zou zetten voor de rechter en jury wanneer hij zijn gedrag niet beter onder controle kreeg. Dit was hem nog niet eerder overkomen. Hij liet zijn hand nonchalant op de tafel voor hem rusten. “Nee, dat kan ik me voorstellen”, zei hij, meespelend. “Maar desalniettemin wachtte u weer en ...” Hij liet met een teleurgestelde blik zijn arm vallen en stak zijn lippen vooruit om zich begripvol te tonen, “... en weer dacht u al die tijd dat meneer Giorgiou nog wel zou komen, omdat het niets voor hem was om een avondje gokken over te slaan of een meid als u te laten zitten.”

“Precies”, zei ze, zichtbaar ongeduldig.

“Aha. En hebt u enige uitleg van hem gekregen over waarom hij niet kwam opdagen?”

“Uitleg? Nou ... nee.”

“Niet?” Nu voelde hij hoe hij de controle terugkreeg, de eerste vaste voet aan de grond.

Ze keek hem aan alsof hij gek was. “Dat kon toch ook niet? Hij zat toch opgesloten?”

“Ah, ja, natuurlijk”, zei Alistair, die nog net niet tegen zijn voorhoofd sloeg. "Dan vraag ik me af hoe u dit voor uzelf uitlegde ... ik bedoel, het feit dat hij niet belde. Hoe verklaarde u dat, juffrouw Jennings?"

Even keek ze bijna geschrokken. Daarna leken haar ogen iets op te vangen aan de andere kant van de zaal en zei ze: "Ik dacht dat hij *hard to get* speelde."

"O, ahá. Maar zo had hij zich nooit eerder gedragen, toch? U zei net nog dat u – wat was het? – 'de klok op hem gelijk kon zetten' als het om ... gokken ging?"

"Hoor eens, ik doe het zelf ook altijd bij hem. Je speelt 'hard to get' omdat ze het dan meer waarderen als ze uiteindelijk krijgen wat ze willen", zei ze. "Dat kan helemaal geen kwaad bij zo'n man. Ik dacht dat hij me een koekje van eigen deeg gaf. Waarom niet? Dát dacht ik."

"U lijkt voorwaar een expert op het gebied van het mannelijke ego, juffrouw Jennings."

Ze giechelde en trok weer even haar neus naar hem op. "O, dus zó noemen advocaten dat?"

Zijn enige optie was om door te gaan, doof voor het gelach, waar zelfs de rechter toe geneigd leek, en haar terzijdes gewoonweg te negeren. Hij raadpleegde de ringmap weer in een poging de aandacht van de jury terug te leiden naar de feiten. "Maar, juffrouw Jennings", zei hij, "naar uw ... nou ja, naar uw mening als expert moeten er toch ongetwijfeld effectievere manieren zijn om 'hard to get' te spelen dan iemand twee keer op rij tot sluitingstijd in een restaurant te laten zitten, lijkt me?"

Ze trok één wenkbrauw op. "Ja, maar dat kon hij niet weten, hè?"

"Ach, nee, natuurlijk. Natuurlijk kon hij dat niet weten. Vergeef me ... ik probeer alleen alles te reconstrueren. Juffrouw Jennings, misschien kunt u me dan verder assisteren door te vertellen wat er in uw hoofd omging?"

"Wat? In het restaurant?"

"Ja ... ik bedoel met de af en aan lopende obers en zo. Het is tenslotte een populair restaurant, nietwaar? Overal om u heen moeten mensen overheerlijk eten geserveerd hebben gekregen. U zult wel gigantische trek hebben gehad ... en toch schijnt het dat u helemaal niets besteld hebt."

Ze snoof en gooide haar haar naar achteren. "Hállo, ik betaal geen honderd pond voor mijn avondeten, zeg. Wat denkt u wel niet van me?"

"Nee. Vast niet. Maar u zei dat u verwachtte dat meneer Giorgiou ieder moment binnen zou komen lopen met een bos bloemen. Zou hij u een voorafje misgund hebben?"

"Hoor eens even, Lexi is het soort man dat voor je bestelt", zei ze. "Dat is het soort man waar ik van hou."

De schaamteloosheid was verbazingwekkend, dacht hij. Hij zag haar voor zich in rode kousen, hem uitlachend in haar doorzichtige negligé terwijl ze hem niet dicht bij zich liet komen. Hij keek ernaar uit zijn vrouw te zien.

"Ah. Ja, ik begrijp het. Maar, zoals ik al zei, ben ik nieuwsgierig naar wat u op dat moment dácht, juffrouw Jennings. Wat ik bedoel te zeggen is: kwam het misschien bij u op dat uw vriend weleens een ongeluk gehad zou kunnen hebben?"

"Ik weet het niet. Misschien. Ik heb er geloof ik wel even aan gedacht."

"Dat kan ik me voorstellen. Hij kon tenslotte wel een auto-ongeluk gehad hebben, of een gebroken been ... Wie had dat kunnen weten? U zeker niet. En laten we wel wezen, u zat daar meer dan drie uur te wachten zonder enige afleiding. Zelfs de meest evenwichtige geest zou onder zulke omstandigheden op hol slaan."

Hij keek vluchtig naar haar op, maar ze gaf geen antwoord. Ze was duidelijk van plan alleen iets te zeggen wanneer haar een vraag werd gesteld. Sandra stond ervan te kijken dat Karen er eerder geboeid dan nerveus uitzag, alsof ze haar kruisverhoor als een flirterig spelletje zag en benieuwd was wie er zou gaan winnen. Sandra wilde dat ze ervoor kon zorgen dat Alistair stopte met het constante gewriemel aan zijn pruik. Hij was zich er duidelijk niet van bewust dat hij het deed en het wekte een flagrante indruk van een nervositeit die toch zeker geveinsd moest zijn, dacht ze, gezien zijn ervaring. Misschien voelde hij zich niet goed, dacht ze bij zichzelf. De rode kleur in zijn gezicht kon ook gewoon koorts zijn. Dat was het waarschijnlijk, dacht ze, maar toch voelde ze zich ietwat teleurgesteld in dit lid van de Queen's Counsel met wie ze al zo lang had willen werken.

Hij ging verder: "Is het misschien ook bij u opgekomen dat uw vriend weleens ziek kon zijn?"

Karen haalde haar schouders op en zuchtte: "Of ik eraan gedacht heb dat hij ziek kon zijn? O, zou kunnen. Om eerlijk te zijn weet ik het niet meer, maar waarschijnlijk wel, ja."

"Natuurlijk. U zult wel ontzettend bezorgd zijn geweest. Dus daar zat u dan, met gedachten aan al die onplezierige dingen" – hij maakte cirkels met zijn hand om een kunstmatige geruststellende breedte aan zijn punt te geven – "en toch, juffrouw Jennings, kwam het niet bij u op om hem gewoon op zijn mobiele telefoon te bellen om erachter te komen waar hij was?"

Hij merkte de verandering in haar gelaatsuitdrukking op. Het gaf hem de gebruikelijke heimelijke voldoening. Daarna raadpleegde hij een document, dat hij eigenlijk op het grote bureau had laten liggen en nu maar fingeerde door een blanco vel papier dat alleen voor hem zichtbaar was, en ging verder: "Het lijkt erop dat u hem, noch een van zijn vrienden, of zelfs maar een van zijn familieleden, hebt opgebeld op die avonden of op een ander tijdstip tussen 5 en 12 februari, toen uw vriend door de politie gevonden werd."

Hij maakte oogcontact en zette zijn bril af.

"Juffrouw Jennings, kan het misschien zo zijn dat u geen poging hebt gedaan om meneer Giorgiou, uw vriend, op te zoeken en op geen enkele manier contact met hem hebt gezocht in die twee weken dat hij u twee keer zonder verklaring heeft laten zitten? Kan dat kloppen?"

Ze staarde hem aan. Een trilling van geamuseerdheid flitste langs haar lippen en ze streek haar kleren glad alsof die er letterlijk door gekreukt waren geraakt.

Alistair zei: "Ziet u, alle telefoonnummers die gedurende die periode hebben geprobeerd zijn mobiele telefoon te bereiken, zijn bekend." Hij wendde zich tot de rechter. "Ik refereer nu, edelachtbare, aan bewijsstuk acht: de telefoongegevens. Bode, wilt u de getuige alstublieft een exemplaar brengen?"

Hij wachtte totdat ze haar blik over de eerste paar pagina's had laten gaan en ging toen verder: "Zoals ik al zei, juffrouw Jennings, geen van zijn beste vrienden herinnert zich ook maar iets van u gehoord te hebben in die tijd. Ook de familie niet. En het is duidelijk dat u hem niet rechtstreeks gebeld hebt, en toch wijzen de gegevens van de afgelopen achttien maanden uit dat u de gewoonte had uw vriend tot twee of drie keer per week op zijn mobiele telefoon te bellen."

Ze lachte. "Ha, u zegt steeds maar 'uw vriend'. Net mijn moeder. Ja, ik belde hem soms. En soms ook niet. Nou en? U begrijpt het geloof ik niet helemaal. Ik heb geen regels. Het is niet serieus tussen ons, of zo. Dat tussen Lexi en mij is *casual*, oké? U weet wel." Ze tuitte onverschillig haar lippen en boog zich een heel klein beetje naar voren, alsof ze een groot geheim met hem alleen deelde: "Het gaat om de seks", zei ze.

Voor de rest van de rechtszaal leek het net of Alistair daarop een aantekening op het schrijfblok voor zijn neus maakte. Het was in werkelijkheid slechts een kronkellijntje. "Ja", zei hij. Daarna herhaalde hij voor zichzelf: "Ja."

En toen hij zijn gezicht weer omhoogdraaide, zei ze "Ja" terug en glimlachte.

(Deze uitwisseling van ja's werd de volgende dag in de kantine levendig geïmiteerd door de juryleden.)

Alistair trok zijn jasje recht. Daarna deed hij zijn pruik goed, en zijn toga, en verzette zijn voeten op het tapijt. Hij fronste even en schraapte zijn keel. "Klopt het als ik zeg dat de volgende keer dat u iets van Alexis Giorgiou hoorde was toen hij u vanuit het politiebureau belde op de 17e?"

"Dat klopt."

"Maar hij mocht slechts twéé telefoontjes plegen, juffrouw Jennings. Was u niet bijzonder verbaasd dat hij ervoor koos om u te bellen, aangezien jullie geen 'serieuze' relatie hadden, aangezien u niet één keer in die twee weken geprobeerd hebt hem te bellen en u toch een onbeperkt aantal telefoontjes tot uw beschikking had?"

Karen staarde hem neutraal aan en hij voelde een hevige opwinding bij het directe oogcontact. Ze was zeker niet mooi, zag er zelfs ordinair uit, maar haar uitwerking op hem was dan ook niet echt seksueel. Het was in ieder geval niet op een herkenbare manier seksueel. Het zweet stond op zijn voorhoofd, zijn wangen gloeiden en zijn kleren zaten helemaal niet lekker.

Weer haalde ze haar schouders op. "Tja, wie zal het zeggen? Misschien miste hij mij meer dan ik hem. Is dat mogelijk, meneer Langford?"

Ondanks haar spot was er geen ontsnapping mogelijk uit het net dat hij geweven had. Het was een geslaagd kruisverhoor. Maar nu hij het crescendo bereikte en haar rechtstreeks kon zeggen dat ze van de ontvoering geweten had en slechts probeerde Giorgiou een dekmantel te geven, merkte hij dat de gebruikelijke voldoening van de jacht achterwege bleef. Natuurlijk ontkende ze alle voorkennis van de ontvoering totaal, maar de jury was duidelijk wakker geschud en hij stelde geen verdere vragen. Toen hij ging zitten ervoer hij een eigenaardig, bijna vernietigend gevoel van de anticlimax.

Hij had de getuige van de verdediging op een leugen betrapt, maar met zijn rode wangen, het voortdurende getrek aan zijn jasje en het onverdraaglijke jeuken van zijn pruik (die hij nu afzette om zijn hele hoofd eens uitgebreid te kunnen krabben), was hij degene die zich ontmaskerd voelde.

Hij kon het Karen niet verwijten. Ze had uiteraard haar uiterste best gedaan om zijn vragen te ontkrachten, maar hij wist zeker dat ze niet meer weet had van haar anarchistische macht over zijn lichaam dan de lente zelf. Dit was een ongewoon sentimentele gedachte, die hij gauw samen met zijn papieren en markeerstiften wegmoffelde.

Sandra, Ryan en Alistair namen zonder elkaar aan te kijken de lift terug naar de kantine en de togakamers. Er hing overduidelijk een opgelaten sfeer en Sandra zei iets banaals over dat de zitting lang had geduurd, waar Ryan enthousiast mee instemde, zoals met alles wat ze zei. Het werd Alistair steeds meer duidelijk dat het Sandra was opgevallen hoe verhit hij was geweest en dat ze niet wist wat ze moest zeggen. Opmerkingen van haar over zijn kruisverhoor waren opvallend afwezig. Gelukkig was de onbesuisde Ryan zich van niets bewust. En, nog beter: het was nu weekend én er was geen reden Karen nogmaals als getuige op te roepen.

In de togakamer van de Queen's Counsel, waar zijn locker zich bevond, werd Alistair aangesproken door een oude vriend, en tegen de tijd dat hij weer naar buiten stapte met zijn jas en zijn tassen, was de hal overvol. Zoals iedere vrijdagavond woedde er rond de kantine een einde-van-het-schooljaar-opwinding, die de trappen af en de hal in stroomde. Sandra was bij de trap druk bezig dossiers terug te stoppen in haar tas, waarvan het handvat afgebroken was. Ryan wachtte naast haar. "O, rotding", hoorde hij haar zeggen. "Ik moet écht een nieuwe kopen." Daarna draaide ze zich om en glimlachte naar Alistair, die verplicht was een paar niet-professionele woorden met hen te wisselen. Hij liep naar hen toe.

Sandra zei net: "Ga je nog iets leuks doen dit weekend, Ryan?"

Alistair had al haar pogingen om de jongen op zijn gemak te stellen opgemerkt.

"Nou, mijn zus viert vandaag haar eenentwintigste verjaardag. We gaan met z'n allen stappen", antwoordde Ryan.

"Dat heb ik altijd al een rare omschrijving gevonden", zei Alistair, "voor avonden waarop je toch vooral stilstaat of danst." Hij grijnsde naar Sandra.

Ryan keek verbaasd op. "Hmm, tja. Jee, daar heb je wel gelijk in."

"Gaan jullie met veel?" hield Sandra vol, en Alistair had onmiddellijk spijt van zijn stomme grapje.

"Vanavond? Een man of veertien. Hopelijk komen er veel knappe vriendinnen van mijn zus." Ryan grijnsde en zijn gewoonte zichzelf weg te cijferen maakte voor het eerst plaats voor een jeugdig ego. Zijn gezicht was prachtig, met warme bruine ogen en een natuurlijke, gezonde blos op zijn wangen. Alistair keek er verlangend naar, hunkerend.

Sandra giechelde. "Hemel! Dat klinkt alsof ze maar beter uit kunnen kijken."

"Ja, misschien wel. En jij? Ga jij iets leuks doen, Sandra?"

Ze vouwde haar toga op en legde hem boven op de dossiers, blij dat het haar gevraagd werd. "Ja, toevallig wel, ja. Ik ga uit eten met een zeer aardige jongeman."

"Echt waar? Misschien kan híj dan maar beter uitkijken", waagde Ryan het met een nerveuze glimlach op te merken.

"Nou, Ryan, dat denk ik wel, ja."

Ging niemand hem vragen wat híj zou gaan doen, dacht Alistair. Oudemensendingen, werd natuurlijk aangenomen. Iets lichtelijk vernederends, iets wat gevoelig lag. Hij bemerkte de nieuwe camaraderie tussen de jong-en-vruchtbaren, die als samenzweerders glimlachten terwijl ze hun jas aantrokken.

Alistair was nooit in het gevoel getrapt dat bij hem tussen zijn twintigste en veertigste levensjaar op de loer had gelegen: dat er slechts één straat verderop een groots feest dat 'geluk' heette bezig was en dat hij de enige was die niet was uitgenodigd. Hij had altijd geweten dat dit een boodschap van het onbetrouwbare hart aan de lankmoedige wil was. Het was bedoeld om je van je doel weg te lokken. De enige oplossing was je wil te gebruiken om je hart te dwingen zich te onderwerpen, om dat vervloekte hart eens en voor altijd de mond te snoeren. En dat was precies wat hij gedaan had, waarom hij doorwerkte in zijn kamer terwijl dat eigenlijk niet echt nodig was, er geen druk was, luisterend naar kerstgeluiden van zijn gezin door de vloerplanken of het *tik-tik-tik* van croquet in de zomer op het gazon. Hij genoot ervan gevangen te zitten in zijn eigen ambities en ritualiseerde het als het gewillig opzeggen van een gebed. Er was tenslotte veel om dankbaar voor te zijn: hij had ook een heel ander soort leven gehad kunnen hebben.

En toen het geluk kwam, was het natuurlijk helemaal geen feest. Het was er gewoon altijd al geweest, geduldig wachtend tot het herkend zou worden en hij het vanuit zijn ooghoek zou zien. Daar was het geweest toen hij door de voorruit naar het naderende landschap van zonnige Franse wijngaarden en goudkleurige heuvels keek, met zijn arm rustend in het open raam, Rosalind naast zich en de twee kinderen zingend op de achterbank. Dat waren in wezen momenten van vervulde eigenwaan, waarop de wereld hun henzelf leek te laten zien: hun jeugdigheid, hun hoop, hun vruchtbaarheid. Het was genoeg om je te laten geloven dat God een groots kunstenaar was.

Alistair zette zijn tassen neer en deed zijn jas aan omdat dat makkelijker was dan hem vast te houden. Maar de jas was te warm over zijn pak heen. Hij voelde zich beladen, verstikt. Hij vroeg zich af of hij ooit had beseft hoe waardevol, hoe vergankelijk het naderen van die heuvels eigenlijk was.

God de grootse kunstenaar, dacht Alistair, met Zijn fantastische gevoel voor verhoudingen.

Hij zei de andere twee en daarna nog een paar rondhangende collega's gedag terwijl hij zich een weg richting de lift en de draaideuren baande. Toen hij naar buiten stapte was het schemerdonker, een melancholische Londense vooravond met een metaalachtige smaak als stof van de zilvergrijze hemel in de lucht. De lichten van de pubs aan Old Bailey en Fleet Street waren aan: de Magpie and Stump, de Old Bell, de Tipperary, Ye Olde Cock Tavern. Ze straalden vrolijkheid en ontspanning uit, de vrijheid van een vrijgezel om na het werk te blijven hangen.

Plotseling had hij geen zin meer om naar huis te gaan. De gedachte met Rosalind te eten maakte hem eenzaam en somber. Toen herinnerde hij zich dat Anne en David Nicholson en de Grants kwamen dineren. Peter Grant had een nieuwe vrouw van midden dertig. Het was nogal een ongemakkelijke situatie, want Erica was er kapot van en niet iedereen kon evenveel sympathie betuigen. De vrouwen waren ontzet, voelden zich bedreigd. Alistair vroeg zich af waar Peter de energie – of zin – vandaan haalde om na zijn vijftigste opnieuw aan een huwelijk en een gezin te beginnen. Daarvoor was zó'n vertrouwen nodig, zó'n optimisme.

Hij liep Hare Place in, een steeg die van Fleet Street, vlak bij de Royal Courts of Justice, naar Mitre Court en verder naar de Inner Temple leidde. Toen hoorde hij een stem "Hé, hallo" zeggen, keek op en zag de onmiskenbare gestalte van Karen Jennings op hem af komen. Hij kon zich niet voorstellen wat ze hier deed.

Karen had haar spullen die ochtend bij de kamer van Randall Schaeffer achtergelaten en was ze na de zitting gaan halen. Hij knikte toen hij haar voorbijliep. "Goedenavond."

Ze giechelde toen hij haar voorbij was. "Wat aardig van u", zei ze. "Leuk even met u gesproken te hebben."

Hij bleef staan en draaide zich om. "Het spijt me. Ik ... Het is niet toegestaan. We mogen buiten de rechtszaal niet met elkaar praten, ben ik bang."

Ze trok ondeugend haar neus op, alsof hij haar had aangeraden geen tweede portie pudding te nemen. "O. Waarom niet?"

"Dat is niet ethisch wanneer je in een zaak verwikkeld bent. Dat zijn de regels. Het spijt me, het is niets persoonlijks." Hij vroeg zich af waarom ze in godsnaam met hem zou wíllen praten. Hij moest onmiddellijk weg.

Ze deed een paar stappen zijn richting op en sperde haar lachende ogen open. "Maar niemand kan ons toch zien?" zei ze.

Hij voelde zich niet op zijn gemak. Ze vond hem natuurlijk belachelijk. Hij was zich er ook van bewust dat er ieder moment een collega de hoek om kon komen lopen en hem dan met een getuige zou zien praten. Weer zei hij tegen zichzelf dat hij onmiddellijk naar zijn kamer moest gaan.

En toch bleef hij staan.

Ze kauwde even op haar kauwgom. "Zullen we wat gaan drinken?"

"Drinken? Dat kan niet. Het is echt niet toegestaan."

Achter haar, aan het einde van de steeg, zag hij de auto's langzaam voortbewegen, onwerkelijk. In het fletse licht waren ze als een op een scherm geprojecteerde film van het Londense verkeer. Het was de schimmige tijd van de avond, waarop de aard van het licht en de subtiel gedempte stadsgeluiden net zo goed tot de vroege ochtend konden behoren. Hij stond er even verloren bij, in gedachten. Karen schopte in een plotselinge, krachtige beweging met haar kleine schoentje met hoge hakken tegen de kasseien en hij voelde hoe hij ontwaakte. Dit was een drukke doorgang en er kon ieder moment iemand doorheen lopen. Hij zei bruusk: "Nou, ik moest maar eens gaan. Goedenavond."

"Ah, toe nou. Weet je het zeker? En als we nou ergens heen gaan waar niemand ons kan zien? Zou het dan wel kunnen?"

"Nee, het is echt niet mogelijk. Het is niet ethisch. Je mag niet gezien worden met ..."

Ze glimlachte en onderbrak hem. "Ja, ik weet het. Dat zei je al. Maar als niemand ons nou zíét?"

Hij keek vlug achterom omdat hij voetstappen dacht te horen. Waarom liep hij niet meteen weg? Hij moest echt ogenblikkelijk weg.

Karen kauwde op haar kauwgom en deed haar handtas open. Hij keek met perplexe nieuwsgierigheid toe terwijl ze een potje lippenbalsem tevoorschijn haalde, haar pink erin stak en het spul op haar lippen smeerde. Hij rook ... wat was het? Kunstmatige aardbeien. Het herinnerde hem aan zijn dochter Sophie en haar vriendinnen, een onduidelijke warboel van meisjes die met handdoeken om hun hoofd uit de dampende badkamer kwamen en probeerden niet te lachen met hun gezichtsmaskers op. Veertien jaar oud en geurend naar synthetisch fruit. Hij miste zijn dochter met een soort lichamelijke hunkering. Het was een vaderhunkering naar de blonde, groenogige zegening die ze hem gaf wanneer ze haar meisjesarmen om zijn nek sloeg.

"Het leek me gewoon leuk om iets met je te gaan drinken", zei Karen. "Meer niet."

"Met mij? Ik bedoel ... waarom?"
Ze lachte en schudde het haar van haar schouders.
Hij schrok hevig toen er een groep mensen langs de ingang van de steeg liep, en een van de mannen zei: "Relax James, ik ben het met je eens. Het verbaasde mij ook niets dat de jury hem niet geloofwaardig vond, om eerlijk te zijn ..." En op de een of andere manier droeg de spanning van het doorstaan van dit ophanden zijnde gevaar bij aan de klank van haar kwinkelerende, meisjesachtige gelach.
Ze zei: "Waarom zou ik niet iets met je willen drinken? Wat is er mis met je dan? Ik vind je interessant. Je bent de eerste advocaat die ik ooit heb ontmoet, op Randall Schaeffer na." Ze liet haar pupillen naar binnen schieten om de spot te drijven met zijn loensen en Alistair voelde een steek van medeleven met zijn oude collega. De jeugd kon heel wreed zijn. "Snap je dan niet dat het weleens interessant zou kunnen zijn?" vroeg ze.
Wilde ze een mogelijke juridische carrière bespreken, God sta me bij? Het was allemaal erg verwarrend. Hij voelde zich van zijn stuk gebracht en ... oud. Hij begon zich steeds meer zorgen te maken dat hij het slachtoffer van een grap was. En afgezien van die lichtelijk paranoïde zorgen konden ze ieder moment door iemand gezien worden!
Ze lachte weer naar hem. "Doe je nooit iets gewoon omdat het je interessant lijkt?"
"Nee", zei hij. "En ik ben bang dat ik te oud ben en dat die formule mij daarom minder spannend in de oren klinkt dan jou."
Hierop veranderde Karens houding. Ze hield haar hoofd scheef. "O, oké, wat je wilt. Maar zo gek is het niet dat ik aan een borrel toe ben. Je hebt me behoorlijk onder handen genomen daarbinnen. Je was echt heel eng, weet je dat? O, aha, dat vind je zeker grappig?" vroeg ze.
"Het spijt me, ik vroeg me alleen even af of ik ooit iemand gezien had die er minder bang uitzag."
"O, dat is maar schijn, gewoon bluffen. We zijn allemaal bluffers, ja toch? Op onze eigen manier?" Ze spuugde haar kauwgom in de goot en grijnsde.
"Ja", zei hij.
Ieder moment, zei hij tegen zichzelf, zou iemand kunnen zeggen: "Langford praat met de getuige."
"Gewoon een drankje als bluffers onder mekaar, dan. Wat dacht je daarvan?" Ze knipoogde naar hem en hij glimlachte ondanks zichzelf. "Ik heb toch helemaal geen zin om die ellendige zaak te bespreken. Ik heb er schoon genoeg van."

"Maar we kunnen echt nergens heen."

"Jezus, je hebt niet al te veel fantasie, hè, voor zo'n briljant advocaat?"

"Van advocaten wordt niet verlangd dat ze fantasie hebben. We mogen de feiten niet uit het oog verliezen."

Ze tikte weer met haar voet op de kasseien, heen en weer, alsof ze op het punt stond te gaan dansen. "O, ja, maar er zijn andere stukjes in je hersenen, andere stukjes dan die bij de advocaat horen. Je hoeft toch nergens heen?"

"Nee", zei hij, "maar dat betekent niet ..." Wie had haar verteld dat hij 'briljant' was, vroeg hij zich af.

"Nou dan. We kunnen ergens heen gaan waar je niemand kent."

Alistair probeerde zich die plek voor te stellen. Zijn hoofd zat onmiddellijk tot verstikkens toe vol met honderden vriendelijke begroetingen en afzwakkende glimlachjes van verwarring van dichtbij staande tafels, met vrienden die de jas van hun vrouw aangaven en hem in het oog kregen: "Is dat Alistair niet? Alistair Langford?"

"Waar? Hemeltjelief! Ja, maar met wie is hij, lieverd? In godsnaam, niet zwaaien."

Karen ademde abrupt in. "Ik weet het al. Een hotel. Niemand die in Londen woont gaat hier naar een hotel."

Hij lachte om haar aanpak, die ze spontaan deed lijken, maar waarvan hij zeker wist dat hij getoetst en beproefd was. Hij verwachtte dat ze nog wel meer van die trucjes had – "Ben je helemaal teruggegaan naar die winkel om die dure jurk voor míj te kopen?" Enzovoort. Toen voelde hij onverwachts een cognacachtige warmte door zijn lichaam stromen en realiseerde hij zich dat het zo moest voelen om met het idee te spelen iets te gaan drinken met een meisje van in de twintig met donkere mascara en rondingen als in een stripboek.

Ze zei: "We kunnen naar het Ridgeley gaan, toch? Bij de rivier. Die tent met die grote dingen voor de deur, je weet wel."

"Dat kan echt niet", zei hij, terwijl hij bedacht dat er geen enkele kans was iemand die hij kende in het Ridgeley tegen te komen. Het was een nieuw hotel dat gerenoveerd was door een modieuze binnenhuisarchitecte en gecatered door haar echtgenoot, een beroemde chefkok. Hij had erover gelezen in het economiekatern van de *Times*. Er stonden brandende fakkels voor de deur. Daarbinnen zou hij met een voorsprong van dertig jaar de oudste aanwezige zijn.

Ze glimlachte energiek naar hem. "Ah, toe nou. Een drankje op weg naar huis."

Zijn hoofd voelde gewichtloos. Het was beroepsmatig gezien krankzinnig om iets te gaan drinken met een getuige. Het was genoeg om geroyeerd te worden.

Maar om de een of andere reden – en misschien was het wel alleen uit verbolgenheid om het opvallende gebrek aan interesse dat Ryan en Sandra voor zijn leven getoond hadden – sprak dit gevaarlijke idee hem aan. Op de een of andere manier hielden zijn gedachten vol dat zijn enige alternatief ter wereld erin bestond rechtstreeks naar huis te gaan om met Rosalind te dineren. En ineens voelde dat aan als doodgaan. (Soms heerste er een verschrikkelijke stilte in het huis: het tikken van de klok, de dikke gordijnen, de schilderijen onbeweeglijk en zwaar aan de muren en Rosalinds bleke afwezigheid. Soms kwam het hem voor of die stilte niet veel verschilde van de stilte in het pension toen hij klein was, wanneer de bedden opgemaakt waren en zijn moeder boodschappen aan het doen was. Hij hoorde haar de voordeur dichtgooien alsof het het deksel van zijn doodskist was. Daarna zat hij aan de keukentafel de lak uit de scheuren te peuteren met de nagels van zijn duimen, met warme tranen in zijn ogen om de afschuwelijke willekeur waarmee God bepaalde waar je geboren werd.)

Op dat moment zou hij eigenlijk zijn aktetas op de passagiersstoel van zijn auto hebben moeten leggen om terug te rijden naar zijn aangenaam verlichte huis in Holland Park. Daar zou hij Rosalind een zoen geven, tegen haar zeggen dat er heerlijke geuren uit de keuken kwamen, naar boven gaan om zich om te kleden (corduroy broek, geruit overhemd, kasjmieren trui met V-hals, instappers) en weer naar beneden om haar te helpen door de wijn over te schenken en eventueel de tafel te dekken. Maar zijn hoofd gaf hem twee mogelijkheden: roekeloosheid of sterven. Hij wilde lachen, huilen. Waarom deed hij alsof hij geloofde in deze bedwelmende onzin?

"Gewoon even één klein drankje in het geheim?" Ze trok haar neus op en glimlachte.

Hij ving haar blik en voelde weer een golf van opwinding door hem heen gaan. Het was niet zozeer seksuele opwinding – hoewel ze bijna komisch aantrekkelijk was, een getekende pin-up – als wel dezelfde opwinding die hij gevoeld had toen hij op zijn achtste een shilling van de grond onder de kassa van Geoff Gilberts winkeltje stal. Het was dezelfde opwinding die hij een jaar of wat later gevoeld had toen hij een stukje boterkoek van de schaal in Ivy Gilberts keuken pikte. Tante Ivy en ome Geoff, die toch ook arm waren, en hij stal van ze! Toen hij omhoog was gerend naar het klif was hij de shilling verloren, maar dat maakte niet uit. De boterkoek zat zo onder de pluisjes van zijn jaszak dat hij oneetbaar was geworden en hij had hem dus maar aan een zwerfhond gegeven. Maar het ging hem niet om de shilling, of om de boterkoek. Wat was het dan geweest? Wat had ervoor gezorgd dat hij zo hard als hij kon het klifpad op gerend was, voortgedreven door de donder van zijn hartslag?

Hij moest echt naar huis, naar Rosalind, zei hij tegen zichzelf. Daar zou een heerlijk diner met goede vrienden hem opwachten en het wiegelied van hun stille avondgewoonten – eerst haar licht uit, waarna haar hand slaperig tegen zijn arm drukte voordat ze zich van hem af draaide. "Niet te lang doorlezen, lieverd", zei ze altijd. Haar gezichtscrème rook naar lelies, zoals die altijd had gedaan. Op zijn nachtkastje stond dezelfde foto als op zijn bureau, van de dag dat hij tot de Queen's Counsel was toegetreden. De foto die de verwezenlijking van bijna al zijn ambities voorstelde. Hij schaamde zich ervoor dat hij er bijna niet naar kon kijken zonder te denken dat hij liever had gehad dat Luke, en niet Sophie, de foto had gemaakt en er niet op stond. Hij miste zijn lieve kleine dochter en de vervlogen hoogtijdagen van haar totale bewondering, de tijd dat hij nog op alles een antwoord had. Het was zo moeilijk te geloven dat ze nu dertig was.

Met het gevoel dat hij zichzelf, maar ook dit verschrikkelijke gevoel van vrees, van verlies, van eentonigheid, van de dood, in brand stak, zei hij: "Goed, één drankje dan. Waarom ook niet? Maar we kunnen er niet samen heen. Stap jij maar in een taxi, dan kom ik later."

Hij liep haar een paar stappen achterna richting de straat en keek naar de onstuimige ronding van haar heupen, die afstak tegen het straatlicht voor haar. Hij wachtte bij de ingang van het steegje met een ademloos gevoel van opluchting dat hij niet meer in zulk naderend gevaar verkeerde. En hij voelde ook een soort passie, hoewel het nog op de een of andere manier een abstractie van het idee van verlangen was; eerder een variatie op het thema verlangen dan het gevoel zelf, dacht hij. Het kwam hem voor of Karen het soort meisje was tot wie zijn zoon zich aangetrokken zou voelen, en dat sprak hem schaamteloos aan. Lichamelijk was ze een samensmelting van alle meisjes die Luke ooit mee naar huis had genomen. Maar Lukes vriendinnen – zeker de huidige, Lucy – waren stuk voor stuk saai, geobsedeerd, volledig in beslag genomen door het idee iemands echtgenote te worden. Ze waren allemaal doodsbang voor Alistair en aanbaden Rosalind. Het irriteerde Alistair tot op het punt van onbegrip. Luke hoefde helemaal niet met zo'n meisje te trouwen, want, in tegenstelling tot Alistair, had Luke de mazzel dat hij ieder privilege ter wereld had. Die jongen had alles ... al-les!

Karen hield haar hand op voor een naderende taxi, die naast haar stopte. Ze zei iets door het raampje tegen de chauffeur en liep glimlachend naar hem terug. "Als ik ga, kom je dan zeker weten? Je laat me daar niet zitten wachten als een of andere idioot?"

Voor hem in het licht van de straat keek ze zo hoopvol als een kind en zijn hart klopte van beschermingsdrang. Het was de eerste keer dat ze per ongeluk haar leeftijd had laten zien, in plaats van er berekenend mee te pronken als een laaguitgesneden jurk. En op deze manier was het natuurlijk nog gevaarlijker. Hij zei haar dat hij naar de bar van het Ridgeley zou komen. Ze kon wel alvast een whisky met water voor hem bestellen.

Om wat tijd te laten verstrijken, stond hij in een delicatessenwinkeltje te doen alsof hij een pakje soepstengels bekeek. Hoe zag ze hem, vroeg hij zich af. Een rijke, oudere man, de bron van een niet nader gespecificeerde weelde, een dubieus soort vaderlijke geruststelling? Dat was tenslotte een aloude formule, toch? De man achter de toonbank vroeg of hij misschien kon helpen. Alistair zei dat dat niet hoefde. Hij keek alleen even rond.

Hij pakte een ander pakje soepstengels op en dacht: wat kan er nu zo erg zijn aan een drankje, een kleine flirt terwijl de mogelijkheid tot meer je verleidelijk voorgehouden wordt en ... die je nadert als goudkleurige heuvels en zonnige wijngaarden? Natuurlijk zou hij zich op het laatste moment tactvol omdraaien. Hij kon doen wat een oudere man deed: goede champagne voor haar kopen, oesters voor haar bestellen, of wat voor plaatje ze dan ook in haar hoofd had. Proberen de rol te vervullen, zoals hij altijd deed.

En hoezo was deze rol ondergeschikt aan de andere die hij vertolkte? Op dat moment leek het allemaal alleen maar een nogal vermoeiende kwestie van esthetiek. En welk recht had hij trouwens om in zulke verheven termen te denken? De waarheid was dat hij een gangbare vermoeide-maar-liefhebbende echtgenoot speelde, maar dit ondermijnde door de draad van zijn verhaal kwijt te raken, door te pauzeren om zich af te vragen of zijn vrouw zijn stem eigenlijk nog wel hoorde. Hij speelde een ongeïnspireerde, verstandige-maar-voorzichtig-liefhebbende vader en was heimelijk bang voor zijn eigen kinderen, vreesde voor blootstelling aan hun problemen, voor blootstelling dóór hun problemen. Hij wist eerlijk waar niet hoe hij kon helpen, wat hij tegen hen moest zeggen, en dat zouden ze wel van hem weten, dacht hij. Niet dat Luke nou zo'n uitdaging vormde. Hij had nogal onverwachts die afschuwelijke ring door zijn wenkbrauw laten zetten, maar toen hij eindelijk een baan vond die hem interesseerde, had hij hem er ook gewoon weer uit gehaald. Goeie ouwe Luke was veerkrachtig, voorspelbaar. Anderzijds: zijn geliefde, briljante dochtertje hongerde zichzelf uit, sneed in haar eigen armen. Wat betekende dat allemaal? Hij wilde er niet aan denken.

Sophie gaf hem tegenwoordig een zoen op zijn voorhoofd wanneer ze hem begroette, zoals je een kind begroet, of een oud en verward persoon.

Waar was de schoonheid in dit alles? Het waren doorzichtige vertoningen en hij doorzag ze zelf. Op de een of andere manier was hij, sinds beide kinderen het huis uit waren, sinds de verwezenlijking van bijna al zijn ambities, buiten zijn eigen leven geraakt. Hij wist niet hoe hij naar Rosalind moest seinen. Niet dat ze het zou opmerken; ze was tegenwoordig erg druk met die vreselijke vriendinnen en hun meubelcatalogus.

Hij wachtte tot er drie taxi's voorbij waren gereden. Toen legde hij de soepstengels neer, liep naar de weg en hield er een aan. Hij sloeg het portier achter zich dicht.

Langs de rivier was er genoeg afleiding voor het oog. De Oxo-toren stak af tegen de hemel, de lichtjes gingen aan in de restaurantboten en aan de overkant van de bruggen en in de vele penthouses met uitzicht op de rivier, en elk van die lichtjes werd weerkaatst in de glinsterende Theems. Langzaam tutte Londen zich op voor vrijdagavond.

Alistair voelde zich nu rustiger, minder roekeloos. Hij zei tegen zichzelf dat er genoeg andere momenten waren waarop andere vrouwen hem waren opgevallen. Natuurlijk waren er zulke momenten geweest in bijna veertig jaar huwelijk. Maar toen hij zich ze probeerde te herinneren, die oude gewoonte van geslepenheid, kon hij maar één voorbeeld bedenken. Hij was een keer met een Italiaanse procureur uit eten geweest in een pub in King's Lynn toen hij daar verbleef om iemand te verdedigen die van moord verdacht werd. Verder was hij nooit alleen geweest met – of alleen met en aangetrokken tot – een andere vrouw. Dit uitbannen van begeerte had zeker veel bedachtzaamheid en planning vereist. Het was bijna angstaanjagend dat hij zich hiervan nooit bewust was geweest.

Zijn aktetas gleed over de achterbank toen de taxi een bocht maakte en er schoven wat papieren uit het zijvak. Hij raapte ze op en stopte ze in zijn zakken. Sylvia, zo heette ze, die procureur. Sylvia Dolci. Ze werkte aan een andere zaak en was daar maar één nacht. Ze hadden samen lekkere vispastei gegeten en chablis gedronken en ze had hem over haar dochtertje en haar waardeloze ex-man verteld. Ze was erg grappig, net zo droog als de wijn. Hij had de geur van haar sigaretten aangenaam gevonden. En gedurende de hele avond, vooral toen ze hun koffie op hadden en het moment gekomen was dat een van hen om de rekening zou vragen, had een overweldigend gevoel van gemiste kansen hem beslopen. Het was een erg tastbare herinnering, als het terugrennen door een hal in een hotel voor je handdoek en dan de kamer van iemand anders door een halfopen deur zien, een ongeoorloofde glimp van niet meer dan een paar seconden, het kamermeisje dat een laken opslaat, schitterend in de zonneschijn, het betere zeezicht, het fellere zonlicht op de muur. Het gevoel was verlangen: naar een ander leven dat zo makkelijk van hem had kunnen zijn. Sylvia was degene geweest die zuchtend de knoop had doorgehakt en om de rekening had gevraagd.

Ze namen afscheid bij de deur van haar kamer: "Alistair", had ze gezegd met de charmante willekeurige beklemtoning die haar woorden vertaald deed overkomen, en daarom des te exotischer, "dank je. Het was een heerlijke avond."

"Ja, dat was het zeker."

"Ja", zei ze. Ze stak haar sleutel in het slot en hij merkte dat ze even haar ogen stijf dichtkneep. Daarna draaide ze zich om en zoende hem op de wang. "Nou, slaap lekker."

"Jij ook, Sylvia", zei hij tegen haar.

En zo was hij doorgelopen, zijn sleutel om zijn vinger draaiend om onverschilligheid te veinzen, luisterend naar de droeve muziek van haar sluitende deur. Zijn zware gemoed had hem diep in slaap getrokken.

Toen had hij overspel overwogen. Wat overwoog hij nú eigenlijk?

9

Alistair betaalde de taxichauffeur en liep de trap naar het Ridgeley op, tussen de absurde fakkels door en langs de portier met het crèmekleurige jasje door de draaideur heen. De vloer was van wit marmer en de binnenmuren waren van matglas. Voor hem bevond zich een receptiebalie van glas, zo gevormd dat het knoestige takken leken die met hun regenboogoppervlakken het licht reflecteerden. Twee slanke meisjes met opgestoken haar en witte, mouwloze jurkjes stonden over een enorm reserveringsboek gebogen. Een Japanse jongeman stapte op de balie af en beide meisjes hieven een glimlachend gezicht op.

Aan Alistairs linkerkant was de ingang van de bar. Sylvia Dolci, dacht hij, terwijl hij erdoorheen ging. Ze spraken hun t's iets meer voor in de mond uit, Italianen. Hij had naar haar gekeken om haar tong tegen haar tanden te zien komen wanneer ze dat deed. Ze had hem een foto van haar donkerharige dochtertje laten zien. "Ze is heel, heel erg mooi", had hij gezegd, in de hoop dat Sylvia begreep wat hij daar eigenlijk mee wilde zeggen.

Karen zat discreet om de hoek achter de bar. Ze zwaaide naar hem toen hij binnenkwam. Haar gezicht was een schijnwerper van jeugdigheid, een schallende stereo van jeugdigheid die hij zijn kinderen zou vragen onmiddellijk uit te zetten. Waar was hij in godsnaam mee bezig?

"Daar ben ik dan", zei hij kalm, en hij zette zijn aktetas neer. Hij zou één drankje nemen.

"Whisky met water", zei ze, terwijl ze hem een glas aanreikte. "Jij bent voorzien, nu ik nog. Ik kan maar niet beslissen. Ze hebben hier wel honderd verschillende drankjes. Moet je zien." Ze reikte hem de felgekleurde plastic kaart.

Die stond vol met ostentatief bedachte drankjes waar onmogelijke werkwoorden mee gemoeid waren: 'benevelde' bosbessen, 'verpletterde' limoenen. Haar gezicht was een mengeling van verwarring, intimidatie en opwinding. Hij moest erom lachen. "Neem een bellini", zei hij. "Met perensap en champagne zit je altijd goed."

Ze scheen zijn formulering wel te waarderen. Hij had bellini's gedronken met Rosalind op hun huwelijksreis in Rome. Maar ja, het was dan ook niet onvoorstelbaar dat iedereen die hij kende bellini's had gedronken op zijn huwelijksreis in Rome. De ober kwam bij hen staan. "Een bellini, alstublieft", zei hij. "En mogen we misschien een asbak?"

Hij ontstak een lucifer voor de sigaret die ze onzeker in haar linkerhandpalm hield.

"O, dank je wel. Ik snak er al de hele dag naar. Je mag tegenwoordig nergens meer roken, hè? Altijd hangt er wel zo'n bordje dat het plezier bederft." Ze streek haar haar uit haar gezicht.

Zo zou ze eruitzien wanneer ze op haar ellebogen achteroverleunde in bad en haar natte haar uit het water tilde, dacht hij. "Ziet er mooi uit", zei hij, "je haar zo naar achteren."

Hoe was hij in godsnaam in staat om zo intiem met dit meisje te praten? Hij controleerde zichzelf – als een man die was gevallen en zich afvroeg of hij zijn jas gescheurd had en of zijn schoenen misschien versleten waren – en zag dat hij intact was. Karen hield de sigaret tussen haar tanden en bond haar haar met een elastiekje dat ze om haar pols had. Hij was verbijsterd, maar ook in toenemende mate gevleid door haar verlangen hem te plezieren.

"Rook jij niet?" vroeg ze.

"Niet meer."

"O, shit, nu zit het in mijn ogen. Dat werkt alleen in zwart-witfilms, hè, om hem zo in je mond te houden."

"Hier." Hij gaf haar een servetje.

"Jammer dat je niet rookt. In je eentje roken geeft je een schuldgevoel."

Er zat nu een veegje mascara onder haar linkeroog, waardoor ze ineens leek op een kind dat zich verkleed heeft in haar moeders kleren. Hij vroeg zich af of hij het haar op de een of andere manier duidelijk kon maken, want het droeg bij aan de angst dat de onberispelijke jongeren aan de andere tafeltjes naar hem zaten te staren – ontzet, of geamuseerd.

"Ach wat", zei ze, en ze blies de rook uit. "Ik kan wel tegen een beetje schuldgevoel."

De ober kwam met de bellini en een klein schaaltje met wat Alistair op gebroken crackers in bewust onregelmatige vormen vond lijken.

Hij pakte er eentje op en vroeg zich af wat het moest voorstellen. Ze kwamen voort uit een esthetiek die voor zijn gevoel te ver van hem af stond, waarvoor hij te oud was om het te waarderen. Het smaakte naar niets.

"En, vind je het leuk om een briljante advocaat te zijn?" vroeg Karen. "Geniet je ervan dat je die pruik en cape mag dragen en zo?"

"O, dáárvoor ben ik het gaan doen, voor die pruik en die cape", zei hij glimlachend.

"Pruiken ..." zei ze, en ze rolde met haar ogen. "Dit is heerlijk. Hoe heette het ook alweer?"

"Een bellini. Het verbaast me dat meneer Giorgiou je er niet bekend mee heeft gemaakt."

"Meneer Giorgiou neemt me niet vaak mee uit", zei ze. "En hij verspilt toch al zijn geld aan gokken. En aan alle andere meisjes. En je had gezegd dat we niet over hem mochten praten." Ze trok haar mond in een strakke, spottende glimlach en zei overdreven gewichtig: "Dat is niet ethisch, ben ik bang."

Je kon haar moeilijk niet aardig vinden. Ze had al bijna haar halve drankje op – in drie slokken – en Alistair keek hoe ze het van zich af schoof. "Ja, ik ben nogal oud en voorspelbaar", zei hij. "Waarom vertel je me niet eens iets over jezelf?"

"Over mij?"

"Ja."

Ze dacht even na, lachte toen en pakte haar glas weer op. "Ik weet niet wat ik moet zeggen ... Jezus, ik ben niets bijzonders. Wat kan ik je vertellen?" In gedachten overzag ze de handelingen die haar bestaan blijkbaar vormden: hoe ze toast at in de kleine keuken thuis, haar make-up opdeed voor de badkamerspiegel, tegen de wand van een toilethokje stootte als ze dronken haar slipje en panty optrok. Niets daarvan was goed genoeg om aan hem te vertellen. Even voelde ze zich wanhopig, dezelfde wanhoop die in haar opkwam wanneer ze haar broer stoned en bewusteloos voor de televisie zag liggen. Ze voelde hoe ze zweette in de goedkope schoenen en vroeg zich af of de verf op haar voeten zou afgeven.

Stel je voor dat je je voeten moest laten zien, dacht ze, en ze zag de surreële vernedering al voor zich in de lobby van het hotel, waar de gezonden en schonen werden gescheiden van de armen en hopeloos bevlekten. Haar hart ging tekeer van woede. Ik zou ze in hun gezicht schoppen, dacht ze bij zichzelf. Ze kunnen de pot op.

"Nou, ik kan je wel vertellen wat ik wil worden, als je dat leuk vindt", zei ze opgewekt. "Ik wil de modewereld in, je weet wel, jurken en zo ontwerpen. Schitterende jurken en jassen en rokken. Misschien ook nog wel sieraden. Lingerie. Wie weet. Lijkt me geweldig. Ik zeg niet zomaar wat, ik heb me al voor de opleiding ingeschreven en zo."

"Daar twijfelde ik ook niet aan. Je lijkt me erg vastberaden."

Ze keek hem even argwanend aan. "Ja, nou ja, dat ben ik ook. Dat moet wel, met mijn familie. Niet dat ik meedoe aan dat typisch Amerikaanse geef-je-ouders-overal-de-schuld-van, maar daar komt het wel op neer. Mijn ouders zijn echt een stel slonzen. Vette varkens die op de bank hangen, dat type. Ze drinken. Mijn jongere broer steelt auto's. Een echt droomgezin."

"Dat spijt me voor je."

"Ach, het geeft je iets om voor te vluchten, ja toch? Jezus, breek me de bek niet open", zei ze, met pretlichtjes in haar ogen. Haar blik veranderde plotseling. Ze keek naar hem, naar zijn pak en stropdas. Ze nam het dure horloge in zich op, de manchetknopen, de degelijke kasjmieren jas op de stoel naast hem. Hij had een knap gezicht, ook al was hij oud. Het straalde vriendelijkheid uit, oprechte interesse, anders dan bij de meeste mannen. Meestal keken ze naar je benen, je tieten, en over je schouder tot je uitgepraat was. Ze wachtten op seks. En hij was ook nog eens nerveus, wat erg schattig was. Hij wierp steeds vluchtige blikken richting de mensen aan de tafel naast hen, zich afvragend of ze naar hem keken. Ze pakte nog een sigaret en hij stak een lucifer voor haar aan en boog ermee over de tafel. Ze mocht hem wel. Waarom zou ze hem niet over zichzelf vertellen? Hij was bekakt, maar anders dan Lexi en zijn vrienden, die altijd dachten dat mensen zich niet gerealiseerd hadden wie ze waren en hun de kleinste tafel hadden gegeven of waren vergeten een gratis fles champagne te brengen. Alistair zag eruit alsof hij meer om mensen dan om dingen gaf.

"Mijn ouders zijn dus walgelijk", zei ze. "Echt ongelooflijk. Zoals, bijvoorbeeld, afgelopen kerst. Toen liep mijn vader tijdens het diner gewoon het huis uit. Mam had kalkoen gemaakt, spruitjes, de hele mikmak. We geloofden onze ogen niet, want meestal is er wel een ruzie gevolgd door een diepvriesmaaltijd, maar deze keer niet. Dit was echt een kerstwonder. Maar natuurlijk moest pap het weer verpesten. Waarom? Wie zal het zeggen. Hij is gewoon iemand die dingen verpest. Net als mijn broer, denk ik. Hoe dan ook, precies op het moment dat het eten klaar is, gaat hij naar buiten om 'een luchtje te scheppen' en wordt alles koud. Mijn zus, Yvonne, is ouder dan ik en heeft drie kinderen, met nog eentje op komst ... ik weet het", zei ze, en ze keek hoofdschuddend naar Alistair. "Anticonceptie? Ze zijn niet te houden, Mick en zij. Maar oké, Yvonne zegt: 'O, laat hem maar lekker oprotten, mam, zonder hem is het toch gezelliger.' Dus gaven we zijn portie aan de hond. Yvonne deed hem een papieren hoedje op en zette hem op paps stoel. Dat was erg grappig. Een hond aan het hoofd van de tafel! En het wás gezelliger zonder pap ... totdat hij de hele week erna niet thuiskwam."

"Wat was er in 's hemelsnaam gebeurd?"

"Zat." Ze zwiepte haar hoofd heen en weer op de maat van haar woorden: "Zat, zat, zat. Die eikel was zo dronken geworden dat toen ze hem voor de ingang van de Tesco in de hoofdstraat vonden, hij niet eens meer wist wie hij was."

"Mijn god."

"Hij wist zijn eigen naam niet meer! Was zijn hele leven vergeten. Kun je je dat voorstellen?"

Eigenlijk wel. Deze avond kón hij zich voorstellen dat hij naamloos voor de ingang van de supermarkt zou liggen. "Je kunt nog wel een bellini gebruiken", zei hij.

Ze keek naar haar lege glas. "O jee. Dochter van mijn vader, hè?"

"Natuurlijk niet. Niet nemen als je niet wilt, hoor. Laat me je niet ..."

"O, nee. Dat loopt wel los. Ik wil er best nog een", zei ze. "Maar ik ga niet in mijn eentje aangeschoten worden ... Dan doe jij ook mee."

Hij pakte zijn glas, sloeg de inhoud achterover en beantwoordde haar glimlach met zijn ogen. Het was onmogelijk om medelijden met haar te hebben, ondanks haar deprimerende gezinsleven, waar hij zich maar al te goed mee kon identificeren. Hij herinnerde zich hoe zijn moeder dronk en lachte met mannelijke gasten in de keuken en hoe verschrikkelijk het was om een ouder zich zo schandelijk te zien gedragen. Waarom had hij geen medelijden met Karen? Misschien was ze gewoon te jong. Het voelde goed om bij haar te zijn. Daar deed hij niemand kwaad mee.

"Zal ik dan maar een fles champagne bestellen?" vroeg hij.

"O, champagne zou héérlijk zijn." Ze klapte in haar handen. "Ja. Lekker."

Hij bestelde een fles Dom Pérignon en nieuwe sigaretten voor haar. Hij had gemerkt dat ze er nog maar een paar in haar pakje had zitten en dit leek hem de gepaste handelwijze. Terwijl hij bestelde, bekeek hij haar vanuit zijn ooghoek en zag hoe ze haar opwinding intoomde, die onder haar nerveuze handen verborg en bedwong op haar schoot. Het raakte hem. Hij werd tot nostalgie geroerd door het toonbeeld van schrandere wereldwijsheid op haar gezicht. Zou hij vroeger ook zo uit zijn ogen hebben gekeken?

Terwijl ze champagne dronken vertelde ze hem verhalen over haar leven, haar school, haar vrienden. Ze kon goed vertellen, met een fascinerend gevoel voor ironie dat haar met de ogen deed rollen om haar weerzinwekkende familie. Dit was stukken beter dan de kwellende geheimhouding van zijn eigen jeugd, dacht hij, dan het vertrokken gezicht, de dichtgeknepen vuist en de korte, strenge lesjes die hij zichzelf had geleerd in de beslotenheid van de wc. Hij had zichzelf wreed gestraft voor de rampzalige beginnersfouten tijdens de lunch bij Rosalinds ouders en het diner met haar vader in zijn club. Hij had in die tijd deuren open laten staan en zich per ongeluk aan hun kritische blik onderworpen ...

"Maar wacht eens even, je ouders waren toch wel getrouwd?" had zijn nieuwe schoonzus gevraagd, waarop de hele tafel stilviel. Zelfs de vloerbedekking scheen zijn adem in te houden. En bij een andere gelegenheid had zijn schoonvader gelachen met zijn sherry in zijn hand, nog steeds niet helemaal zeker of hij het wel goed verstaan had: "Wat? Ben je nog nóóit in het buitenland geweest?"

Alistair huiverde nog als hij aan die voorvallen terugdacht. Het was geen moment bij hem opgekomen zijn achtergrond op de hak te nemen, zoals Karen deed. Maar hij moest niet vergeten dat de tijden veranderd waren, dat Engeland veranderd was. Mensen waren nu 'zichzelf' op een manier waartoe niet aangemoedigd werd toen hij jong was. Het was een onuitgesproken overeenkomst tussen Rosalind en hem geweest dat hij tenminste zou doen alsof hij het juiste soort jongeman was. Hoe had ze anders met hem kunnen trouwen? Haar ouders waren nu al ernstig teleurgesteld geweest om zijn duidelijke gebrek aan eigen vermogen.

"Met z'n vijven", was Karen aan het vertellen, "met een namaakbus waarop RED HET REGENWOUD stond, dansend op de muziek van een oud Madonna-cassettebandje. Je kunt je toch niet voorstellen dat mensen daarin trapten? Ze gaven ons echt geld."

Hij schonk de glazen nogmaals vol en genoot van wat de champagne met zijn lege maag deed. Zijn gezicht voelde warm aan, maar nu eerder van vreugde dan van schaamte. Ook haar wangen hadden een kleur gekregen. Hij vond haar ontzettend mooi, zoals ze naar hem lachte en zei: "Jee, wat een verschillende werelden, hè?"

Kon medeleven verlangen opwekken? Hij wilde haar schichtige mond kussen, alle fladderende energie onder zijn lichaam aan banden leggen. "Nee. Zo verschillend nou ook weer niet", zei hij.

"O, kom op zeg. Je vindt me vast verschrikkelijk. Een ordinair mokkel."

"Nee. Ik denk dat je precies uit het leven zult krijgen wat je wilt en dat je heel goed moet nadenken wat dat is."

"O, wat betekent dat? Dat is vast zo'n Chinees raadseltje."

Hij lachte. "Nee hoor, niks Chinees aan."

"Je weet wel wat ik bedoel. Iets wat heel betekenisvol klinkt, zonder dat je het snapt."

"Nou, ik meen het", zei hij. "En het was als een soort compliment bedoeld."

Ze bestudeerde hem korte tijd. "Ik heb nog nooit een man ontmoet die zo weinig over zichzelf vertelde. Ik weet helemaal niets van jou. De meeste kerels krijgen het voor elkaar om je binnen vijf minuten te laten weten wat ze verdienen en waar ze in rijden. Maar jij niet."

"Misschien ben ik te oud om op te scheppen."

"Maar je bent toch een man?"

"Denk je dan niet dat we met de jaren verbeteren?"

"Nou, dat vertel ik je straks wel, goed? Ik heb je alleen nog maar zien drinken."

Hij keek weg en probeerde zijn verlangen te rationaliseren. Het water liep hem in de mond en hij slikte. Zijn keel voelde gezwollen aan. Weer zag hij haar in rode kousen wreed lachen om zijn oude lichaam.

Ze giechelde. "Kom op ... eerlijk is eerlijk! Jíj weet dat ik een nietsnut van een broer heb die auto's steelt, een zus die net een konijn is en twee walgelijke, dronken ouders. Ik weet dat jij een grijze jas en een aktetas hebt en ... wat zijn ze? Groen? Groene ogen. Is dat een of ander advocatentrucje?"

"Nee hoor, geen trucjes en geen raadseltjes", zei hij. "Volgens mij zijn ze groen, toch? Dat zeggen ze tenminste. Mijn dochter heeft ook groene ogen."

Ze boog zich over de tafel en legde haar hand op zijn wang. Hij voelde haar adem tegen zijn mond en zijn hart klopte hevig.

"Groen", zei ze. "Waarschijnlijk van mijn leeftijd, je dochter? Hoe heet ze?"

"Sophie."

"Sophie", zei ze zacht, terwijl ze het geraffineerdere bestaan als een diamanten armband ompaste.

Ze ging weer rechtop zitten. "En hoe zit het met jou dan?"

"Met mij?"

Ze boog zich naar de zijkant en keek onder de tafel. "Ja, we moeten het maar met jou doen. Ik zie niemand anders."

"Jeetje. Ik ben hier niet goed in. Waar zal ik beginnen?"

Hij zag er zo verlegen uit, zo nerveus, dacht ze. "O, waar je maar wilt. Maar vertel iets."

Gek genoeg kwam het niet bij hem op om een detail uit de afgelopen veertig jaar van zijn leven te nemen. "Nou, ik ben opgegroeid in Dover", zei hij. "In het ellendige Dover aan de kust, in een armoedig klein pensionnetje, met mijn moeder. Ze was niet getrouwd en ik weet niet wie mijn vader is. Dat was in die tijd een behoorlijke schande."

Er liep een serveerster voorbij met een dienblad vol drankjes. Hij voelde zijn hart met een soort uitgelaten opwinding tekeergaan.

"Mijn moeder heeft me altijd verteld dat ze van plan waren om te trouwen, maar dat hij in de oorlog is omgekomen. Alleen geloof ik dat dat verhaal maar steek hield tot ik een jaar of, eh ... acht was. Ik herinner me nog dat ik al mijn speelgoedsoldaatjes in de zee heb gegooid. Ik kan me ook helemaal niet voorstellen dat andere mensen het geloofden. Maar er werd nooit iets over gezegd. Ze was geliefd in de buurt, was er opgegroeid enzovoort, en erover praten zou betekenen dat je haar veroordeelde, denk ik. Mensen hielden voor haar hun mond, zodat ze van haar gezelschap konden blijven genieten, waarschijnlijk. Wij hebben er ook nooit over gesproken. Ik heb haar in geen ... jemig, in geen veertig jaar alweer gezien, waarschijnlijk om dat gesprek uit de weg te gaan."

Hij had het gevoel dat hij moest lachen. Hij had de naakte feiten van zijn verleden nog nooit aan iemand verteld, en ze al helemaal nog nooit zo op een rijtje gezet. Kon je echt veertig jaar lang een gesprek uit de weg gaan? En hier zat hij dan, ineens in staat om het allemaal te vertellen aan een meisje dat hij niet kende.

Karens mond viel open. "Shit. Hoe kan het dan dat je zo ..." Ze draaide cirkels met haar hand.

"Hoogopgeleid bent?"

"Nee. Zo bekakt klinkt."

Hij lachte hard. Ja, dat was het interessantste deel van het verhaal: hoe kon het dat hij klonk alsof hij net zo opgegroeid was als zijn vrouw, als zijn kinderen? "O, dat is nep", zei hij.

"Hoe bedoel je, 'het is nep'?"

"Dat ik het mezelf aangeleerd heb. Op de universiteit. Ik heb het accent van mijn vriend Philip overgenomen."

Nu moest ze lachen, onbeheersbaar vrolijk, en hij tuimelde achter haar aan, een grasheuvel af, en kwam buiten adem onderaan neer, in de zonneschijn. "Dat is echt geniaal", zei ze. "Verdomde geniaal." Ze hief haar glas. "Op twee bluffers?"

Ze proostten, maar toen hij een slok nam, fluisterde ze: "Weet je waar ik aan zit te denken?"

Hij had geen idee waar ze aan dacht, of wat hij zelf dacht. En wat maakte het eigenlijk uit? "Geen idee", zei hij.

"Laten we een kamer nemen."

Zijn hart begaf het bijna. Hij keek hoe ze haar glas leegdronk en haar lippen plotseling zakelijk op elkaar perste. "Het is hier alleen wel aan de prijs", zei ze.

"O ja?" vroeg hij. Hij hoorde zichzelf niet praten. Hij voelde zich een beetje draaierig van de whisky, die wel een dubbele moest zijn geweest, en meer dan een halve fles champagne. Hij had alleen maar een klein stukje shepherd's pie als lunch gehad.

"Ja, erg prijzig. Maar waar is geld anders goed voor?" zei Karen.

Hij staarde haar aan in een soort blinde paniek en ze staarde terug. Ze scheen een antwoord te verlangen. "Dat weet ik niet", zei hij vlug. "Ik weet het eigenlijk niet."

Het was waar: hij had geen idee waar geld goed voor was. Hij had het wel geweten toen de kinderen thuis waren, toen er schoolgeld betaald moest worden en het gezin op vakantie moest. En hij had voor Rosalind een parelketting met een smaragd en een diamanten sluiting gekocht voor haar negenenvijftigste verjaardag. Dat was nog eens wat. Iets moois in een fluwelen doosje, 'de goede dingen in het leven'. Zei zijn moeder dat niet altijd? Hij herinnerde zich wat een hekel hij had gehad aan haar 'dierbare' beeldjes. Hij was weggevlucht van haar 'goede dingen in het leven', hij vreesde ze letterlijk, alsof het radioactief afval was.

"Je kunt het je toch wel veroorloven?" vroeg Karen mat, met haar ogen zo onbeweeglijk als die van een juwelier op zijn gezicht gericht.

"Ja."

"Nou, volgens mij dient geld om er de dingen mee te doen die je leuk vindt", zei ze.

"Ja, daar heb je denk ik wel gelijk in."

"Nou, wat vind jij leuk, Alistair?" Ze begon zich zelfverzekerd te voelen, sexy. Je schoenen deden er verdomme niet toe als je jong en mooi was. Deze oudere man, deze briljante advocaat, was helemaal zenuwachtig in haar aanwezigheid omdat ze jong en mooi was. Het was zo grappig dat ze op haar lip moest bijten. "Wedden dat ik een paar dingen kan raden?" zei ze tegen hem.

Onverwachts kwam in gedachten onwillekeurig van alles bij hem op: de smaak van whisky, de geur van lelies, acht stoffige klokslagen van de klok in de woonkamer die aangaven dat de dag ten einde was, het gekraak van zijn leren leunstoel en het gewicht van een boek in zijn hand. Was dat echt alles? Deze dingen kon hij haar niet vertellen, kon hij zichzelf niet vertellen. En de rode kousen dan? Ineens kon hij ze zich niet meer voor de geest halen. "Zielig, hè?" zei hij sarcastisch. "Het lijkt wel of ik het vergeten ben."

"Misschien ben je depressief. Dat komt vaak voor bij mannen van jouw leeftijd."

Hij lachte treurig en dronk zijn champagne leeg. Hij wilde haar vragen hoe het kwam dat ze zoveel wist over mannen van zijn leeftijd, maar hij vreesde dat ze zou zeggen: "Mijn vader is ongeveer net zo oud als jij", en dat hij zich daardoor nog walgelijker zou voelen omdat hij erover fantaseerde haar uit te kleden.

Hij schrok van zijn eigen gedachten: haar uitkleden? Waarom? Waarom zou hij dat doen? Hij had in geen veertig jaar een andere vrouw naakt gezien. De betovering zou worden verbroken ...

Het werd nu donkerder en de verlichting van de benedenverdieping van het hotel viel in felgouden vierkanten op de stoep. Het verkeer bewoog langzaam voorbij, de regen sijpelde langs de ruiten naar beneden en de vlammen van de fakkels buiten wiegden in de wind. Londen leek in een lusteloze dans te zijn verwikkeld.

"Nou, eh ... vind je míj leuk?" vroeg ze.

"O, Karen. Ik ben oud genoeg om je ..."

"Nou en?"

"Nou en?"

"Ja. Nou en?"

"En ik ben getrouwd."

"En ik heb een vriend. Zoals je weet." Ze giechelde terwijl ze ijdel probeerde te verbergen dat hij haar gekrenkt had, het gevoel beteugelde in haar verstrakte mondhoeken. "Vind je me niet leuk, dan?" vroeg ze, waarbij ze een speelse stem opzette, maar eigenlijk een scherp voorwerp of een brandende sigaret in haar handpalm wilde drukken. Soms verlangde ze ernaar ouder te zijn, voorbij het stadium van steeds weer die audities waar je zoveel van verwachtte, als je wel geleerd moest hebben je plaats te kennen.

Hij bekeek haar gezicht. Op dat moment haatte hij haar bijna. Hij haatte de arrogantie van jeugdigheid. Hij haatte het vertrouwen dat ze had in haar geweldige lichaam. Waar halen ze het idee vandaan dat je de belangrijkste dingen van je leven doet als je in de twintig bent, dacht hij. Alle schreeuwende beelden in tijdschriften, in films, vertelden hun een prachtige leugen. Je moest wachten en wachten en wachten op succes, op acceptatie. Hij was er bijna aan onderdoor gegaan, aan het wachten. Dat kon ze zich maar beter zo snel mogelijk realiseren. Even had hij zin om haar te vernederen en haar een lesje over teleurstelling te leren.

Buiten stak de wind op en regen striemde nu tegen het glas. Er kwam een dubbeldekker zo dichtbij voorbij dat hij de door menselijke adem beslagen ramen kon zien met de gezichten erachter, tot abstractie vervaagd. Het was pas zeven uur. Nauwelijks een gevaarlijk uur te noemen. Was het mogelijk dat uiteindelijk alles waar hij om gaf er minder toe deed dan hij dacht, dat hij zijn handelingen een veel te grote betekenis had toebedeeld, dat hij een verwaten dwaas was? En dat uiteindelijk niemand het toch zag?

"Alistair, ik zal het niet nog een keer vragen. Als je niet wilt ..."

Hij schudde heftig met zijn hoofd ter compensatie van het feit dat het bijna onmogelijk voor hem was iets te zeggen. Zijn gedachten werden evenredig over drie emoties verdeeld: lust, wreedheid en angst. "Wil wel", zei hij tegen haar. Hij sprak vanuit het moment waarop alle emoties elkaar kruisten en ontbrandden. *Wil wel.* Het verkoolde stukje zin verschrompelde en fladderde omhoog uit zijn brandende hoofd.

Wil wel wat? Mijn vrouw bedriegen? Mezelf vernederen? Maar waarom zou hij zichzelf vernederen? In tegenstelling tot dat van Henry deed zijn 'gereedschap' het nog prima. En dit had niets met Rosalind te maken. Dit moment was net zo irrelevant voor haar bestaan als dat ongeordende verleden van hem dat ze te zeer beneden zich achtte en nooit noemde. Een halfuurtje onordelijk zijn – heel even uit de pas – en daarna zou hij het gewoon in de rivier der vergetelheid lozen die vlak onder hun slaapkamerraam door stroomde. De details die Rosalind ten behoeve van hem was vergeten ... Hij kon dit ten behoeve van haar vergeten.

"Wil je me niet?"

Het was een kwelling. "Jawel", zei hij. "Blijf hier een paar minuten zitten en vraag dan bij de receptie het kamernummer. Ik denk dat het beter is als we niet samen naar boven gaan." Hij was zich ervan bewust dat dit nergens op sloeg.

"Oké."

Hij grijnsde naar haar en zei tegen zichzelf dat hij moest proberen te ontspannen. Het was pas zeven uur. Wanneer was hij begonnen Rosalind te verafschuwen? De wangen van het meisje waren rood van opwinding en alcohol, haar gezicht was bijna pijnlijk uitgelaten. Het was pretparkuitgelatenheid.

"Zie je boven", zei ze.

Hij betaalde de rekening, liet haar daarna achter in de leunstoel met de lege glazen en de veeg mascara onder haar oog en liep naar de receptie alsof ze dit al honderd keer eerder gedaan hadden. Weer dacht Alistair eraan terug hoe makkelijk zijn hand oom Geoffs geld in zijn jaszak had laten verdwijnen, als een geoefende dief. Een geoefende echtbreker, zei hij tegen zichzelf.

Hij voelde zich duizelig in het felle licht van de hal. Hij liep zo zelfverzekerd als hij kon naar de ijzige tieners achter de receptie. "Ik wil graag een kamer", zei hij tegen een van hen. De zin klonk verkeerd.

"Natuurlijk. Eenpersoons, met twee bedden, of met een tweepersoonsbed?"

"Tweepersoons."

"Wilt u uw ontbijt op uw kamer geserveerd?"

"Nee. Dat is niet nodig."

"Uw creditcard, alstublieft."

Hij overhandigde haar zijn identiteit en kreeg er een sleutelkaart voor terug. Nee, hij had geen bagage. Nee, de piccolo hoefde hem niet de weg te wijzen. En nee, hij wenste ook geen gebruik te maken van de wekservice.

"Het is op de derde verdieping, meneer. Als u de lift uit komt linksaf. Ik wens u een prettig verblijf."

En dat was dat. Hij weifelde en het meisje schonk hem nu een nog grotere glimlach, alsof ze dacht dat zijn accu leeg was en hij deze megaboost nodig had. Hij deinsde geschrokken van haar terug.

Zijn verblijf zou prettig kunnen zijn, als hij maar kon stoppen met denken aan hoe fout hij bezig was. Denk aan het fijne, denk aan de armen, polsen, dijen. Haar drankadem in zijn gezicht. Maar ze was niet echt zijn 'type'. Hij hield van glanzend donker haar en lange, elegante ledematen. Ze was welbeschouwd te functioneel, met die borsten waar op een dag melk uit zou komen, de heupen die zonen rond zouden sjouwen. En dan dat schelle, exhibitionistische lachje, de ogen die hun waar voor hun geld aan vreugde opeisten. Haar roze nagellak was afgebladderd. En ze droeg goedkope schoenen.

Waarom ging hij niet naar huis, vroeg hij zich af terwijl hij op het liftknopje drukte.

Hij had haar dingen verteld waar de hemel van naar beneden had kunnen komen, de filmset in elkaar moest zijn gestort, maar toch speelde de achtergrondmuziek rustig door bij de bovenmaatse cactus. Het was onmogelijk dat niets nog iets betekende. Hij zag zichzelf weerspiegeld in een pilaar en dacht: dronken en naamloos voor de deur van de Tesco.

In de lift was een flatscreen-tv waarop een natuurfilm te zien was. Flamingo's vlogen boven een regenboog van zoute zandbanken. De standaard zoete Afro-Amerikaanse vrouwenstem zong door de speakers: "*Oh, yeah, cos what you did to me baby ... stole my heart, stole my soul, made my dreams come true ...*", en lichtbundels flitsten om beurten op het plafond. Weer vroeg hij zich af wat het allemaal betekende. Hoe kon de generatie van zijn kinderen hiervan leren over wereld en weelde? Hij was eenvoudigweg te oud om de boodschap op te pikken, om hem uit de atmosfeer van hevige ironie te tornen.

De sleutelkaart piepte en hij stapte naar binnen. De kamer was ruim en licht. Een glimmende koelkast van een meter hoog die in de muur geplaatst was zat vol champagne, bier, cola light, Zwitserse chocolade, sushi, en pakjes met wat gezichtsmaskers bleken te zijn. Het bed was laag en breed genoeg voor drie personen en was voor de helft bedekt met een witte bontsprei. Er was een badkamer met een diep ligbad waar een kroonluchter vlak boven hing. De ramen waren overdadig gedrapeerd met witte mousseline met ijsblauwe houten luiken erachter. Hij ging op het bed zitten en wachtte tot er op de deur geklopt zou worden, had het gevoel dat hij Karen als tolk nodig had.

Nadat ze aangeklopt had, rende ze langs hem heen en barstte in lachen uit zoals Sophie en Luke dat vroeger op vakantie deden tijdens de race om het beste bed. Eén bed, dat niet veel anders dan de andere was, had altijd een mystieke status gekregen en hij had schema's voor hen opgesteld om hun het belang van delen en eerlijkheid in dit leven bij te brengen. Hij ging weer zitten.

"O, mijn god, het is echt allemachtig prachtig. Had ik maar een camera", zei Karen. Ze richtte de afstandsbediening op de televisie en er verscheen een beeld van een meisje dat op een strand danste. "MTV!" riep ze uit. "Te gek, zeg!" Haar ogen zagen hem niet echt toen ze hem aankeek. "En die koelkast!"

Ze rende de badkamer in en daarna weer uit naar het raam en keek toen naar hem met haar handen voor haar mond. Iets in zijn glimlach moest ervoor gezorgd hebben dat ze tot bezinning kwam, want ze pakte de afstandsbediening en zette het volume lager, reduceerde het aantal felgroene driehoekjes over het middenrif van de zanger. Ze deed voorzichtig haar schoenen uit en ging aan zijn voeten voor het bed zitten. Hij keek naar haar terwijl ze haar hand in zijn broekspijp stak, net boven zijn sok. Haar vingers waren koud.

"Karen", zei hij.

"Ja?"

Wat waren de juiste woorden? Zijn blik ging over de steriele hoeken van de kamer. "Ik weet niet ... Ik weet niet wat er hier gebeurt."

Ze giechelde. "Nou, ik wel. Wees maar niet bang, het doet geen pijn."

Zijn lach was lelijk van angst; het was een armoedig, gekrompen geluid. "Ik ben alleen ... bezorgd", zei hij, en het understatement was genoeg om zijn gemoed te doen knappen als een lekgeprikte ballon.

"Je wilt toch niet zeggen dat je me niet ziet zitten, hè, Alistair?"

Hij staarde haar aan. Nog nooit had een vrouw zo tegen hem gesproken. Ze bood zichzelf letterlijk aan hem aan. Het was ontstellend, verbazingwekkend. "Waarom zou je míj in godsnaam zien zitten?" vroeg hij.

"Ik hou gewoon van oudere mannen. Ik heb altijd al een oudere man gehad. Toen ik zestien was had ik wat met een man van in de vijftig. Die heeft nog een auto voor me gekocht."

"Echt?"

Ze ging met haar hand over zijn kuit en hij voelde zijn adem stokken. Zijn ogen gingen dicht. Hij was vergeten hoe warm het lichaam kon worden. Warm, plakkerig. "Karen", zei hij.

"Het was een waardeloze auto en mijn broer heeft uiteindelijk de onderdelen verkocht. Wel leuk voor mijn broer, dat-ie iets had om te slopen. Voor de verandering eens niet mijn stereotoren. Of mijn föhn."

"Karen", zei hij weer, en hij sprak vanuit een wanhopig deel van zichzelf met een bijna klagende stem, "je moet je niet zo laten gebruiken."

"Gebruiken?" Ze haalde haar hand weg. Ze voelde een stijgende paniek. Ze zag haar schoenen op het tapijt; ze stonden uit elkaar alsof ze weg wilden rennen. Ze dacht aan de vlekken op haar voeten en zei vlug: "Zullen we nog wat champagne nemen?"

Hij liet een opgeluchte hap lucht ontsnappen. "Ja. Ja, waarom ook niet? Goed idee", zei hij, terwijl hij opstond. Hij liep naar de koelkast en nam er een fles uit, die hij zo langzaam als hij kon met zijn rug naar haar toe openmaakte. "Deze lijkt me heerlijk", zei hij. "Dit is niet niks voor een minibar, moet ik zeggen. Wat een tent, zeg", zei hij ongeïnspireerd, om wat te zeggen te hebben. Hij herinnerde zich dat hij eens over de hel had gedroomd: een enorme vallei tussen twee kliffen en op een daarvan was hij per ongeluk terechtgekomen. Er was geen wind, geen enkel geluid. Hij staarde neer op een deken van zuiver witte nevel. Op het diepste punt, nauwelijks zichtbaar, bevonden zich matgekleurde lichtjes. Ze bewogen heel langzaam en waren ongelooflijk mooi, en hij wist: dit is de hel. Hij dacht aan de lichtbundels die om beurten flitsten in de lift op weg naar boven.

Het was een enorme opluchting met een simpele handeling als het openmaken van een fles bezig te zijn. Hij pakte twee glazen en bedacht dat hij haar wel kon vermaken met verhalen over zijn zaken, want daar was hij goed in. Mensen moesten daar altijd om lachen. Dat was iets van hem. Maar toen hij zich omdraaide zag hij dat ze haar kleren had uitgetrokken.

Waarom dit gebeurde en wat hij in een scène uit het leven van een ander deed, was niet langer van belang toen hij haar naakte lichaam zag. Ze was iets te mager rond haar ribben nu ze haar kleren uit had, haar borsten waren veel te zwaar voor haar figuur, maar haar huid was glad en nieuw in het kunstlicht. Ze lachte om zijn verbaasde gezicht en het geluid ging door zijn lichaam als kanonschoten. Hij liep naar haar toe.

"Juist", zei ze zachtjes tegen hem. "Je moet je gewoon ontspannen."

Hij zette de lege glazen neer en ging naast haar op het bed liggen, zijn hele wezen tot zwijgen gebracht door haar jeugdigheid en naaktheid. De gedempte tv stond op de achtergrond nog aan, druk met niet te volgen beelden die als schaduwen over de muur flikkerden terwijl hij haar kuste. Haar vlugge vingers maakten zijn das en overhemd los. Ze wreef haar wang tegen zijn borst en kuste zich een weg naar zijn buik, waar ze haar tong vlak boven de rand van zijn boxershort liet glijden.

Wat kon zij hier in 's hemelsnaam aan hebben? Hij was oud. Zijn buik was niet strak zoals die van zijn zoon, zijn armen waren mager, er zaten grijze haren op zijn borst. Dit moest een of andere verordening zijn die haar was opgedrongen door een jeugd waarin ze ontzegd en misbruikt was. Misschien had haar vader ...

Hij hoorde zichzelf hijgend haar naam zeggen.

"Hè?" zei ze, waarbij ze opkeek en naar hem glimlachte. "Wat is er, Alistair?"

Ineens leek zijn leven bestaan te hebben uit bijna onophoudelijke verantwoordingen, discussies en verbale uitvluchten, maar hij wist dat hij nu totaal niets te zeggen had. En dus liet hij haar verdergaan met wat voor ongezond spelletje ze dan ook zo vrolijk met zijn lichaam speelde. Hij rook haar andere haar en haar andere huid met een dierlijke nieuwsgierigheid, en toen hij haar op haar rug draaide en bij haar naar binnen drong, zich amper bewust van het kleine gezicht in het kussen, voelde hij een intense droefheid om de dingen die hij nooit had gedaan in zijn leven, bijna alsof hij op het punt stond dood te gaan. Waarom had hij niet meer van Rosalind gehouden? Wat had ze verkeerd gedaan? Hij kon het gewoonweg niet vergeven. Het bedlampje verblindde zijn ogen en hij wilde het uitdoen, maar het meisje klemde haar benen om hem heen, spoorde hem aan met haar heupen, en de gedachte werd algauw vormloos.

Uiteindelijk sloot hij zijn ogen in fel zonlicht, herinnerde zich zonlicht, herinnerde zich het sluiten van zijn ogen.

10

Toen Alistairs dochter terugkwam van haar reis door India die ze tijdens haar vrije jaar had gemaakt, had ze twee werkelijk verschrikkelijke beeldjes voor haar vader en moeder meegebracht. "Dit zijn Ganesha en Kali", zei ze. "Hij is de God van alle wezens en zij is de transformatie door de dood." Sophie liet haar verstandige glimlach zien die ze zich tijdens het reizen had aangemeten, haar tanden wit vergeleken met het bruine gezicht. Alistair zat met het vloeipapier op schoot, zijn knieën onhandig tegen elkaar aan gedrukt, en keek naar het olifantenhoofd, de grotesk dikke buik en naar de andere met de hebberig zwaaiende armen. Hij liet het aan Rosalind zien en probeerde zo goed als hij kon te glimlachen. Dit is niet míjn cultuur, dacht hij, terwijl hij er walgend naar staarde.

Toen Sophie weg was wilde hij de afgrijselijke dingen in de gangkast stoppen, maar Rosalind stond erop dat ze ze zouden laten staan, om haar niet te kwetsen.

"Maar ze zijn afzichtelijk", zei hij. "Wat betékenen ze? Wij geloven er niet in. Ze zijn afzichtelijk."

"Ja, lieverd, ik weet het", had Rosalind tegen hem gezegd terwijl ze ze op de schoorsteenmantel zette, naast een gezellige bruiloftsuitnodiging, die er ineens uitzag alsof hij van een andere planeet kwam. Ze leek zich uitermate aan hem te ergeren.

De gedachten vlogen in snelle opeenvolging aan hem voorbij – zijn dochter, zijn vrouw en de twee hindoegoden – terwijl hij op de rand van het hotelbed zat. Hij trok zijn broek, sokken en zijn gekreukelde overhemd aan terwijl Karen in de badkamer bezig was. Eerst haastte hij zich om zich aan te kleden, in een irrationele paniekaanval gevoed door zedigheid en schaamte – voor zijn lichaam, zijn verouderende lichaam. Daarna stopte hij daarmee, zuchtte diep en legde zijn hand op zijn hart.

Hij luisterde naar het schaamteloze gedruppel van Karens urine en knoopte zijn stropdas nogal strak om. Toen hoorde hij de wc doorspoelen en ze kwam naar buiten, grijnzend in de badjas van het hotel ... en met zijn advocatenpruik op. De badjas, bestemd voor een volwassene, was veel te groot. Stond haar verleidelijk, het ene been voor het andere. Ze had haar hand op haar heup, waardoor de badjas openviel bij haar linkerborst en bij alle zachte huid die hij een paar tellen eerder gekust en gelikt had.

Ja, dat was hij geweest – mijn mond, mijn handen, dacht hij. Zijn blik verplaatste zich omhoog langs haar nek naar haar lachende, knipogende gezicht en de ontsierende pruik van paardenhaar. Wat was dit voor grap? De betekenis was een onheilspellende mengelmoes. Hij voelde lust en totale ontzetting en een verlangen om of zichzelf of haar onmiddellijk te verstoppen, om een doek over de krijsende papegaai in de kooi te gooien.

Alistairs leven was een vlucht geweest voor het groteske en hij had nooit een gevoel voor humor ontwikkeld om het mee onder ogen te zien.

Haar glimlach verdween. "O, je bent al aangekleed", zei ze.

"Ik ... ja."

"O." Ze gooide de pruik op zijn tas en streek door haar haar.

"Luister, Karen", begon hij met een plechtige stem, terwijl hij zijn overhemd liet bloezen, "het is allemaal ... het is allemaal betaald, deze kamer. Je kunt hier net zo goed de nacht doorbrengen, als je dat wilt."

"Ga je?"

Hij bukte zich om zijn veters te strikken en om dichter bij de grond te zijn. "Ja, ik moet gaan", zei hij.

Ze liep naar het bed, ging er overdwars op liggen en spreidde haar haar boven zich uit. Ze was het typische voorbeeld van het treurige sterretje. "En gaan we dit vaker doen, of was het voor een keertje?" Er volgde een pauze, waarna ze hem aankeek. "O, maak je geen zorgen. Ik wist al dat het maar voor deze ene keer zou zijn. Niet jouw ding, toch?" Ze keek hem nog een laatste maal onderzoekend aan. "Nee, dat dacht ik al."

Hij doorkruiste de kamer om zijn jas te pakken en hoorde het volume van de tv luider worden met de zoveelste videoclip. Natuurlijk had ze geweten dat het maar voor een keer zou zijn, zei hij tegen zichzelf. Ze was wijs voor haar leeftijd en zou er niet de illusie op na hebben gehouden dat hij haar als maîtresse zou nemen. O, wie dacht hij in godsnaam wel niet dat hij was? Ze zou niet eens zijn maîtresse willen zijn. Ze deed alleen maar beleefd.

Hij zei: "Karen, kan ik iets te eten voor je bestellen? Ze kunnen wat naar de kamer komen brengen als je dat wilt."

"O, jee, je bedoelt roomservice? Ja, graag. Te gek, zeg. Kan dat echt?"
"Natuurlijk ... dat is wel het minste ..." zei hij haperend. Er moest natuurlijk een soort etiquette zijn, maar hij had nooit reden gehad die te leren.
Ze zei: "Dan moet ik het nu bestellen, zeker? Dan kun jij het onderweg naar buiten betalen."
Zulke wereldse geneugten, zo vreselijk doelgericht, dacht hij. Was het allemaal te veel voor zijn tere, kleine vlinderhartje? "Ja, dat lijkt me handig", stemde hij in.
Het minste wat hij kon doen – al was het goddomme alleen maar in de naam van goede smaak – was proberen in gedachten te houden dat er in een hotelkamer geen ruimte was voor verloren romantiek. Hij schraapte zijn keel. "Ik moet alleen ..." Hij wees naar de badkamer en vluchtte achter de deur.
Hij keek niet in de spiegel. Hij raakte niets aan. Plotseling was hij bang ergens zijn vingerafdrukken achter te laten, dat er in het hotel aanwijzingen te vinden zouden zijn, sporen die zich onmerkbaar aan de oppervlakte van zijn huid hechtten. Na een of twee volkomen geluidloze tellen liep hij naar het toilet en spoelde het door. Toen hoorde hij Karen roepen: "Wat is ... Kuussa... Kuessa... huppeldepupdilla?"
Hij liet de kraan even in de lege wasbak lopen en keek naar het water dat de afvoer in spoelde, zich bewust van oneindig weerkaatste versies van zichzelf in de spiegels aan zijn beide zijden. Zijn hand bewoog en tienduizend handen bewogen. Zijn schandelijke benen waren tienduizend schandelijke benen die richting de deur liepen. Hij was zijn eigen vreemde god.
Toen hij de badkamer uit kwam zat ze met gekruiste benen onder het bedlampje en glimlachte naar hem. "Ik denk dat het Mexicaans eten is", zei hij. "*Quesadilla.*"
"O, echt waar? Dan neem ik dat. En een Bacardi-cola, alsjeblieft."
Hij belde de roomservice en bestelde. Toen hij de hoorn neerlegde, legde ze haar hand op zijn arm en hij schrok. "Hé", zei ze. "Wat is er in 's hemelsnaam aan de hand?"
Hij draaide zich om en pakte de vingers vast ... en liet ze heel geleidelijk weer los. "Gespannen", zei hij tegen haar. "Sorry."
Ze keek naar haar hand en wist dat die hun kortstondige intimiteit bevatte, een souvenir zo klein als een controlestrookje. "Waarom zeg je sorry? Niks aan de hand." Ze wreef over zijn arm met de andere hand. "Misschien had je twee maaltijden moeten bestellen. Ik ben uitgehongerd."

Hij nam afscheid, zei "Hartelijk bedankt" tegen haar in de badkamer, waar ze de gratis shampoo- en zeepflesjes op de rand van het bad aan het zetten was terwijl ze met de tv meezong. Het hete water raasde naar beneden. Ze kuste hem op de mond met haar handen om zijn gezicht, trok haar neus naar hem op, en zei: "Voel je niet te schuldig."

"Schuldig?"

"Ja, ik weet dat ik jong ben en nergens een reet vanaf weet, maar iedereen verdient een beetje plezier, vind ik. Zo lang duurt het leven niet, toch?"

"Nee."

"Zo denk ik erover: het maakt niet uit als niemand het ziet. 't Is niet gebeurd. Heb je je weleens afgevraagd of iets wat je je net hebt herinnerd, echt gebeurd was of dat je het gedroomd had?"

Hij knikte voorzichtig, bang zich door in te stemmen aan banden te leggen.

"Nou dan", zei ze, "zo is het ook met dingen die niemand ziet. Als alleen jij kunt vertellen wat ze zijn, kunnen ze net zo goed een droom zijn, of kun je ze een droom nóémen en kan niemand daar iets van zeggen."

Ze glimlachte naar hem en streelde zijn gezicht. Hij wist niet wat hij hierop moest antwoorden. Hij keek toe hoe het water het witte bad in stortte en er een dikke laag schuimbellen ontstond.

"Hoe dan ook", ging ze verder, "Ik heb ervan genoten. Je vrouw heeft maar mazzel."

Hij zoende haar gedag en vertrok.

Het was net kwart voor negen geweest toen hij bij zijn huis aankwam. Het was nu donker en de lucht was vochtig en rook naar pas gevallen regen, naar natte stoeptegels en bakstenen. Er kwamen druppels van de hekken en de bladeren langs de straat waar hij aan woonde. Het druppelen maakte deel uit van de duisternis; het leek het geluid van de duisternis. Even was het bijna ondraaglijk mooi en hij legde weer zijn hand op zijn uitgelaten hart.

Hij stapte uit de taxi voor zijn huis en keek op naar het raam van de woonkamer. De gordijnen waren dicht. Daarachter moesten zijn vrienden iets aan het drinken zijn en zich afvragen waar hij bleef. Een halo van licht ontsnapte langs de randen van het raam. Het was verstandig geweest als hij Rosalind vanuit de taxi had gebeld, maar hij had het niet kunnen opbrengen.

Hij liep de trap op en klopte op zijn zakken op zoek naar zijn sleutels, maar ze waren er niet. Hij herinnerde zich dat hij ze in zijn werkkamer had laten liggen. Als hij daarnaar terug was gegaan, zoals hij van plan was geweest na de rechtbank, zou hij ze op zijn bureau hebben zien liggen en in zijn zak hebben gestopt. Niet één keer in bijna veertig jaar huwelijk was hij zijn sleutels vergeten. Hij belde aan. Rosalind opende de deur en een stortvloed van thuis kwam hem tegemoet: het gevlekte hallicht, de warmte van de keuken, haar gezicht ...

"O. Alistair? Ik dacht dat het Peter en Isabel waren", zei het gezicht van zijn vrouw. En daaromheen vloeiden het behang, de vaas met lelies onder de spiegel, haar parfum, de paraplu's in het rek.

Hij glimlachte naar haar vanonder deze vloedgolf van zintuiglijke informatie. "Eilaas, het is slechts je man", zei hij.

"Eilaas?" Ze lachte. "Hoezo, lieverd? Ik ben eigenlijk best opgelucht om te zien dat alles goed met je is. Waar ben je in 's hemelsnaam geweest?"

"Ik heb mijn sleutels vergeten", zei hij, terwijl hij bij wijze van uitleg naar de deur wees. Ze keek naar de deur en toen naar hem.

"Ja, dat zie ik. Is alles wel goed met je, Alistair? Waar bleef je?"

"Werk", zei hij. "Werk, werk, werk. Mag ik binnenkomen?"

Rosalind boog zich naar hem toe om zijn wang te kussen. "Sorry, lieverd. Kom binnen en neem lekker wat te drinken. Hemel ... wéér wat te drinken", zei ze, toen ze de alcohol in zijn adem rook. En daarna, toen ze richting de deur van de woonkamer liep: "'Eilaas'? Wat een raar woord."

Hij was het met haar eens. Schuld bleek qua taalgebruik een slechte smaak te hebben. Zwaarder dan normaal hoorde hij de donkere regen van de bomen druppen toen hij haar naar binnen volgde.

Het was heel, heel erg licht in de woonkamer.

"Dáár ben je!" zei Anna Nicholson, terwijl ze haar glas neerzette. "We begonnen al te denken dat je ons niet wilde zien."

"De arme man heeft gewoon overgewerkt", zei David Nicholson. "Sjonge, Anne."

Alistair nam de omhelzingen in ontvangst. Toen Anne hem losliet, zei ze: "Hemel, was dat je maag?"

"Ja, wat gênant. Sorry, ik heb blijkbaar nogal trek."

Peter en Isabel arriveerden kort na Alistair. Het was voor hen allemaal vreemd om Peter zonder Erica te zien, met wie hij achtentwintig jaar getrouwd was geweest, en terwijl Rosalind de jassen aannam in de hal en beleefd verrast was over een ritselende bos bloemen, bereidden ze zich voor op een goed staaltje beleefdheid.

Peter zag er moe uit, maar leek ook erg verliefd op zijn nieuwe, jonge, zwangere vrouw. Hij leidde haar naar binnen met zijn arm beschermend om haar heen. Ze was een ietwat dikke, niet speciaal mooie meid, maar Peter kon zijn ogen niet van haar afhouden. Alistair, wiens gezicht nog warm was van de seks, en die de smaak van een andere vrouw nog op zijn tong had, was ontsteld door deze flagrante lust. De wereld was er blijkbaar mee overgoten. Toen ze naar de eetkamer gingen greep Peter zijn arm vast. "Is ze niet fantástisch?" vroeg hij.

Alistair knikte, wilde de vreemde hand van zijn vriend snel van zich af hebben.

Rosalind had een grootse maaltijd bereid. Om te beginnen was er rozerode gebakken brasem in een vis- en groentesoep. Vlak voor ze hem opdiende sprenkelde ze fijngesneden groente over de vis: oranje paprika, champignons, verse koriander en lente-uitjes. Alistair keek naar haar behendige vingers terwijl hij wachtte totdat hij de terrine mee kon nemen. De soep was helder en kruidig en ietsje zoet, en ze dronken er een goede riesling bij. Het hoofdgerecht was runderfilet in filodeeg. Verborgen in het knapperige, goudkleurige deeg zat over het rundvlees heen een vulling van wilde paddenstoelen, knoflook, chilipeper en peterselie. Het vlees was roze en zacht, en werd perfect aangevuld door de aardachtige kruidigheid van de vulling. Als toetje waren er gekarameliseerde appels en peren met warme butterscotchsaus en koude, zure Griekse yoghurt. Deze serveerde ze in de champagneglazen die ze met hun huwelijk hadden gekregen. En daarna zou de kaas komen (Explorateur, St. Marcellin, Epoisses, St. Felicien) met crackers, verse zoete druiven en vijgenchutney. Alistair at gulzig; hij verwende zijn lichaam ondanks zijn geest, die hem berispte met zeer onaangename Bijbelse beelden van water en brood.

Om hem heen werd goedmoedig gekletst: was het tegenwoordig te druk in Toscane? Delen van Spanje waren net zo mooi, maar daar was het eten natuurlijk veel minder interessant. Frankrijk zou natuurlijk helemaal fantastisch zijn, als er geen Fransen zouden wonen.

"Waar gaan jullie deze zomer heen op vakantie, Al?" vroeg David.

Alistair bracht met zijn vork wat spinazie over op zijn saladebordje. "We denken eraan om bij Chris en Lara op Malta te gaan logeren", zei hij. Daarna keek hij naar zijn vriend en dacht: je hebt geen flauw idee tegen wat voor persoon je praat. Als je het wist, zou je weggaan. Hij zei: "En jullie? Weer naar Andalusië?"

"Zeker weten. Als het niet kapot is moet je het ook niet repareren, zeg ik altijd maar. Ik kan verdomme niet wachten. Een stoel en de zon", zuchtte David, terwijl hij het idee als een fotograaf tussen zijn opgeheven handen ving om aan te tonen dat dit alles was wat hij ooit van het leven gewild had.

Tegen de tijd dat Alistair Rosalind hielp de kaas op te dienen, moest hij zichzelf ertoe dwingen de controle over zijn gedachten terug te krijgen. Hij moest de misstap in het hotel voor zichzelf houden en zich zeer zeker verzetten tegen het verlangen om die op te biechten.

Hij keek de tafel rond en liet daarna zijn blik op het lachende gezicht van zijn vrouw vallen. Rosalind was altijd al mooi geweest. Wat had hij het toch getroffen dat hij zijn leven met zo'n mooi iemand mocht delen. Wanneer hadden ze voor het laatst gevreeën, of elkaar zelfs maar gezoend? Hij voelde intense liefde voor haar en een verlangen om intiem met haar te zijn. Hij wilde met zijn vrouw vrijen en wilde dat haar vertrouwde lichaam de vingerafdrukken van de andere vrouw wegveegden. Hij verlangde ernaar zich lichamelijk te verontschuldigen tegenover Rosalind.

Ik heb mijn vrouw bedrogen, dacht hij. Ik ben een overspelige echtgenoot. Er stonden tranen in zijn ogen.

Daarna luisterde hij naar de gesprekken, naar Isabel die met wat hem een geveinsd respect leek met de oudere vrouwen over scholen praatte.

"Nou, Luke vond Eton vreselijk", zei Rosalind net. "Dat is echt alleen voor bepaalde personen weggelegd. Hij is heel gevoelig, daar lag het aan. We moesten hem naar een andere school doen. Alistair was teleurgesteld. Logisch. Maar dat heeft hij Luke natuurlijk nooit laten merken."

Dus het gezinsleven begon voor Peter weer helemaal opnieuw. Alistair werd al zo moe bij de gedachte daaraan dat hij een geeuw moest onderdrukken. Erica was een geweldige vrouw en hij vond het goed stom van zijn vriend dat hij haar aan de kant had gezet. En daar zat Peter moorddadig te grijnzen.

"We zitten eigenlijk te denken aan een doordeweekse kostschool", zei Isabel. "Westminster moet qua onderwijs heel goed zijn." Haar vingers grepen naar die van Peter.

O, waarom zou je het naar school sturen, dacht Alistair. Wat maakte het uit? Nog een standaardopleiding, nog een baan in de City, nog een hypotheek, nog een huwelijk op achtentwintigjarige leeftijd in een afgehuurde *manor*, nog een eerste kind op tweeëndertigjarige leeftijd. Hij keek naar het zelfvoldane jongemoedergezicht en zei in gedachten tegen haar: "Het is een illusie, dat gevoel van identiteit dat die dikke buik je geeft. We maken onszelf in slechts een paar seconden ongedaan."

Ze keek hem met een lichtelijk angstige blik aan. Ze had hem klaarblijkelijk zien staren. Hij forceerde een glimlach. "Niet lang meer, zeker?" vroeg hij.

"Nog twee maanden. We vinden het heel spannend", antwoordde ze. De onzekere hand graaide weer over de tafel naar die van haar man. "Toch, lieverd?"

Ze waren klaar met eten. Heel kalm besloot Alistair dat het al aardig laat was en dat het zo zoetjesaan tijd werd dat hij ging. Van deze eigenaardige gedachte moest hij hardop lachen en hij kon nog maar net doen alsof dat kwam door een verhaal dat David aan het vertellen was. Hij voelde zich veilig totdat hij zag dat de zwangere vrouw weer naar hem keek. Beschaamd wendde ze haar blik af.

Een tijdje nadat ze weer naar de woonkamer waren verhuisd, zei Rosalind: "Je hebt toch wel koffie gezet?"

"Koffie?"

"O, Al. Dat heb ik je gevraagd."

"Het spijt me, lieverd, ik ben het vergeten. Vergeef me, Rosalind."

"Natuurlijk vergeef ik je." Ze lachte. "Lieverd, wat is er toch met je vanavond? Is alles wel goed?"

Waarom vroeg ze dat steeds? Ja! Ja, alles was goed! 'Vergeef me' was toch slechts bij wijze van spreken? Sjonge.

"Niks aan de hand", zei hij, "alleen uitgeput. Dat was een ongelooflijk lekkere maaltijd."

"Niet slecht, hè? Al zeg ik het zelf", zei ze verlegen glimlachend.

Hij kneep zachtjes in haar arm. "Je hebt talent, lieverd."

"Dank je." Ze leek geraakt, gevleid, zelfs geroerd door zijn compliment. Hij realiseerde zich hoezeer ze teerde op deze schaarse momenten waarop hij haar lieftallig stimuleerde.

"Dan zet ik nu wel even koffie, goed?"

"Fijn, lieverd."

De visite wilde twee zwarte koffie, een cafeïnevrije koffie met melk, een muntthee en een kamillethee ...

Hij sloop vriendelijk glimlachend de kamer uit. Hoewel niemand natuurlijk wist wat hij die avond gedaan had, voelde hij zich volslagen vernederd. Toen hij terugdacht aan die rare lach aan de eettafel was hij bang dat hij in zichzelf zou gaan praten. Hij praatte toen in wezen in zichzelf. En de toon van dat gesprek leek op z'n best ironisch en op z'n slechtst verafschuwend.

Hij wilde niet meer praten, want hij had al genoeg gezegd. Spreken is zilver, zwijgen is goud, zei zijn moeder altijd.

Waarom dacht hij ineens zo vaak aan zijn moeder? Het was ronduit vreemd dat hij Karen over zijn verleden had verteld. En nu, alleen maar doordat hij het ter sprake had gebracht, voelde hij zijn verborgen verleden aan zijn vingers, armen en haar kleven. Hij snoof aan zijn vingers en rook seks.

Zijn jeugd paste niet in zijn echte leven. Het was niet meer dan een knetterende zwart-witfilm, doordrenkt met schaamte en sentimentaliteit. Hij had in deze omgeving, in Holland Park, in een corduroy broek en een kasjmieren V-hals-trui, een veel groter deel van zijn leven doorgebracht dan in Dover. Als het aantal jaren iets zei, was hij zonder twijfel Alistair Langford, lid van de Queen's Counsel, de man op de foto voor het Hogerhuis, daar aanwezig dankzij zijn eigen prestaties. Hij moest deze verschrikkelijke avond en het doordringende gevoel van zijn eigen bedrog gewoon uit zijn hoofd zetten. Zijn misstap was een soort vreselijke freudiaanse verspreking geweest, en nu ging hij gewoon verder met wat hij had willen zeggen. "Een freudiaanse verspreking is als je het een zegt en een ander bedoelt", had een vriend ooit gegrapt.

Hij drukte op het knopje van de waterkoker en hoorde hem aanslaan. Zo zat het leven in elkaar, zei hij tegen zichzelf. Je zette zoveel dingen uit je hoofd: hongersnood, martelingen, oorlogen, schaarste. Vreselijke dingen, die, als je er voortdurend aandacht aan zou schenken, de normale gang van zaken onmogelijk maakten. Dit was het doel van goede manieren – hij keek even de richting van de eetkamer op –, dit was het doel van negentiende-eeuwse tafels die gedekt waren met zilveren messen en vorken, waar allemaal zorgzaam aandacht aan besteed moest worden. Etiquette vertraagde het pijnlijk kloppend hart, leidde je af van de dingen waar je niet aan kón denken.

Hij hoorde Karens zachte stem – "Je hebt een machtig mooie lul, wist je dat?" – en hij verstarde. Die andere generatie ook, met haar gedurfde emancipatie. Maar dat was zijn probleem niet. Het was het probleem van zijn zoon, en van zijn geliefde dochter. En toch had hij woorden kunnen vinden toen ze voorstelde dat ze een kamer konden nemen: "Wil wel", had hij gehakkeld. "Wil wel." Met een scherf van verlangen in zijn oog.

Hij pakte de kopjes, schoteltjes en lepeltjes en zette ze netjes op het dienblad. Terwijl de waterkoker raasde bedacht hij hoe verschrikkelijk koud het moest zijn geweest, eind december, om bewusteloos voor de ingang van de Tesco te liggen; iemand die zo dronken was dat hij zijn eigen naam niet meer wist.

Twee weken later kwam het telefoontje dat zijn moeder was overleden. Rosalind had opgenomen en de details op een blocnote geschreven, die bij de telefoon lag. Ze had er lange tijd naar gestaard nadat ze de hoorn had neergelegd. Ze besloot het Alistair pas te vertellen als hij thuiskwam; het was ongepast om dat tijdens zijn werk te doen. Ze had enorm veel respect voor wat hij deed, en in al die jaren dat ze getrouwd waren, had ze hem maar één keer gestoord bij de rechtbank. Dat was toen ze weeën had van Luke.

Rond acht uur hoorde ze hoe hij door de voordeur naar binnen kwam en zijn sleutels in de schaal op de tafel in de hal legde. Ze liep naar de gang. "Lieverd, er is iets gebeurd", zei ze.

"O?"

"Ja."

Hij deed zijn stropdas los. "Wat hebben onze kinderen nu weer uitgespookt?"

"Nee, het gaat niet om hen. Het gaat om je moeder."

"Mijn ...?"

"Alistair, ze is vorige week overleden."

"O?" zei hij weer. Hij zette heel langzaam zijn aktetas neer. Hij had Rosalind verteld dat zijn moeder vlak voor hun verloving overleden was.

"Ik weet niet zo goed wat ik moet zeggen", zei ze. "Zoals je wel begrijpt, is het ook voor mij een schok."

"Ja. Ja, dat snap ik."

"Dus geef ik je alleen even de feiten, Alistair."

"Oké."

Ene Ivy Gilbert had gebeld, zei ze. Zijn moeder was aan een hartaanval overleden. Het was waarschijnlijk snel gegaan, vertelde Rosalind hem. Daar was de dokter blijkbaar erg stellig over geweest. Het was wel triest dat ze een paar dagen onder aan de trap had gelegen zonder dat iemand haar had gevonden. Ivy was degene geweest die de instanties gewaarschuwd had toen ze bezorgd was omdat ze al een tijdje niets van haar vriendin had vernomen. Ivy had gezegd dat ze vond dat Alistair het moest weten, aangezien hij toch haar zoon was, ook al hadden ze elkaar al zo'n tijd niet gezien. Vanwege de omstandigheden waarin ze gevonden was – zo lang na haar dood – was ze al gecremeerd.

Terwijl Rosalind het verhaal vertelde, liepen ze de woonkamer in en gingen een stukje van elkaar af voor de open haard staan. Toen ze klaar was keek ze hem recht aan. Zijn blik schoot door de kamer, sprong van de kroonluchter naar het tapijt, langs de boekenplanken naar de orchidee in de pot bij de deur. Het herinnerde haar aan zijn ogen toen ze elkaar voor het eerst hadden ontmoet; toen had ze gedacht dat ze een schuilplaats zochten, een toevluchtsoord.

"Nou", zei hij. "Dat is schrikken." Hij leek ineengekrompen, verstijfd.

"Ja. Ik zal iets te drinken voor je pakken."

"Dank je", zei hij. En zoals zo vaak werd hij immens gerustgesteld door haar aanwezigheid en door haar goede manieren. Ze moet wel boos en verward zijn, dacht hij, maar ze zou nooit uit haar slof schieten, niet Rosalind.

Ze schonk een glas whisky voor hem in, deed er wat water bij en bracht het hem op de bank. Hij nam het glas aan en ze keek hem aan totdat hij zijn blik afwendde. Ze zei: "Alistair, ik heb jarenlang gedacht dat je moeder voor ons huwelijk is overleden."

"Ja", zei hij.

"Je hebt me voorgelogen. We hebben de kinderen voorgelogen."

"Ja. Nou ja, jij niet, lieverd. Jij hebt niemand voorgelogen."

"Hoor eens, ik ga je nu niet dwingen erover te praten – ik weet niet eens zeker of ik dat zelf wel aankan – maar ..."

"Maar ik ben je een verklaring verschuldigd."

"Dat lijkt me wel", zei ze. "Mijn hemel, Alistair, dat ben je zeker. Ik weet dat je het niet goed met haar kon vinden, maar dit is echt ... Ik heb er geen woorden voor."

"Nee", zei hij. "Dat begrijp ik wel."

Ze zuchtte heel diep en hield daarna zijn hand vast. Maar hij was degene die in haar vingers kneep.

"Je zult wel erg geschrokken zijn", zei ze, alsof ze hem een excuus wilde bieden om het niet meteen uit te leggen.

"Dat geloof ik ook, lieverd", zei hij.

"O jee, Alistair, ik herinner me net dat ik morgen met Jocelyn naar onze tafelleverancier in Sussex moet. Dat wordt niks. Dan zijn we pas heel laat terug en ben je de hele avond alleen. Ik bel haar wel om het af te zeggen."

"Nee, nee. Dat hoeft niet, lieverd. Ga maar gewoon. Het is ... belangrijk", zei hij. Toen sloeg hij zichzelf tegen het voorhoofd. "Julian verwacht dat we bij hem komen eten."

"Morgenavond?"

"Ja. Ik ... Dat was ik vergeten te zeggen."

"O, Alistair. Nou, dan zeggen we dat ook af." Ze had nog net genoeg ruimte in haar hoofd om te bedenken dat het niets voor hem was om op een uitnodiging voor een doordeweeks etentje in te gaan, en al helemaal niet om te vergeten het haar te zeggen. Ze kneep in zijn hand en schreef deze vaagheid, die ze niet van hem gewend was, toe aan het nieuws, hoewel ze wist dat dit eraan vooraf was gegaan. Er was haar een vreemde, gejaagde uitdrukking op zijn gezicht opgevallen, evenals de nieuwe gewoonte te schrikken wanneer ze de kamer binnenkwam.

"Nee, laten we niets afzeggen", zei hij. "Jij gaat naar Sussex. Ik ga naar Julian. Dat is waarschijnlijk het beste voor me. Ik leg wel uit dat ik je niet ingelicht had – mijn schuld."

"Denk je dat echt?"

"Ja. Ik denk dat het beter is als we zo normaal mogelijk doen. Ik denk dat dat het beste voor me zal zijn."

"Nou, als je daar zeker van bent."

"Ja." Zijn stem klonk ook zeker. Dit staaltje acteerwerk was zijn enige bescherming tegen een avond alleen met zijn liefhebbende vrouw.

Toen Rosalind een paar weken hierna over de gebeurtenissen nadacht, kon ze niet om het lot heen. Dat was een begrip waar Alistair altijd om lachte; hij vond dat alleen neurotische vrouwen zich hierom bekommerden. Het was meer iets voor haar zus Suzannah, en aanvankelijk schaamde ze zich ervoor. Ze had de gewoonte zich af te vragen of haar man haar gedachten zou goedkeuren. Maar ineens duwde ze de tuindeuren open en liep de tuin in, terwijl ze boos bedacht dat de briljante Alistair het nou niet bepaald altijd bij het rechte eind had, of wel?

Maar voordat dit gebeurde was er nog de avond van het etentje bij Julian en Elise, de avond van de overval, van het loeiende autoalarm en de twee gedaanten die de nacht in renden.

Erna, in het ziekenhuis, toen de arts zijn been onderzocht, merkte Alistair dat hij nog steeds krampachtig het kaartje vastklampte dat Rosalind voor Julian en Elise geschreven had om zich voor haar afwezigheid te excuseren. De woorden waren vlekkerig geworden door zijn zweet: " ... jammer dat ik er niet bij kan zijn ..." las hij, " ... altijd geweldig ... nu misloop ... die Elise zo heerlijk ..." Hij had erg veel pijn en las de vriendelijke woorden van zijn vrouw, terwijl de arts hem vroeg of hij zijn tenen nog kon bewegen en zijn enkel kon ronddraaien.

Na de röntgenfoto's kreeg hij te horen dat Rosalind onderweg was en werd hij naar een privékamer gebracht, waar hij de komende week zou verblijven. Rechercheur Pendry zat op een stoel bij Alistairs bed. Hij sprak lovend over Julians rappe telefoontje. "Daar hebt u een goede vriend aan", zei de hardwerkende politieman hem.

Twee agenten van een patrouilleauto die in de buurt was hadden de belagers kort na de overval in de hoofdstraat in de kraag gevat. Nog geen halfuur later werden ze ingerekend op bureau Chelsea.

"Ik zal u een paar vragen moeten stellen", zei rechercheur Pendry, terwijl hij een notitieblok tevoorschijn haalde. "Ten eerste: zeggen de namen Anil Bandari en Michael Jensen u iets?"

Alistair had nog nooit van Anil Bandari gehoord. Maar de andere naam ... de andere naam kende hij wel. Hij kreeg een droge mond van angst. Michael Jensen was een getuige van de verdediging geweest in de zaak-Giorgiou, een vriend van de gedaagde.

"Het spijt me", zei hij. "Ik heb beide namen nog nooit gehoord."

Toen rechercheur Pendry vertrokken was, overdacht Alistair alles met beangstigende helderheid en legde de bizarre details zo uit dat ze een verhaal vormden dat in zijn leven paste.

Over het motief van de daad was geen twijfel mogelijk: het was wraak, een uithaal van een mannelijk ego. Het ging om een vrouw.

Hij wilde niet geloven dat Karen moedwillig indiscreet was geweest. Ze zou het iets hebben gevonden om samen met iemand over te giechelen. Hij was hier absoluut zeker van, wat hem verbaasde. Maar hij vertrouwde Karen, vertrouwde erop dat ze hem met haar verraad niet aan woede en geweld had willen blootstellen en slechts een grapje ten koste van hem had gemaakt. Ze had er waarschijnlijk alleen maar met iemand om willen lachen, een vriend willen amuseren met een grappig verhaal over haar avontuurtje met een oude advocaat. Hij zag haar opgewonden kletsend voor zich met een drankje en een sigaret in haar hand. Hij herinnerde zich hoe jammer ze het gevonden had dat ze geen camera had om vast te leggen hoe mooi de hotelkamer was. Ze was jong genoeg om privé-ervaringen ontoereikend te vinden en te denken dat ze bevestigd moesten worden door de afgunst of goedkeuring van een ander, welk risico dat dan ook met zich meebracht.

Klaarblijkelijk had het nieuws Giorgiou bereikt. En die trotse, ijdele, jonge Griek kon dat niet ongestraft laten gebeuren, hoewel Karen verteld had dat hij zelf ook openlijk ontrouw was. Hij zag de reactie voor zich: "Wat? Karen? Met de advocaat van de eiser?" zou de verwende mond gevraagd hebben. "Met de advocaat die mij probeert op te sluiten?"

Karen had haar vriend beter moeten kennen. Waarom kende ze haar vriend niet beter? Hij sloot wanhopig zijn ogen. Maar ze was heel jong, dacht hij, en we moeten allemaal onze fouten maken om van te leren. Dit voorval was ongetwijfeld haar korte maar krachtige lesje over discretie geweest.

Het was mogelijk dat zelfs Giorgiou de uiteindelijke uitkomst van zijn wraak niet had voorzien. Dat de mannen gepakt waren, was een situatie die niemand had kunnen voorspellen. Waren ze maar ontkomen, dan had het voor een straatroof door kunnen gaan en zou Giorgiou toch zijn wraak op Alistairs been hebben uitgevoerd. Maar Julian, de goede buur met zijn mobiele telefoon, had ervoor gezorgd dat de slechteriken gepakt waren en nu stond de naam 'M. Jensen' in het politieboek gekrabbeld, wat iets merkwaardigs aangaf, iets wat eenieder die de moeite nam ernaar te kijken, na kon gaan.

Alistair lag in zijn ziekenhuisbed te wachten tot iemand het zou zien. Zijn uren werden onderbroken door bezoeken van de arts, de fysiotherapeut en de verpleegsters ... en zijn vrouw, die steeds meer argwaan kreeg.

Verbazingwekkend genoeg wist hij Rosalinds eerste vragen te overleven, waardoor hij wat meer tijd won. Maar de vragen gingen al snel over op de onontkoombare melodie: waarom was de politie dríé keer bij hem langs geweest? Was het niet vreemd dat de straatdieven niet eens geprobéérd hadden hem iets af te nemen?

Eén moment was bijna komisch geweest, als het tenminste mogelijk is om te lachen terwijl je je eigen graf graaft. Rosalind was in een vastberaden stemming langsgekomen, alsof ze erop aan zou gaan dringen een uitleg te krijgen. Alistair dwong zijn hart te genieten van de laatste momenten van zijn vroegere leven. Binnen enkele seconden zou hij haar over Karen moeten vertellen. Maar een hartslag – letterlijk één hartslag – voor hij zijn mond opendeed, kwam er een verpleegster binnen om te zeggen dat het tijd was voor zijn wasbeurt.

Op wonderbaarlijke wijze was Rosalind uit het veld geslagen door deze onderbreking en nadat hij gewassen was, vertelde ze over Luke, die die dag was komen logeren en die verschrikkelijk ontdaan was over een vriendinnetje.

Tijdens haar weinige bezoeken daarna, voor hij ontslagen werd uit het ziekenhuis, deed Alistair alsof hij sliep en hij luisterde zo lang als hij kon naar hoe ze stilletjes aan zijn bed zat. En als hij wakker werd, duidelijk te zwak en te zeer in de war om ondervraagd te worden, leek ze toch te veel in beslag genomen door hun zoon om iets te vragen. Ze bleef niet lang, ze moest snel weer naar huis, zei ze, ze maakte zich verschrikkelijk zorgen om die arme Luke. Terugkijkend vroeg hij zich af of dit niet ook haar manier was om zich erdoorheen te slaan. In die zin waren ze altijd al handlangers geweest.

Maar op de ochtend nadat ze hem naar huis had gebracht, naar het pasgewassen bed en de schuin afgesneden bos bloemen op de commode, was het niet langer mogelijk om het gebeurde te ontwijken. De zon scheen buiten het slaapkamerraam; naast hem op het dekbed stond een dienblad met toast en koffie, en de verachtelijke kranten lagen al te wachten in de winkels.

Weer wist Alistair zeker dat Karen niet degene was geweest die het verhaal verkocht had. Het kwam bij hem op dat zijn vertrouwen in haar misschien voortkwam uit de valse intimiteit, de valse verwachtingen van trouw waarvan hij altijd gedacht had dat die door sekscontacten gecreëerd werden, maar wat ongegrond bleek te zijn. Hij herinnerde zich de tederheid waarmee ze afscheid van hem had genomen in de hotelkamer terwijl ze met de tv meezong. Nee, zij was het niet geweest, dacht hij, daar was ze te zachtaardig voor. Ze lachte te natuurlijk. Het konden zoveel mensen zijn geweest: een indiscrete vriendin, een van de belagers, of zelfs iemand bij de politie. Maar niet Karen. En trouwens, de lange vertraging tussen hun avond samen en het moment dat Giorgiou ervan hoorde, die vervolgens de kranten erop attent had gemaakt, impliceerde een bruut gebrek aan tactiek, waardoor je ging denken aan de betrokkenheid van een buitenstaander. Als Karen zich schuldig had gevoeld tegenover Giorgiou of wrok tegenover Alistair voelde, of zelfs eenvoudigweg hebzucht naar een uitbetaling van een krant, zou ze het verhaal een paar maanden geleden al meteen verteld hebben.

Rosalind had zich ervan verzekerd dat hij alles had wat hij nodig had en was zoals gewoonlijk rond negen uur de *Times* gaan kopen. Die hele ochtend lag hij sluimerend in hun slaapkamer, zich in de verte bewust van de deurbel die spookachtig vaak ging, en telefoontjes, en van Rosalinds voeten die zich haastten ze te beantwoorden. Hij begon zich af te vragen wie al haar bezoekers waren en waarom ze niet naar boven kwamen voor hem. Waarom kwam zíj niet naar boven? Hij zette het dienblad op de grond en pakte een boek.

Uiteindelijk kreeg hij rond halftwee toch echt trek en dorst en riep hij naar haar: “Lieverd? Lieverd, ik ben bang dat ik geen water meer heb. Sorry, maar ...” Hij schaamde zich ervoor zo afhankelijk van haar te zijn.

Hij hoorde haar voetstappen langzaam de trap op komen en leunde achterover in zijn kussens. Toen zag hij het bleke, gekwelde gezicht in de deuropening en de onwaarschijnlijke koffievlek die ze gewoon in haar blouse had laten zitten. “Lieverd?”

“Néé”, zei ze.

Ze legde de krant op het bed en verliet de kamer.

De kop van de *Sun* luidde: RIJKE ADVOCAAT NEUKT STOEIPOESGETUIGE, en daar was Karen, gefotografeerd bij een gehavende voordeur. Ze keek verbaasd en zag eruit alsof ze veertien was.

Zijn blik gleed over de openingsalinea en pikte er de dikgedrukte zinsdelen uit: 'Trendy Ridgeley Hotel', 'dure wijn achteroversloeg' en verder naar beneden: '"Ze zag er jong genoeg uit om zijn dochter te zijn", zei serveerster Angela Jessop (23).' Ze hadden zelfs het personeel geïnterviewd.

Hij schoof de krant weg en legde zijn handen keurig in zijn zij. "Rosalind?" riep hij. "Rosalind?"

Maar het was zijn zoon die een paar minuten later de kamer binnenkwam.

11

Het was het soort zomerdag waarop Londenaren naar de hemel staren en over het gat in de ozonlaag speculeren. Tv- en radiostemmen die door open ramen klonken, declameerden weerstatistieken en zeiden dingen als 'hittegolf', 'opwarming van de aarde' en 'mogelijk watertekort'. Om tien voor negen was het al verstikkend heet. Er heerste een primitieve angst in de metro's – voor dorst, verstikking, brand – terwijl ze door hun netwerk van ondergrondse tunnels denderden.

Terwijl hij zich aankleedde bedacht Luke hoe blij hij was dat hij niet op de Piccadilly-lijn onderweg naar zijn werk was. Hij kon zich de geur al voorstellen. Dit was zijn tweede vrije week. Hij had op kantoor gezegd dat er een sterfgeval in de familie was – wat natuurlijk ook zo was –, maar hij wist dat ze allemaal de kranten gezien hadden en zouden aannemen dat zijn vader de reden was waarom Luke verlof wegens familieomstandigheden had opgenomen. Hij dacht dat er wel veel over hem gepraat zou worden bij de grote kopieermachine voor Sebastians kantoor. Het kon hem echt niets schelen.

Hij ging naar beneden om te ontbijten. Onderweg hoorde hij zijn vader rommelen en hij was blij dat hij even alleen met zijn moeder zou zijn. Hij wist dat zijn vader lang nadat hij wakker was geworden in de logeerkamer bleef rondhangen. Toen hij onder aan de trap kwam, hoorde hij het geluid van de broodrooster al.

"Goeiemorgen, lieverd. Heb je geslapen?" vroeg Rosalind.

"Nee. Jij?"

"Een beetje. Een paar uurtjes. O, wat een stel zijn we ook." Ze schudde haar hoofd en zette de toast, marmelade en koffie klaar. "Ik heb de eieren helaas laten vallen, Luke. Ze zijn alle zes kapot – stom hè?"

"O, mam." Luke wreef over haar arm.

"Maar er zijn wel cornflakes. En mijn yoghurt ... niet dat iemand anders die lust. Is dat wel genoeg voor je, denk je?"

"Mam, maak je niet druk en zorg liever voor jezelf. Dat moet je wel doen, na ... alles."

"Ja", zei ze. "Ik weet het." Even keek ze diepbedroefd en het speet Luke dat hij erover begonnen was. Ze scheen zich staande te kunnen houden zolang niemand erop zinspeelde dat er iets aan de hand was. Hij begreep dit omdat ze wezenlijk op elkaar leken. Toen het fout was gegaan met Arianne, merkte hij dat hij de wat Sophie omschreef als hun moeders 'first-lady-glimlach' had ontwikkeld. Het was het niet-aflatende soort meedogenloze glimlach dat gebruikt werd om kwade geesten af te weren. Rosalind demonstreerde hem boven haar koffiemok en hij vroeg zich af hoe ze zich zou redden nu zijn vader en hij de hele dag in Dover zouden zijn.

Het plan was om met de taxateur naar het huis te gaan kijken en het te koop te zetten. Ze zouden ook de rest van de kleren en grappige beeldjes en oude meubelstukken gaan inpakken. Luke kon helemaal niets met het idee dat hij een grootmoeder had – of altijd had gehad – die hij nooit ontmoet had. Het was alsof er nooit iemand in dat kleine huis met die bezittingen gewoond had; ze waren met een onvoorspelbare betekenis uit de lucht komen vallen, als een pop in de bosjes waar ooit een vliegtuig is neergestort.

En wat die andere kwestie betrof: wat zijn vader met dat sletterig uitziende meisje gedaan had, was onbegrijpelijk en psychologisch te bedreigend om over na te denken. Luke kon nog meer teleurstelling op dit moment niet aan. In plaats daarvan verloor hij zichzelf in intense haatgevoelens jegens zijn zus, die niet één keer langs was geweest sinds het verhaal in de kranten was verschenen. Haat was een welkome afwisseling voor vernedering en had bovendien aangename eigenschappen.

"Heb je Sophie gesproken?" vroeg hij.

"Ik heb haar vanmorgen gebeld."

"Oké. Wanneer komt ze langs?"

"Niet."

Lukes gezicht kleurde rood. "Wat?"

"Ze komt nog even niet, lieverd."

"Ze komt niet."

"Nee, Luke."

"Waarom? Waarom niet?"

"Ze komt gewoon niet, lieverd. Ze zegt dat ze het niet aankan om hem te zien."

Luke was ontzaglijk kwaad op Sophie. Zag ze dan niet in dat hun moeder hen nu nodig had? Was hij de enige met enig gevoel voor verantwoordelijkheid voor het gezin? Hijzelf zag er ook niet bepaald naar uit om tijd met zijn vader door te brengen, maar hij dééd het toch maar wel. Want zo was het echte leven, zo was het om volwassen te zijn, beide dingen die Sophie niet begreep, ondanks al haar hoge cijfers.

Terwijl hij daar met gebalde vuisten aan de ontbijttafel zat, was Luke volkomen vergeten dat hij zelf door zijn moeder naar huis was gehaald en nagenoeg de trap op gedragen had moeten worden als een kind dat in slaap was gevallen na een lange huilbui.

"En jou dan? Wil ze jou dan niet zien?" vroeg hij. "Dat wil ik nu juist zeggen, mam. Dáár gaat het mij om."

"Ze kan het gewoon allemaal nog niet aan. Luke, het was vreselijk gênant voor haar op het werk."

"Mm mm."

De *Telegraph* had net als alle andere kranten het verhaal gepubliceerd. Sophie had moeten toekijken hoe haar collega's kopij over haar eigen vader inleverden. Het was niet zo dat Luke niet met haar meevoelde, maar ze moesten altijd maar rekening houden met zijn zus omdat ze zo gevoelig was. Ze kwam altijd weg met aan zichzelf denken, omdat ze zo ontzettend gevoelig was.

"Ze is erg gevoelig, lieverd", zei Rosalind. "Dat weet je."

Ja, dat wist hij. Ze kon ieder moment haar armen opensnijden met een scheermesje, zodat je de littekens zou zien wanneer ze een kop koffie aanpakte, of ze stond ineens huilend en trillend op de stoep en woog nog maar vijfendertig kilo. Hij wist er alles van. Hij wilde het onderwerp terug naar zichzelf brengen. Zoals gewoonlijk had hij het gevoel dat hij alle plichtsgetrouwe, saaie dingen deed, terwijl iedereen zich zorgen maakte om de gevoelens van Sophie.

Hij had echt geen zin om zijn vader naar Dover te brengen. Hij had de reis een paar dagen eerder al eens gemaakt en dat was al onaangenaam genoeg geweest. Buiten het feit dat het idee onwerkelijk, onsmakelijk en zelfs onheilspellend voelde, zoals alles wat op dit moment met zijn vader te maken had, wilde hij eigenlijk niet nog een hele dag opgeven die hij liggend op zijn bed en denkend aan Arianne zou kunnen doorbrengen. Hij was ook doodsbang dat Alistair zou proberen een verklaring te geven voor zijn gedrag, hoewel ze in hun relatie nooit eerder enig persoonlijk gesprek gevoerd hadden. Maar Luke had een mildheid bij Alistair opgemerkt sinds hun vorige bezoek aan Dover. Hij had iets in zijn ogen gezien wat op sentimentaliteit leek, en Luke dacht instinctief dat het weleens met een bekentenis gepaard kon gaan.

Toen hij nadacht over hoe dat gesprek zou klinken, realiseerde hij zich dat hij nooit eerder in gedachten een dialoog had gerepeteerd waarin hij de andere persoon hoorde spreken en daarna naar adem snakken, laat staan zijn eigen stem te horen. "Mam, vind je echt dat ik mee moet met pap naar Dover? Ik bedoel, is het strikt noodzakelijk?" vroeg hij.

Rosalind fronste de wenkbrauwen. "Luke, je moet mee. Je moet wel mee, want hij kan dat hele stuk niet rijden met zijn been."

"Dat weet ik. Ik begrijp alleen niet waarom hij er niet gewoon iemand heen kan sturen of zo. Waarom moet hij er zelf heen?"

"Omdat het zijn moeder was, Luke. Het zijn haar spullen, en hij is in dat huis opgegroeid. Hoe dan ook, dat huis is nu van papa en moet verkocht worden. Dat soort dingen moet je persoonlijk regelen. Dat hoort gewoon zo. Sophie en jij denken altijd maar dat je overal iemand op af kunt sturen. Waar komt dat toch vandaan? Wíé dan?"

Rosalind keek naar haar zoon en vroeg zich even naarstig af of ze alles fout had gedaan – niet alleen haar huwelijk, maar ook Luke en Sophie. Waren ze verwend en onverantwoordelijk? Kon Sophie daarom geen man vinden en stortte Luke daarom zo in en schepte hij constant op over zijn salaris?

"Gewoon verhuizers, mam. Hoor eens, ik wil alleen maar zeggen: het voelt gewoon zo raar, iets voor hem doen."

"Ik weet het, ik weet het", zei ze, weer vermurwd nu ze naar het gezicht van haar zoon keek. "Mijn arme schat. Maar, Luke, jij of ik moet hem rijden. Daar komt het op neer."

"Jemig, heeft hij geen vrienden?"

"Op het moment niet, nee."

"Nee, dat zal wel niet." Hij legde zijn hand op de hare en voelde een golf van liefde, beschermingsdrang en trots dat hij zo'n goede zoon was door zich heen gaan. Ze keek hem dankbaar aan, hoorde toen Alistair tikkend met zijn stok van de trap af strompelen en knipperde met haar ogen. "Hij komt eraan."

Rosalind gedroeg zich alsof haar man daadwerkelijk gevaarlijk was, hoewel hij er niet sulliger uit had kunnen zien toen hij binnensjokte. Hij probeerde nonchalant te grijnzen – een soort aanhoudende vertrekking – en tikte daarna met een zwierig gebaar met zijn vingers op het aanrecht, wat zijn hartslag prijsgaf. "Goeiemorgen, lieverd", zei hij, niet in staat haar aan te kijken.

Rosalind nam haar volle koffiekop mee naar de gootsteen, gooide hem leeg en waste hem af. "Goeiemorgen."

Ze luisterden naar het gezoem van de koelkast.

"Hemel, het is al kwart over tien", zei Alistair. "Zullen we zo gaan, Luke?"

"Wat? Nu al?"

"Over een minuutje of twintig, dacht ik zo."

"Moet je niet ontbijten, pap?"

Alistair keek vluchtig naar Rosalinds rug. "Nee, ik denk het niet. We kunnen beter maar meteen gaan, dacht ik zo." Hij bleef staan.

"Oké", zei Luke. "Nou, dan eet ik deze toast nog even, als dat mag, en dan gaan we daarna."

"Goed, goed. Dat klinkt goed. Ja."

Hij liep nogal stijfjes naar de hal en na een paar tellen riep Rosalind: "Ik heb wat koffers klaargezet, Alistair." Ze aarzelde even en zei toen nog sneller: "De oude schoolkoffers van Luke en Sophie. Ze staan op de overloop. Ik dacht dat ze wel handig zouden zijn om dingen in mee te nemen."

Alistair haastte zich terug de kamer in. "Dat is ... Dat is heel attent van je, lieverd."

"Graag gedaan", zei ze, terwijl ze zich weer van hem weg draaide.

Tegen elf uur gingen ze op weg naar Dover. Luke had vóór deze ritjes naar Dover zijn vader nog nooit ergens heen gebracht en merkte dat hij nauwgezet in de spiegels keek en zijn handen over het stuur bewoog, als een beginnend bestuurder die Alistairs goedkeuring zocht.

Maar Alistair merkte er niets van; de bestuurderskunsten van zijn zoon lieten hem koud, omdat hij bezig was zijn longen met heerlijke lucht te vullen. Toen ze wegreden voelde hij zich opstijgen, trappelend richting het stralende oppervlak. Hij ademde diep in. Hij voelde zich zo opgelucht dat hij glimlachte, en hij hoopte onmiddellijk dat zijn zoon het niet had gezien. Luke had hem een dag eerder om een suf item op het journaal zien lachen en leek zijn vader een paar seconden vol afschuw te aanschouwen voor hij hem meedeelde dat het eten klaar was. Alistair zag in dat het zeer ongepast was om te glimlachen.

Maar het feit bleef dat het vandaag een prachtige dag was, en de glimlach kwam terug. Aangezien de hindernissen van het eerste bezoek aan Dover uit de weg waren geruimd en zijn naam al een paar dagen niet meer in de kranten genoemd was, begon hij zich steeds minder verbonden te voelen met die gebeurtenissen in zijn leven. Hij voelde zich goed zolang Rosalind er niet was, zolang hij het gezicht van zijn vrouw niet kon zien. Hij was zich ervan bewust dat dit emotioneel gezien lomp was, maar zo was het. Misschien had hij een of andere inzinking en zou de herinnering aan die valse kalmte later de storm extra doen uitkomen.

Alistair vermoedde dat hij een zenuwinzinking zou moeten hebben, dat dat moreel gezien de enige gepaste reactie was. Maar in zijn hart wist hij dat hij volkomen gezond was. Machteloos grijnsde hij naar de volmaakt blauwe lucht en zei: "Wat een schitterende dag."

Luke tuurde door de voorruit. "Hmn, maar het zou weleens bloedje heet kunnen worden."

De rest van de reis luisterden ze naar de radio. Die bracht Chopin ten gehore en Alistair vond het rustgevend om zich te laten rijden door zijn zoon en als een dromerig kind uit het raam te staren. Op deze manier at en dronk hij ook, nam hij zijn lunch van Rosalind aan met jongensachtige dankbaarheid en een kleine glimlach, die meteen zijn emotionele nalatigheid overbracht, zijn onvermogen om onder ogen te zien wat hij met hun volwassen relatie had gedaan.

Toen Luke en Alistair Dover naderden reden ze tussen buitenlandse nummerplaten en auto's met linkse besturing. Billboards maakten in het Frans en Engels reclame voor hamburgers en milkshakes van McDonald's. Flessen citroen- en limoensap van het merk Lisco konden voor slechts 1 euro of 75 pence per liter aangeschaft worden. Omdat het augustus was, waren talrijke vakantiegangers met hun auto op weg naar de veerbootterminal; vele vervoerden een compleet gezin en een grote stapel opeengepropte koffers, zonnehoeden en strandballen. Op de achterbanken zaten verveelde kinderen te slapen met enorme zakken chips in hun armen, en verhalenbandjes met ijdele volwassen stemmen – een eentonige woordenbrij – waren uit open ramen te horen toen de auto's vaart minderden voor het verkeersplein. Overal om hen heen waren niet alleen de tekenen van reizen, maar ook van import en export te zien. Voor en achter hen reden vrachtwagens met uitbundige slogans in het Nederlands, Frans en Spaans op hun gigantische zeildoeken.

De zee en de kliffen kwamen in zicht toen ze bij het verkeersplein aankwamen en achter het zonnige waas, ergens aan de horizon, lag Europa.

"Je zou bijna vergeten dat je op een klein eiland woont, hè?" zei Luke. "Maar hier voel je het wel. Het is alsof je op het randje van Engeland bent. De laatste buitenpost."

"Ja, ik weet wat je bedoelt. Ja", zei Alistair, die altijd weer verbaasd was wanneer zijn zoon een opmerking maakte die van enige fijngevoeligheid getuigde.

Luke zag dat er een of andere demonstratie bezig was bij de veerbootterminal. Hij onderscheidde nog net een menigte en wat borden met protestleuzen. Twee enorme vrachtwagens voor hen bulderden de haven in en Luke hield de richting van het centrum aan.

Ze reden York Street in, richting het stadhuis. Ondanks het dreigende begin was het een aangenaam warme middag geworden. Het tafereel in het centrum zag er zonnig en alledaags uit: jonge moeders achter kinderwagens, stuurs kijkende groepjes jongeren, twee oude vrouwtjes die krampachtig elkaars arm vasthielden bij het zebrapad, en een reusachtige vent in een hemd die zijn hand omhoogstak en voor hun auto langs de straat over rende, waarbij zijn buik over zijn riem heen schokte.

Het viel hun allebei op dat mensen hier zichtbaar fleuriger gekleed en dikker waren dan in Londen. Feloranje, grasgroen, pijnlijk roze T-shirts strak om enorme behaloze borsten en vetrollen. Alistair keek naar vrouwenhanden vol goedkope ringen en mannenarmen vol tatoeages die voorbijflitsten langs het zijraam. Ze hielden bierblikjes, chocolade-ijsjes en sigaretten vast. Ieder gezicht scheen iets te kauwen of door te slikken wat uit een felgekleurde verpakking kwam.

Goedkoop eten deprimeerde Alistair. Hij staarde naar wat hem voorkwam als opvallende armoede. Deze suikerige, kleurige overvloed toonde eigenlijk een gemis aan, het gemis van het vermogen om in de voorbijflitsende mediabeelden te kunnen onderscheiden wat goed of slecht voor het lichaam was. Rijkdom, aan de andere kant, zou altijd en overal afwezig zijn, een onttrekking aan de massamarkt – zo puur als bronwater, onopvallend als een marineblauwe kasjmieren jas.

Dertig jaar geleden spraken de stem en de kleur van het volk uit publiederen en het streven naar 'Nieuwe! Luxe!' goederen, maar deze in het oog lopende veranderingen waren teweeggebracht door de tijd en de tv. Hij schudde zachtjes zijn hoofd toen hij terugdacht aan het bovennatuurlijke ontzag waarmee zijn moeder naar een Amerikaanse koelkast snakte. In die tijd was hij er heel boos en radeloos van geworden. Hij had zich verstikt gevoeld door de materiële grenzen van hun verlangens.

Maar ze zagen er altijd zo blij uit. Dover barstte van deze overvloedige menselijke energie. De dikke jonge moeders zagen er stukken gelukkiger uit dan de vermagerde joggers in Holland Park. Ze lachten en glimlachten in de drukke straat net zoals ze dat gedaan hadden toen hij daar voor het laatst was. Hij zag in hoe neerbuigend hij deed, maar zijn relatie met de plaats waar hij was opgegroeid, was altijd zo ongemakkelijk geweest. Hoe kon het ook anders, nu zijn onverwachte intelligentie hem tot vervreemding veroordeeld had?

Was hij als baby verwisseld? Hij herinnerde zich de uitgebreide fantasieën die hij in die trant geconstrueerd had: de vermogende professor die met uitgestrekte armen voor de deur stond en hem 'zoon' noemde.

Maar zijn moeder was toch echt zijn moeder; hij had haar neus en handen en voeten. Daar viel niet over te twisten.

Uiteindelijk was hij het zowel heerlijk als afschuwelijk gaan vinden om de superieure buitenstaander te zijn. Het was eenzaam om zijn ambities als enige gezelschap te hebben en nooit met iemand het enthousiasme over een boek te kunnen delen, behalve dan met een of twee leraren op school, wat hem altijd een makkelijk doelwit voor pestkoppen had gemaakt. En hoe ouder hij werd, hoe ongemakkelijker hij zich voelde. Het werd steeds moeilijker om met zijn oude vrienden mee te doen, met zijn moeder en Geoff en Ivy, die shandy dronken in de tuin. Zonder te begrijpen waarom, had hij naarmate de eenzaamheid groeide steeds meer ontzettende scènes geschopt over de noodzaak om ongestoord te kunnen leren. Hij had zijn boeken op de tafel gesmeten en gezegd dat niemand begreep hoe moeilijk het was om een beurs voor Oxford in de wacht te slepen, maar dat hij het verdomme tóch voor elkaar zou krijgen. Zijn moeder zei hem dat hij die onbehoorlijke taal niet in dit huis mocht gebruiken, en hij schreeuwde en raasde tegen haar hoe weinig ze om zijn genialiteit gaf of zijn plannen begreep.

Uiteindelijk geloofde iedereen hem op zijn woord en liep zwijgend en op de tenen langs zijn kamerdeur. Hij stierf bijna van de rust.

Alistair schudde het hoofd en glimlachte. Wat had hij een groot deel van zijn leven alleen achter zijn bureau doorgebracht, luisterend naar verre feestgeluiden!

Hij keek naar buiten, naar de zonovergoten stoep, de boodschappentassen en kapsels, en dacht: misschien maakt het niet veel uit wat je aspiraties zijn, zolang ze van tijd tot tijd maar verwezenlijkt worden. Een Amerikaanse koelkast, de nieuwste gympen, een huis met vijf slaapkamers in Holland Park. Misschien waren er alleen maar arbitraire verschillen. Misschien was succes uiteindelijk meer een kwestie van toenemende spanning dan dat het echt iets betekende.

Als dat waar was, wat had hij dan een lange weg moeten gaan om zich dat te realiseren. Of wat een korte weg, dacht hij, terwijl ze Maison Dieu Road in reden.

"Nou, we zijn er, pap", zei Luke.

"Hemel, ja. Dat heb je snel gedaan. De taxateur komt pas om kwart voor twee. Zullen we eerst ergens gaan lunchen?"

"Ik vind het best. Waar moeten we heen? Jij kent het hier."

"Ja, dat zou je wel zeggen, maar mijn kennis kan een beetje verouderd zijn. We kunnen naar de White Horse – de straat uit, en dan meteen links. Daar is een kleine parkeerplaats, geloof ik. Daar wás in ieder geval een kleine parkeerplaats."

Ze kwamen bij de pub aan, naast een vervallen kerk op de hoek van een T-splitsing. De ene weg leidde naar het kasteel en de kliffen, een andere richting de zee en de derde naar het centrum. Alistair zuchtte: "Mijn god, ik ben hier in geen ..." maar hij klemde zijn lippen op elkaar in plaats van een aantal te geven, wat zijn zoon toch niets gezegd zou hebben. Het zou hém eigenlijk ook niets gezegd hebben. Hij tilde zijn zere been uit de auto en staarde met een nog altijd licht schuddend hoofd de weg af.

Luke begon te beseffen dat zijn vader op een dag een oude man zou worden. Hij had Alistair nog nooit gewond gezien en zijn mankheid en de wandelstok waren een soort voorproefje van zijn oude dag. Het was angstaanjagend en tegelijk op een vreemde manier spannend om hierover na te denken.

"En, kun je het je allemaal nog herinneren, pap?" vroeg hij oprecht nieuwsgierig. "Na al die jaren?"

Zijn vader had een afwezige glimlach op zijn gezicht. "O, helemaal." Alistair pakte zijn wandelstok uit de auto en sloot het portier. "Kom op, vroeger hadden ze hier goede kost."

De White Horse was eind jaren negentig door een kinderloos Australisch echtpaar dat een troetelproject nodig had, overgenomen. De man stond samen met zijn vrouw achter de bar. Ze waren gebruind en gespierd, in tegenstelling tot hun rozig-witte Engelse cliëntèle. De man wees uit het raam naar de tuin van de pub. "Komen jullie om te lunchen? Buiten doen we een barbecue, als je van garnalen, steak of kip houdt."

Dit was duidelijk niet de White Horse die Alistair zich herinnerde. Luke zag de schrik op zijn vaders gezicht en kon het niet helpen dat hij plagend ook een duit in het zakje deed. Hij zei: "Op het bord staat dat jullie ook kangoeroesteak hebben."

De vrouw kwam bij hen staan. "Ja, normaal gesproken wel, maar we hebben net een gezelschap van acht personen gehad die alles opgegeten hebben. Grote, gulzige jongens!"

"Kangoeroesteak?" vroeg Alistair.

"Ja, het lijkt een beetje op varkensvlees." De vrouw blaakte van gezondheid en gaf hem een menukaart. "Maar het is helemaal op, *love*", voegde ze er hartelijk aan toe. "We hebben de barbecue buiten, of je kunt uit onze heerlijke broodjes kiezen, als je dat liever wilt."

"Nou, ik weet al wat ik neem. Voor mij graag panino met gegrilde kip en pesto", zei Luke.

"Ja. En voor mij graag ... Voor mij de, eh ... *bloomer* met ei en tuinkers. Wat is een bloomer eigenlijk precies? Een bepaald soort brood, zeker?"

"Een bloomer? Dat is een typisch Engels broodje. Zacht, heerlijk", zei ze. "Je vindt het vast lekker. Met een bloomer zit je goed."

Hij herinnerde zich dat Karen hem gevraagd had wat een quesadilla was. Waarom zat hij goed met een bloomer? De barvrouw beschouwde hem blijkbaar als oud en kreupel, en scheen te denken dat haar bevoogding hem goeddeed.

"Goed. Doe mij er maar zo een, alstublieft, alleen met ei en tuinkers. En een groot glas Old Simpson. Dat hebt u toch wel?"

"Ja, zeker. Dat is een lekkere, traditionele Engelse cider."

"Maak er maar twee van", zei Luke.

De vrouw glimlachte eerst naar Luke en daarna naar Alistair, terwijl ze de pinten tapte. "Vader en zoon?"

"Ja", zei Alistair op zijn hoede.

"Wat lijken jullie op elkaar, als ik dat zeggen mag. Niet alleen de vorm van de neus en zo, maar ook de lichaamstaal!" Ze lachte.

Luke en Alistair keken naar zichzelf en daarna naar elkaar, en zagen dat ze allebei in precies dezelfde houding stonden: Luke leunde op een barkruk en Alistair op zijn stok, beiden met één arm hoog op de borst gevouwen, de hand onder de oksel en het hoofd gebogen. Ze vonden allebei een reden om hun houding te veranderen.

"Ah", ging ze verder. "Vader en zoon gaan gezellig samen lunchen in een pub." Ze zette de tweede schuimende pint op de bar. "Alsjullieblieft, mannen." Haar hand schoot netjes naar voren voor het geld.

Ze droegen de drankjes naar een tafel in een koele, donkere hoek.

"Kangoeroesteak", zei Alistair. Ze lachten en Luke stak een sigaret op.

"Een beetje veranderd, zeker, pap?"

"Ja. Maar niet meer dan ik, denk ik." Hij zuchtte.

In veertig jaar was Dover erg veranderd. En toch was het, net als de foto van zijn grijsharige moeder, in wezen hetzelfde gebleven. Het stadscentrum en de gebleekte boulevardhotels, de kliffen en het Kanaal zelf waren de wezenlijke botstructuur.

En de mensen? Hij vroeg zich af hoe Ivy Gilbert er nu uitzag. Hij had haar nog niet gesproken nadat ze gebeld had en Rosalind van de dood van zijn moeder op de hoogte had gesteld. Hij had de makkelijke weg gekozen en haar geschreven in plaats van terug te bellen en de stem van een geest te horen. Maar natuurlijk zou hij haar op een gegeven moment moeten opzoeken, en als er te veel tijd verstreken was om dat uit liefde te doen, dan eenvoudigweg uit beleefdheid.

Ivy moest nu een heel oude vrouw zijn. Het roerde hem dit te denken en hij wist dat zijn affectie in werkelijkheid in al die jaren onveranderd was gebleven. Die was al die tijd door hem meegedragen en had op wonderbaarlijke wijze overleefd, als een liefdesbrief met ezelsoren in de zak van een soldaat. Zou die goeie ouwe Geoff nog leven, vroeg hij zich af. Hij wilde niet dat Ivy alleen was. Niet helemaal alleen... zoals zijn moeder.

"Ik vraag me af waar die demonstratie voor was", zei Luke, "bij de boulevard."

"Demonstratie? Ik heb niks gezien."

"Ja. Er stonden zo'n dertig mensen met borden bij de veerbootterminal. Ik kon alleen niet lezen wat erop stond."

"Daar zijn vaak dingen aan de hand. Meestal voor dierenrechten, geloof ik. Protesten tegen levende export."

"Ik denk dat ik even ga kijken terwijl jij met de taxateur praat. Is dat goed? Ik heb wel zin om een stukje te lopen."

"Ja, natuurlijk. Dit is allemaal heel saai voor je", zei Alistair. Hij schaamde zich nu hij zich ineens zo verplicht voelde jegens zijn zoon. Hij keek hoe Luke van de cider dronk met zijn blik op niets in het bijzonder gericht. Het was eigenlijk niet benijdenswaardig, die verloren blik van de jeugd. "Luke, bedankt dat je me wilde brengen vandaag", zei hij. "Jammer dat we de vorige keer niet zoveel gedaan hebben gekregen. Ik denk dat ik een beetje, eh ... in de war was. Sorry dat je nog een keer dat hele eind moest rijden."

Het was een vreemde omkering van rollen, maar ook dat vond Luke niet vervelend. Hij voelde zich volwassen en uiterst redelijk toen hij zei: "Dat geeft niet, pap. Jullie hebben mij ook vaak genoeg ergens heen gebracht. Alleen al die rugbywedstrijden."

"Ja", zei Alistair, maar hij was zich ervan bewust dat bijna altijd Rosalind degene was geweest die dat had gedaan. Hij had de nauwelijks versluierde competitiegeest van de andere ouders onverdraaglijk verachtelijk en deprimerend gevonden. En sport betekende niets voor hem omdat het geen intellectuele prestatie was; die bracht je nergens, leerde je niets. Je liep alleen maar over een veld heen en weer. Door te doen alsof hij het te druk had met werk had hij bijna alle autopicknicks, Rosalinds worstenbroodjes en *Scotch eggs* en het juichen in de regen voorbij laten gaan. Daardoor had hij ook bijna al Lukes overwinningen gemist. In plaats daarvan hoorde hij ze bij het eten liefdevol verkeerd verteld worden door Rosalind. Luke bloosde dan en corrigeerde haar: "Het was niet de enige try, mam. Stephen Falconer heeft er ook twee gescoord."

"Nou, meneer Sanderson zei dat jíj de wedstrijd had gered, lieverd. Echt waar, Luke."

Alistair keek nu hoe zijn zoon zijn sigaret doofde en bedacht dat hij hem eigenlijk totaal niet kende. Kon deze opmerkelijke vertoning van verdriet, het gewichtsverlies, het huilen 's nachts, in zijn kamer, echt allemaal om een meisje zijn? "Rugby of geen rugby, ik ben je evengoed dankbaar, Luke", zei hij, wetende dat dit niet was wat hij eigenlijk had willen zeggen. Toen zag hij dat hun eten onderweg was en was hij blij dit ongewone gesprek te kunnen beëindigen.

Na de lunch zette Luke Alistair af bij het oude pension. De taxateur, een dunne man in een ietwat glimmend grijs pak, stond op de stoep te wachten met een klembord onder zijn arm. Vanuit de auto keek Luke hoe zijn vader hem begroette en binnenliet.

Luke vond het huis er afzichtelijk uitzien, met de grauwe vitrage en donkergroene verf die in grote krullen van alle kozijnen afbladderde. De voortuin was een en al onkruid en er was afval in gegooid. Een zwarte vuilniszak flapperde in de heg. Minstens de helft van de mozaïektegels op het pad naar de deur ontbrak. Het was een ontzettende bouwval, waar het waarschijnlijk hartstikke vochtig was, en Luke vroeg zich af of zijn vader er überhaupt wel iets voor zou kunnen krijgen.

Hij wist wel iets van onroerend goed, want hij had tenslotte zelf twee appartementen in Londen gekocht. Oké, zijn vader had voor het eerste gedokt, maar Luke had er veel winst mee gemaakt door het op het juiste moment te verkopen. Vandaar dat hij het tweede appartement als het resultaat van zijn eigen inspanningen zag. Het gaf hem grote bevrediging.

Hij zuchtte en hoopte dat zijn vader helder nadacht over de verkoop van dit krot. Hij wist niet zo goed waarom hij er tijdens de lunch niet over begonnen was, aangezien dit toch een terrein was waarop hij zijn vaders aandacht waardig had kunnen zijn.

Maar hij kon zich nooit doen gelden waar Alistair bij was. Hij werd wat Alistair besloten had dat hij was: de domme sportieveling die niet eens zoveel verstand van wijn had als zijn zus.

Hij keek op zijn horloge en vroeg zich af – zoals elke keer wanneer hij op zijn horloge keek – wat Arianne nu aan het doen zou zijn en met wie. Als hij aan haar dacht proefde hij het eten dat ze at, de sigaret die ze rookte. Hij had niets meer van haar gehoord. Maar ze had ook geen contact met Ludo of een van hun andere vrienden gehad. Ze was verdwenen. Ze was weggerend op haar ongelooflijke benen.

De gedachte aan haar benen zond een lustgevoel door zijn lichaam als een windvlaag door het lange gras, en hij legde zijn hoofd in zijn handen om op te gaan in herinneringen. Ze lag naakt onder hem op het tapijt van de hal, haar benen om zijn heupen geslagen, haar kuiten kletsend tegen de achterkant van zijn dijen alsof hij een winnend paard was. Het was allemaal zo'n heerlijke vertwijfeling geweest.

Maar er waren keren geweest dat de drang nog groter was: wanneer ze zich over hem heen boog en haar hand op zijn borst drukte om te zorgen dat hij niet bewoog, en hij voelde hoe ze een voor een al haar spieren aanspande tijdens een ritueel van hartverscheurende precisie. Het was net zoals je als kind deed wie het langst niet met de ogen knipperde, of donuts eten zonder de suiker van je lippen te likken ... wie zou het eerst toegeven aan de verlangens van het lichaam? Langzaam, heel langzaam, bouwde ze de spanning in hun zenuwuiteinden op en daarna trapte en sloeg ze die rillend en schreeuwend weg.

Het was allemaal heel geweldig geweest; zijn designlampen gingen ondersteboven, wijnflessen rolden over de vloer en lieten woeste stromen vloeien en ze schreeuwden allerlei gepassioneerde onzin zonder zich erom te bekommeren wat het betekende of wie het door de muren heen zou kunnen horen. Uiteindelijk viel ze uitgeput op het kussen naast hem neer en zei: "Dank je, schatje" met haar kinderstemmetje.

Vanwaar dat kinderstemmetje? vroeg hij zich af. Dat had hij altijd enigszins onheilspellend gevonden, behorend tot het domein der dingen die hij niet van haar begreep, net als haar woede-uitbarstingen en plotselinge huilbuien.

Eén ding dat hij absoluut zeker wist, was dat hij nooit meer zoveel lichamelijk genot zou ervaren als met Arianne. Ze had een talent voor complete sensuele ongeremdheid dat hij bij geen enkel ander meisje met wie hij naar bed was geweest, had gezien. Hij had ook nog nooit een meisje horen huilen zoals zij dat kon. Ze huilde net zo overvloedig als dat ze vrijde. Hij had zich tegenover haar droefheid even onbekwaam gevoeld als tegenover haar sensualiteit en had niet geweten hoe hij haar kon helpen wanneer ze balkte en wiegend haar knieën vasthield.

Hij had haar keer op keer teleurgesteld. Op het laatst leek ze hem nog het meest te haten wanneer ze huilde en hij zijn domme, onbeholpen hand op haar rug legde. Ze schudde hem eraf en zei: "Rot gewoon op, Luke." Een keer, tijdens een van hun laatste ruzies, had ze hem daadwerkelijk in zijn gezicht geslagen.

Meisjes konden echt slaan. Luke wist dat doordat zijn zus hem ook een keer had geslagen. Niet gewoon kinderachtig gestoei, maar een echte klap, een paar jaar geleden. Sophie had met een vegende backhand zijn wang en neus geraakt na een ruzie over wie de afstandsbediening kwijt had gemaakt en wie bovendien het verwendst en onverantwoordelijkst was. De klap maakte een petsgeluid als in een stripboek en zijn neus begon te bloeden. Hij staarde naar het geschrokken gezicht van zijn zus en zei: "Wat ... wat ...", tot ze in tranen de kamer uit rende.

Luke dacht: wat nou als vrouwen de man in wezen als vijand zien en hem eigenlijk alleen maar willen vernederen en vernietigen?

Maar ... hij hield van vrouwen! Namen ze wraak op de man vanwege al die jaren van stofzuigen en koken? Hij had het idee op het randje van het ultieme inzicht te staan en wreef over zijn hoofd en in zijn ogen. Daarna dacht hij liefdevol aan Lucy, die dingen zei als: "O, wat ben je toch een heerlijke man, lieverd", wanneer ze zijn overhemd losknoopte en door het haar op zijn borst woelde. Hij dacht aan zijn moeder en de manier waarop ze hem die ochtend in de keuken had omhelsd, op hem vertrouwde.

Nee, alleen gestoorde vrouwen haatten mannen. Hij vroeg zich af of zijn zus net als Arianne goed in bed was en besloot onmiddellijk dat dat zo was. Dit was een uiterst verontrustende gedachte en hij stapte gauw de auto uit, sloeg het portier dicht en sloot hem af.

Hij liep richting de menigte op de boulevard. De demonstratie was gegroeid. Zestig of zeventig mensen stonden bij de jachthaven met borden met protestleuzen te schreeuwen. Hun fysieke woede voelde voor Luke onwerkelijk. Hij had zoveel nachten op internet gesurft dat het echte leven net een complexe website leek, en hij voelde zijn wijsvinger naar 'Klik hier' schieten wanneer hij een deur opende of iets wilde pakken. Internet, de tv, en de maanbeschenen zwijgzaamheid van zijn ouders waren ver verwijderd van deze luide stemmen en opgeheven vuisten.

"Weg! Weg! Weg ermee!" riepen ze.

"Weg, weg, weg ermee!
Dat is een beter idee!"

Toen hij dichtbij genoeg was, las Luke wat er op de protestborden stond:

Illegale Invasie!
Ga lekker naar Frankrijk!
Dover is geen Asielzoekerscentrum!

Het was een van de demonstraties waarover zijn tante Suzannah had verteld dat ze ze op het nieuws had gezien; een mengelmoes van lokale bewoners en leden van nationalistische groeperingen die campagne voerde tegen de instroom van asielzoekers. Hij had over de nieuwste politieacties gehoord waarbij politieagenten mensen-sensoren gebruikten om smokkelaars op te pakken wanneer ze van de veerboten af reden. Ze gingen met de apparaten langs de zijkanten van vrachtwagens, waar ze het geluid van een menselijke hartslag konden detecteren.

Luke staarde naar de mensenmassa met de roze gezichten en dichtgeknepen boze ogen in de zonneschijn. Op een muur bij een tv-camera en een verslaggever zat een meisje in een strak T-shirt met een swastika erop. Ze had grote ronde borsten die het afstotelijke symbool vervormden; haar benen waren dik, wit en stevig. Ze wierp een blik in Lukes richting en de gedachte aan oogcontact met haar beangstigde hem zo dat hij met gebogen hoofd voorbijliep. Twee mannen met petten waarop RED DOVER stond liepen bruusk langs hem heen, hun lichamen al afgestemd op de kracht van de demonstratie. Een politiehelikopter cirkelde en gonsde dreigend boven hun hoofden. De plastic schilden van de bereden politie weerkaatsten het zonlicht alsof ze van ultramoderne ridders waren, terwijl hun paarden schudden en stampten.

Luke liep voorbij de menigte en bleef staan bij een van de boulevardpensions waar drie tienermeisjes stonden te roken en op veilige afstand toekeken. "Matt staat er ook tussen", zei er een, terwijl ze met haar weerspiegelende zonnebril richting de menigte knikte.

"Jah?"

"Jah. Vanmorgen zijn megaspandoek gefixt."

"Jah? Matt? Wat staat erop?"

"Hij heeft een van mams lakens gejat, ze flipte, man."

"Wat stond erop, Michelle? Wat heeft hij erop gezet?" vroeg het meisje dat er het jongst uitzag.

"Er stond: TUIG DE POT OP EN NIET IN DOVER."

"Waar slaat dát op?"

De andere twee lachten en rolden met hun ogen naar elkaar.

"Asielzoekerstuig? Valt het muntje al, Saz?"

"Shit, ik ben nog brak van gisteravond." Ze schudde met haar hoofd alsof haar nek vastzat.

"Dat zeg je altijd. Weet je dat je dat altijd zegt?"
"Nee."
"Nou, dat is echt zo. We moeten er eigenlijk ook bij gaan staan. Vind je ook niet, Jem?" Een stukje verderop hielden twee politieagenten een jongeman staande en ze vroegen hem zijn zakken leeg te maken. De een doorzocht zijn portemonnee terwijl de ander toekeek hoe hij dingen uit de zakken van zijn spijkerbroek haalde en in een pantomime van shockerende onschuld omhooghield.
"Niet doen, Michelle", zei Saz, die naar dit schouwspel keek. "Dat is gevaarlijk."
"Ooo", lachte het andere meisje. "Moet je horen wie er net als haar mammie klinkt. Haar heilige, linkse mammie."
"Kom op, echt niet", zei Saz, die maar al te goed wist dat ze, in tegenstelling tot haar ongewoon geestdriftige moeder, alleen maar bang was voor lichamelijke pijn.
"Jah. Mijn vader zegt dat jouw moeder een geschifte linkse is. Ze zou al het uitschot zo binnenlaten en alle banen en huizen in Dover aan ze geven. Ze zou ze zelfs haar eigen bed nog geven. Heeft ze weer wat geld voor een ijsje."
Michelle en Jem lachten.
"Echt niet, dat zou ze nooit doen", zei Saz. "Dat is gelul. We háten ze."
Jem spuugde plotseling haar kauwgom op straat en zei: "Ze moeten fikken op de brandstapel. Ze zouden het hele zootje met een benzinebom moeten bekogelen, de profiteurs." Ze keek Saz recht in de ogen, alsof net was uitgekomen dat het haar schuld was en dit het moment van de waarheid was. "Ze pakken verdomme al onze banen en geld af", zei ze, "en brengen aids met zich mee."
Luke liep snel van hen weg langs de boulevard. Hij had nog nooit zoiets gehoord. Engelse mensen die zo konden haten. Meisjes die zo konden haten. Jonge meisjes, niet ouder dan veertien. Achter hem schreeuwde de menigte: "Weg, weg, weg ermee!", en hij liep zo snel als hij kon, tot de woorden niet meer verstaanbaar waren.
Hij nam een slingerweg terug naar het stadscentrum, waar het veiliger voelde. Hij kon niet geloven dat zijn vader hier was opgegroeid. Hij liep langs de speelhal met fruitautomaten en de lommerd met zijn beschroomd uitziende horloges, ringen en televisies, en de 'Alles onder £1'-winkel, waar je stofdoeken, plastic wasmanden, haarlak en sloffen kon kopen. Er hing een zweterige lucht van uien en hamburgers in de frituur en in een nabijgelegen straat liet een ijscowagen zijn melancholische, tingelende muziek horen.

Wanneer Luke aan zijn eigen jeugd, opleiding en ouderlijk huis dacht, wist hij dat hij die overal waar hij ging met zich mee droeg. Zijn moeders smaak was zichtbaar in de keuze van zijn stropdassen, zijn vaders professionele autoriteit zat achter zijn vermogen om in een restaurant eten dat niet goed was terug te sturen; zijn overwinningen in schoolsporten hadden hem het fysieke zelfvertrouwen gegeven waarmee hij een deur openzwaaide of een sleutelbos ving die vanaf de andere kant van een kamer naar hem toe werd geworpen. In welke mate had zijn vader zijn verleden toegestaan tot de vorming van zíjn persoonlijkheid bij te dragen? Als hij zo om zich heen keek, zou hij het niet kunnen zeggen.

Het was nooit eerder bij Luke of Sophie opgekomen dat hun vader nooit over zijn jeugd had verteld en alleen vaag had gezegd dat hij op een school in Sussex had gezeten die ze toch niet kenden. Luke veronderstelde dat Sophie zich ook een vrij kleine kostschool had voorgesteld – een beetje zoals hun scholen, maar dan kleiner. Maar het leven van zijn vader was totaal anders dan het hunne geweest. Hun vader was arm geweest. Hij was alleen met zijn arme moeder opgegroeid in het soort huis waar arme mensen in woonden, met vochtplekken, roest en versleten meubels.

Wat betekende het om zoveel van jezelf te verbergen? Deed je je dan niet als iemand anders voor? Even had Luke het gevoel dat hij beroofd was. Hij maakte zichzelf bang, haalde zich zijn vader voor de geest en vroeg zich af: wie ben jij?

Maar Luke had onlangs reden gehad om zich er scherp van bewust te worden hoe makkelijk het was om niet jezelf te zijn, om een vervalsing of benadering van jezelf te worden. Hij had het gevoel dat hij niet meer zichzelf was geweest sinds Arianne was weggegaan. Hij herinnerde zich zelfs onmiskenbaar het gevoel dat hij nooit zichzelf was geweest tot de dag dat zij in zijn leven was gekomen. Dit betekende dat hij (behalve in de buurt van zijn vader, in wiens aanwezigheid hij altijd een verlegen, onhandig en hatelijk iemand was) in totaal zo'n twaalf weken zichzelf was geweest.

Twaalf weken, in al zijn achtentwintig levensjaren. Dat was ronduit belachelijk. Toch? Hij vond het maar niets – en zijn moeder zou er ook zo over denken – dat andere mensen zo chaotisch en onevenwichtig waren als hijzelf was gebleken.

Onbewust was hij weer richting de boulevard gelopen en de aanblik van het brede, platte Kanaal werkte troostend na zijn complexe gedachten. Hij bleef staan en stak een sigaret op.

"Pardon, hallo? Hebt u gratis sigaret, alstublieft?" klonk een buitenlandse stem. Luke draaide zich vliegensvlug om en zag een lange, zwartharige man met diepe groeven in zijn voorhoofd. Hij droeg een vrouwenparka over een armoedige blauwe trui. Om een wond aan zijn pols was een vuile zakdoek gewikkeld. Op de muur een stukje bij hem vandaan zat een meisje dat er uitgehongerd uitzag. Iets gemeenschappelijks in hun gekromde houding suggereerde dat ze bij elkaar hoorden.

"Ja, tuurlijk", zei Luke, waarna hij in de zak van zijn spijkerbroek rommelde. "Willen jullie allebei?" Hij keek vluchtig naar het meisje. Haar magere benen bungelden als van iemand die vredig zat te dagdromen, maar de hak die van tijd tot tijd drie keer achter elkaar tegen de muur bonkte, gaf haar een gespannen, militairachtig voorkomen, alsof er een marsmelodie in haar hoofd speelde. De man riep: "Mila, *cigaretu*?"

Ze zat naar de zee te staren en eerst leek het of ze in de verte tuurde of haar ogen tot spleetjes kneep vanwege de zon, maar toen ze haar magere gezicht naar hen toe draaide veranderde haar gezichtsuitdrukking niet.

"Bedankt", zei ze toen ze bij hen kwam staan. Luke gaf haar de sigaret en ze wachtte tot hij hem voor haar aanstak, waarna ze weer 'Bedankt' zei op precies dezelfde voorzichtige manier als waarop Luke constant '*Grazie*' zei in Italië, omdat dat eigenlijk het enige was wat hij kon zeggen.

"Spreek je Engels?" vroeg Luke aan haar.

"Heel slecht", zei ze, en ze keek naar de grond.

"Ik spreek", zei de man. Hij stak zijn hand uit. "Goran. Aangenaam kennis te maken."

"Luke", zei Luke, die ietwat van zijn stuk gebracht was door het Amerikaanse accent van de man.

"Dit is Mila."

Het meisje schudde hem verlegen de hand.

"Waar komen jullie vandaan?" vroeg Luke.

"Weet jij Kosovo?" vroeg Goran.

Meteen besefte Luke dat hij niet genoeg naar het journaal keek, dat hij de lange artikelen in de krant oversloeg en dat hij niet genoeg oorspronkelijke meningen kon bijdragen voor etentjes.

"Eh ... ja. Ja ... de oorlog", zei hij onnadenkend. Hij herinnerde zich iets over de Albanezen en de Serviërs en een stukje over een meisje met een geweer op haar rug dat zei dat ze Servië zou verdedigen tot ze dood neerviel in de sneeuw. "Ja, natuurlijk. Natuurlijk ken ik dat."

"Daar wij vandaan. We zijn Serviërs. En jij bent Engels?"

"Ja."

Goran knikte goedkeurend.

"Nogal saai, hè?" zei Luke glimlachend.

"Wat is saai?"

"Gewoon Engels, bedoel ik."

"Sorry ik jou niet begrijp."

"Nee, ik bedoel alleen dat het een stuk interessanter is om uit Kosovo te komen, meer niet, en niet uit het saaie Engeland."

Goran lachte. "Saaie Engeland? Ik hoop het is de saaiste plek op wereld. Daarom wij zijn hier. Wij hebben genoeg van interessante Kosovo."

"Hoor eens, het spijt me ... ik bekijk het niet ..." Zo lang waren de artikelen nou ook weer niet, en zoveel beters had hij nou ook weer niet te doen. Hij las het lifestylekatern, de sportpagina's. Waarom? Omdat hij oppervlakkig was. Daarom had Arianne genoeg van hem gekregen.

Goran zwaaide vriendelijk met zijn hand, wuifde Lukes gêne weg. "Jij woont hier in Dover?"

"Ik? Nee. Hemel, nee. Ik kom uit Londen. Holland Park. Ik ben hier alleen vandaag. Een dagtochtje."

"Ah, ja? Uit Londen?"

"Ja. Zijn jullie daar geweest?"

Goran glimlachte. "Nee, wij pas vierentwintig uur in Engeland."

"Aha. Dus nog niet zoveel tijd gehad om rond te kijken."

Luke luisterde hoe Goran en Mila begonnen te praten, in welke taal ze dan ook mochten spreken. Het gesprek raakte verhit toen Goran het niet eens scheen te zijn met iets wat Mila had voorgesteld. Vreemd hoe je dat eruit kon opmaken. Goran besloot het gesprek streng met: "*Ne*, Mila."

Ze staarde naar hem met haar hongerige ogen en Luke dacht dat ze best mooi zou kunnen zijn als haar gezicht niet zo smalletjes was. Maar ze zag er rusteloos uit, bedreigd. Luke vroeg zich af hoe oud ze was en besloot dat het alles tussen vierentwintig en vierendertig kon zijn.

"Oké. Bedankt voor sigaretten", zei Goran. "Wij moeten nu gaan."

Luke wilde vragen waar ze heen gingen. Hij wilde Goran vragen hoe oud hij was, omdat hij best eens van dezelfde leeftijd als Luke kon zijn, maar veel ouder leek.

Zichzelf met andere mensen van zijn leeftijd vergelijken deed Luke vaak. De talkshows waar hij de afgelopen twee weken geobsedeerd naar had zitten kijken, fascineerden hem in dat opzicht. Om de zoveel tijd verschenen er onder in het scherm kleine omschrijvingen onder de schreeuwende gezichten: 'Shewanda uit Detroit, 21. Moeder van drie.' Ze zagen er allemaal stukken ouder uit dan ze waren en het was voor het eerst in hem opgekomen dat dit met je gebeurde als je een moeilijk leven had, als je arm was. Hij had zijn domme babyface in de spiegel van zijn woonkamer bestudeerd en zich afgevraagd of hij er ouder uitzag nu hij Arianne kwijt was. "Oké, dan. Was leuk jou ontmoeten. Tot ziens", zei Goran, waarbij hij zijn hand opstak.

Luke wilde hem tegenhouden. Hij wilde zeggen: "Sorry, maar waarom zijn jullie naar Engeland gekomen? Willen jullie me over jullie leven vertellen? Want ik lees de lange artikelen in de kranten nooit en ik weet helemaal niets van de wereld." Maar in plaats daarvan stond hij daar maar met een verstijfde glimlach op zijn gezicht, terwijl ze wegliepen in de zonneschijn en zijn sigaretten rookten.

12

"U begrijpt natuurlijk dat het gebouw in slechte staat is, meneer Langford", zei meneer Wilson, de taxateur. "Er is optrekkend vocht, schimmel – zowel droog als nat – en aanzienlijke constructieschade aan het dak. Ook moet ik u helaas meedelen dat het sanitair er slecht aan toe is en ..."

Deze opsomming had iets obsceens. Het voelde voor Alistair bijna alsof het lichaam van zijn moeder bekritiseerd werd in plaats van haar huis. Haar versleten handen, haar pijnlijke heupen en rug, de enkel waar ze altijd last van had gehouden nadat ze hem verstuikt had toen ze geprobeerd had de kolen naar binnen te dragen tijdens een sneeuwbui.

"... en ik ben bang dat de boiler een museumstuk is", ging hij verder.

"Ja, dat begrijp ik allemaal", zei Alistair. "Waarom stellen we niet gewoon een realistische prijs vast en doen we dit zo eenvoudig mogelijk?"

"Oké. Goed, ik zal u natuurlijk nog een gedetailleerde specificatie geven, maar ik denk dat we er met een beetje moeite 40.000 pond voor kunnen krijgen, meneer Langford."

Ineens wilde Alistair hem weg hebben met zijn klembord, zijn specificatie en zijn moeite. Hij wilde alleen zijn met het huis en zijn nostalgie, bevrijd van deze aan aardse goederen gehechte persoonlijkheid in zijn glimmende pak.

"Zoals ik al zei, zal ik u in de komende dagen nog een specificatie sturen, meneer Langford."

"Ja", zei Alistair, terwijl hij hem richting de deur dreef. "Dank u wel. Hartelijk dank." Hij kon het niet laten op de gealarmeerde gelaatsuitdrukking van de taxateur te reageren. "Het spijt me ... Ik heb nogal haast", legde hij uit.

"Aha. Nou, tot ziens dan maar, meneer Langford."

"Tot ziens."

Toen de deur dicht was liet Alistair het vertrouwde licht van de hal op zich neerdalen. Het voelde als drinken. Hij ging met zijn vingers over de oneffen muur, inhaleerde de muffe geur van het oude tapijt en zette daarna zijn gewicht op de tweede tree van onderen om het gekraak van de trap te horen. Hij merkte dat er tranen langs zijn wangen stroomden, wat hem uit meewarige zelfspot met zijn ogen deed rollen en zuchten.

Hij had niet even alleen in het huis kunnen zijn toen Luke en hij er de eerste keer waren geweest en realiseerde zich nu dat zijn zoons aanwezigheid hem deze intense ... wat hij dan ook voelde, bespaard had.

Hij keek naar zijn schoenen op het tapijtpatroon. Zijn moeder was precies op de plek waar hij nu stond gestorven. Hij verplaatste snel zijn voeten, alsof hij op haar graf liep. Daarna ging hij op de trap zitten en keek voor de eerste keer naar de hal als iemand die het huis kende, wiens ogen elk teken van achteruitgang dat ze zagen konden vergeven en liefhebben, zoals je de rimpels op het gezicht van een oude vriend liefhebt.

Zijn moeder had hem een keer geschreven nadat de geboorte van Sophie in de *Times* was bekendgemaakt. Geoff had haar het krantenknipsel laten zien, schreef ze. Alistair herinnerde zich dat Geoff altijd alle geboorten en overlijdensberichten doorlas in alle kranten die hij voor de winkel bestelde. "Voor het geval dat", legde hij altijd glimlachend uit aan de jonge, wiebelende Alistair. "Want het leven gaat door, Al. Overal om ons heen begint en eindigt het", zei hij dan.

Alistair mocht altijd op de toonbank naast de kassa zitten, waar hij zich verlustigde aan de aanblik van de snoepjes voor één penny in hun schitterende regenboog van potten op de planken. Gombeertjes, vliegende schotels, zuurtjes, dropstaafjes, chocoladepastilles en aardbeientoffees. Op de achtergrond bladerde Geoff in een krant, toegevend aan zijn eigenaardige en saaie volwassen nukken. Daarna woelde hij door Alistairs haar en stak zijn goochelaarshand in een van de potten. Geoff kon perendrups tevoorschijn toveren, pepermuntkussentjes ... alles.

"Ja, voor het geval dat." Dan zuchtte hij overtuigd terwijl hij zijn suikervingers aan zijn schort afveegde en de kranten in het rek bij de deur zette. "Het is nog een hele klus om alles bij te houden, het leven en de dood en zo." Uiteindelijk bleek het allemaal te zijn voor het geval dat:

Op 6 juni is geboren:
Sophie Rose Catherine,
dochter van Rosalind (geboren Blunt) en Alistair.

Zijn moeders brief was kort:

> Lieve Alistair,
> In een krantenknipsel dat oom Geoff me heb laten zien las ik dat je vrouw een dochtertje heb gebaard en ik schrijf je daarom nu om jullie te feliciteren en jullie en de kleine alle goeds te wensen. Ik hoop dat jij en je vrouw heel gelukkig bent en dat ze nu behaaglijk en uitgerust thuis is. Grappig dat het me terug doet denken aan toen ik jouw kreeg. We hebben elkaar al heel lang niet gezien, maar ik denk wel aan jouw.
> Het allerbeste,
> Mama

Hij had haar nooit teruggeschreven. Hij had erover nagedacht en zich gewoon niet voor kunnen stellen hoe zijn moeder in zijn leven zou passen, hoe haar alledaagse beslommeringen en sentimentaliteit, haar platvloerse angsten en verbolgenheden (die overduidelijk in haar stuntelige syntaxis naar boven zouden komen) ooit in het vloeiende ritme van zijn nieuwe werkelijkheid zouden passen. Het was toch al te laat. Hij bracht Rosalind naar huis vanuit het ziekenhuis. Ze droeg het elegante marineblauwe pakje dat ze voor de gelegenheid had aangeschaft. Sophie lag in een witte kasjmieren deken op haar schoot gewikkeld. Rosalinds eigen moeder zat streng en ontzagwekkend op de passagiersstoel en haar pareloorbellen blonken als wapenrusting in de zon telkens wanneer ze zich omdraaide om te zien of alles wel goed was.

Toen ze thuis waren ging Alistair naar boven om de brief weg te gooien; hij scheurde het bezwarende bewijs van zijn vroegere ik in duizend stukjes en spoelde die door de wc.

Wat was dát een handeling geweest, en zo impulsief uitgevoerd. Had hij echt geweten wat hij deed?

Hij had Rosalind natuurlijk een versie van zijn jeugd verteld; een schilderachtige versie die zinspeelde op een nobele strijd tegen tegenslagen. Zijn moeder maakte schoon en naaide, vertelde hij haar. "Voor ándere mensen? Als werk, bedoel je?" Rosalind pakte zijn hand beet.

"Ja. Ze moest wel."

Maar ondanks de armoede en het weduwschap die het lot haar had toebedeeld, was zijn moeder gezegend met een aangeboren beschaving en een goede opvoeding en had ze ook geld kunnen verdienen door tot diep in de nacht Franse poëzie en romans te vertalen – literatuur, welteverstaan, geen damesromannetjes. Hij dacht met veel tederheid terug aan hoe ze hem Frans leerde en sonnetten van Shakespeare opzei terwijl ze blouses en rokken van rijke vrouwen verstelde. En nadat ze hem welterusten had gezoend, ging ze achter haar bureau zitten om te vertalen.

Het was allemaal zo schrijnend! De blauwe ogen van zijn vriendin werden vochtig van dit Assepoester-sprookje. Hij voerde haar zelfs het verhaal dat zijn vader in de oorlog zou zijn omgekomen. Dat voelde nog als de ergste leugen van allemaal, misschien omdat het de eerste was die hém ooit verteld was – zijn archetypische leugen, de overvolle bron van alle leugens.

Sommige dingen die hij Rosalind verteld had, waren waar: dat hij naar een gewone middelbare school was geweest en niet naar een kostschool, dat hij gepest was omdat hij meer interesse had voor Grieks dan voor rugby. Maar de echte verwerpelijke details ontbraken. Hij had het pension met de geur van gebakken eieren en slaap eruit gelaten, en de mannelijke gasten die 's nachts met zijn moeder in de keuken dronken en praatten. Praatten en dronken, dronken en praatten, tot diep in de nacht, tot hij niet langer wakker kon blijven om te luisteren en zich zorgen te maken.

Hij vond het nergens voor nodig om die details te vermelden.

Maar zodra hij haar dit verhaal over zichzelf had verteld en het wonder geschiedde – het fijngevoelige, intelligente meisje werd op hém verliefd! – kon hij zich natuurlijk geen ontmaskering permitteren. Het was alsof haar liefde werd behouden door een toverdrankje; als hij het recept slechts gering zou veranderen, zou ze misschien wakker worden en haar mooie ogen openen!

Zijn moeder had haar mond alleen maar hoeven opendoen. Ze zou alleen maar aan haar sherry hoeven nippen en een boer laten of een enkelvoudig werkwoord bij een meervoudsonderwerp hoeven gebruiken en het hele verhaal zou uitkomen. En mensen die sierlijke vertalingen van Racine maakten, zeiden niet 'excusez le mot' nadat ze hadden gevloekt, wat ze om de haverklap deed.

De absolute onmogelijkheid om haar voor te stellen werd vergroot door zijn eigen strijd om door Rosalinds familie te worden geaccepteerd. Ze hadden 'hoge verwachtingen' van Rozzy's huwelijk, had haar vader hem uitgelegd toen Alistair en hij hun uiterst belangrijke eerste gezamenlijke borrel dronken. "Ik neem aan dat je begrijpt wat ik bedoel", zei hij, terwijl hij de cognac in zijn glas ronddraaide. "We hadden gewoon – zoals ik al zei – heel hoge verwachtingen."

"Ja", zei Alistair.

"Welnu, ik weet dat iedereen je als geweldig slim enzovoort beschouwt ..." Rosalinds vader was niet geslaagd voor het toelatingsexamen van Oxford, waarna hij de filosofie had ontwikkeld dat 'gezond verstand' en 'goede manieren' alle andere deugden overtroffen. Hij putte veel verlichting uit de minachting die het leven hem getoond had door te spotten met de 'onhandigheid' van zijn geniale vrouw, of die van ieder ander die geslaagd was waar hij had gefaald. "... maar we moeten wel praktisch blijven", zei hij. "Er zijn bepaalde dingen waar Rosalind door haar opvoeding aan gewend is geraakt. Kleding, restaurants, vakanties. Je kunt best een intellectueel zijn, maar ..."

"Ja, ik begrijp het. Natuurlijk. U moet praktisch blijven."

"En, zonder er doekjes om te winden: wie is jouw familie? We weten helemaal niets van ze."

Dus terwijl hij daar in meneer Blunts werkkamer zat met een sigaar in zijn hand die voor hem de sublieme smaak van acceptatie en vormelijkheid had, begon Alistair met de moord op zijn moeder. Hij had geen keus, het was zelfverdediging. Hij gaf haar lymfklierkanker en ze stierf kort voor de verloving werd aangekondigd.

Zes maanden later werd de bruid gekust en werd er gezegd hoe jammer het was dat Rosalind en haar schoonmoeder elkaar nooit ontmoet hadden. Ze drukten de bruidegom de hand en zeiden dat het hun speet dat mevrouw Langford er op die bijzondere dag niet bij kon zijn ... en Alistair, aan wiens blik niets ontsnapte, wist zeker dat hij opluchting op het gezicht van zijn kersverse schoonmoeder zag toen ze een keurig hapje *kedgeree* nam.

Zelf had hij slechts vier gasten op zijn bruiloft. Allemaal acceptabele vrienden van Oxford, onder wie Rosalinds neef Philip, die hen aan elkaar had voorgesteld.

Wat hij nu niet kon begrijpen, was waarom hij na die begintijd van de liefde, waarin ze net als alle stellen beiden geneigd waren tot kinderlijke gevoeligheden, niet gewoon zijn leugenachtigheid had kunnen toegeven en had beëindigd. Hij had er ongetwijfeld openlijk met zijn vrouw over kunnen praten. Dan had ze hem kunnen vergeven en hadden ze samen kunnen beginnen de schade te herstellen. Toch?

Maar als hij aan de afstand dacht die om de een of andere reden altijd tussen hem en Rosalind bestaan had, wist hij dat het niet mogelijk zou zijn geweest. In het moeilijke eerste huwelijksjaar hadden ze die afstand pijnlijk gevoeld wanneer die de rekbaarheid van hun dromen op de proef stelde. Plotseling werden ze dan gedwongen elkaar te zien als niets meer dan een man en een vrouw die samen in een groot bed lagen, in plaats van de 'belangrijke echtgenoot' en zijn 'toegewijde vrouw' in een roman of een advertentie in een chic blad.

Ze hadden al snel geleerd die afstand met het leven te vullen, met het zoeken naar Sophies hamster of Lukes hockeyschoenen, met haastig de achterste kerkbanken in te duiken tijdens de lofzang, met skireisjes en tandartsbezoeken, met precies op het moment dat de lunchgasten in hun auto aan kwamen rijden de zalm uit de huishoudfolie halen en de chablis inschenken. Ze waren jarenlang zeer, zeer druk geweest.

Terwijl hij zichzelf dit vertelde, wist Alistair dat het niet alles was. Hij wist dat er bij tijd en wijle een veelzeggende, samenzweerderige blik in Rosalinds ogen was verschenen wanneer iemand hem vroeg waar hij was opgegroeid of op welke school hij had gezeten, en hij ontwijkend reageerde. Zo nodig morste ze uiterst gelegen net haar drankje, had hulp nodig in de keuken, of herinnerde zich een saaie anekdote als hij geen uitvlucht scheen te hebben.

Wat moest hij van die keren denken? Hij had er niets van gedacht. Hij had ze weggedacht, net als je doet met vlekken op een glas wanneer je heel erge dorst hebt en het water evengoed prima smaakt.

Waar de schoen wrong was dat hij het idee niet kon verdragen dat zelfs Rosalind – zijn eigen vrouw – de waarheid over hem en zijn afkomst wist. Niet omdat ze het aan iemand doorverteld zou hebben, want ze zou omwille van zowel haar eigen belang als het zijne discreet zijn geweest, uit angst voor haar moeders afkeuring en haar zusters voldoening. Hij had het haar niet kunnen vertellen omdat zijn vertoning een algeheel geboeid publiek vereiste en het idee dat haar verbeelding buiten die grenzen zou kunnen zwerven, hem compleet uit zijn rol zou hebben gebracht. Hij moest denken dat ze hem geloofde.

Hij had natuurlijk al over zichzelf gelogen op Oxford voor hij Rosalind ontmoette. Hij verwierf de reputatie een geheimzinnig man te zijn omdat hij met een tragische houding die hij op een moment van inspiratie had aangenomen, gezegd had dat hij er een hekel aan had om 'mammie en zijn kindertijd' te bespreken. Deze verklaring werd natuurlijk met Philips kostschoolaccent uitgesproken.

In het eerste jaar voelde hij zich schuldig, maar dat veranderde. In het herfsttrimester van zijn tweede jaar kwam, na vaak uitstellen van beide kanten, zijn moeder hem opzoeken. Naderhand dacht hij dat hij die ervaring nooit meer te boven zou komen en van toen af aan was hij in staat iedere leugen te rechtvaardigen door zichzelf op te jutten met de verheven omgeving die Oxford was; dan ging hij met zijn vingers langs de boeken en zei tegen zichzelf dat hij te veel te verliezen had. Dit was puur zelfbehoud. Om te overleven moest je hard zijn, dacht hij. Daarbij dacht hij ook dat hij haar, door haar buiten zijn leven te sluiten, beschermde voor hoon. Zijn vrienden zouden na één blik op haar grootmoedig hebben aangenomen dat ze zijn oude kindermeisje of een andere geliefde bediende was. Dat leek hem ondraaglijk.

Toen hij haar na haar bezoek op de trein zette, voelde het alsof er een wild dier achter slot en grendel werd gezet. Alleen wist hij niet zeker of zij of zijn nieuwe leven het wilde dier was.

Ze was om vier uur aangekomen met een ordinaire groene hoofddoek om en voelde zich 'zo ziek as een papegaai'. Hij zag onmiddellijk dat haar schoenen behoorlijk versleten waren. Hij sleepte haar zo snel als hij kon weg met de smoes dat ze zijn kamer na de late lunch wel konden bekijken. Dan zou Philip naar de kerk zijn en John had donderdag aan het eind van de middag zijn economiecollege.

Het gekke was dat zijn behoefte om zijn moeder voor zijn vrienden te verbergen, gepaard ging met het verlangen haar met hen te imponeren. Het was ideaal geweest als hij haar door een gat in de muur had kunnen laten kijken hoe hij en zijn maten na het eten samen in zijn kamer geestig en scherpzinnig deden. Hij wilde zeggen: "Dít ben ik nou, mam. Dít is waarom ik thuis niets voorstelde ... Ik had dit alles nodig om tot bloei te komen."

Terwijl ze de trap naar de Victoria Tea Rooms op liepen gaf hij aan zichzelf toe dat hij iets van boosheid voelde en dat hij misschien zelfs wel – stiekem – zijn moeder een beetje wilde intimideren. Hier ging Philip altijd met zijn ouders naartoe als die op bezoek waren. In Dover vond je zoiets niet. Hij zag haar verstijven toen ze tussen het chintz, de spiegels en ruwe zijde door naar binnen liepen. Ja, hij wilde haar laten weten hoe ver hij van haar vochtige keuken gekomen was. Hij zag haar ogen groter worden bij de aanblik van de kroonluchter en het servies, en ja, hij wilde haar zijn Lapsang Souchong-geraffineerdheid inwrijven. Hij was er zeker van dat ze niet wist dat je goede Chinese thee zonder melk behoorde te drinken.

Maar ondanks dit alles – en tegelijkertijd – had hij samen met haar naar iets eenvoudigers willen gaan, waar ze misschien ongedwongen had kunnen glimlachen en praten. Waar ze zijn breedheupige, rauwe moeder had kunnen zijn met haar grijns en haar intolerantie van idioten, en met de stevige knuffels die ze hem gaf als hij na uren van onmenselijke strijd een kraan had gerepareerd of een plank had opgehangen. Ze kon hem zo'n trots gevoel geven – was dat maar een keer voor iets waar hij écht goed in was! Hij gaf haar een menukaart en wilde plotseling iets van de schade die hij had berokkend door haar mee te nemen naar de Victoria Tea Rooms ongedaan maken. "Ze hebben hier heerlijke scones", zei hij. "Gewone, naturel. En lekkere jam."

"O ja? Het is hier heel chic, Al."

"Niet echt, mam."

"Het zal wel ontzettend prijzig zijn."

"Hoor eens, ik betaal, dus maak je daar maar geen zorgen over. Ik heb je toch verteld dat ik die opstelwedstrijd gewonnen heb? Vijf pond. Je hebt mijn brief toch wel gekregen?"

"Ja. Dat was een verrassing, hè? Goed gedaan, Alistair."

Ze had hem niet geschreven om hem te feliciteren en zijn gezicht werd rood van woede om de verlate lof nu hij die eindelijk ontving, verdord in zijn hand.

"Ik heb van tweehonderd andere mensen gewonnen", zei hij, walgend van de schaamteloosheid van zijn verlangen naar haar goedkeuring. "Logisch positivisme, eigenlijk best een interessant onderwerp."

"Het klinkt ontzettend ingewikkeld. Dat gaat me boven mijn pet. Al, denk je wel dat mijn kleren goed genoeg zijn voor hier binnen?"

Hij zuchtte. "Daar kraait geen haan naar, mam." Maar het was nog niet bij hem opgekomen en hij keek vluchtig ongemakkelijk rond naar de tweedrokken en parels van de andere vrouwen. Viel ze op? Hij wist niets over de juiste kleding voor vrouwen. Hij wist wel dat de hoofddoek fout was, maar die had ze nu gelukkig in haar tas gestopt. Misschien was het maar beter om op te schieten.

"Wat wil je hebben, mam?" vroeg hij.

"O, bestel jij maar wat, lieverd. Zolang het maar geen broodje braadvet is."

"Dat hebben ze hier toch niet."

"Nou, ik denk dat ik maar eens op zoek ga naar de wc." Ze zette een spottende, bekakte stem op en knipoogde naar hem. "Wilt u mij even excuseren, ik moet mijn neus poederen."

Hij kromp ineen voor het geval iemand het gehoord had. Hij had er toen nog geen begrip van hoe dapper ze deed. Hij bezat tenslotte zijn jeugdigheid, en zijn hersencapaciteit die hem tegen de hokjesgeest beschermde. Maar zij liep ongewapend de volle lengte van de gepolijste vloer over en werd door iedere tafel aangestaard omdat duidelijk van haar koperkleurige, met henna geverfde haar tot haar handen zonder handschoenen te zien was dat ze nou niet bepaald een dame was. Ze beefde ondanks haar innerlijke verbolgenheid.

Toen ze de overkant van de ruimte had bereikt, zag Alistair dat ze een brede en opzichtige revuemeisjesglimlach opzette en een van de serveersters aansprak, en hij kon alleen maar denken: alstublieft, God, laat haar 'toilet' zeggen en niet 'wc'.

De lunch was een ramp. Ze spraken bijna alleen maar over het eten, dat ze allemaal mysterieus of te duur en exotisch vond. Er viel een stuk komkommer van haar brood op haar schoot en omdat ze niet wist wat ze ermee behoorde te doen, stopte ze het in de zak van haar vest en zei nogal onbesuisd dat ze het altijd nog kon opeten als ze in de trein trek zou krijgen. Alistair raakte zelf zo geagiteerd dat hij een grote schep slagroom langs zijn scone op zijn schoen gooide en met zijn zakdoek moest opvegen. Ze waren net een stel dierentuindieren, dacht hij. Zijn moeder maakte het compleet door zich tegenover de ober te verontschuldigen dat ze de servetjes gebruikt hadden. "Eeuwig zonde", zei ze terwijl hij hun borden weghaalde, "ze waren zo prachtig gesteven en geperst." De jongeman glimlachte minzaam.

Toen hij weg was zei Alistair met op elkaar geklemde kaken: "Waarom zei je dat van die servetjes, mam? Daar zijn ze voor. Jij hebt er net zoveel recht op om ze te gebruiken als ieder ander."

"Ja, lieverd. Dat weet ik", zei ze afwezig.

Pas toen merkte hij dat ze haar handtas op schoot had en iets wat erin zat met haar rechterhand vasthield. Het was haar retourtje. Met een mengeling van oprecht medeleven en bijna heerlijke martelaarschap verzuchtte hij: "Je bent zeker uitgeput? Dat kan haast niet anders."

En terwijl hij haar de uitvlucht aanbood, voelde hij het volle gewicht van zijn eenzaamheid op zich neerkomen. Ze glimlachte zichtbaar opgelucht. "O ... nou, best wel, lieverd. Dat heb je goed. Ik ben ontzettend moe. Ik was al om vijf uur wakker om de kamers te doen."

"Nou, dan wil je misschien wel een trein eerder nemen?" vroeg hij, en onmiddellijk zocht ze in haar tas naar de dienstregeling.

"Weet je, ik denk dat dat maar beter is. Ja, laat ik een trein eerder nemen."

"Wil je de universiteit niet zien, mam? En mijn kamer?"

"Volgende keer, lieverd. Ik kom gauw weer. Misschien kunnen Ivy en ik er dan een leuk dagje van maken. Een echt uitstapje." Ze kneep in zijn arm, maar ze wisten allebei dat dit slechts illusie was. Natuurlijk zou ze niet nog eens komen.

Wat was hij stom geweest. Ze hadden naar een klein cafeetje kunnen gaan waar ze koppen thee met worstenbroodjes of andere eenvoudige sandwiches hadden kunnen nemen en dan had hij alles over thuis gehoord. Hij had graag over thuis gehoord, want al haatte hij het nog zo, hij miste het ook. Hij miste tante Ivy en ome Geoff en de boulevard en de suikerige koffiebroodjes van de Igglesdon Square Bakery. Hij miste de zeldzame ogenblikken waarop hij zijn moeder had geholpen een rekening of ander document te begrijpen en ze "Wat ben je toch een slim kereltje" zei, waarbij de hoge toon van geluk letterlijk pijn deed aan zijn oren en hij uit elkaar barstte van trots.

Hij had gehoord dat Martin, het 'echte neefje' van Ivy en Geoff, een paar maanden bij hen logeerde terwijl hij in de leer was bij een plaatselijke ambachtsman. Alistair had nog steeds waanzinnig veel ontzag voor Martins gevierde timmerkunsten en het nieuws vervulde hem dan ook met jaloezie en bezorgdheid. Deze grootse, kolossale lieveling zou de herinnering aan hem volkomen doen vervagen. Geen wonder dat zijn moeder geen haast had gehad bij hem op bezoek te komen.

Toen Alistair jong was logeerde Martin altijd in de zomervakantie bij zijn oom en tante. Martin was de oudere, gespierdere jongen die zei dat hij af en toe met zijn vader een glas bier dronk en zwoer dat hij regelmatig met meisjes zoende. Toen Alistair veertien was had Martin Alistairs moeder eens een cadeautje gebracht. Het was een zeeleeuw die hij uit eikenhout gebeiteld had. Ze was nog nooit zo blij geweest, en Alistair, die al de hele week het grote nieuws bewaarde voor de eerste dag van de zomervakantie, zei niets over de uitslag van zijn geschiedenisproefwerk: het hoogste cijfer dat ooit op zijn school was voorgekomen.

Waarom was hij zelfs nu hij aan Oxford studeerde nog steeds van zijn stuk gebracht wanneer hem een 'schitterende' tafel of een 'prachtige' boekenkast werd getoond die zijn oude maatje Martin gemaakt had?

Hij had zijn moeder naar haar eerdere trein gebracht en was terug naar de universiteit gelopen. Hoewel hij wist dat zijn herinnering in zijn poging zichzelf te rechtvaardigen waarschijnlijk overdreef, wist hij nu hij eraan terugdacht zeker dat hij die avond met een stel vreemden in de eetzaal van de universiteit had gezeten. Philip en John en de anderen waren naar een etentje voor oud-leerlingen van Eton.

Toen Luke geboren werd verwachtte Alistair half dat hij weer iets van zijn moeder zou horen, maar het bleef stil. Ze had het opgegeven. En hij stopte ermee aan haar, het pension en Dover te denken.

Het geluid van de deurbel drong door in zijn overpeinzingen zoals een wekker je in een diepe slaap bereikt; eerst was het alleen een geluid, pas daarna kreeg het betekenis. Alistair keerde terug naar het heden, stond op en opende de deur. Het was zijn zoon.

"Pap?" zei Luke. Zijn zoon keek geschrokken en Alistair herinnerde zich dat hij gehuild had en dat dat waarschijnlijk nog aan zijn gezicht te zien was. Hij draaide zich vlug om en veegde zijn ogen droog terwijl Luke hem achternaliep de keuken in.

"Helemaal klaar met de taxateur", zei Alistair. Het papierwerk lag uitgespreid op de keukentafel en ze keken er allebei vluchtig naar.

"Nou, dat is mooi", zei Luke.

"Ja, dat is tenminste gebeurd."

"Dus nu hoeven we alleen nog maar te pakken?"

"Ja. Ik geef het grootste deel aan de kringloop. Maar er zijn een paar dingen waarvan ze wilde dat de Gilberts ze zouden krijgen, als aandenken. Foto's en dergelijke. Niets kostbaars."

"Je houdt toch zelf ook wel wat?"

"Ik ... Dat heb ik nog niet echt besloten."

"Nee. Natuurlijk. Nou, zullen we dan maar aan de slag gaan? Ik haal de dozen wel even uit de auto."

Luke glimlachte vriendelijk naar hem en Alistair voelde een steek van medelijden met zijn zoon, die er veel moeite mee moest hebben het allemaal te begrijpen. "Luke?"

"Ja?"

"Hoor eens, je hoeft me echt niet per se te helpen, hoor. Er zijn toch geen zware dingen die opgetild en gedragen moeten worden. Alleen maar wat oude troep uitzoeken. Ik zat te denken", zei hij, hoewel het eigenlijk pas net bij hem opkwam, "als je wilt, kun je me hier ook een nachtje achterlaten en me morgenmiddag weer komen halen. Tegen die tijd heb ik het wel klaar en kun jij alles voor me in de auto zetten en ons terug naar huis brengen."

Lukes hart ging sneller kloppen van vreugde.

Alistair moest zijn glimlach onderdrukken; de gevoelens van zijn zoon waren net zo doorzichtig als die van zijn grootmoeder waren geweest.

"Weet je dat zeker? Ik bedoel, red je je wel?"

"Natuurlijk red ik me wel. Dit is allemaal nogal deprimerend voor je."

"Nee, nee. Het was ... best."

“Nou, toch denk ik dat je liever met je vrienden uitgaat.”

“Oké. Ja”, zei Luke, terwijl hij dacht dat hij niets minder graag zou doen – behalve dan hier bij zijn vader te blijven – dan met zijn vrienden uitgaan. Zijn vrienden, van wie er een paar hem vanuit een kroeg gebeld hadden om hem de deur uit te lokken, leken high te zijn van een of ander fout opwekkend middel dat hen emotioneel gezien toondoof maakte. Ze hoorden niet eens de subtiele reikwijdte van zijn verlangen naar Arianne, en naast hen zitten en luisteren naar de kletterende klanken van hun geklets over hun onenightstands, over hun promoties, hun feestjes en huizenjacht en nieuwe auto’s zou een kwelling zijn. Zijn moeders droefheid bezat tenminste muzikaliteit.

“Leg jij het aan mama uit?” vroeg Alistair.

“Ja, dat zal ik doen.”

“Ik zal later vanavond natuurlijk nog wel even bellen, maar ... nou ja, ik moet haar niet steeds bellen. Het is beter als jij zegt dat ik hier blijf en dan bel ik later wel om alleen even welterusten te zeggen.”

“Ik leg het wel uit.”

“Dank je.”

Alistair werd enorm zenuwachtig – half van opwinding, half van angst – van het idee dat hij alleen zou zijn met de spullen van zijn moeder, vrij om ze met een zuiver geweten te bekijken, zoals dat met de bezittingen van de overledenen kan.

Luke reed snel weg. Toen hij aan het einde van de straat kwam zag hij twee gedaanten op de muur bij de heg zitten. Het was het Servische stel aan wie hij nog geen halfuur geleden sigaretten had gegeven. Weer werd hij overspoeld door nieuwsgierigheid naar hen. Hij bracht de auto tot stilstand en deed het raampje naar beneden. “Nogmaals hallo. Alles oké?”

“Ja, alles goed met ons. Wij moeten hier wachten om ...” Goran balde zijn vuist en trok een grimas.

“Vanwege de demonstratie? Die mensen daar?”

“Ja. Zij gooiden fles naar Mila.”

“Wát?”

Het meisje had haar hand voor haar linkeroog en toen ze die liet zakken zag Luke dat het oog rood was.

“Ja. In haar gezicht.”

“Mijn god. Dat spijt me.”

“Het is niet jouw schuld”, zei Goran.

“Eh ... kan ik jullie misschien ergens heen brengen? Ik ga naar Londen. Zijn jullie daarmee geholpen?”

“Ja”, zei Mila, waarna ze smekend naar Goran keek.
“In Londen wij vinden werk”, legde Goran uit.
“Nou, prima. Dan breng ik jullie toch? Dan kan ik jullie bij jullie vrienden afzetten, of waar jullie dan ook logeren. Scheelt jullie een treinkaartje ... en het is echt geen probleem.”
“Probleem?”
“Ik bedoel dat het makkelijk is. Geen enkele moeite.”
De man en het meisje keken elkaar aan en geleidelijk aan nam Gorans gezicht de hoopvolle uitdrukking aan die zij hem toezond. “Weet jij zeker?” vroeg hij.
“Ja, natuurlijk. Waar logeren jullie nu? Zullen we jullie spullen ophalen?”
“Dit is alles. Alles wat wij hebben.”
Luke nam de halfgevulde zwarte vuilniszakken die bij hun voeten stonden in zich op. Daarna stapte hij de auto uit met de sleutels in zijn hand. “Nou, stap maar in. De centrale vergrendeling doet het alleen niet.”
“Wij kunnen het in de *trunk* zetten”, zei Goran enthousiast.
“De *trunk*? Ja.” Luke glimlachte toen hij de kofferbak opende.
“Wat is grappig?” vroeg Goran.
“O, niets. Alleen maar dat je ‘trunk’ zei. In Engeland zeggen we *boot*. Trunk is Amerikaans, volgens mij. Maar dat maakt helemaal niet uit.”
“Jawel, het maakt wel uit.”
“O, nee, echt ... Dat kan niemand wat schelen.”
Goran keek Luke even recht aan. “Zo jullie verliezen jullie taal.”
“O, zo heb ik het nooit bekeken”, zei Luke, terwijl hij het achterportier opende.
Mila glipte zwijgend naar binnen met haar hand nog voor haar oog. “Bedankt”, zei ze daarna.
“Geen dank. Graag gedaan, echt waar.”
Goran was zichtbaar bezorgd om Mila en zei dat hij bij haar op de achterbank ging zitten. Toen ze Dover uit reden passeerden ze twee televisiewagens. Het scanderen was nu luider en aanhoudend: ‘Weg ermee! Weg ermee!’ In de achteruitkijkspiegel zag Luke Mila door het raampje turen naar de menigte, met hun bekladderde bedlakens en kartonnen borden met lompe spelfouten:
GA TRUG NAAR FRANKREIK!
WEG MET VUILE PROVITEURS!
Luke zag dat Goran er niet op lette; hij hield zijn blik strak naar voren gericht en sloeg zijn arm stevig om Mila heen.

13

Ze reden al zo'n veertig minuten op de snelweg toen iemand voor het eerst iets zei. De besloten ruimte had het gevoel dat ze elkaar niet kenden vergroot. In de achteruitkijkspiegel zag Luke Goran uit het raam staren naar de voorbijflitsende velden, bomen en auto's. Mila sliep tegen zijn schouder. Uiteindelijk zei Luke: "Jullie zullen wel vreselijk moe zijn."

Goran beantwoordde zijn blik in de spiegel en glimlachte. "Ja, het was lange, slechte reis."

"En dan ook nog al het geschreeuw – de fles en alles – toen jullie hier aankwamen. Wat afschuwelijk." Luke keek vluchtig naar zijn handen op het stuur. "Wil je nog een sigaret?"

"Bedankt, Luke ... zou graag willen, maar nee. Dan ik maak haar wakker. Zij moet slaap. Mila is ziek."

Vlug stopte Luke de sigaretten terug in het zakje van zijn overhemd. "O nee, het arme kind! Wat heeft ze?"

"Zij heeft slechte koorts. Al drie dagen. Jij ziet zij is heel mager."

"Goran, je moet met haar naar een dokter. Echt, hoor." Er kwam geen antwoord. Luke zei: "Je weet dat je daar niet voor hoeft te betalen of zo? Dan weet je dat dat geen probleem is. Niet zoals in andere landen, waar het goud geld kost als je geen reisverzekering of wat dan ook hebt. Niet dat jullie op vakantie zijn, natuurlijk. Je begrijpt wel wat ik bedoel."

Goran sloeg even zijn ogen neer en zei daarna kalm: "Luke, jij begrijp wij hier zijn illegaal? Wij hebben geen paspoort. Dat weet jij?"

Luke beet op zijn lip. "Ik ... Ik wist het niet zeker."

Goran knikte. "Nu jij weet het zeker. Wil jij dat wij uitstappen?"

"Nee! Hemel, nee. Natuurlijk niet. Nee! Ze kunnen het toch niet aan jullie zien, toch?"

"Nee", zei Goran lachend. "Bedankt, Luke."

Een enorme vrachtwagen rees even naast hen op. Door de smalle latten snoof een onwaarschijnlijk aantal natte dierensnuiten de lucht op. Waren het koeien? Kleine paarden? Toen haalde de vrachtwagen hen in en stuwde strosprieten die in de turbulentie achter de uitlaat gevangen werden en rondwervelden de lucht in.

"Goran?" vroeg Luke.

"Ja?"

"Als we straks in Londen zijn, hebben jullie daar dan eigenlijk wel vrienden waar jullie kunnen logeren?"

"Nee." Goran zag een motor voorbijkomen en tuurde om te zien wat voor model het was.

"Ik nam aan ... Waar moeten jullie slapen?"

"Dat weet ik niet. Maar dan wij zijn wél in Londen."

Luke moest glimlachen van trots om Gorans enthousiasme. Maar dit gevoel sloeg al snel om in lichte schaamte. "Ja, maar jullie kunnen toch niet op straat slapen?" zei hij.

"Ach, beter dan veel plaatsen wij geslapen hebben. En veiliger dan mijn bed thuis in Priština."

Luke bestudeerde het gespannen, sombere gezicht.

Toen zwaaide Goran met de achterkant van zijn hand naar de lucht. "En is ook nu warm in Engeland."

"Nou, 's nachts is het niet zo warm, Goran. En Mila is ziek."

"Ik denk zij redt het wel", zei hij, terwijl hij haar haar streelde. "Slechtste tijd is nu voorbij voor ons. Nu wij kunnen beginnen."

Luke staarde voor zich uit naar de weg. Hij had – afgezien van de kampeertochtjes van school – nog nooit in de openlucht geslapen, behalve die ene keer, een paar uur, toen hij zijn sleutels had vergeten en te stoned was om zijn ouders wakker te maken en met hen te kunnen praten. Hij had zijn jas onder zijn hoofd gevouwen en was out gegaan. Toen ze naar beneden kwam voor de zondagskrant vond zijn moeder hem, in elkaar gezakt voor de deur. Ze had een echt Engels ontbijt voor hem gemaakt, herinnerde hij zich, en hij had het voor elkaar gekregen dat ze bijna in tranen was geweest door de gedachte dat hij alleen maar buiten had geslapen om haar nachtrust niet te verstoren. Ze zei dat hij 'vreemd' rook – naar Ludo's hasjiesj – en hij vertelde haar dat hij in een erg rokerige pub was geweest en de hele avond eigenlijk alleen maar naar huis had gewild. Ze kuste hem steeds maar op zijn hoofd en woelde door zijn haar. Zijn vader en Sophie moesten ergens anders geweest zijn. Het was heerlijk. Hij hield heel veel van zijn moeder.

Luke haalde een auto met aanhangwagen met een kleine speedboot erop in. Een man met blauw stekelhaar zat achter het stuur en dronk uit een bierblikje.

De radio was bezig met de top tien: "En op nummer acht, een knalgoeie nieuwe binnenkomer van Heather de Wayne, *U... R... My World...*" Een geluidswaterval van drukke klanken volgde.

Luke zette hem af. "Jullie kunnen echt niet op straat slapen", zei hij. "Dat kán gewoon niet." Even overwoog hij om ze zijn appartement een paar dagen te laten gebruiken, maar dat was onmogelijk. Het appartement was een tijdscapsule, een onschendbaar heiligdom voor hem en Arianne. Meer hierom stelde hij het niet voor dan omdat hij geen idee had of hij ze kon vertrouwen. Nee. Zijn maag trok samen van misselijkheid bij het idee dat andere mensen – wie dan ook – daar zouden verblijven. Zelfs hij kon niet zonder haar terug naar dat appartement. Óf ze zouden er samen wonen, óf hij zou het verkopen. Het voelde goed om op deze apocalyptische manier te denken; het omvatte alle kracht die hij niet gehad had toen ze samen waren.

Plotseling voelde hij een vlaag van opwinding. "Zeg, ik heb een idee", zei hij. "Achter in de tuin van mijn ouders staat een tuinhuisje, een soort klein appartement. Dat hebben we nooit echt gebruikt. Het is niet heel mooi of zo. Ik bedoel, het staat vol oude tuinmeubels en zo, maar het heeft tenminste een dak en een douche en een toilet ... en ik weet dat die werken, want dat toilet gebruiken we als we een tuinfeest hebben. Hoe dan ook, ik zit net te denken dat jullie daar wel een nachtje of twee kunnen slapen. Je weet wel, als ..."

"Luke, ik ..."

"Als jullie daar wat aan hebben. Maar luister: mijn ouders mogen het niet weten."

Luke wist dat het onmogelijk was om Rosalind en Alistair te vragen ermee in te stemmen volslagen vreemden onder hun dak te laten slapen. Tien jaar geleden hadden ze het misschien toegestaan als hij had gezegd dat dit oververmoeide stel vrienden van een vriend was, maar nu zouden ze bang, geschokt en verward raken door het verzoek. Luke was zich ervan bewust dat zijn eigen perspectief ongewoon was. Arianne had hem roekeloos van geluk gemaakt en nu ook roekeloos van ellende. Maar hoewel híj best roekeloos kon zijn, was het voor zijn ouders iets anders. Naast de spanning van de recente gebeurtenissen waren ze al langere tijd bezig een nieuwe kwetsbaarheid te ontwikkelen.

Met een soort droeve nieuwsgierigheid was het Luke opgevallen dat zijn ouders steeds minder goed tegen de onverwachte impact van de mensheid bestand waren; een telefoontje tijdens de lunch of spontaan bezoek op zondagmiddag kon hen uit balans brengen, zorgde ervoor dat ze elkaar in een soort paniek of gemeenschappelijk smeken aankeken. Hoe kon hij dit opzettelijk teweegbrengen ... zeker nu? In tegenstelling tot Sophie, die zich mateloos aan deze 'neurose' ergerde, begreep hij die wel. Instinctief wist hij diep vanbinnen dat het gewoon het zoveelste teken van ouder worden was. Hij wist gevoelsmatig wat verstandelijker uitgelegd zou kunnen worden. Hij had gemerkt dat zijn ouders de sterren, de seizoenen en elkaar op hun plaats moesten houden door kleine wilsinspanningen, kleine handelingen van onverzettelijkheid, nu conventie het langzamerhand van de dood aan het verliezen was.

Luke schudde stevig zijn hoofd. "Mijn vader en moeder ... Ze ... Nou ja, ze hebben nogal wat meegemaakt de laatste tijd ... Zo is het gewoon makkelijker. Jullie zullen wel stil moeten zijn en niet het licht aandoen als het donker wordt en zo. Hebben jullie daar iets aan?"

Goran kneep zijn ogen dicht. "Zeker! Ja, daar hebben wij zeker wat aan. Luke, bedankt."

Luke voelde zijn hart zwellen van voldoening. Hij deed zijn knipperlicht aan en minderde vaart terwijl hij op de linkerstrook ging rijden. "Kom", zei hij, "laten we eerst wat te eten voor jullie halen bij dit wegrestaurant. Ik kan wel een kop koffie gebruiken en ik wed dat jullie trek hebben."

Goran liet zijn hoofd zakken, maar toen hij weer opkeek was het met een oprecht dankbare glimlach en een zucht van opluchting. "Ja", zei hij. "Wij twee dagen niet gegeten."

"Mijn god. Nou, we zijn er bijna. Ik trakteer jullie op een welkom-in-Engeland-lunch. We kunnen wel beter dan die nare demonstratie. Ik snap niet dat mensen zoiets doen."

"Zij zijn gewoon bang", zei Goran. "Alle mensen zijn hetzelfde."

Het wegrestaurant doemde als een enorme boog van futuristisch optimisme voor hen op. Op het eerste gezicht leek het een antwoord op iedere mogelijke menselijke behoefte te beloven. Reusachtige oplichtende reclameborden kondigden merknamen aan in extatische lijsten, alsof het beroemde acteurs in de hoofdrol waren. Er waren een drogisterij, een benzinestation en een boekenwinkel, twee fastfood-restaurants, een hal met videospelletjes, een zonnebrillenwinkeltje, een krantenkiosk, een koffiebar, een kleine pub en een Easy-Dine Cafeteria, een keten waar Ludo's familie veel aandelen in bezat. (Ze hadden met z'n tweeën vaak moeten lachen om dat waar Ludo naar verwees als 'Easy Money', makkelijk verdiend geld.)

Luke reed rond op zoek naar een plaatsje. Het parkeerterrein stond vol met allerlei soorten auto's, zo nu en dan en motor of caravan en een paar enorme touringcars, die mobiele advertenties voor zichzelf waren: 'www.splendorofeurope.com', 'www.twilight-tours.co.uk', 'www.Best-years.com', stond erop.

Het leek of honderden oude mensen elkaar tussen de auto's door en om de buitenspiegels heen over het asfalt hielpen. Bij twee van de bussen zag Luke twee ongelooflijk veel op elkaar lijkende vrouwen met gespannen gezichten met felle lippenstift op en een felle lange broek aan. Ze stonden allebei te zwaaien met een stok met een gekleurde rozet erop. De een had een groene en de ander een gele. Witharige mannen en vrouwen in beige, zachtroze en duifgrijs baanden zich een weg richting de fellere kleuren.

Toen Luke een parkeervak op reed riep een klein kind vlak naast hem: "Papa! Papa!", en hij schrok zich rot. Eerst zag hij het kind niet. Een man deed de auto naast hen op slot, daarna boog hij zich voorover en tilde een jongetje van een jaar of drie, vier op zijn schouders. Het jochie had een korte broek aan en een wit T-shirt met groene vlekken erop. De man was ongeveer even oud als Luke. Lukes welvarende, hoogopgeleide, niksende vrienden in Londen maakten het voor hem mogelijk te vergeten dat mensen van zijn leeftijd al vader werden. Het jongetje zei: "Papa, mag ik op de brandweerauto?"

De vader merkte dat er naar hem gekeken werd en hij grijnsde als volwassenen onder elkaar. "Altijd een duur geintje, die stops hier", zei hij.

Luke stapte uit de auto en sloeg het portier nonchalant dicht. "Je reinste geldklopperij", zei hij, waarna hij lucht langs zijn voorhoofd blies en met zijn ogen rolde alsof hij ook vader was – een vader die net als deze man met geldzorgen worstelde, niet iemand wiens ouders hem nog steeds meenamen op vakantie en hem zeiden dat hij een vriend mee mocht brengen. Niet iemand die vijfduizend pond aan een suède bank had uitgegeven.

Een heftig ritme van schaamte klopte door hem heen toen hij ze zag weglopen. Het verlies van Arianne zorgde ervoor dat hij met een nieuw soort nederigheid in contact met de wereld kwam. Hij besefte dat hij zich niet immuun, niet langer speciaal voelde, wat bijna onmiddellijk ondraaglijk schrijnend was.

Goran en Mila kwamen de auto uit. Mila rekte zich uit en Luke zag hoe dun haar armen waren, bijzonder dun. Ze was zo dun als Sophie zich soms maakte met haar gestoorde gedieet. Mila's breekbaarheid was wonderbaarlijk; het maakte haar op de een of andere manier heilig. Ze was een wonder na haar reis, zoals een klein artefact in de rugzak van een archeoloog.

"Oké. Laten we naar de cafetaria gaan", zei hij vastberaden. "Daar kunnen we wat warms eten en even zitten."

Toen ze erheen wilden lopen viel Goran bijna om en moest hij de auto vastgrijpen. Zijn gezicht was erg bleek geworden en zijn stoppelbaard stak er meelijwekkend tegen af. Het donkere haar groeide schaars verspreid over zijn uitstekende jukbeenderen en deed Luke denken aan de plukken onkruid die je soms tussen Franse of Italiaanse snelwegen zag groeien. Hij had ooit bedacht dat het was alsof die planten daar louter in het droge asfalt en tussen het dubbele geraas van verkeer groeiden om je eraan te herinneren dat de natuur sterk was. Mila stak haar schouder onder Gorans arm.

"*Nema problema*, Mila. *Ja sam* OK", zei Goran. "Sorry, Luke."

"Doe alsjeblieft niet zo raar. Jullie zijn allebei uitgeput. Kom op, vlug naar binnen met jullie", zei hij. Terwijl hij dat zei bedacht hij hoe geweldig zijn stem klonk nu hij hier met goede bedoelingen op aandrong, de vriendelijke autoriteit. "Eet zoveel als je wilt", zei hij, en hij spreidde zijn armen uit. "Eet het hele restaurant leeg, als je dat wilt." Hij legde zijn hand op Gorans schouder en Mila glimlachte intens dankbaar naar hem. Deze onverwachte mogelijkheid tot vrijgevigheid zorgde ervoor dat Luke zich nuttig en opgetogen voelde. Wat was het geweldig om twee jonge mensen te kunnen helpen! Stukken aangenamer dan zich voortdurend af te vragen wie nu zijn armen om Arianne had en in wiens onderlip ze in haar opwinding beet.

Hij had sinds zijn studententijd niet meer in een zelfbedieningsrestaurant gegeten en zelfs toen slechts op de zeldzame momenten dat hij met zijn vrienden tijdens een van hun zwerftochten ongelooflijke trek had gekregen nadat ze lachwekkende hoeveelheden heroïne hadden gerookt. Sinds die tijd was het eten er enorm op vooruitgegaan. Hij herinnerde zich dat hij zich machteloos had volgepropt met stevige gebakken eieren en witte bonen in tomatensaus die waren uitgedroogd onder de lampen, met vreselijk halfbakken ijswafels, wasachtig chocolade-ijs, cola zonder prik en bittere oploskoffie met kleine zakjes melkpoeder. Maar Engeland scheen dat soort eten niet meer te produceren. Jessica zei dat men het opstandige standpunt tegenover continentale sensualiteit had opgegeven.

Nu leek er uit een groot aantal uithoeken van de wereld iets te vinden te zijn: Ierse stoofschotel, coq au vin, couscous, pastei met rundvlees en niertjes, kip tikka, champignonrisotto, Zweedse gehaktballetjes. Op een bord dat op een schoolbord leek werden de gerechten vermeld in een modern, handgeschreven lettertype.

Op een ander schoolbord stonden ijsjes, aardbeiencake, custardvla, New Yorkse kwarktaart en tiramisu tussen de andere 'Zoete Lekkernijen!'. Er waren rijen met plastic vitrines waaruit je porties die al op borden waren gelegd door de doorzichtige luiken kon pakken. Op het 'koude-dranken-eiland' naast de kassa stonden flessen chardonnay en bier, cola, sinaasappelsap, appelsap, mineraalwater, guarana-ontbijtdrank en citroen-limoensap light.

Goran en Mila gingen met hun dienbladen in de rij staan, terwijl Luke regelrecht naar de koffiebalie liep en een cappuccino en een muffin met stukjes witte chocola erin bestelde. Toen hij omkeek om te zien of alles goed was met de anderen, zag hij dat Goran regelmatig slikte omdat hem het water in de mond liep bij de aanblik van al dat warme eten. Weer voelde Luke zijn hart sneller kloppen van – er was geen ander woord voor – een soort liefde. Naastenliefde. Hij vreesde met grote vreze dat Goran en Mila niet genoeg eten zouden nemen, dat ze zich beschroomd zouden voelen vanwege de kosten en straks evengoed nog trek zouden hebben.

Ze móésten eten, dacht hij. Beseften ze wel hoe absurd rijk hij was vergeleken met hen? Terwijl hij op zijn koffie wachtte, tikte hij met zijn vingers op de aluminium balie en vroeg zich af hoe hij ze kon overhalen genoeg te pakken. Een cappuccino zo groot als een soepkom werd voor zijn neus gezet. "Chocola, kaneel, vanille of nootmuskaat?" vroeg de jongen hem, en hij wees naar het rek met strooisels.

"Hij is goed zo", zei Luke. Hij pakte het dienblad op en haastte zich naar de afdeling 'Zin in een toetje? (Verwen jezelf eens!)'. Hij koos een kaasplankje, wat stokbrood en een paar plakken vruchtencake die iets internationaals over zich leken te hebben – in tegenstelling tot de aardbeiendrilpudding, die, zo dacht hij, weleens een belediging voor het Servische gehemelte zou kunnen zijn. Hij had drilpudding zelf nooit lekker gevonden. Als laatste voegde hij er twee appels, een zakje geroosterde pinda's en een kingsize Bounty aan toe.

Goran liep weg van de warme-maaltijdrij, waar Mila nu geholpen werd. Hij keek de ruimte rond. Luke ging in zijn gezichtsveld staan, trok een clownesk gezicht en tilde zijn dienblad in de lucht, maar toen Goran terugstaarde was dat met een afstandelijkheid die aanvoelde als een koude windvlaag. Het was alsof hij was vergeten hoe Luke eruitzag, alsof de contouren van de zoveelste verwende Engelse jongen met een roze gezicht zijn bewustzijn niet hadden bereikt.

Onzeker probeerde Luke de glimlach nogmaals en terwijl hij het blad in zijn linkerhand hield hief hij zijn andere hand iets op en zwaaide. Goran schudde zijn hoofd, alsof hij had staan dromen, en grijnsde daarna uit herkenning. Maar Luke wist dat hij even zijn betekenis had verloren. Hij voelde zich lichtelijk gekleineerd toen hij naar de kassa wees. Goran en Mila kwamen met hun dienbladen naar hem toe en zetten ze naast dat van hem op de lopende band.

"Dit ... eh, hoort allemaal bij elkaar", zei Luke bijna fluisterend tegen de caissière, terwijl hij een cirkelgebaar met zijn naar beneden wijzende vinger maakte. Goran voelde zich duidelijk opgelaten en Luke wilde dat hij gewoon alvast ergens met Mila zou gaan zitten. Hij had niemand in verlegenheid willen brengen. Het moest het juiste zijn, toch, om hulpbehoevenden op een lunch te trakteren?

De caissière maakte een enorme heisa over het optellen van al het eten. "Oké. Waar waren we? Dus dat zijn twee hoofdgerechten, nee, dríé hoofdgerechten ... o, nee, twéé. Ik had toch gelijk, want dat is een snack, toch? Dat weet ik nooit met de broodjes. Goed. Dan dríé toetjes ..." Ze ging op haar tenen staan en boog zich over de toonbank om alles op te tellen. Het was bij elkaar dertig pond. Goran schuifelde ongemakkelijk. Hij legde zijn hand op Lukes arm en zei: "Luke, weet jij zeker dat ..."

"Alsjeblieft, Goran", zei hij snel. "Denk er maar niet aan. Het is niks. Sjonge, ik geef dit al uit aan ..." Hij had willen zeggen dat hij af en toe hetzelfde bedrag aan een reuzenbord sushi uitgaf tijdens de lunch, waarvan hij vaak de helft niet eens opat. Maar hoe kon hij dat toegeven? Hij zei: "Echt waar, zet het uit je hoofd. Nemen jullie alvast de dienbladen mee en dan kom ik wel als ik ... als ik hiermee klaar ben."

"Ja. Bedankt, Luke. Jij moet weten wij ... Wij zullen jou terugbetalen."

"Natuurlijk, Goran. Zo makkelijk komen jullie er echt niet van af. Jullie mogen me uit eten nemen in Londen", zei hij. "Ik ben dól op kaviaar en champagne."

Goran lachte. "Bedankt, Luke. Jij bent aardige man."

Luke zag tot zijn schrik dat Goran tranen in zijn ogen had. Hij voelde zich verpletterd door de kracht van deze dankbaarheid; hij wist dat die voortkwam uit een pijn waar hij zich niets bij kon voorstellen. "Nou, wacht maar tot je het eten proeft. Mila en jij zullen het me nooit vergeven. Dat mag dan misschien couscous zijn, maar het is nog steeds door een Engelse kok gemaakt ..."

Goran lachte weer. "O, nee, hoor. Wij zijn veilig." Hij knikte in de richting van de vrouwen die het eten opdienden. "Een van de koks zegt zij van Jamaica en de andere uit Taiwan."

"O. Nou, godzijdank", zei Luke. Hij glimlachte, maar voelde zich eenzaam en onzeker. Hij was plotseling bang dat hij niet wist hoe hij zich behoorde te gedragen en het verschil tussen onbeschoft en beleefd niet meer wist.

Toen ze weer in de auto stapten, ging Goran voorin bij Luke zitten, zodat ze samen een sigaret konden roken. Mila strekte zich uit op de achterbank en viel onmiddellijk in slaap.

Ze reden de snelweg weer op. De lucht was diepblauw. Het was het soort blauw dat Luke 'kerkblauw' noemde, omdat het altijd op schilderijen met Jezus of engelen of de Maagd Maria voorkwam. Hoewel hij daarna nooit meer in een galerie was geweest, was hij de olieverfschilderijen en fresco's die hij op zijn zestiende tijdens een schoolkamp naar Florence had gezien, nooit vergeten. Het was vreemd. Hij herinnerde zich vooral de Fra Angelico's in de kleine kloosters en het feit dat de mannen op de schilderijen vaak in slaap waren gevallen terwijl de vrouwen stilletjes zaten te bidden. Het was een grapje dat door de eeuwen heen nog steeds te snappen was, en dat raakte hem. Waarom had hij nooit meer naar schilderijen gekeken?

Het leek wel alsof al het sporten en het stomme gefeest met Ludo een belangrijk aspect van het leven hadden gestolen. Waarom had hij dat laten gebeuren? Op dat moment wilde hij alleen nog maar teruggaan en die fresco's weer zien, en Goran en Mila en zelfs Arianne even vergetend vroeg hij zich af of dat misschien precies was wat hij moest doen. Ja, de fresco's zien, dacht hij, wat van het kerkblauw zien en weer glimlachen om die milde oude grap. Hij vroeg zich af waar zijn camera was.

"Wij hebben geluk dat wij hier levend zijn aangekomen, wist jij dat?" zei Goran. Hij blies de rook in een krachtige straal uit zijn mondhoek. "Wij hadden vele malen dood kunnen zijn."

Luke liet zijn gedachten aan de fresco's los alsof het ballonnen waren. Hij staarde recht voor zich uit.

"Onze reis was heel slecht. Wij gingen Servië, naar Kroatië, naar Slovenië. Wij altijd met die bussen. Weet jij? Vreselijke bussen met zoveel mensen dat het is moeilijk ademhalen." Hij liet zijn wijsvingers als beentjes over het dashboard lopen. "Toen wij lopen Slovenië helemaal naar Oostenrijk ... door Alpenbergen."

Luke hoorde het ongepaste geluid van ski's. Hij beet op zijn lip en schoof wat haar naar achteren.

"Was slechte tijd in deze bergen. Wij slapen drie nachten buiten, in bossen. Zwarte bomen en zwarte hemel en wind, Mila zegt is altijd geluid alsof iemand huilt. Het was heel koud. Slechte kou in je lichaam, in bloed. Weet jij?"

"Ja", zei Luke vlug.

"Toen wij komen in Oostenrijk en wij hebben naam van transportbedrijf. De vrachtwagenchauffeur jij kan betalen en dan zij brengen jou in Engeland. Zij rijden Oostenrijk naar Frankrijk en dan op boot naar Dover. Het was pizzawagen. Weet jij? Twintig mensen. Geen licht", zei hij. Hij kneep in de brug van zijn neus. "Ik was heel bang. Mila mij altijd zo vasthou." Hij balde beide vuisten om de kracht van Mila's grip te demonstreren.

Lukes handen deden hem na om het stuur. "Twíntig mensen?" vroeg hij.

"Ja. Allemaal verschillende mensen ... donker, licht, zulke ogen en zulke ogen." Hij trok aan zijn oogleden om de verschillende rassen aan te geven. "Waar zij komen vandaan? Nergens. Niemand heeft paspoort. Niemand heeft identiteit." Goran keek naar Lukes gezicht om te zien of het veilig was om nog meer te zeggen. "Wij gooiden onze paspoorten weg in de bergen. Wij ze verbrand."

"Maar waarom? Waarom hebben jullie dat gedaan?"

"Omdat als jij nergens vandaan komt, dan waar moeten zij jou naar terugsturen?"

Luke knikte.

"Wij snel weg uit Kosovo. Wij alles verkocht: tv, stereo, bed, alle kleren. Albanese vrouw draagt Mila's ketting." Hij lachte, daarna werd zijn gezicht weer serieus. "Maar wij moeten alles verkopen voor geld voor onze reis. Weet jij? Wij zeggen: nu. Zo is leven. Ga."

"Mijn god."

"Nee. God was niet daarbij. Niet in Kosovo, niet in bergen, niet in pizzawagen."

Luke liet zich door een Porsche inhalen en keek hoe die uit het zicht versnelde. "Hoe lang hebben jullie in die wagen gezeten?" vroeg hij.

"Ik weet niet zeker. Is geen licht, dus wij niet kunnen zien of dag is voorbij. Ik denk misschien het is twee dagen, misschien drie. Wij hadden geen eten. Wij proberen die pizza's te eten, maar is niet gebakken en wordt er ziek van. Wij drinken het ijs in de vriezers. Het is heel warm met twintig mensen. Daarom Mila is ziek. In Kosovo zij is mooie, sterke meisje. Ik ben daar ook veel sterker. Ik hef gewichten. Negentig kilogram. Jij doet dat?" Goran glimlachte en kneep in Lukes biceps.

"Soms", antwoordde Luke, die niet zo goed wist wat hij zei. "Ik bedoel, al een paar weken niet."

"O, ik heb vrouwarmen!" zei Goran. "Kijk. Maar ik snel weer sterk word. En Mila ook. Ik denk wij kunnen niet dood, Luke. Wat is er nog over? Milosovic, luchtaanval van NATO, VN in onze stad Priština. En toen deze slechte, slechte reis." Hij gooide zijn sigarettenpeuk uit het raam.

"Het klinkt ... Shit man, het spijt me zo voor jullie", zei Luke.
"Waarom jij hebt spijt? Het is jouw schuld?"
"Nee, ik ... Dat is gewoon alleen een manier om te zeggen dat het niet eerlijk is, terwijl ik zoveel geluk heb."
"Ik heb ook geluk. Ik heb Mila." Goran draaide zich om in zijn stoel en stak zijn arm uit om haar been te strelen. Ze leek bewusteloos. "Wij zijn samen sinds veertien en achttien", zei hij. "Wij gaan trouwen. Zij is van Servisch-orthodoxe Kerk en zij vindt dit belangrijk, weet jij? Ik, mij maakt niet uit, maar voor Mila ik doe alles. Haar familie denkt ik slechte man voor haar omdat ik ga niet naar kerk, omdat mijn ouders hebben niet familiefeest op oude manier. Ook omdat ik niet zo rijke man ben als die gewéldige Vladimir, de man van nicht. Jij getrouwd, Luke? Jij hebt vriendin?"
"Nee."
"Néé?" Goran hield zijn hoofd scheef en fronste. "Waarom niet? Alle Engelse mannen zo knap als jij? Als Hollywood-filmster?"
Luke lachte. "O, de meeste zijn veel knapper. Ik ben een slecht voorbeeld. Nee, mijn vriendin is bij me weg", zei hij, genietend van de verkwikkende eerlijkheid. "Dat gebeurde een paar weken geleden." Hij glimlachte zwakjes naar Goran in de hoop zowel begrepen als niet begrepen te worden.
Goran vertrok zijn gezicht van medeleven. "Jij houdt van haar?" vroeg hij eenvoudigweg.
"Ja. Ja, ik hou van haar."
Goran was gefascineerd door de kinderlijke vastberadenheid op het gezicht van de andere man. Hij vond Luke net een klein jongetje dat door een pestkop geslagen was en tegen de tranen vocht. Het was ongewoon primitief, ontwapenend zelfs. Hij zei: "O, Luke, het is heel erg. Het spijt mij."
Luke draaide zijn gezicht naar hem toe en glimlachte.
"Waarom heb jij spijt, Goran? Is het jouw schuld?"
Goran veegde onzichtbaar vuil van zijn spijkerbroek en staarde naar de weg. "Nee", zei hij, "niemands schuld."

Het was nog klaarlichte dag toen ze aankwamen en Luke wist dat hij pas later reservekussens en -lakens uit het huis kon halen, als zijn moeder naar Suzannah was, zoals ze gezegd had dat ze ging doen. Het enige wat hij nu kon doen was Goran en Mila langs de zijkant van de tuin loodsen in plaats van over het gazon en ze naar het tuinhuisje brengen. Dan zou hij later wel terugkomen. Hij moest wachten tot zijn moeder de deur uit was voordat hij in de linnenkast kon rommelen. Op de een of andere manier was ze er steeds van op de hoogte wat er in huis gebeurde. Dat was altijd al zo geweest; ze vóélde dat mensen in bepaalde ruimtes waren en had de gewoonte om te gaan kijken of ze het goed had, hoe laat het ook was. Toen hij vijftien was had ze hem en een meisje dat Hattie Matthews heette (die fascinerend genoeg nooit een onderbroek droeg) in het tweepersoonsbed in de logeerkamer op de eerste verdieping gevoeld. Ze zei dat ze het 'daadwerkelijk voelde' toen de leiding in de kelder scheurde. En natuurlijk had ze ook Sophie gevoeld die om vier uur 's morgens bewusteloos op de keukenvloer lag nadat ze alle aspirines die in huis te vinden waren, had geslikt.

Luke parkeerde de auto, leidde Goran en Mila door het achterom en vroeg hun achter de heg te wachten terwijl hij het huis binnenging om te kijken waar zijn moeder was.

Rosalind zat in de woonkamer aan het kleine bureau een brief te schrijven. Ze keek geschrokken op toen hij binnenkwam. Hij legde haar uit dat Alistair in Dover bleef slapen, waarop ze moe en met glazige ogen knikte.

"Een brief aan het schrijven?" vroeg Luke.

"Ja."

Met het idee dat hij de formaliteiten van zijn thuiskomst nu voldoende had afgehandeld, klopte Luke op zijn zakken en zei: "Geloof je dat nou?" Hij had zijn sigaretten vast in de auto laten liggen.

"O, lieverd, je hebt die afschuwelijke dingen toch niet nodig?" zei Rosalind uit lange en vergeefse gewoonte.

"Wel, mam. Ben zo terug", zei hij tegen haar, en voor hij de kamer uit liep zag hij dat ze zich weer veilig over haar brief boog. Hij pakte de kleine sleutel van het haakje onder de kapstok, stapte de voordeur uit en holde om het huis heen.

Goran en Mila volgden hem naar het tuinhuisje. Het was een eenvoudig gebouwtje, zo groot als een kleine slaapkamer, met een badkamertje eraan vast. De vorige eigenaren hadden het blijkbaar altijd het 'oma-appartement' genoemd en Luke wist zeker dat hij kon voelen dat er een oude vrouw in was gestorven. Maar er was eigenlijk niets onheilspellends aan. Het was vanbinnen en vanbuiten vaalgeel geverfd. De ingang was een rozige deur, die gunstig verborgen werd voor het huis door een enorme boompioen aan het einde van de achteringang.

Binnen rook het vochtig en was het daglicht dof en groenachtig, ietwat magisch. Het schemerde door de klimop en blauweregen die voor de kleine raampjes langs groeiden. De kamer was vol tuinmeubelen en familiegeschiedenis: knutselwerkjes, zijn sportprijzen, Sophies talloze ingelijste muziekdiploma's voor fluit, hobo, piano en viool. Er waren stapels bordspellen met grijnzende zegevierende kinderen op de deksels, de jeu de boules-set die ze altijd meenamen op vakantie en talloze oude tennisrackets in allerlei verschillende maten. Zijn enorme teddybeer die hij op zevenjarige leeftijd verbeeldingsvol Beer had genoemd, zat in een ligstoel onder de oranje parasol die ze op een strand in Griekenland hadden gekocht.

Bij de linkermuur stonden een spiegel en de oude tv (die er zo ouderwets uitzag dat hij niet meer kon geloven hoe trots hij hem ooit aan zijn vriendjes had laten zien) met daarnaast de stokoude roze bank uit de woonkamer waarvan Sophie had beweerd dat hij sentimentele waarde voor haar had. Luke vermoedde dat ze erop ontmaagd was, maar hij zou haar nooit het plezier gunnen deze informatie aan hem mee te delen met een van haar 'nou en'-grijnzen.

De smalle stretcher en de bank waren twee redelijk comfortabele slaapplaatsen voor Goran en Mila.

"Ik hoop dat het zo voorlopig goed is. Ik zal jullie later wat lakens en kussens brengen", zei hij.

"We zijn zo moe Mila en ik kunnen overal slapen. Ik kan drie dagen slapen."

"Dat zal wel. Maar ik kom straks terug met dekens, want het zal hier vannacht misschien wel koud worden. Ik weet dat mijn moeder zo een tijdje weggaat, dus dan regel ik het."

Luke holde achterom terug naar de straat. Toen hij aan het einde van het pad aankwam, bleef hij stokstijf staan kijken. Zijn vriendin Jessica stond op de traptreden voor het huis met zijn moeder te praten. "Ik dacht: ik ga even langs om te zien hoe het met hem gaat", zei ze net.

"Wat attent van je", antwoordde Rosalind.

Luke wist dat zijn moeder Jessica aardig vond. Dat verbaasde hem, aangezien Jessica voortdurend vloekte en overduidelijk een hekel aan zijn zus had. Jessica noemde Sophie 'liiiiiiieverd' en rolde achter haar rug om met haar ogen.

"Ik wou dat ik eerder had kunnen komen, mevrouw Langford. Ik ben een tijdje weg geweest om te assisteren bij een documentaire", zei ze. "Ik heb wel gebeld, maar zijn telefoon staat uit en het heeft eeuwen geduurd voor ik bedacht dat hij weleens hier kon zijn. Om eerlijk te zijn heb ik zo hard gewerkt dat ik bijna niet meer helder kan denken."

"Maak je een film? Wat spannend! Dat is wat je altijd al hebt willen doen, toch, Jessica?"

"Dat en beeldhouwen, maar ... ja. En hier kun je tenminste nog een klein beetje geld mee verdienen."

"Nou, dat is ook niet alles. Geld verdienen is niet alles. Je ouders zullen wel dolblij zijn dat je iets doet wat je leuk vindt."

"Eh ... mijn ouders zijn allebei dood, mevrouw Langford."

Rosalind zette letterlijk een stap naar achteren. "Ik ... Dat wist ik niet."

"Dat geeft niet. Mijn vader stierf toen ik nog een kind was en dat van mam is nu al meer dan zes jaar geleden. Denkt u alstublieft niet dat u iets ergs hebt gezegd."

"Dank je", zei Rosalind, diep onder de indruk van hoe dit meisje precies kon zeggen wat ze bedoelde. Ze was altijd al gesteld geweest op Jessica's directe manier van doen. En ze had er in het bijzonder van genoten toen ze Alistairs incorrecte citaat van Shakespeare verbeterde op de avond dat Luke haar voor het eerst mee naar huis nam van de universiteit.

Luke stapte over de verste hoek van de lage tuinmuur. Daarna liep hij extra nonchalant over de stoep, zodat het zou lijken alsof hij bij de auto vandaan kwam.

"Ah, daar is hij", zei Rosalind.

Jessica draaide zich om en ze glimlachten allebei naar hem.

"Hé, Luke", zei Jessica. Ze stak haar armen uit en omhelsde hem. "Waar was je al die tijd? Je wordt erg gemist. En door mij nog het meest."

Rosalind zei dat ze even naar Suzannah ging en ze dus het huis voor zichzelf hadden. Ze zei dat ze op tijd thuis zou zijn om eten te koken en Jessica keek tactvol weg toen Rosalind Luke vroeg of hij liever 'een heerlijk stukje zalm' of 'zijn lievelingsgerecht, romige kip met spinazie' wilde.

Nadat zijn moeder naar boven was gegaan, nam Luke Jessica mee naar de keuken. "Wil je een kop koffie?" vroeg hij. "Daar is het eigenlijk een beetje te warm voor, vind je ook niet? IJsthee? Citroenlimonade?"

"Heb je misschien een biertje?"

"Goed idee", zei Luke, terwijl hij twee flesjes uit de koelkast pakte. Hij maakte ze open en gaf er een aan haar.

"Zullen we naar buiten gaan?" vroeg ze. "Ik neem zomaar aan dat er dit jaar geen tuinfeest komt, en je moeder maakt het altijd allemaal zo prachtig. Zonde om dat mis te lopen."

"Nee, je hebt gelijk", zei Luke, en hij liep haar achterna.

"O! Rozen, rozen, rózen!" Jessica hief haar armen in de lucht als een

Italiaan in een file. "Moet je ruiken. Wat ben jij toch verwend dat je hier bent opgegroeid. Mazzelpik. Ons huis was een beetje ... nou, anders."

Ze gingen op het stenen trapje zitten dat naar het gazon leidde.

"En", zei Jessica. Ze nam een grote slok.

"En?"

"En, ik ben nieuwsgierig. Wat is je strategie hier?"

Luke staarde naar haar bruinleren laarzen en oude spijkerbroek. Er zat klei op haar broek en hij vroeg zich af of ze weer van die eigenaardige beeldhouwwerken maakte. Ludo's vader had er eentje gekocht tijdens de enige keer dat hij Ludo op de universiteit had opgezocht. Sandro had toen tegen hen gezegd dat Jessica op een dag beroemd zou worden. Ludo en Luke hadden een beetje angstig toegekeken hoe ze erom giechelde terwijl ze hun shepherd's pie klaarmaakte.

Ze zette het schuimende bierflesje naast zich neer en haalde een pakje sigaretten uit haar tas.

"Mijn strategie?" vroeg hij.

Vanuit haar mondhoek zei ze terwijl ze de sigaret aanstak: "Yep."

"Wat bedoel je precies?"

"Nou, met je werk, bijvoorbeeld. Probeer je nou echt ontslagen te worden of is dit een soort test van hun onzelfzuchtige vertrouwen in jouw talent?"

Luke zwaaide met zijn hand, wuifde haar opmerkingen weg alsof het vliegen waren. "Ja ja", zei hij. Hij wilde dat ze weg zou gaan, want hij was aan ballingschap gewend geraakt, aan zijn 'verlorenzoon'-status thuis, waar met niemand anders dan hijzelf om ze in stand te houden de oude maatstaven van zijn leeftijdgenoten niet langer op hem van toepassing waren. Maar hij stond in dubio, omdat hij aan de andere kant ook ontzettend opgelucht was zijn intelligente vriendin te zien – hij kon op haar gevoel voor verhoudingen vertrouwen, ook al was dat nu en dan nogal bruut. Van haar was bekend dat ze 'geen bullshit duldde', en hij vroeg zich vaak af waarom dit zo was. Hoe werd een mens zo? Hij had het idee dat ze in haar jeugd veel had geleden – geld, mogelijk geweld of alcoholisme – en natuurlijk het verlies van haar beide ouders voor haar tweeëntwintigste. Hij kon zich bij lange na niet voorstellen hoe het was om geen ouders te hebben ... geen moeder.

"Geef me er 'ns eentje" zei hij.

"Je krijgt een sigaret als je me belooft dat je je baan niet kwijtraakt."

"Wat nou als ik mijn baan niet meer wil?"

Ze wierp hem evengoed de sigaret toe. "O god, niet jij ook nog. Ik heb gehoord over die stomme Sophie liiiiiieverd."

"Wat is er met Sophie?"

"Shit, weet je dat niet? Je ouders weten het toch wel?"
"Wat?"
"Sophie heeft haar ontslag ingediend bij de *Telegraph*."
"Wat? Waarom? Waarvoor?"
"Geen idee wat ze nu doet. Caroline zei alleen maar dat ze weg was. Meer niet."
"Caroline?"
"Ja, je kent Caroline wel. Mijn goede vriendin van de universiteit. Ze zat altijd haar filosofiestukken aan onze keukentafel te schrijven. Wat erg. Je kunt je haar vast niet meer herinneren, omdat ze geen een meter tachtig en maatje zesendertig is. Ze heet Caroline Selwyn. Zeer intelligent. Echt een heel interessant mens."
"O, ja. Natuurlijk. Nee, ik herinner me haar nog wel. Ze had een slechte huid."
"Godsamme, Luke. Ja, dat is waar. Hoe dan ook, Caroline zei dat het de verrassing van de maand was of zo. Ik bedoel, het was natuurlijk allemaal niet zo makkelijk met alles wat er rond je vader speelde, maar het leven gaat door, toch? En shit man, Luke, zo'n baan gooi je toch niet zomaar weg?"
"Nee, dat lijkt me niet", zei Luke, die vreesde voor Sophie ... en voor zichzelf. Hadden ze slechte genen?
"Ik zeg maar wat, hoor, maar misschien zou je haar ... Ik weet niet ... kunnen bellen? Jij bent haar broer. Dat is wel zo aardig. Hebben jullie ooit weleens contact?"
"Ik bel haar wel", zei hij. "Ja, echt."
"Maar ik ben hier niet gekomen om over Sophiá te praten. Volgens mij krijgt die al genoeg zendtijd. Het gaat hier om jou. Wat is er aan de hand?"
"Dat weet je."
"Arianne?" Ze fronste haar wenkbrauwen.
Luke knikte en tikte de as van zijn sigaret. Hij keek vluchtig naar de ramen van het tuinhuisje; het was donker achter de bladeren en het glas, geen beweging te zien.
"Wat voel je? Wil je het me vertellen? Misschien helpt het", zei Jessica. "En misschien helpt het míj ook wel, oké, want ik maak me doodongerust."
Ze woelde op haar rustgevende en moederlijke manier door zijn haar en Luke zei: "Het is heel simpel. Ik hou van haar en ik moet haar terugkrijgen. Dat moet gewoon. Er zit niets anders op. Het is óf dat, óf ik heb mijn kans gemist, Jess. Want wat zij en ik samen hadden – nou, dat was het gewoon, waar iedereen op wacht. Zij was de ware en

ik heb haar laten gaan. Niet echt laten gaan, maar meer verloren, zoiets. Het is ingewikkeld."

Jessica zuchtte. "O, Luke."

"Wat?"

"Waarom was zij de ware? Ja, ze was mooi, já, ze had het hele beschadigde en manipulatieve Monroe-gedoe over zich en, natuurlijk, iedereen keek op als zij binnenkwam. Maar geef toe: was dat nou waar je echt mee wilde leven? Het was allemaal één grote show, Luke. Ze was jouw volmaakte actrice. Maar wat was er echt?"

Luke nam een trek van zijn sigaret. Hij herinnerde zich dat hij zich op het laatst had afgevraagd of Arianne de verleidelijke zuchtjes in haar slaap nog veinsde. Op slechte momenten, toen ze al niet meer met hem wilde vrijen, was hij er zeker van geweest dat ze dingen deed om hem te tergen, om hem te straffen voor zijn algehele ontoereikendheid. Als hij bijvoorbeeld probeerde thuis te werken (wat hij steeds vaker was gaan doen toen hij bang werd dat ze zijn zogenaamde vriend Joe zou bellen om haar gezelschap te houden), was ze er naast hem op de bank onevenredige aandacht aan gaan besteden om vochtinbrengende crèmes op haar benen te smeren, omhoog en omlaag, omhoog en omlaag. Ze had rondgelopen in een regenboog aan strings, waarmee ze een erotische weerspiegeling op zijn computerscherm vormde, en had vaak afwezig in de deuropening van de keuken stilgestaan om haar tanden in een stuk fruit te zetten, waarbij ze het sap van haar pols naar haar elleboog liet lopen om het daarna met haar omhoogglijdende tong op te likken.

Of had ze goddomme gewoon fruit staan eten? Was het niet mogelijk dat iemand zo dicht bij perfectie kwam dat haar fruit eten en haar zuchten precies waren wat de woorden 'eten' en 'zuchten' altijd volgens jouw fantasie hadden betekend? Jessica was sceptisch over perfectie omdat ze er niet aan blootgesteld was. Hij wilde haar dit vertellen, maar was bang dat ze hem belachelijk zou vinden en zou zeggen dat hij weer aan het werk moest gaan.

Ze had zo'n goed, scherp beeld van mensen en hij wist dat ze theorieën over Arianne zou hebben, maar hij wilde ze niet horen. Jessica zag de menselijke aard opgelicht in neonlicht onder een microscoop, en hoewel hij altijd kon inzien dat ze gelijk had wanneer ze zich verklaarde, was hij blij dat zijn hersenen het leven een beetje vervaagden en aangenamer voor het oog maakten.

Jessica ging verder: "Wat een mens. Nee, het verbaast me eigenlijk niets dat het zo goed met haar gaat."

"Is dat zo?" vroeg hij. "Ik heb helemaal niks van haar gehoord."

"O, nou, ik heb haar niet gezíén, en Ludo ook niet, geloof ik, maar ze staat de laatste tijd af en toe in de media. Je hebt jezelf echt afgesloten, hè? Lees je zelfs het modekatern niet meer? Sjonge."

Luke kreeg een droge mond. Daar was het dan: Ariannes onafhankelijke leven. Het stond op het punt zich frontaal in hem te boren. "In de media? Hoezo?" vroeg hij.

"Ze speelt in dat toneelstuk, *Hotel*, op West End. Het wordt geregisseerd door die Hollywood-acteur, Jack Cane, je weet wel, van die film waarin licht vermomde Arabische types van plan zijn om het Witte Huis op te blazen. Hij speelt in van alles."

"Ze heeft die rol gekregen."

"Ja. Ze vervangt de hoofdrolspeelster voor onbepaalde tijd, misschien wel definitief. De eigenlijke actrice was blijkbaar 'uitgeput'. We weten allemaal wat dát betekent", zei Jessica, die tegen haar neus tikte.

"Wauw. Dat is ... Dat is fantastisch."

"Ja. Ze heeft het mooi voor elkaar. Nee, ze moet eigenlijk wel ontzettend veel talent hebben, als ze verwachtten dat ze de hele rol zomaar in een paar weken kon leren. Niet dat ze geen hulp gehad heeft, natuurlijk."

"O?"

"Van ... O, je weet wel, Jamie nog wat."

"Wie? Van wie?" vroeg Luke. "Waarom heeft hij haar geholpen? Ken ik hem?"

Jessica drukte haar sigaret uit en nam een slok van haar bier. "O, niks hoor. Gewoon een of andere tweederangs tv-acteur met sluik zwart haar."

"En ze ... Is ze bevriend met hem?" vroeg Luke. Hij voelde de tuin plotseling onder zich vandaan hellen. Hij was bijna te zwak om adem te halen.

"Ik ... Ik weet het echt niet", zei Jessica, geschrokken van haar tactloosheid. Ze vond het gewoon onmogelijk om te geloven dat Luke echt van die gekwelde narciste hield, hoe geweldig haar benen ook waren, dus was ze niet zo zorgvuldig geweest om discreet te zijn.

"Je weet het wel", zei hij.

"Hoor eens, het spijt me ... Ik weet het echt niet. Ik weet alleen dat hij haar geholpen heeft om de rol te krijgen, want zijn vader is een belangrijke financier van de productie."

Luke nam zijn hoofd in zijn handen, legde het daarna op zijn knieën, en trok toen zijn knieën, hoofd en handen naar zijn borst. Het was alsof hij dacht dat de pijn zou afnemen wanneer hij zich kleiner maakte.

"O, schat", zei Jessica, "ze kunnen gewoon vrienden zijn, lieverd. Ik weet het echt niet."

"Dat zijn ze niet", zei Luke. "Ze gaat met hem naar bed."

"Luke, dat weet je niet."

"Jawel."

Jessica zuchtte en keek voor zich uit. Ze bleven een tijdje in stilte zitten, terwijl de wind de struiken beroerde en een paar rozenblaadjes over het gazon blies. Uiteindelijk zei ze: "Dus je hebt je schitterende appartement gewoon afgedankt?"

"Ik logeer hier gewoon een tijdje, oké? Ik ga daar gewoon niet meer zonder haar heen, Jess."

"Wát?"

"Ik meen het. Zonder haar doe ik niks. Leven, bedoel ik. Helemaal niks."

"Luke, dat is krankzinnig", zei ze. "Luke? Hoe kan ik ervoor zorgen dat je luistert naar de stem van de vriendin die van je houdt?"

"Ik luister altijd naar jou."

"Oké dan. Wat nou als ze wél wat met die Jamie Dinges heeft?"

"Turnbull", zei hij, toen hij zich ineens herinnerde dat Arianne gezegd had dat ze hem had ontmoet. Hoe onbeduidend was die naam zijn leven binnengeslopen! Hij herinnerde zich dat ze had gezegd: "Ja, ik heb vanavond wat nieuwe mensen ontmoet; een paar modellen, acteurs. Vooral sufferds, behalve één stijlvolle acteur die Jamie Turnbull heet. Zin in een bubbelbad? Ik zet het alvast aan."

Niet in staat te drinken zette Luke zijn biertje neer. "Ik weet wie hij is. Hij is van die ene ziekenhuisserie", zei hij.

"Ja, dát is hem. Hij speelt de 'sympathieke kerel' die in het geheim een genie is maar een-drankprobleem-heeft-en-zijn-onvoorstelbare-potentie-om-net-als-zijn-hooggeëerde-hersenchirurgvader-hersenchirurg-te-worden verspilt. Jezus, die serie is echt waardeloos slecht, psychiaters zullen wel de rillingen krijgen als ze daarnaar kijken. Hoe dan ook", zei ze zachtjes, toen ze zag dat hij niet meer met zijn gedachten bij haar was – hij staarde de tuin in –, "hoe dan ook, wat dan nog als ze wel wat met hem heeft, lieverd?"

"Nee", zei hij.

"Want daar moet je je waarschijnlijk toch op instellen. Dat lijkt me wel zo verstandig."

"Nee, het is oké. Het kan niet waar zijn, Jess. Het is niet waar. Dat kán ze gewoon niet, na wat wij samen hadden. Niet zo snel. Dat weet ik omdat het menselijkerwijs gesproken onmogelijk zou zijn."

"'Zwakheid, uw naam is vrouw'", zei Jessica. Ze vond het vreselijk dat ze de ellende van haar vriend zo lichtvaardig afdeed, maar ze was er niet op voorbereid geweest. Ze besefte dat ze vreemd genoeg bijna net zo klonk als Lukes emotioneel verlamde vader; een bron van treffende citaten wanneer er behoefte aan warmte was. Dat was niets voor haar, maar ze was van haar stuk gebracht. Natuurlijk had ze eerder vrienden met een gebroken hart meegemaakt, maar nu ze Luke in deze toestand zag vertegenwoordigde dat op de een of andere manier het einde van de onschuld. Als haar breedgeschouderde, bevoorrechte, sportende, knappe vriend Luke niet immuun was voor deze intense pijn, was niemand veilig. Hier was de rozentuin van zijn jeugd, en hier was Luke, bleek en terneergeslagen ten overstaan ervan.

Hij keek naar haar alsof ze geprobeerd had hem expres in de war en bang te maken.

Ze zei: "O, lieverd, het spijt me. Ik wil alleen maar zeggen ... Je weet hoe Arianne is. Ik bedoel, ik ken haar niet zo goed, maar had ze niet iets met iemand anders toen jij haar leerde kennen? Ging ze niet op precies dezelfde manier bij hem weg als ..."

"Néé", zei Luke. "Dat was niet hetzelfde. Mijn god, hé."

Ze zag tranen in zijn ogen en ging ietwat wanhopig verder: "Maar, Luke, denk er eens rustig over na. Probeer het alsjeblieft. Ze was niet het makkelijkste meisje, toch? Laten we wel wezen, ze was één grote nachtmerrie. Herinner je je die avond bij Ludo niet meer, dat etentje? Ze ging volkomen door het lint omdat jij niet elke vijf minuten keek hoe het met haar ging, zodat jij en ik even lekker konden roddelen en bijpraten. Weet je dat nog? Het stond haar niet aan dat je vríénden had, Luke. Het stond haar niet aan dat je een báán had. Over het algemeen zou je zeggen dat dat slechte eigenschappen zijn in een vriendin."

"Ze kende gewoon niet zoveel mensen die avond. Ze dacht dat ik haar negeerde."

"O, ja, natuurlijk. Oké. Want ze is ook zó verlegen. Ja, ik snap nu waarom dat een probleem was."

"Ze ís verlegen. Onder de oppervlakte, bedoel ik. Je kent haar niet. Het is allemaal ontzettend ingewikkeld. Het is gewoon één groot misverstand."

"Wat voor misverstand, Luke? Oké, nee, ik ken haar niet. Maar ik weet wel dat liefde niet ingewikkeld hóórt te zijn en dat daar ook geen grote misverstanden bij horen. En, Luke, als je van iemand houdt, respecteer je die persoon."

"Maar ik respecteer haar ook."

"Verdomme! Ik heb het over háár, Luke, niet over jou. Word eens wakker! Ze stond zo'n beetje waar jij bij was met je vrienden te zoenen. Weet je nog van Joe en dat voorval met die tequilashots? Iedereen roddelde erover, schat. Ze zeiden dingen als: 'Luke zou meer zelfrespect moeten hebben.' Is dat wat je wilt?"

"Nou, ik weet wel waarom ze me niet respecteerde. En ik heb alleen een kans nodig om haar te laten zien wie ik echt ben, en dan zal ze dat wél doen."

"Wie je echt bent? Wie was je dán?"

"Dat weet ik niet. Ik was gewoon ... Ik was constant bang. Bang dat ze me zou verlaten. En dat was het enige waar ik nog aan kon denken. Ik was mezelf niet. Ik was geen echte man."

"Wél, dat was je wel. Wat is een echte man? Jij was dat. Luke, je was wat zij van je maakte, jullie waren allebei wat jullie van elkaar maakten. En dat zou je nú nog steeds zijn. Dat is de Arianne-Luke, net zoals dit een onderdeel van de Jessica-Luke is."

Hij schudde langzaam zijn hoofd. "Jezus, denk je nou echt dat mensen zo zijn? Zo chaotisch? Altijd maar aan het veranderen, veranderen, veranderen?"

Hij klonk lichtelijk manisch, maar dat merkte Jessica niet. Ze hield ervan om te theoretiseren en kon in de opwinding van die wiskundige sensatie de context vergeten. "Zéker", zei ze. "We zijn net kleuren. Als je de ene tint blauw naast een andere tint blauw legt, kan hij net groen lijken, maar als je hem naast groen legt is hij zo blauw als de lucht; leg je hem naast rood, dan lijkt hij paars. Niemand is constant. En, Luke, Arianne maakte jou onzichtbaar. Je verdween gewoon voor ons."

"In het begin niet. Zo was het in het begin niet."

Ze zuchtte. "Nee, dat is ook zo. Ik weet het. Maar misschien was het nooit bedoeld om voor de lange termijn te zijn. Misschien was het altijd alleen maar voor een stukje van de reis."

Dit was bijna letterlijk wat Arianne tegen hem gezegd had. Hij herinnerde zich hoe ze daar stond met haar eigenaardige verzameling bezittingen die in hun ongelijksoortigheid zo onheilspellend waren als ingrediënten van een toverdrank. Ze had gezegd: "Dit is altijd iets tijdelijks geweest, Luke. Het leven is als een reis, toch? Wie wil zich nou settelen?"

Luke draaide zich naar Jessica. "Een reis?" zei hij wanhopig. "Waarheen?"

"Nou, dat weet ik niet precies. Waarom zou ik dat weten? Maar dat is er nou juist zo interessant aan ..."

"Hou maar op. En ik snap ook niet waarom je zo zeker weet dat je op reis bent. Je noemt het toch alleen een reis als je weet dat je ergens naartoe gaat? Als je alleen maar rondjes draaide, zou je het ..." Hij hield op uit woordloze frustratie.

"Rondjes draaien noemen", maakte ze zijn zin af.

"En hoe weet je nou of dat niet precies is wat we doen?"

"Ik ... Dat weet ik niet."

"Nou dan."

"Nou wat? Ik snap niet wat dit met Arianne en jou te maken heeft."

"Nee", zei Luke, "ik ook niet. Ik ben het denk ik vergeten."

Maar ook al was hij de logische structuur van het idee kwijt, hij kon het niet vergeten. Hoewel hij het niet uit kon leggen, wist hij dat zijn geloof in God en de hemel en in de menselijke vooruitgang onlosmakelijk verbonden was met het residu van al die verspilde liefde. Dat het maar gewoon zou worden vergeten en moest verdwijnen impliceerde dingen over de wereld die te verschrikkelijk waren om over na te denken.

"Lieverd, als je mijn eerlijke mening wilt – en ik ben me er terdege van bewust dat je me geen enkele reden hebt gegeven om te denken dat dat zo is –, denk ik dat je verder moet gaan. Lap jezelf op en ga weer verder."

"O, zo klinkt het zo ... Wat weet jij er nou van? Het spijt me, Jess, maar wat kun jij er verdomme van weten?"

Ze zaten daar zwijgend terwijl hij huilde en na een tijdje zei Jessica: "Luke, heb je je nooit afgevraagd waarom ik geen vriendje heb?"

Het duurde even tot haar woorden tot hem doordrongen. "Nou", zei hij, "je bent daar erg geheimzinnig over. Gesloten, bedoel ik."

Ze lachte. "Nee, geheimzinnig was het juiste woord. Maar jij bent wel heel weinig argwanend, hè, Luke? Jij accepteert de dingen gewoon zoals ze er aan de oppervlakte uitzien."

"O, je bedoelt dat ik traag van begrip ben?" zei hij, en hij herinnerde zich hoe vaak zijn zus die venijnige opmerking had gemaakt. "Je bedoelt dat ik traag van begrip ben, en conformistisch."

"Nee!" zei ze, hoewel dat wel was wat overbleef wanneer je de liefhebbende verdraagzaamheid had afgepeld. "Nee", zei ze, nu zachter, zich voor zichzelf schamend. "Hoe dan ook, ik probeer je te vertellen dat ik lesbisch ben."

Luke kromp ineen alsof hij een stomp in zijn maag had gekregen en ze kon het niet laten te giechelen om de ongekunstelde oprechtheid van zijn reactie. "En, hoe denk je erover?" vroeg ze. En daarna, niet in staat zich in te houden voor het eruit kwam: "Zijn we nog steeds vrienden?"

"Natúúrlijk zijn we nog steeds vrienden", zei hij. Hij legde zijn hand op haar arm, waarna hij, als in reactie op een nieuw begrip van haar, aan haar arm schudde en haar op de rug stompte.

Ze glimlachte liefdevol naar hem. "Goed. Het spijt me dat ik het niet eerder verteld heb."

"Ik ... Nou, dat had je inderdaad moeten doen. Hoe lang weet je het al? Ik bedoel ... O, jemig. Weet Ludo het?"

"Ja. Ik heb het hem een paar weken geleden verteld. Ik heb hem laatst zelfs aan mijn nieuwe vriendin voorgesteld."

"Je ..."

"Cally", zei ze. "Ik zou haar graag aan je voorstellen. Ze is aan het promoveren in Cambridge, filosofie."

"Wauw."

Jessica bloosde van vreugde en opwinding. "Ja, hè? En ze is nog bloedmooi ook. Ik heb geen idee wat ze met mij moet, wat echt een fantastisch gevoel is."

Luke voelde een steek van jaloezie. "Wat ontzettend leuk voor je, Jess."

Ze sloeg een arm om hem heen en gaf hem een zoen op zijn wang. "Dank je wel, schat", zei ze, waarbij ze zichzelf er weer aan herinnerde dat ze in de toekomst niet meer zo dankbaar moest klinken. Cally gaf haar daar altijd voor op haar kop, en ze had gelijk. Je moest meteen goed beginnen, zonder in de verdediging te springen. Zeker, zoals Cally zei, als iemand zo gek was geweest om het zo lang voor zich te houden als Jessica had gedaan.

"Dus, zoals je ziet weet ik wel hoe het voelt, Luke. Ik weet hoe liefde voelt. Ik begrijp hoe overweldigend het kan zijn en dat je niet meer weet wat voor en achter, goed en slecht is."

Hij keek haar serieus aan en het kwam bij hem op dat hij waarschijnlijk in zijn eigen geluk net zo stompzinnig was geweest. Misschien was iedereen dat wel. Had hij zijn ex-vriendin Lucy niet bijna willen zeggen dat ze niet verdrietig moest zijn dat het voorbij was tussen hen omdat er toch zoveel geluk uit voortgekomen was? Hij had haar aandacht op de totale som van het geluk willen vestigen, want in die tijd had hij even gedacht dat die goeie ouwe Lucy het wel zou begrijpen en als ze er even over nadacht juist blij zou zijn.

Geluk was best een nare toestand om je in te bevinden, dacht hij. Een beeld kwam in hem op: hijzelf die, door het dolle heen omdat hij voor zijn achtste verjaardag een nieuwe, rode fiets had gekregen, door het huis rende en zijn vreugde uitschreeuwde als indianenkreten, waarbij hij letterlijk op Sophies hamster stampte. "Nee", zei hij bitter.

"Nu moet je het nog allemaal in haat voelen overgaan."

Jessica keek naar hem en knikte. Daarna stak ze haar armen naar hem uit, en hij liet zich omhelzen en huilde in haar lange haar.

Toen ze weg was ging hij naar zijn vaders werkkamer en typte Ariannes naam op een zoekmachine in: 20.024 hits in 0,45 seconden.

> "Jamie is weer aan het daten! Maar wie is de mysterieuze vrouw?" las hij. Hij klikte op de link:
>
> www.starsandcelebs.co.uk
> Jamie Turnbull, die pas geleden nog wat met zijn sexy medester Elaine Dance had, is in de armen van een nieuwe babe gesignaleerd. Op de fuif voor de eerste verjaardag van restaurant Kink is Jamie gezien met de mysterieuze vrouw die Cindy Tayler vervangt in *Ho*...

Hij klikte op 'Vorige' en probeerde een andere site, voor iets – wat dan ook – beters. De wereld kon toch wel beter dan dit.

> www.hotgosmagazine.co.uk
> Pech meiden! Het lijkt erop dat onze Jamie de liefde heeft gevonden. Met haar zwoele blik en sexy Franse accent is Arianne een lastige concurr...

Hij trok de stekker van de computer eruit.

Het duurde bijna een uur voordat hij tot zichzelf kwam. Langzaamaan werd zijn gezicht zichtbaar in het geboende oppervlak van het bureau van zijn vader. Daarna veegde hij zijn ogen droog en keek uit het raam naar het tuinhuisje. Hij moest ze hun lakens en kussens gaan brengen, want zijn moeder kon ieder moment terugkomen. Het werd al donker.

Hij liep naar de linnenkast en haalde er de lakens van het bed van de logeerkamer van de eerste verdieping uit; daarna ging hij naar beneden en pakte wat kussens uit de kast in de serre. Hij haalde de picknickkleden uit de ladekast in de hal. Onderweg door de keuken pakte hij een pak koekjes en een fles prik uit de provisiekast omdat ze – of liever gezegd, Goran –in de Easy-Dine Cafeteria alles behalve de appels en de Bounty hadden opgegeten.

Luke verbaasde zich over zijn eigen doeltreffendheid. Hij leerde dingen over zichzelf. Hij stopte de koekjes en de frisdrank onder zijn arm, liet de enorme stapel beddengoed op zijn uitgestrekte polsen balanceren, hield hem recht met zijn kin en liep de tuintreden af, langs de lege bierflesjes die Jessica en hij daar op een moment van relatieve onschuld hadden achtergelaten.

Er kwam eerst geen antwoord op zijn geklop. Hij zei: "Hallo? Niks aan de hand, ik ben het, Luke."

Toen kwam Goran naar de deur. Hij had een gezwollen gezicht van de slaap. Luke gaf hem het beddengoed en legde uit dat hij meteen weer moest gaan omdat zijn moeder zo thuis kon komen. Hij beloofde hen de volgende ochtend wakker te komen maken wanneer het veilig was om naar buiten te gaan.

Goran pakte het beddengoed van hem over en legde het op de tafel naast de deur.

Luke zei: "O, kijk mij nou. Ik vergeet nog bijna je dit te geven. Het is niet veel, gewoon een snack. Ik hoop dat het wat is. Ik kan nog wel meer voor jullie halen als ..."

Goran nam de koekjes en de frisdrank aan. "Nee, Luke, dit is al heel veel. Alsjeblieft. Mila en ik, wij hebben gepraat." Hij keek achterom naar de duisternis binnen, waar Lukes ogen nog niet aan gewend waren. Mila kwam tevoorschijn. Haar haar zat in de knoop en haar wang zat vol kreukels van de bankkussens. Ze kroop onder de uitgestrekte arm. "Luke, wij weten niet de woorden om jou te bedanken", zei Goran.

"Bedankt", zei Mila nog maar eens. Ze keek onzeker naar Goran, die bemoedigend haar schouder vastpakte. "Hartelijk bedankt", zei ze.

"Ja. Zoals Mila al zegt: wij bedanken jou hartelijk. Vanavond wij rusten uit en morgen wij zoeken werk. Ik heb adres waar werk is."

Luke bekeek hen even. Ze hadden hun beste Engelse woord voor hem voor den dag gehaald en Goran greep Mila steviger vast en wreef over haar arm, als om hun dankbaarheid te benadrukken, alsof ze een muziekinstrument was dat hij hiermee betokkelde. Ze liet haar hoofd tegen zijn borst rusten, terwijl ze die goedhartige klopjes opving. Ze waren een krachtveld van energie en hoop.

"Op een dag wij zullen iets voor jou doen, Luke", zei Goran. "Zeg het ons. Wij zullen deze hulp nooit vergeten."

Luke probeerde te glimlachen. Hij probeerde wijs te worden uit de tranen die net als bij de kassa van het benzinestation weer in Gorans ogen verschenen waren, maar het lukte hem niet. Ook Goran leken ze te overvallen en hij veegde ze ruw weg met de achterkant van zijn hand.

"Ik hoop dat jullie lekker zullen slapen", zei Luke. Deze praktische opmerking was alles wat hij op kon brengen. "Ik ... Ik moet weer naar ... binnen." Hij hief zijn hand op.

Toen hij wegliep hoorde hij Mila zachtjes roepen: "Ik hoop ook jij lekker slapen."

Ze had een aangename, zachte stem. Hij deed alsof hij het niet gehoord had.

Luke wist dat hij niet lekker zou slapen. Waarom zou hij eigenlijk slapen? Arianne was met een ander: 20.024 hits hadden dit feit duidelijk overgebracht. Haar onafhankelijke leventje had haar razend meegevoerd in een straaljager, een ruimteschip, naar een verheven atmosfeer waar hij niet kon ademhalen. Ze begaf zich nu onder beroemde mensen.

Zijn maag, het gevechtsterrein van al Lukes angsten, trok hevig samen. Hij zei tegen zichzelf dat hij moest bedenken dat in het gebouwtje achter hem mensen waren die worstelden om te overleven, in bossen sliepen, zich in vrachtwagens verstopten en twee dagen niets hadden gegeten. Hij dacht aan Gorans stem: "Wij zullen deze hulp nooit vergeten."

Het was ontroerend dat al hun handelingen gezamenlijk waren, zelfs de meest abstracte, zelfs hun geheugen. Ze hadden geen geld, geen bezittingen, geen thuis, geen land, maar was het niet zo dat ze goed zouden slapen omdat ze bij elkaar waren, terwijl hij in zijn eentje op een koude planeet het heelal in werd geworpen?

Luke bleef staan bij een van de rozenstruiken en boog zich, terwijl hij zich een stokoude man voelde, voorover om aan een van de bloemen te ruiken. Voor hij Arianne ontmoette was hij nooit zo eenzaam geweest. Ze had alle hevige emoties met zich meegebracht die aan zijn leven ontbraken ... of waar zijn leven heel goed zonder had gekund. Hij dacht aan hun eerste zoen, na het auto-ongeluk, toen ze in de deuropening van zijn slaapkamer had gestaan, slaperig en verward door de pijnstillers. "Heb je pijn in je hoofd?" had hij haar gevraagd.

En daarna volgde haar eerste onvergetelijke scène: "Nee ... maar ... Ik droomde dat ik God zag."

Wat had ze gezien? Een 'brandend, allesverslindend licht', dat was het. Hij was er algauw achter gekomen dat ze dol op die woorden was: "Weet je? Na het toetje kan ik je wel verslínden", zei ze, met haar hand in zijn broek in een restaurantzitje vol vrienden. "Fuck man, ik brand voor je", fluisterde ze midden in een film. "Nog ideeën, Luke?"

Het was apart dat God juist in die bewoordingen tot haar was gekomen. Het was allemaal erg verwarrend, en een beetje zondig. Hij schudde zijn hoofd. Als hij met Arianne vrijde, nam zijn angst voor het leven met de afstand tussen hun lichamen evenredig af. Er waren voor hem geen beangstigende speculaties meer over of hij een mislukkeling was of niet, over of zijn vader zijn potentieel erkende, of zelfs maar zijn bestaan; hij bereikte simpelweg haar mond, haar zachte buik, haar heupen en haar borsten. Waarom was het voor haar niet zo geweest? Vrijen met hem scheen haar angst alleen maar te versterken en ze nam de gewoonte aan om nadien zwijgend naast hem te liggen, als de overlevende van een schipbreuk, naakt en kwetsbaar voor de elementen.

Hij tuurde door het latwerk naar het huis van de buren. Het gezin zat gezamenlijk in de keuken te eten. Er stond wijn op tafel en de geur van knoflook en deeg vermengde zich met die van het pasgemaaide gras van het gazon. Boven, in een donkere kamer, liet een onbekeken tv licht flitsen op een kale muur en Luke vroeg zich af of dit het eenzaamste was wat hij ooit had gezien.

Was dít wat Arianne voelde wanneer ze zo huilde? Was dit de angst waarmee ze zich in zijn bereidwillige armen had gestort? Hij kon toen niet eens beginnen het te begrijpen. Geen wonder dat ze er niet op had kunnen vertrouwen dat hij haar zou beschermen. Misschien had hij haar eerst moeten verliezen om dat te kunnen begrijpen.

Was deze openbaring, die hij nu toch met een aanzienlijke mate van edelmoedigheid accepteerde, menselijke vooruitgang?

Plotseling voelde hij zich tot wonderen in staat. Natuurlijk zou hij Arianne terugkrijgen.

"O, Luke!" zei Rosalind. "Ben je in de tuin, lieverd? Ik riep je al. Wat heerlijk, hè? Is het geen schitterende avond?"

"Mam?" vroeg Luke.

Rosalind haalde voorzichtig wat dode bladeren uit de kamperfoelie. "Ja, lieverd?"

"Denk je dat je het hem ooit zult kunnen vergeven?"

14

Rosalind ging met een bord tonijnsalade in een zachte vinaigrettesaus aan de keukentafel zitten. Ze schonk een glas bruisend mineraalwater in en legde haar servet op haar schoot. Er lag een bruin bolletje op een bordje naast de salade en daar rechts van lag een stapel post die al twee weken aanzwol. Ze kon niet bedenken waarom ze hem niet open had gemaakt. Er waren wanhopig lege tijdspannen geweest waarin ze naar haar schoenen had zitten staren, of naar haar theekopje, haar hand ... maar om de een of andere reden had ze nooit de enveloppen opgepakt.

Het was een onverwachte luxe dat Alistair had besloten een nachtje weg te blijven. Nu ze wist dat haar man zich niet in de logeerkamer bevond had ze rustiger geslapen, want zelfs los van de volle betekenis ervan, wanneer haar hoofd zich bedreven met praktische zaken bezig hield, was die gedachte als een los draadje aan haar zoom of een afgrijselijke wijnvlek op de crèmekleurige bank.

Maar vannacht was Alistair gewoon weg geweest. Geen vuiltje aan de lucht. Het was heerlijk om voor de eerste keer in twee weken goed uitgerust te zijn en nu haar zoon weg was om hem in Dover op te halen, kon ze niet ontkennen dat het heerlijk was om alleen in het huis te zijn. Zonder mannen die medeleven of vergeving wilden. Luke had een poging gewaagd met haar over haar gevoelens voor Alistair te praten, maar ze had hem met succes afgescheept door te zeggen dat ze tijd nodig had om na te denken. En dat was ook zo. Ze leunde achterover in haar stoel en genoot bewust van de geluiden die je alleen hoort wanneer je in je eentje thuis bent: het getik van de klok in de hal, het gedempte draaien van de wasmachine, de vogels in de tuin. Even verderop maaide iemand het gras.

Ze nam een hap knapperige sla en begon aan de post. Eerst de rekeningen, daarna de handgeschreven brieven. Ze begon uit gewoonte met de praktische dingen; de persoonlijke brieven zouden een beloning zijn, zoals Luke en Sophie chocola kregen als ze zonder gekrijs hun inentingen hadden ondergaan of meteen na een vakantie hun koffers hadden uitgepakt en de was naar beneden gebracht. Na jaren van deze manier van denken bemoederde ze zichzelf nog steeds.

De rekeningen waren allemaal achterstallig, een feit waar ze zich normaal gesproken ontzettend veel zorgen over gemaakt zou hebben. Maar vandaag voelde ze niets. Er was er een van de stomerij die onlangs de gordijnen van de woonkamer gedaan had; dan was er nog de autoverzekering, waar Alistair wel naar zou kijken, en haar abonnement op het tijdschrift *Town and Country Interiors*, een blad over interieurs in de stad en op het platteland. Er waren verscheidene aanbiedingen en aankondigingen van grote loterijen die in aparte vormen en opdringerige kleuren uit de enveloppen stroomden. Het was ergerlijk om ze op te moeten pakken. Op eentje stond: 'Vind de verborgen aap en win £ 100.000!' De wereld was maar raadselachtig.

Uiteindelijk kwam ze bij een stugge, zachtpaarse envelop met een kaart erin. Hij was afkomstig van haar vriendin Cynthia, die 'zomaar' schreef in deze moeilijke tijd. Er was een andere kaart met dezelfde strekking van hun lieve voormalige au pair Claudia, die getrouwd was en voorgoed in Engeland woonde. Ze stelde de tact van haar vriendinnen op prijs: 'Ik denk aan jullie en aan alles wat jullie doormaken', 'Ik wilde alleen even laten weten dat ik er voor je ben'. Ze drukten hun medeleven uit zonder haar te kwetsen door op de hoogte te lijken van alle smerige details.

Het was niets voor Rosalind om zich zo bewust te zijn van de werking van vriendschap. Maar in de afgelopen weken was ze verpletterd door de ingewikkeldheid, de complexiteit van menselijke relaties. Wat kon je een hoop tegenstrijdige dingen voor iemand voelen terwijl je diegene een kop koffie inschonk en aangaf! Dat was haar opgevallen.

Als laatste lag er nog een gewone witte envelop, die in een bekend handschrift geadresseerd was. Even kon ze het niet goed plaatsen. Ze herkende de lus van de 'L' in Langford en de dramatische, veel te grote 'W' van W8. Ze maakte hem open en nam een slokje van haar mineraalwater. Ze las:

Lieve mam,

Ik schrijf je nu vanaf luchthaven Heathrow.

Rosalind zette haar glas neer. Het was Sophies handschrift, hoewel ze zich dat van Alistair herinnerd had, want dat was bijna niet te onderscheiden van dat van Sophie. Ze las verder:

Ik heb besloten mijn baan op te geven en een jaar naar Ghana te gaan. Weet je nog dat ik die cursus heb gedaan waardoor ik bevoegd ben om Engels als vreemde taal te onderwijzen? Je herinnert je het waarschijnlijk nog wel, want het moet pap en jou veel geld hebben gekost. Nou, het leek me dat ik er net zo goed eens iets mee kon doen. Ik weet dat het tien jaar geleden is dat ik die cursus heb gedaan, maar ik ben toch niet veel verder gekomen sinds mijn twintigste, dus.
Mam, ik weet dat je nu denkt dat ik dit doe om voor papa's narigheid weg te vluchten. Nou, je zult gewoon moeten geloven dat dat niet zo is, of dat dat tenminste niet álles is. Het gaat er juist om dat pap en jij – en Luke op zijn eigen manier ook – zich jarenlang alleen maar zorgen om mij hebben gemaakt, vanaf de eerste keer dat ik anorexia kreeg, en ik heb er genoeg van. Het is alsof ik mezelf heb gediagnosticeerd, en, wat er dan ook eerder met me aan de hand was, ik weet tenminste wat er nu met me is: ik heb er genoeg van om een noodgeval te zijn.
Ik schrijf je zodra ik er ben om je te laten weten dat alles goed is. En dat zal zo zijn. Zie dit alsjeblieft niet als de zoveelste ramp die op je af komt. Ik ben in jaren niet zo hoopvol geweest – nooit, eigenlijk.
Grappig. Je weet dat ik deze brief aan pap had geschreven als al die narigheid niet voor den dag was gekomen. Ik weet dat je begrijpt wat ik bedoel: dat hij degene is die ik normaal gesproken in vertrouwen zou hebben genomen. Nou, ik wil dat je weet dat ik blij ben dat ik hem aan jou schrijf, ik ben blij dat ik het jou vertel.
Ik denk aan je, mam, constant, nu je met zoveel verraad te kampen hebt. Ik stuur je een adres zodra ik gesetteld ben. Ik weet dat Luke boos zal zijn omdat ik wegga, maar ik moet dit doen. Ik weet niet waarom ik dit zo sterk voel, maar ik weet zeker dat je het zult begrijpen.
Liefs,
Sophie

Rosalinds dochter benam haar de adem. Dat had ze altijd al gedaan. De emotie, de kracht van dat dunne, blonde meisje die recht in je gezicht ontplofte. 'Met zoveel verraad te kampen hebt': daar stond het, zwart op wit. Sophie ontplofte, viel aan, dróng aan. Dat was niet de manier waarop Rosalind dingen aanpakte. Sophie had de luide stem van haar vader en schreeuwde daadwerkelijk tijdens ruzies; vreselijke noodkreten, zoals van iemand die in een brandend gebouw opgesloten zit. Het hardste wat Sophie ooit geschreeuwd had, was "LAAT ME UITPRATEN!", toen ze weigerde terug naar kostschool te gaan en uit protest op haar koffer in de hal was gaan zitten. Rosalind en Alistair hadden instinctief hun handen over hun oren geslagen en de glazen lampenkap op de haltafel had nog een paar tellen nagezoemd.

Toen Sophie veertien was schreef ze met scheermesjes op haar armen: TEEF, VLEES, HOER. Het was alsof ze een vel papier was om boze boodschappen aan de wereld op te schrijven. Zoals de brieven aan de redactie van de *Times* waar Alistair zich zo over opwond. Rosalind herinnerde zich een doop waar ze voor uitgenodigd waren en een ruzie omdat Sophie een zijden blouse met lange, verbergende mouwen die Rosalind voor haar gestreken had, niet wilde dragen. Sophie had hem opgepakt en als een stuk afval het raam uit gegooid. Je raakte er zo door van slag om later de tuin in te lopen en de blouse uit een druipende braamstruik te halen waarin hij was blijven hangen.

Sophie bracht de meest uiteenlopende dingen samen met een onheilspellend effect, waardoor ze je dwong naar een vreemd gefluister vlak onder het oppervlak van de normale wereld te luisteren. Het zorgde ervoor dat Rosalind zin kreeg om de voorraadkast uit te mesten, zoals ze aldoor al van plan was. Het zorgde er ook voor dat ze naar de kerk wilde om stilletjes de dingen waar ze dankbaar voor was op te sommen, zoals ze dat in haar schooltijd had gedaan. Ze herinnerde zich dat ze dan een bidsnoer vasthad en zich er merkwaardig bewust van was dat ze veel van haar ouders en de rest van de wereld niet begreep en dat ze zich nooit meer zo veilig zou voelen als toen, in haar gesteven uniform, met de lunchbel op de achtergrond.

Sophie en zij waren nooit close geweest. Dat deed Rosalind veel verdriet; het was een afwezigheid die bijna zo sterk was dat hij de voldoening van zonnige weekendochtenden ontzenuwde waarop ze door het huis liep om de planten te controleren en naar de ingelijste foto's van haar gezin keek.

Eigenlijk was het niet geweest wat ze ervan verwacht had, van een dochter. Als klein meisje al speelde Sophie liever een spelletje schaak met Alistair of ze las een boek in haar kamer, en dus was Luke altijd degene geweest die met Rosalind cakejes bakte en wollen beestjes maakte. Een andere teleurstelling was dat Sophie een hekel aan kleren had en al op haar vijfde vond dat je verkleden 'voor kleuters' was. Rosalind had vanaf haar trouwen al linten en stukken stof voor de verkleedkist verzameld en ze zorgvuldig bewaard voor wanneer Sophie er groot genoeg voor zou zijn, maar ze werden nooit gebruikt. Ze waren ook niet geschikt voor Luke, die een ongezonde interesse voor haar sieraden had getoond, die ze eigenlijk wel geneigd was toe te staan.

Ze had verlangd naar een mooi, klein dochtertje met wie ze de fantasiewereld van haar eigen kindertijd weer in kon duiken. Maar Sophie had geen interesse. En het was ronduit vernederend als een zesjarige een scheef gezicht trok wanneer je opperde dat het leuk zou zijn als ze zich op het gekostumeerde feestje voor de vierkante tuin verkleedde als prachtige elfenkoningin.

Het feestje – of een van de feestjes, want het was een jaarlijks evenement – onderscheidde zich in het verhaal van Sophie en haar. Het was opgezet om geld in te zamelen voor het onderhoud van het mooie gemeenschappelijke tuintje midden in Burton Square en werd in de zomer gehouden, als de tuin vol magnolia's stond. De hele buurt leverde een bijdrage aan het feestmaal en hielp met de ballonnen, tafels en serpentines. Alle kinderen droegen mooie, handgemaakte kostuums. Huren werd als vreselijk ordinair beschouwd. Het evenement was beladen met vrouwelijke rivaliteit. Sommige vrouwen begonnen maanden van tevoren aan de kostuums.

Sophie had er na een hoop discussie of ze überhaupt zou gaan op aangedrongen als rechter te gaan. Ze was een bleek, dun, klein persoontje met haar vaders pruik en in zijn toga. Ze sloeg met haar speelgoedhamer naast de borden van de andere kinderen, waardoor hun chips omhoogsprongen. Eén jongetje barstte in tranen uit en Rosalind zag dat Sophie meerdere malen door James Wardell van nummer 38 werd aangesproken.

Ze was zelden zo teleurgesteld geweest in haar dochter als die middag. Ze stond verscholen achter haar brede glimlach met een emmer de vijf-pencemuntjes van de kinderen in te zamelen bij het kokosnotenspel. Ze zag hoe de andere moeders naar haar vreemde dochtertje staarden wanneer ze arriveerden en hun Assepoesters en Roodkapjes in een glinstering van ruches en pijpenkrullen vrijlieten in de zonneschijn. Luke zag er tenminste perfect uit in zijn matrozenpakje, zei ze tegen zichzelf.

Maar hoe geweldig Luke ook was – en hij wás geweldig –, ze had altijd een geweldige dochter willen hebben. En in plaats daarvan had ze Sophie. Op haar zwartste moment – toen Sophie op haar vijftiende een overdosis slaappillen nam en in het ziekenhuis werd opgenomen – stond Rosalind het zichzelf toe dit te denken. Het was afschuwelijk dat een moeder zoiets dacht! Ze voelde zich er zo schuldig over dat ze de hele nacht in het ziekenhuis op een stoel naast het bed bleef zitten, ook al hadden de artsen gezegd dat Sophie niet in gevaar was en pas de volgende ochtend wakker zou worden.

Daar gaf ze haar droomdochter op. Ze treurde in termijnen om deze prachtige illusie – tijdens de ruzies of de bezoeken aan de anorexiakliniek waar Alistair en zij met hun theekopjes tussen de griezelig dunne meisjes zaten die onder hun kleren zo hoekig waren als fietsen.

Haar eigen moeder was op de dag na de overdosis op bezoek gekomen in het ziekenhuis en had wanhopig naar Rosalind gekeken, niet zonder een zweem van afkeuring op haar gezicht. Rosalind had haar eraan willen herinneren dat Suzannah jarenlang een volslagen wrak was geweest, maar zo zou ze nooit tegen haar moeder praten.

Keek haar moeder eigenlijk ooit wel naar haar zonder een afkeuring? Rosalind had haar hele leven geprobeerd zich aan haar maatstaven te houden, maar het had nooit mogen baten; Suzannahs onvolkomenheden leken veel meer aantrekkingskracht, veel meer romantiek te bevatten. Suzannah kwam altijd overal mee weg. Ze had een keer een van hun moeders broches gestolen en de diamant verkocht. Kort nadat de diefstal ontdekt was, overschaduwde Suzannah, met wat Rosalind als angstaanjagende expertise zag, dit incident door de erfgenaam van het Ellerson-suikerfortuin mee naar huis te brengen voor de zondagse lunch. Met het geld van de diamant had haar zus een geheel nieuwe garderobe voor zichzelf gekocht. Ze maakte geen geheim van haar aankopen. Maar dat najaar was Hugo Ellerson regelmatig in hun hal te zien, waar hij Suzannah in haar nieuwe jas met vossenkraag hielp of wachtte terwijl ze haar nieuwe pareloorbellen voor de spiegel indeed. Terwijl zij dronken was van grootse visioenen over de toekomst, waarin haar vader ging jagen met Ralph Ellerson en haar moeder in de woonkamer van Nordean zat te kletsen, stonden Rosalinds ouders er met een coulante glimlach bij te kijken. Wat haar nog het meest gechoqueerd had, was dat haar vader een claim bij de verzekering indiende voor de broche, omdat die verloren zou zijn.

Wat bestond het gezinsleven toch uit een hoop geheimzinnigheid. Wat een hoop gemene, smerige geheimen, dacht ze, waarna ze haar bord zo hard van zich af schoof dat het water uit haar glas klotste. En toen herinnerde ze zich iets wat Sophie gezegd had op een moment dat de anorexia heel erg was en ze bij iedere gezinsmaaltijd voor een onaangeroerd bord zat als een spook bij een banket. Het regende hard; het ging echt tekeer tegen de ramen. Ze waren net aan tafel gegaan en Alistair zei dat hij niet meekon naar iets waar Rosalind hem graag bij had gehad. Als ze het zich goed herinnerde, was het de vergadering van Moeders van Holland Park tegen Vandalisme geweest, die zij deze keer moest organiseren. Ze wist dondersgoed dat Alistair zich daar dood zou vervelen en dat hij een hekel had aan alle vrouwen die erbij betrokken waren omdat hij ze maar dwaze kwetteraars vond. Maar ze had hem er graag bij willen hebben, aangezien veel van de andere echtgenoten wel kwamen en het raar zou staan als hij er niet bij was.

"O, het spijt me, lieverd, maar ik heb volgende week een belangrijke zaak. Ik moet dinsdagavond echt in de kamer blijven overwerken", zei hij.

"Echt? Nou ja."

"Ja, het is een belangrijke zaak", zei hij.

"Dat zal wel. Laat maar."

"Wat een saaie piet, hè?"

"Ach, het geeft niet. Echt niet."

"Wat is de patrijs heerlijk, trouwens, lieverd. Voortreffelijk gelukt."

Sophie snoof. "Heerlijke patrijs?"

Ze keken allemaal naar haar, zoals ze boven haar onaangeroerde bord achteroverleunde tegen de muur. Ze trok 'het gezicht' – een combinatie van walging en wanhoop. Het betekende een onomkeerbaar moment.

"Weet je wel hoe weinig minzaam je haar behandelt, pap? Waarom kun je niet gewoon naar die stomme moedervergadering van haar gaan? Ze gaat verdomme altijd naar jouw saaie diners van de rechtbank. Hoe vaak vraagt ze jou nou om iets voor haar te doen? Noem één ding in de afgelopen tien jaar en ik geef je al mijn geld. Nee, nog beter: ik geef je al mijn sigaretten."

Rosalind schepte nog wat meer doperwten op Sophies bord en zei: "Lieverd, papa werkt altijd ongelooflijk hard voor óns, zodat we alles hebben wat we nodig hebben. En je zou niet meer roken, Sophie. Dat hebben we afgesproken."

"Dat hebben júllie afgesproken. En nee, pap werkt ongelooflijk hard omdat hij dat léúk vindt, omdat hij daarvan geniet. Omdat het een manier is om niet thuis te hoeven zijn en geen dingen te hoeven doen waar hij geen zin in heeft. Toch, pap?"

Sophie stond op en keek haar vader recht in de ogen. (Geweldig, dacht Rosalind, nu zal ze zeker niets meer eten.) Alistair staarde terug en zijn mond vormde zich tot een verwrongen glimlach of frons die lichtelijk gênant was om naar te kijken, net als een gezichtsverlamming na een beroerte.

"Toch, pap?" schreeuwde Sophie. "Waarom kun je niet naar een klein vergaderingetje voor haar gaan, zodat ze zich een keer gerespecteerd voelt?" Ze wendde zich tot haar moeder. "Maar, mam, wat ik echt-echt-echt niet begrijp is waarom je dit pikt."

Rosalind merkte dat ze pleitend zei: "Sophie, het is goed zo. Ga alsjeblieft zitten. Alsjeblieft. Er is niks aan de hand."

Sophie lachte. "Willen pap en jij weten waarom ik niet eet? Een groot raadsel?! Dit is verdomme een hongerstaking tegen leugens!"

"Hé", zei Luke, die met een air van vaderlijk gezag rechtop in zijn stoel ging zitten, "rustig aan, Soph, alsjeblieft, zeg."

Sophie smeet haar water in zijn gezicht en ging de kamer uit.

Nu keek Rosalind naar de tonijnsalade die ze over tafel van zich af had geschoven. Een hongerstaking tegen leugens. Dat kon ze zowaar begrijpen. Had ze haar altijd meer begrepen dan ze Sophie had willen laten merken? Wat verschrikkelijk! Waarom zou dat in godsnaam zijn?

Of was deze bizarre zelfbeschuldiging oneerlijk? Sophie had haar tenslotte altijd reden gegeven aan haar inzichten te twijfelen zodra ze erop begon te vertrouwen. Want hoe kwaad Sophie ook geweest was, de dag na een incident als dat over haar toespraak bij de Moeders van Holland Park deden Alistair en zij vaak net alsof er niets gebeurd was. Dan zaten ze in de woonkamer in vervoering van wederzijdse waardering krantenartikelen te bespreken.

Net zoals Suzannah altijd vergeven werd, altijd hun vaders lievelingetje bleef, welke wijn ze ook had aangebroken of hoe laat ze ook thuiskwam, werd Sophie vergeven door Alistair. Hun herenigingen waren onverklaarbaar gênant voor Luke en Rosalind, die in stilte opstonden en de borden afruimden terwijl vader en dochter in het Frans of Latijn woordassociatiespelletjes deden en lachten om hun grapjes. Luke en Rosalind keken elkaar niet aan wanneer dit soort dingen op de achtergrond bezig was.

Rosalinds dochter was een wild en angstaanjagend raadsel voor haar. Wat ze echter vurig voelde, was dat Sophie, anders dan zijzelf, niets voor zichzelf verborg. Dat was een pijnlijke manier van leven, daar was geen twijfel over mogelijk. Je kon niet naar Sophie kijken, met haar uitgemergelde armpjes en benen en de littekens op haar onderarmen, en zeggen dat het geen pijnlijke manier van leven was.

Ineens was Rosalind trots op haar dochter op een manier die ze niet zou kunnen uiten, een manier die haar intens verwarde gezien alle zorgen die Sophie had veroorzaakt. Haar wangen waren warm geworden en ze keek nogmaals naar de brief:

> Ik schrijf je nu vanaf luchthaven Heathrow.

Haar hart ging sneller kloppen van opwinding. Daarna las ze het einde:

> Ik weet niet waarom ik dit zo sterk voel, maar ik weet zeker dat je het zult begrijpen.

Waarom zou ze het begrijpen? Rosalind voelde zich dit vertrouwen volkomen onwaardig en balde geërgerd haar vuist.

Zij was de minst avontuurlijke persoon die ooit geleefd had. Waar was ze nou geweest, buiten de skireisjes met haar ouders of de vakanties met Alistair? Ze had maar één keer een reis zonder familie gepland, zonder een man. Dat was het Grote Italiaanse Avontuur geweest. Toen ze eraan terugdacht kromp ze vanbinnen ineen. Het was aangrijpend, maar ook beschamend.

Lara Siskin en zij waren toen ze twintig waren en in Chelsea een opleiding tot secretaresse volgden, maanden bezig geweest met plannen. Alistair was op dat moment druk bezig met zijn afstuderen en ze zagen elkaar amper. Ze wist niet dat hij het zich niet kon veroorloven haar mee uit eten te nemen en dat hij alleen maar kon hopen dat hij voor dezelfde feestjes werd uitgenodigd als zij. Ze dacht dat hij andere meisjes mee uit nam, slimme meisjes van Girton of St. Hilda, die in alles van haar verschilden. Maar het was wel geweldig om hem toevallig op een feestje tegen te komen. Ze had tegen zichzelf gezegd dat ze verder moest en de extravagante belofte van dat bal in mei, nu meer dan een jaar geleden, moest vergeten. En ze bedacht dat het toch veel opwindender was om over reizen te dromen dan over bruiloften, waar haar vriendinnen altijd mee bezig waren.

Maar ondanks deze hang naar onafhankelijkheid was liefde toch de drijfveer achter alle handelingen. Lara en zij hadden een kaart en een reisgids van Italië gekocht, die ze er elke dag tijdens de lunch bij pakten, en dan zeiden ze dingen als: "Nou, ík denk dat een of andere elegante Italiaan jou ten huwelijk zal vragen op de Spaanse Trappen, waar Keats in 1821 gestorven is."

Daarna pakte de ander het boek en bladerde erdoorheen: "Nou, ík denk dat jij verliefd wordt op de oudste zoon van een wijngaardeigenaar in Montepul... Montepulciano."

Daarop lachte Lara boosaardig. "Je kunt maar beter geen ja zeggen als je daar op die Spaanse Trappen staat, Roz, hoe donker en knap hij ook is, want dan breek je iemands hart."

"Waar heb je het over?"

Lara trok een gezicht: pretentieus, verlegen, verliefd. Precies Alistair.

"Lara. Hou op."

"Nou, hij is gek op je. Dat zegt iedereen. Philip zegt dat hij zowat flauwvalt als iemand jouw naam noemt."

"Zo goed ken ik hem niet", zei Rosalind, die op haar lip beet om een trotse glimlach te onderdrukken. Ook al geloofde ze niet dat het waar was, het was leuk dat haar vriendinnen haar als het object van iemands verlangen zagen. Maar ze kon haar aangeboren eerlijkheid en bescheidenheid niet lang beteugelen. "Echt, Lara, hij neemt me niet eens mee uit eten of zo."

"Wie weet wat er in het hoofd van mannen omgaat?" zei Lara, daarbij zuchtend als een vrouw die zich bij vele teleurstellingen had moeten neerleggen. In werkelijkheid had ze nog nooit een vriendje gehad. "Hoe dan ook, Roz", zei ze, "je hebt nog tijd zat om te trouwen, ja toch? Je bent pas uitgerangeerd als je vijfentwintig bent."

Op dinsdag- en donderdagavond hadden ze Italiaanse les van een ontzettend dikke vrouw die Elena Forli heette en in wier huis het verrukkelijk naar vers deeg, glaceersuiker en vanille rook. *Signora* Forli had lichtelijk verontrustende babyblauwe en rozekleurige foto's van Jezus aan al haar muren en Hij glimlachte als een geduldige kinderjuffrouw neer op Lara en Rosalind, terwijl die worstelden met hun verleden tijden en langs hun lippen likten.

Tijdens hun saaie stenografielessen verstopten ze hun Italiaanse grammaticaboeken onder hun bureau en glimlachten samenzweerderig naar elkaar. was *Andiamo in Italia*, wat 'We gaan naar Italië' betekende.

Lara maakte pasta van meel en eieren, die ze eerbiedig opaten, hoewel hij onsmakelijk lang gekookt was. Was dit het slijmerige spul waar de Italianen beroemd om waren, vroegen ze zich af. Het maakte allemaal deel uit van het raadsel van het volwassen leven, was van dezelfde aard als de opwindende ongemakkelijkheid die werd veroorzaakt door het imiteren van grotemensenpraat tijdens de dineetjes van hun ouders. Er hing een onmiskenbaar gevoel van bedrog in de lucht en oogcontact met elkaar op het verkeerde moment zou hun volwassen persona uit elkaar gerukt hebben in een lawine van ingehouden giechels. Deze mogelijkheid omzeilden ze plechtig. Ieder van hen zwoer in het geheim om te doen alsof ze tagliatelle lekker vond, bijna alsof het een overgangsrite betrof.

Twee dagen voor ze naar Rome zouden vertrekken, kreeg Lara een acute blindedarmontsteking. Mrs. Siskin belde Rosalinds moeder om het uit te leggen. Lara mocht de eerste drie weken zeker niet weg en begon in september aan de etiquetteschool. Beide moeders waren het erover eens dat het heel jammer was, hoewel Rosalinds moeder geen idee had hoe teleurgesteld mevrouw Siskin was dat haar dochter de mogelijkheid verloor om wat zij als een zeer gewenste vriendschap voor Lara zag, te versterken.

Rosalind had nog nooit zo hard gehuild. En misschien daarna ook wel nooit meer. Uiteindelijk kwam haar zus binnen en die ging op het bed zitten. Rosalind kon Suzannahs gezichtscrème ruiken.

"Rozzy, je maakt een verschrikkelijk kabaal, het is hartverscheurend", zei ze.

Rosalind tilde haar hoofd van het kussen. "Sorry."

"Arme jij. Jezus, waarom ga je niet gewoon?"

"Wat? Doe niet zo achterlijk. Dat kan niet."

Suzannah liep naar de schoorsteenmantel en pakte de tickets. "Wat zonde van al die plannen. Al dat suffe geroddel."

"Hou alsjeblieft op, Suzannah. Ik weet het al. Hou op."

"Waarmee? Ik probeer het je niet in te wrijven of zo. Ik zeg juist: 'Ga.' Ga verdomme alleen. Dat zou ik ook doen."

Rosalind tilde haar gezicht uit het kussen en keek naar haar mooie zus, die de tickets in haar hand hield alsof ze ze net gekregen had als prijs voor de meest levendige persoonlijkheid. "Maar ik ben jou niet", zei Rosalind.

Suzannah liet dit even bezinken. Haar gezichtsuitdrukking werd serieus, alsof ze ineens besefte hoe onverantwoordelijk ze zich gedroeg. Ze ademde rustig uit. "Nee, dat is ook zo." Ze liep terug naar de schoorsteenmantel en zette de tickets weer tegen de klok. Daarna rekte ze zich uit, gaapte en zei dat ze aan haar schoonheidsslaapje toe was en dat ze zeker wist dat Rosalind zich morgen beter zou voelen. Ze zei ook dat wanneer ze zo bleef janken, haar ogen nog dagen opgezwollen zouden blijven.

Toen de deur werd gesloten en het licht van de hal buitensloot, voelde Rosalind, na alles wat al buitengewoon meedogenloos was geweest, hoe iets anders ten einde kwam. Het werd letterlijk donker.

Zes maanden later vroeg Alistair, die zijn studie had afgerond en aan een proeftijd bij een achtenswaardige kamer in de Inner Temple was begonnen, haar mee uit eten en niet lang daarna of ze met hem wilde trouwen. Ze was in de zevende hemel en zei onmiddellijk ja. Dolblij dat ze een manier had gevonden om een einde te maken aan de ongemakkelijke sfeer tussen haar en haar vriendin, vroeg ze Lara als bruidsmeisje.

Suzannah zou in haar eentje naar Italië zijn gegaan, dat was waar. Rosalind zag haar zus nog voor zich met de tickets in haar hand. In het licht van de hal lichtte het rood in haar donkere haar op. Hun ouders zouden woedend zijn geweest, maar daarna, als Suzannah terugkwam vol verhalen over de voorname meneer zus en de nog voornamere meneer zo, zouden ze "Weet u, onze oudste dochter is nogal een ontdekkingsreiziger" gezegd hebben tegen iedereen die op visite kwam.

Rosalind had sterk het gevoel dat ze een slecht voorbeeld voor Sophie was geweest. Alistair had haar altijd neerbuigend behandeld – dat was waar – en zij had dat laten gebeuren. Waarom? Omdat ze dat gewend was. Iedereen had altijd uit de hoogte gedaan tegen haar: haar vader, haar moeder, haar zus, iedereen.

Waarom had ze nooit de diamant uit haar moeders broche gestolen of in haar eentje door Italië gereisd? Als ze een avonturier was geweest, als ze dat bootticket gebruikt had, als ze de nachttrein van Parijs naar Rome had genomen, was ze misschien nooit met Alistair getrouwd. Dan was ze nu misschien wel met de zoon van de wijngaardeigenaar in Montepulciano getrouwd.

Ze glimlachte om deze opmerkelijke gedachte. Niet dat ze zich nooit een ander leven had voorgesteld. Er was tenslotte de affaire met Rupert Sanderson geweest. Ze noemde het een affaire, maar in werkelijkheid was het niet meer dan een paar tellen aanhoudend oogcontact in de keuken van de Sandersons toen iedereen naar buiten was gerend om naar een regenboog te kijken, en Rupert voor haar had gestaan in zijn witte tenniskleding en krachtig met zijn racket tegen zijn schoen sloeg. Wat volgde waren enkele maanden van erotische dromen. Ze werd gechoqueerd van haar eigen verbeelding wakker. De dingen die ze deed! Op de vloer knielen en Rupert Sandersons tennisbroek naar beneden trekken en likken aan zijn ... zijn ...

Maar de duur van haar 'affaire' met Rupert was een uitzondering geweest. Ze had zich altijd alleen maar abstracte fragmenten – de ontroerende, huiselijke aspecten van het huwelijk – van andere levens voorgesteld, die ze veilig naar het fantasierijk verbande. Ze had zich afgevraagd hoe het zou zijn om in een auto naast Julian te zitten, van de trap af te komen met Henry Phipps, of haar jas aangereikt te krijgen door Omar Bhattachari! Die gedramatiseerde momenten vereisten een bereidheid tot geloven, net als bij een toneelstuk of een film. Maar Alistair was de werkelijkheid waar ze naar terugkeerde wanneer het licht aanging. Hun huwelijk was een *conditio sine qua non* – een uitdrukking die Alistair gebruikte. Alles was een uitdrukking die Alistair gebruikte! Haar hele zelf was een uitdrukking die Alistair gebruikte. Na negenendertig jaar huwelijk begreep ze niet eens wat scheiding betekende.

"Ik zou van hem scheiden", had Suzannah gezegd, toen ze daar met die verschrikkelijke kranten stonden. "Dat zou ik doen, Rozzy."

En ze had haar zus automatisch geantwoord: "Maar ik ben jou niet, Suzannah. Jij hebt het huwelijk nooit begrepen. Je mag dan misschien vier verschillende achternamen hebben gehad, maar je bent nooit écht getrouwd geweest."

Suzannah had naar haar gezicht gekeken in de spiegel in de woonkamer, met haar knie op het kussen van het zitje bij de haard. De vrij hardnekkige spanning in haar schouders verdween. "Nee, dat is zo, Roz", zei ze, oprecht nederig knikkend.

Ze wist dat ze zich zonderling gedroeg, maar Rosalind besloot een verkoelend bad te nemen in plaats van haar lunch op te eten. Ze zette het hele bord inclusief het uitgespreide bestek in de koelkast.

Toen ze op het bed zat en naar het stromende water in de badkamer ernaast luisterde, ging ze met haar hand onder het matras. Daar bewaarde ze de artikelen met foto's van Alistair en het meisje. Ze haalde ze er af en toe onder vandaan en keek naar de gezichten, niet wetend waarom ze de behoefte voelde om ze te verstoppen, aangezien ze toch niet echt veel meer openbaar konden worden. En Alistair had geen stap meer in hun slaapkamer gezet sinds ze hadden besloten dat het beter zou zijn als hij in de logeerkamer ging slapen.

Het meisje was niet het kind dat de kranten van haar maakten, maar ze was wel erg jong. Ze was jonger dan hun dochter. Dit feit was al verschrikkelijk genoeg; het deed Rosalind en haar aantrekkelijkheid teniet en was op zichzelf nogal onheilspellend. Ze keek naar de foto van haar man. Om zijn zedeloosheid te benadrukken had de *Daily Mail* er een gekozen waarop hij grijnsde, een foto die genomen was op de trappen van een of andere rechtszaal, een paar jaar geleden na een overwinning. De *Times* had hem ellendig afgeschilderd: 'Arme Zondaar.' Ze hadden hem genomen in de deuropening toen hij nietsvermoedend de deur voor hen opende. Op die foto leek hij veel kleiner en ouder. Er viel van het gezicht met op elkaar geklemde kaken zo'n angst af te lezen. Een deel van haar kon het niet laten intens medelijden met hem te hebben.

Zij kon zich beter dan wie ook zijn vernedering voorstellen. Niet alleen omdat ze de verongelijkte vrouw was en erin deelde, maar ook omdat ze al lang zijn teleurstellingen net zo hevig voelde als de hare.

Die gewoonte was langzaam gegroeid. Toen ze hem nog maar pas kende, voordat ze verloofd waren, had ze zo nu en dan een gekwelde, gespannen blik op zijn gezicht ontwaard wanneer zijn vrienden volkomen normaal gezellig aan het kletsen waren. In het begin had ze gedacht dat hij hun lichtzinnigheid afkeurde, want hij leek veel liever iets zwaars en serieus te bespreken, zoals of de Tory's de komende verkiezingen zouden winnen, of de vraag of John Listers boek een redelijke portrettering van Churchill was. Misschien vond hij restaurants, skireisjes en musicals maar tijdverspilling. Het idee bracht haar in vervoering – het idee dat een brein zó superieur kon zijn. Misschien waren zijn ouders heel streng of puriteins, dacht ze. Die soberheid was ook opwindend. Maar hij gaf haar geen enkele aanwijzing.

Toen, vlak nadat het Grote Italiaanse Avontuur afgeblazen was, toen er geen hoop meer scheen te zijn in het leven, zette iets wat Philip tegen haar zei een proces van inzicht in beweging. Ze kwam haar neef tegen op een druk feest in een klein appartement aan Ebury Street. Hij zei: "Je loopt nogal weg met mijn vriend Alistair, niet?"

Rosalind wendde haar blik af, maar keek hem daarna weer vastberaden aan. "Hij heeft me een paar keer geschreven na dat bal waar jij me mee naartoe had genomen, dat is alles. Ik heb hem in geen tijden gezien en als ik hem tegenkom is dat alleen bij toeval, op een feest als dit bijvoorbeeld", zei ze.

Philip was geamuseerd om haar ongewone prikkelbaarheid. "Nou, het zou me niets verbazen als je binnenkort wél wat van hem hoort, Rozzy."

Ze keek hem niet-begrijpend aan.

Hij lachte – de charme van romantiek intrigeerde hem immens – en boog zich naar haar toe. "Moet je horen, hij heeft net een proeftijd aangeboden gekregen bij de kamer van Alan Campbell. Je kent meneer Campbell toch wel? Een goede vriend van jouw geweldige moeder, en waarschijnlijk net als iedereen hopeloos verliefd op haar. Hoe dan ook, dit blijft tussen ons, hoor, maar het schijnt al zeker te zijn dat ze hem aannemen. Campbell heeft tegen mijn vader gezegd dat het de beste kandidaat in jaren is. Schitterende toekomst in het vooruitzicht, enzovoort. Alistair gaat het helemaal maken."

"O", zei ze, knikkend, niet begrijpend wat dit met haar te maken had. "Wat fijn voor hem."

"Ik wed dat hij je in no time mee uit eten vraagt."

Philip had gelijk. Maar het was eerst alleen naar feestjes van vrienden. Hij vroeg of hij haar mee uit mocht nemen, of ze samen aan konden komen. Ze was blij verrast.

Nu ze de kans had om Alistair met vrienden samen te zien die minder dicht bij hem stonden dan Philip, kon ze zien hoe onzeker hij was. Ze zag dat hij deed alsof hij de ervaringen deelde waar zij zo gewoontjes over spraken: jagen, vissen, skiën. Het was niet helemaal doen alsof; hij liet gewoon veronderstellen dat hij precies wist waar ze het over hadden door volkomen onbeweeglijk te blijven en niets te zeggen. Ze kon de brute kracht van zijn zelfbeheersing voelen wanneer ze naast hem stond. Ze kon zich niet voorstellen waarom hij het nodig vond, terwijl zijn vrienden net als zij toch zo duidelijk groot ontzag voor zijn intelligentie hadden. Maar niets kon Alistair zo van zijn stuk brengen als de vraag hoe goed hij kon tennissen, of een voorstel om de volgende week met z'n allen een nieuw chic restaurant uit te proberen.

Toen haar moeder het onderwerp Alistair voor het eerst ter sprake bracht, kreeg ze deze kwestie dubbel en dwars voor de kiezen. "Suzannah vertelde ons dat je omgaat met een jongeman", zei haar moeder, wier blik strak op de krant gericht bleef.

Rosalind smeerde boter op haar toast en plette dit verraad van vertrouwen onder haar mes. "Nee, dat is niet waar."

"O?" De krant kwam omlaag. Deze simpele uitroep van haar moeder kon wel duizend verschillende dingen betekenen en het was altijd een uitnodiging om met iets beters te komen. "Ik bedoel dat hij gewoon iemand is die ik ken. Dat is alles. Een vriend."

"Aha. We hebben hem eens ontmoet, klopt dat?"

Suzannah was echt heel indiscreet bezig geweest. Rosalind slikte haar toast door en zei: "Ja, op Philips eenentwintigste verjaardag."

"Die vriend van Philip? Van Oxford?" vroeg haar moeder, duidelijk allang op de hoogte van alle feiten.

"Ja", zei Rosalind.

"Die met dat donkere haar, die er nogal uitgemergeld uitzag en afschuwelijk ernstig keek?"

"Ik denk het."

Rosalind vond dat Alistair scherpe gelaatstrekken had, maar hij was niet uitgemergeld, en 'afschuwelijk ernstig' had niets te maken met de plaatsvervangende opwinding die ze voelde wanneer ze naast hem zat op een feest en hem hoorde praten over welk onderwerp dan ook. En de grootste grap en het grootste genot van alles was natuurlijk dat hij zijn briljante discussies onderbrak om haar te vragen of ze nog wat wilde drinken! Het was van de gekken dat die intellectuele jongeman geïnteresseerd was in de saaie, gewone haar. Ze lag stiekem slap van het lachen als hij tegen Philip zei: "Tolstoi kan wel een paar minuten wachten", omdat hij nog een glaasje bowl voor Rosalind ging halen.

"Nou", zei Rosalinds moeder, waarna ze even een slok van haar koffie nam en het kopje weer behoedzaam op het schoteltje zette, "ik hoor dat hij niet bepaald dom is. Alan Campbell lijkt tenminste te vinden dat er iets van hem te maken valt. Maar, Rozzy, word maar niet verliefd op hem."

Voor de eerste keer in haar leven won Rosalinds nieuwsgierigheid het van haar instinctieve terughoudendheid. "Waarom niet?"

"Waarom niet? Omdat hij niet goed genoeg voor je zal kunnen zorgen, lieverd. Je kunt bepaalde dingen over iemands opvoeding zien ... de maatstaven die ze gewend zijn ... Er is een zekere *élégance*. Ik hoef het toch niet voor je te spellen?"

"Maar hij wordt advocaat."

De krant was alweer omhoog, leek ondoordringbaar. "O ja?" was het matte, sceptische antwoord.

"Ja. Bij meneer Campbell. Dat moet hij toch ook verteld hebben. Het is een erg goed beroep."

"Daar ben ik van op de hoogte, Rosalind, maar hij moet helemaal onderaan beginnen. De meeste jonge mannen voor wie je interesse zou moeten hebben, hebben al iets om mee te begin..."

"Mama, volgens mij heb je geen goed beeld van hem. Volgens mij heeft Suzannah je een verkeerde indruk gegeven. Ze weet echt helemaal niets over hem. Hij is een van Philips beste vrienden, weet je dat? Ze zijn onafscheidelijk."

Helena Blunt was het niet gewend dat Rosalind haar tegensprak, maar had respect voor haar bevlogenheid, en glimlachte achter haar krant om deze nogal aandoenlijke zet om haar lievelingsneef Philip als een soort koninklijke stempel van goedkeuring te gebruiken. Ze kon zich niet voorstellen hoe het moest zijn om zo argeloos en doorzichtig als haar jongste dochter door het leven te gaan.

Rosalind had nooit geprobeerd te liegen of te bedriegen. Maar toen Alistair haar over zijn moeder vertelde – een verhaal dat na al die jaren een leugen bleek te zijn! –, wist ze dat haar ouders neer zouden kijken op iemand die voor anderen naaide en in een klein arbeidershuisje ergens in een dorpje in Sussex woonde waarvan ze nooit op de naam kon komen, hoewel ze wist dat het haar verteld moest zijn. Het feit dat mevrouw Langford weduwe was, dat ze een schrijfster van aanzien had kunnen zijn maar al haar tijd en talent besteedde aan onderbetaald vertaalwerk, zou haar vader koud laten. Hoewel het haar moeder misschien wel zou aanspreken; ze zou respect gehad hebben voor de moed en bekwaamheid van mevrouw Langford. Maar uiteindelijk, zo wist Rosalind, wilden haar ouders toch een Hugo Ellerson voor allebei hun dochters.

Het was onmogelijk om Alistair als een Hugo af te schilderen, maar ze kon het beeld dat hij van zichzelf gaf tenminste nog wel doorspelen conform wat ze van de vooroordelen van haar ouders wist. Dat die vooroordelen niets meer waren dan de verwatenheid van die tijd was iets wat Rosalind met stijgende ontgoocheling leerde. Zoals de meeste kinderen was ze opgegroeid met de gedachte dat haar familie zeldzaam en bijzonder was, verwikkeld in een uniek drama.

Ze genoot niet van het onoprecht zijn. Ze had altijd geweten dat bepaalde dingen die Alistair haar vertelde niet klopten, of niet het hele verhaal waren – natuurlijk had ze dat. Niet dat ze er ook maar een moment aan had getwijfeld dat zijn moeder aan lymfklierkanker was overleden, maar het was wel eigenaardig dat er niet één ander familielid was om te ontmoeten en er niet één vriend van voor zijn Oxford-tijd bestond. En hij kon niets over zijn vader vertellen, niets meer dan het naakte feit dat hij dood was. Het was alsof Alistair niets over hem wist.

Maar Rosalind was verliefd, en hoe onwaarschijnlijk hij ook als koppelaar leek, de droge, sarcastische Alan Campbell had Alistair en zijn potentieel binnen het beroep zo geroemd dat haar ouders over het idee van een huwelijk wilden nadenken. Zolang zijn verleden consequent ongenoemd bleef zou hij het heden misschien met zijn toekomst kunnen goedmaken. Onder deze stilzwijgende voorwaarde werd hij steeds vaker voor lunches of een drankje uitgenodigd.

Rosalind zag dat Alistairs vlugge verstand hem in een wereld had gebracht waarvan ze de regels nooit eerder als regels had gezien. Net zoals zijn brein haar het gevoel gaf geauthentiseerd te worden en beschermd te zijn tegen blootstelling aan de intellectuele hoon die ze voortdurend vreesde, zo zorgde zij ervoor dat ze hem in ruil daarvoor het weinige gaf wat zij te bieden had. Ze deed de grootste moeite om langzaam de juiste lepel of vork op te pakken tijdens het eten, zodat hij haar na kon doen. Op de juiste momenten zei ze: "Zal ik je arm maar nemen?", of: "Help je me even met mijn jas?", of: "Moet je mij nou vooruit zien denderen, zodat je niet eens de deur voor me open kunt houden!" Ze besteedde veel aandacht aan haar uiterlijk en zag hoe goed het hem deed om met haar aan zijn arm een feestje binnen te lopen.

Maar zo begon ze ook aan de langdurige gewoonte om tegen Alistair net te doen alsof ze de hiaten in zijn levensverhaal niet opmerkte. Natuurlijk had het haar altijd beziggehouden dat hij geen foto's van zijn 'geliefde' moeder had, of dat zijn moeder hem op haar beurt niets scheen te hebben nagelaten. Rosalind was zich er terdege van bewust dat Alistair na die eerste hartverscheurende beschrijvingen van het werk van zijn moeder geen enkele anekdote uit zijn kindertijd meer verteld had. Het was alsof hij geen verleden had, en ze werkte met hem samen om deze illusie te onderhouden, zowel in het openbaar als privé, want ze had begrip voor de kwelling die een gevoel van ontoereikendheid kon veroorzaken, ook al begreep ze de oorzaak ervan in hem niet. Deze subtiele verandering van medeleven naar bedrog was de eerste daad van Rosalinds liefde.

Nu keek ze neer op het angstige gezicht in het krantenknipsel. Het zwakke, angstige, stomme gezicht. Alistair had haar nog nooit in de steek gelaten, en zij hem niet. Dat was liefde: elkaar niet in de steek laten. Dit was wat ze stilzwijgend afgesproken hadden. En beiden hadden ze, met elkaars hulp, nooit iets verkeerd gedaan of gezegd waar iemand bij was, zelfs niet tegen elkaar.

Maar nu had ze een met een flitslicht belicht portret van mislukking in haar handen: deze foto, genomen door een onnadenkende vreemdeling. Hoeveel beter was het geweest als ze niets had geweten over Alistair en Karen Jennings! En als Ivy Gilbert geen aanval van sentimentaliteit had gehad over een zoon die bijna veertig jaar lang geen contact met zijn moeder had opgenomen, een zoon die zo harteloos was geweest om iedereen te vertellen dat zijn moeder al dood was! Liever was ze in het ongewisse van die feiten gebleven.

Ja, antwoordde ze de Sophie in haar hoofd, nóg meer bedrog. Nou en? Was dat niet beter dan dit? Bedrog had er tenslotte een groot aantal jaren uitgezien als gezondheid en geluk, als het leven. En eerlijkheid? Eerlijkheid zag eruit als een foto van haar beschaamde echtgenoot in de krant, als het uitgemergelde lichaam van haar dochter, als de dood.

Haar lip krulde zich. De angst op Alistairs gezicht was grotesk; het was walgelijk intiem, als de geuren die je nooit van je leven zou opnoemen, de geluiden waarvan je net deed of je ze niet gehoord had. Ze begon te huilen. Ze voelde zich bevuild. Ze duwde de knipsels veilig terug onder het matras, omdat ze de angst van haar man niet langer kon aanzien.

15

In de hal legde Alistair de hoorn terug op de haak. "Nou, het is nu allemaal geregeld", zei hij tegen Rosalind. "Morgenmiddag komt het schoonmaakbedrijf. Ik heb een doos laten staan met spullen waar Ivy en Geoff misschien in geïnteresseerd zijn. Ik stuur ze de sleutels gewoon wel", zei hij. "Dat is een stuk eenvoudiger."

Nadat hij dit gezegd had, wendde hij snel zijn gezicht af, en ze begreep dat hij zich niet nader wenste te verklaren. Hij had gezegd dat hij misschien persoonlijk bij Ivy langs zou gaan en ze vond ook dat hij dat moest doen, uit respect voor iemand die de moeite had genomen om te bellen en het overlijden van zijn moeder te melden. Maar hij had besloten het niet te doen. Rosalind zuchtte onhoorbaar en streek een lok haar van haar voorhoofd.

Alistair pakte de envelop met meneer Wilsons specificatie, die ze bij hem had neergelegd toen hij aan de telefoon was. "Heel efficiënt, die makelaars", zei hij, terwijl hij de brief omhooghield. Hij had de laatste tijd de gewoonte om dingen waar hij abstract met woorden naar had verwezen als bewijs omhoog te houden: kopjes, boeken, zijn bril.

"Mooi zo. Dat is fijn", zei Rosalind. Ze had een enorme waszak vol kleren vast. Ze ondersteunde hem met haar heup, zoals ze Luke en Sophie had rondgedragen toen ze klein waren, en liep de trap op.

"Hemeltje, wat zie ik nu? Heeft die zoon van ons je aan het wassen gezet? Kan de schoonmaakster dat niet doen?" vroeg Alistair.

Ze draaide zich om en fronste haar wenkbrauwen. "Ik doe al jaren onze was, Alistair. Het is zonde van het geld om Lani een uur extra te laten blijven voor de was van maar twee mensen. Ze strijkt natuurlijk wel jouw overhemden. Dat is het rottigste gedeelte. Ik prop het alleen maar in de machine en druk op de knop."

"Ah. Oké."

Had hij haar niet laatst bij een andere gelegenheid horen zeggen dat haar handelingen louter mechanismen waren? Dit zat hem even dwars. Maar zoals altijd was hij diep geraakt door hoe weinig verwend ze eigenlijk was. Hij had veel geld verdiend, maar op de een of andere manier had ze het nooit als het hare gezien, zich er nooit mee uitgeleefd. Ze zorgde dat haar kleren lang meegingen en droeg nog altijd het horloge dat ze op haar eenentwintigste verjaardag had gekregen. Hij zou haar een cadeau willen geven, maar dat zou er natuurlijk eerder uitzien als een schuldbekentenis dan als een oprecht verlangen om haar ergens om te zien glimlachen, wat het in feite was. Hij zou graag het zijden jasje voor haar kopen dat ze een paar maanden geleden in een etalage bewonderd had toen ze terugwandelden van een restaurant. Ze hadden samen geluncht – met z'n tweetjes, wat heel zeldzaam was – en toen ze elkaars blik vingen boven de menukaart, wisselden ze een stilzwijgende erkenning uit. Het was als gefluister, een ontluikende verwachting van aanstaande rust. Voor hen uitgestrekt lag, onopvallend blinkend als een parelsnoer, een reeks rustige lunches. Wat kon er zo erg zijn aan oud worden als het zo zou zijn?

Alistair ervaarde het pensioen soms als een soort vernietiging. Hij had last van paniekaanvallen, voelde zijn identiteit onder zich wegschuiven als een lawine. "Geen werk meer!" zei hij tegen zichzelf, maar half overtuigd van het feit dat hij alleen maar melodramatisch deed. Maar die middag was Rosalinds rustige blik tot de diepten van zijn angsten doorgedrongen. Misschien stelde hij zich toen pas voor het eerst voor dat ze na het ontbijt samen de krant zouden lezen, dat zij de rozen zou snoeien en hij het Venetiaanse glas zou verzamelen dat hij op foto's altijd zo bewonderde. Een van hen zou zeggen: "Zullen we onze boeken mee de tuin in nemen en lekker een tijdje gaan zitten lezen?"

"Ja, wat een goed idee. Zal ik thee maken? De post kan wel tot na de lunch wachten, hè?"

Misschien zou deze bedaarde routine wel echt het hectische belang van het gehaast tussen rechtbank en kamer wegnemen, misschien zouden ze het wel allemaal ontgroeien in een tuin met mildere kleuren.

"O, je hebt mazzel!" zei Rosalind toen ze op de menukaart keek. "Ze hebben tarte tartin, schat, je lievelingsdessert."

"Ah!" had hij geantwoord, waarbij hij bedacht dat hij inderdaad heel veel mazzel had.

Ja, dacht hij. Haar geordende denken, waarin alles schoon en gevouwen was en besprenkeld met lavendelwater, zou hem stilletjes stuwen richting ... slaap. Er zou geen vernietiging plaatsvinden. Dít was liefde, niet de geërotiseerde strijd van intellecten waar hij in het geheim van gedroomd had, die hem vervaarlijk opwond wanneer hij het in de rechtszaal tegen een vrouw opnam. Liefde was het pakken van een trui of een extra kussen en het liefdevol onthouden van een lievelingsgerecht. Die middag had hij zich wijs en gelukkig gevoeld.

Het jasje hing er nog. Dat had hij gezien toen hij met Luke langs de winkel reed. Ze zou er prachtig in uitzien; het donkere roze zou haar elegante, bleke huid goed hebben doen uitkomen. Waarom was hij niet onmiddellijk naar binnen gesneld om het voor haar te kopen toen ze ernaar stond te glimlachen na die lunch? Waarom had hij zoiets nooit impulsief gedaan, vroeg hij zich af.

Alistair bedacht dat deze laatste reeks gedachten waarschijnlijk typerend was voor een overspelige man: kiezend uit een scala van aanvaardbare mogelijkheden voor wroeging had hij besloten dat hij zijn vrouw niet genoeg cadeaus had gegeven.

Rosalind zag dat hij de eigenaardige, sentimentele gezichtsuitdrukking kreeg die hij de laatste tijd ontwikkeld had en keek met lichte walging weg.

"Heb je iets van Sophie gehoord?" vroeg hij snel.

Ze schudde de waszak alsof hij bij haar weg kronkelde. "Eh ... ja. Dat wilde ik je nog vertellen", zei ze.

"O? Wat is er aan de hand?"

Ze zag hoe bleek zijn gezicht was geworden en wist dat hij dacht dat Sophie zichzelf iets had aangedaan. "Nee, dat is het niet", zei ze. "Maak je maar geen zorgen."

"Goddank. Wat dan?"

"Ze is weggegaan, meer niet."

"Weggegaan?"

Rosalind kwam de trap weer af, zodat ze op gelijke hoogte met hem stond. Ze zette de waszak neer. "Ja. Ze gaat lesgeven."

"Lesgeven? Wat dan?"

"Ja. Engels."

"Maar ze is journalist. Ze heeft nota bene een baan bij de *Telegraph* ..." Hij zei het abrupt, zonder na te denken, daartoe aangezet door zijn ouderlijke trots die even onfeilbaar in hem was als de kniereflex. Zodra een vreemde ook maar de minste druk op het juiste punt uitoefende, begon hij op te scheppen over zijn slimme dochter. "Ja, die heb ik. Twee kinderen, een zoon en een dochter", legde hij dan uit, "dertig en achtentwintig. Mijn dochter – de oudste – werkt voor eh ... de *Telegraph*?" (Deze vragende nadruk was in eerste instantie aan dit paradepaardje toegevoegd om bescheidenheid te suggereren, een gevoel voor verhoudingen dat erkende dat er mensen op de wereld waren die nog nooit van de *Telegraph* hadden gehoord. Maar het recept werd uit trots herhaald zodra hij ontdekt had dat er voor de luisteraar, die altijd Engels was, geen andere reactie voorhanden was dan een nadrukkelijk: "Aha, natúúrlijk ... de *Telegraph*", wat aan zijn rare toon zou kunnen refereren ... of een teken van ontzag kon zijn.)

"Ja, Sophie heeft het geweldig voor elkaar", zei hij dan. "Zij is natuurlijk de echte intellectueel van de familie." Hij was overoptimistisch wanneer hij het over haar had.

"Nou", zei Rosalind, "ik ben bang dat ze die baan heeft opgegeven."

"Maar haar appartement. Haar báán. Haar appartemént", zei hij beduusd. "Ze heeft net dat leuke optrekje in Chiswick gekocht. Hoe bedoel je, ze is weggegaan? Waarheen?"

"Ghana. Ze is naar Ghana om daar Engelse les te geven." Rosalind merkte dat ze ervan genoot dit aan Alistair te vertellen. Ze registreerde de schok op zijn gezicht. Was dit de macht die Sophie als tiener had genoten? Ze begreep wel waarom die zo aantrekkelijk was. Nonchalant haalde ze haar schouders op, terwijl ze zei: "Ja. Ze heeft me geschreven om het te vertellen", en ze wist dat deze verborgen intimiteit tussen haar en haar dochter hem zou kwetsen.

"Heeft ze je een brief geschreven?"

"Ja. Ik las hem gisteren pas. Hij lag er al een tijdje, ik weet niet hoe lang, maar ze schreef dat ze een adres zou sturen zodra ze gesetteld was."

"Ik begrijp het niet", zei Alistair.

"Nou, er valt ook niet veel te begrijpen, hè?"

"Maar ik dacht dat ze die baan leuk vond. Het was heel goed van haar dat ze hem kreeg. Ze heeft er hard voor gewerkt. En dat appartement ... Dat was een grote mijlpaal."

"Ze was niet gelukkig, Alistair. Dat weet je."

Hij liet zijn schouders hangen. Zijn oogleden gingen iets naar beneden. "Dat weet ik wel. Natuurlijk weet ik dat", zei hij zacht. Daarna wreef hij met zijn hand over zijn gezicht. "O, god, is dit allemaal mijn fout?"

Ineens werd Rosalind erg kwaad. Ze stond op en tilde de was zo driftig terug op haar heup dat een opgerold paar sokken uit de bovenkant van de zak stuiterde en wegrolde. "Alistair, jij bent niet de reden dat we allemaal ademhalen, weet je dat? Mensen hebben een eigen leven, onafhankelijk van jou", zei ze.

Hij keek haar verbaasd na terwijl ze de trap op liep. Daarna bukte hij zich om de sokken op te rapen, die naast de paraplubak tot stilstand waren gekomen.

Luke sleepte een tas vol boodschappen langs de achteringang naar de achterkant van de tuin. In zijn verdoofde toestand had hij door de lokale delicatessenwinkel gedoold en bijzonder eten voor Goran en Mila gekocht: overrijpe bananen, warme gebraden kip, roggebrood en een pakje boter, wat pittig uitziende Italiaanse kaas en vier witte chocoladetruffels in folie en cellofaan. Hij had geen idee wat de Servische tong streelde. Hij had een pot witte bonen in tomatensaus opgepakt en zichzelf ontzettend fantasieloos gevonden. Hij dacht eraan dat je van sommige religies bepaalde dingen niet mocht eten en hij wist dat joden geen spek mochten en sommige Indiase mensen geen rundvlees (of was het nou andersom?) maar hij wist bijna zeker dat niemand problemen had met kip. Hij had aangenomen dat Goran en Mila diepgelovig zouden zijn, zoals dat meestal geldt voor mensen die in een oorlog leven.

Hij klopte op de deur van het tuinhuisje. Er waren wat schuifelgeluiden, gevolgd door doodse stilte.

"Luke hier weer", zei hij zacht. Nog meer geschuifel, deze keer vrijuit.

"Kom binnen, alsjeblieft", riep Goran.

Hij duwde de deur open. "Het spijt me als ik jullie heb laten schrikken. We moeten een soort teken afspreken, hè? Wat dachten jullie van drie keer kloppen en dan nog twee keer kort?" Hij deed het voor op de picknicktafel.

"Oké", zei Goran, en hij glimlachte toen hij zich afvroeg of Luke soms dacht dat hij in een misdaadroman zat. Maar het maakte hem niet uit als dit een spelletje was voor de Engelse jongen, want ze hadden hem nodig. En hij was aardig en het zag ernaar uit dat hij nog wat eten kwam brengen. Goran rekte zich uit. Hij kon het niet laten naar de plastic tas te staren.

"Eh ... Ik heb dit voor jullie", zei Luke. "Het stelt niet veel voor, maar het vult jullie maag weer even."

"Bedankt", zei Goran, terwijl hij hem aanpakte, "jij bent heel aardig voor ons."

Ze gingen allemaal zitten en Luke rookte een sigaret terwijl hij toekeek hoe de andere twee aten. "Lag de bank lekker?" Hij pakte een van de kussens op die hij gisteren voor hen had meegebracht. Ze waren van de oude speelkamer en er stonden Disney-figuurtjes op. "Heeft Donald Duck je niet de hele nacht wakker gehouden met zijn gekwaak?"

"Wij geslapen heerlijk", zei Mila.

Luke was geroerd door het gebaar van intimiteit van deze complexe zin. Hij glimlachte warm naar haar. "Mooi zo. Je was erg moe, hè?"

"Ja", zei ze, waarna ze naar de grond keek alsof ze zich ergens voor schaamde – zijn openlijke verwijzing naar haar fysieke zelf, misschien. Hij zei tegen zichzelf dat hij eraan moest denken dat daar ook religieuze aspecten mee gemoeid konden zijn, zeker bij de vrouwen.

"Dus wij vandaag gaan werk zoeken", zei Goran. "Ik zal proberen werk als chauffeur krijgen." Hij gaf Luke een gehavend visitekaartje waarop stond: 'Kwik-Kabs, W6.'

"Mijn vriend mij verteld van deze plaats", legde hij uit.

"Je vriend? Ik dacht dat je geen vrienden in Londen had."

"Niet nu. Hij teruggestuurd naar Belgrado."

"O, aha. Was hij hier net zoals jullie gekomen? Jezus ... teruggestuurd worden na al die moeite."

"Nee, hij kwam tien jaar geleden. Hij asiel aangevraagd. Maar hij betrokken bij drugs." Goran trok één wenkbrauw op, alsof hij vermoeid een morele veroordeling verwachtte. "Het is duur om hier leven", zei hij.

De betoverende getallen van Lukes salaris dansten door zijn hoofd. "Nou", zei hij, "W6 is Shepherd's Bush, volgens mij. Dat is vlakbij. Ik denk dat het een bedrijf met minitaxi's is."

"Ja, minitaxi's", zei Goran knikkend, terwijl hij het waardevolle kaartje weer in zijn zak stopte. "Ik vijf maanden alle Londense wegen heb bestudeerd. Vraag me een weg. Ik weet van Ealing tot Embankment tot Camden Town tot Victoria."

"Dat is bewonderenswaardig. Maar heb je dan geen Brits rijbewijs nodig?"

Goran haalde zijn schouders op en opende het pakje boter.

Luke schudde zijn hoofd om zijn eigen naïviteit. "Nee, dat zal natuurlijk wel niet."

"En wij ook voor Mila werk zoeken. Wij weten winkels en ook wij gaan naar schoonmaakbedrijf waar wij van hebben gehoord."

Luke bedacht dat zijn eigen schoonmaakster van zo'n bedrijf kwam. Hij kon nooit haar naam onthouden en het was nu te laat om het te vragen zonder lomp te lijken. Katya, toch? Waar kwam Katya vandaan? Hij was vergeten haar door te geven dat ze niet hoefde te komen zolang hij bij zijn ouders logeerde en hij zag alweer voor zich hoe ze zonder vragen te stellen zijn onaangeraakte beddengoed waste en de schone tafels poetste, zoals ze een keer gedaan had toen hij op vakantie was. Ze dacht waarschijnlijk dat hij rijk en niet goed snik was. Misschien had ze wel gelijk.

Goran knipoogde naar hem en fluisterde: "En Mila ook niet heeft Brits rijbewijs nodig."

De twee mannen lachten en Mila deed ongemakkelijk mee. Luke vroeg zich af of ze alleen zo stil was omdat ze de taal niet beheerste, of omdat ze dacht dat vrouwen het praten aan mannen moesten overlaten. Misschien hoorde dat wel zo waar zij vandaan kwamen, en hij verbaasde zich erover hoe kwaad dat hem maakte. Hij sprak haar rechtstreeks aan, met enige stemverheffing om de taalkloof te overbruggen en ook om haar op te porren om niet zo onderdanig te zijn, in ieder geval niet waar hij bij was. "Nou, jullie zijn hier vast zo op de been. Dan hebben jullie wat geld", zei hij.

Goran antwoordde met een mond vol eten: "Ja. Wij hebben nu beter dan veel die nog moeten werken voor hun reis betalen. Wij hadden genoeg om onze te betalen. Wij tenminste werken voor eigen geld en kunnen nieuwe leven beginnen. Als wij wat geld hebben wij eerst moeten kopen EU-paspoort en sofinummer."

"Ze kópen?"

"Ja. Natuurlijk. Wij moeten kopen één paspoort en één sofinummer."

"Willen jullie er niet allebei een?"

"Wij kopen tweede later. Eerst wij kopen een en ook wij betalen twee telefoonrekeningen, met de naam van paspoort en Brits adres erop. Dan wij kunnen Engelse bankrekening openen voor lening."

"Kan dat? Wat goed dat dat kan."

"Ja. Wij hebben veel geluk. Sommigen – die moeten jaren illegaal werken voor reis is afbetaald – worden gepakt door immigratiedienst en teruggestuurd. Maar dit ons niet gebeuren. Wij zullen te snel zijn. En, ook, wie zijn wij? Waar wij vandaan? Niemand weet."

"Dat is nogal een plan", zei Luke. "Een goed plan, bedoel ik."

"Ja, natuurlijk. Ik acht maanden alleen aan dit plan gedacht, terwijl de VN de laatste Servische families uit mijn stad, Priština, 'escorteerden'. Jij weet nu alleen nog Albanezen in Priština? Alle Servische families moeten beslissen. Gaan wij naar nieuwe stad, misschien naar Belgrado, zoals mijn ooms? Gaan wij verder naar noorden, naar Vojvodina? Misschien wij gaan naar westen, naar Montenegro. Of gaan wij weg uit heel Servië?"

"En jullie hebben besloten om weg te gaan", zei Luke.

"Jij moet begrijp, Luke, Priština is onze stad waar wij opgegroeid en naar school en universiteit gaan. Mijn hele leven Albanese mensen niet mogen naar onze scholen, naar onze universiteit en alles zo. Nu wij niet mogen. Nu alle straatnamen moeten veranderd. Zij zijn nu in Albanese taal, niet Servisch. Een tijdlang sommige straten hebben geen naam. Kun jij voorstellen?" Goran lachte en zette de stem van de onbenullige onschuld op: "'Hallo, waar woon jij?' 'Sorry, ik woon nergens.' Dat is idioot, Luke. Dus zoals ik zeg, wij alles verkopen en alles achterlaten. Wij onze paspoort weggegooid. Het is een goed plan, ja, want het is alles wij nog hebben."

Luke deed erg zijn best om zijn onwetendheid over wat ze hadden doorgemaakt niet te laten doorschemeren, maar was te gefascineerd om te zwijgen. "Ik weet dat het afschuwelijk was met het vechten en alles, maar zullen Mila en jij geen heimwee krijgen? Jullie komen daar tenslotte vandaan."

"Heimwee?"

"O, dat betekent dat je graag thuis wilt zijn en niet daar ver vandaan, zoals jullie. Als je ziek wordt wanneer je aan je eigen bed en je lievelingseten en zo denkt. Dat is 'heimwee'."

"Ja, ik begrijp. Misschien het is anders, Luke. Ik denk dat ik misschien ziek van Kosovo ben. Jij begrijp? Ik ben ziek van kapotte stad, van al die kapotte huizen, die kapotte kerken, kapotte winkels en kapotte scholen. Ik ben ziek van die VN-soldaten die nu met Serviërs rond moeten lopen want Albanezen willen ons vermoorden altijd, elke dag, in onze straten waar wij opgegroeid.

Nu ik ben ziek van Albanezen én van Serviërs, want alles wat wij gezien, al dat moorden, niets het heeft echt veranderd, Luke. Het is nog steeds haat, altijd zelfde haat en zelfde haatverhalen. En nog steeds die stomme vaders van land – Albanezen én Serviërs – zij vertellen nog steeds hun zonen deze verhalen en leren deze haat en hebben machinegeweren aan de muur. Kun jij dat geloven, Luke? Het gezin eet aan tafel en kijk, daar is machinegeweer! Dat is Kosovo.

Ik ben ziek van eigen land, Luke, en ik ben ziek van eigen vader – een hoogopgeleide man – die mij heeft van kleins af aan geleerd te haten op de oude manier, en hij is ook zo gek dat hij wil er is nog steeds communist aan macht."

Goran lachte bitter, maar nadat hij naar Lukes gepijnigde gezicht had gekeken, nam zijn bitterheid af. Hij tikte met zijn vingers tegen zijn eigen hoofd. "Waar is jouw vraag, Luke? Ik praat zoveel het is weg. Mijn antwoord: nee, ik niet heb heimwee. In Engeland ik misschien word gezond. En –" hij scheurde een stuk brood af en nam een grote hap van de kip "– ik kan niet verdrietig zijn om eigen bed omdat ik heb het verkocht."

Goran bunkerde het eten naar binnen, maar Mila nam kleine hapjes van een banaan terwijl ze over de schil heen naar Luke keek.

Luke was diep onder de indruk van Gorans verhaal. De taferelen waren hem alleen bekend als fragmenten uit actiefilms, en met kleine schokjes van besef, alsof hij op slag wakker werd uit een droom, herinnerde hij zich dat dit hun echte leven was geweest. Goran had zoveel woede en hoop in zich dat Luke zich van hem moest afwenden om bij te komen. Maar Mila bood niet veel verlichting met haar zwijgzaamheid en haar vreemde gestaar. Hij glimlachte weer naar haar, uit nervositeit. "Is het lekker, Mila? Het spijt me als je het niets vindt. Neem wat kip. Of ... of natuurlijk alleen bananen, als je die liever hebt."

"Ja, ik vind lekker. Bedankt", zei ze, waarna ze sneller ging eten.

"Ik wist eigenlijk niet wat je lekker zou vinden", zei hij.

"Ik vind lekker ...", zei ze, en ze hield de banaan omhoog in plaats van het woord, waarbij ze hulpeloos glimlachte en bloosde van gêne.

Goran boog zich naar haar toe. "Dus, Mila, jij niet praat met hem erover ... jij het éét."

Ze keek hem boos aan terwijl hij met zijn tong klakte en de tas doorzocht naar nog meer eten. Hij haalde de kaas eruit, brak er een stuk af en at het op alsof het een plak cake was. Daarna keek hij naar Luke. "Dus waar is die slechte vriendin?" vroeg hij.

"Arianne, bedoel je?"

"Dat is niet Engelse naam."

"Nee, het is een Franse naam."

Goran knikte. "Frans meisje. Waar is zij? Zij is al bij andere man?"

Hoe had Goran dat geraden? Het irriteerde hem dat het verhaal zo makkelijk te reconstrueren was. "Ja", zei hij, "bij een andere man."

Goran stak zijn hand uit en schudde Lukes knie heen en weer. "Dan zij is niet een goede vrouw voor jou. Een slechte vriendin. Waarom jij besteedt tijd daaraan? Als een vrouw doet dit bij mij, ik zeg dag. Als Mila doet dit ooit bij mij ..." Hij draaide met een ruk zijn hoofd naar haar toe en ze glimlachte onschuldig naar hem en daarna naar Luke, want ze had geen woord van het gesprek begrepen. Goran legde zijn hand op de hare en Luke merkte dat hij huiverde van de combinatie van genegenheid en geheime bedreiging.

"Echt?" zei hij wanhopig. "Ik bedoel, denk je niet dat je haar zou kunnen vergeven? Als iemand spijt heeft – heel veel spijt – en het weer opnieuw wil proberen ..."

Goran schudde zijn hoofd. "Nee", zei hij. Hij bracht Mila's hand omhoog naar zijn lippen en kuste de tengere vingers. "Wat is 'heel veel spijt'? Het betekent niks." Daarna richtte hij Mila's hand op Luke en tuurde langs de vingers alsof het een pistool was. "Ik jou vermoord", zei hij, "en dan ik heb 'heel veel spijt'?"

Luke was ontzet. Het was alsof hem verteld werd dat hij een stommeling was en dat hij de hoop moest opgeven. Er was zeker nog een kans dat Arianne zou beseffen hoe stom ze geweest was. Ze zou het zich plotseling realiseren en tegen Jamie Turnbull zeggen dat ze een fout had gemaakt, dat ze nog steeds van Luke hield.

Voor 20.024 hits zouden er 20.024 zoenen zijn. En dan kon ze bij hem terugkomen. En het zou allemaal natuurlijk en goed voelen.

Goran zat nog steeds met zijn hoofd te schudden en van de kaas te eten. Spijt hebben wilde toch zeker wel iets zeggen, wilde Luke aandringen. Als je spijt had en iemand zei: "Oké, ik vergeef je", dan was het net alsof het nooit gebeurd was, toch? Dat moest je alleen met z'n tweeën bepalen.

En vergevensgezindheid was een deugd. Dat had hij op de zondagsschool geleerd. Na de biecht zei vader Matthew altijd: "Ga in vrede." En Luke wilde niets liever dan uit de grond van zijn hart tegen Arianne zeggen: "Kom terug in vrede." Hij zag haar al door de deur komen, voelde hun handen losjes in elkaar grijpen in de verschrikkelijke tederheid van de hereniging ...

Maar achter dit visioen lag de kennis dat wat hem boven al het andere opgewonden had, Ariannes egoïsme was, dat blijmoedige gebrek aan geweten dat hem en zijn gewone leventje aan grillen had blootgesteld. Als ze ook maar één keer spijt had gehad, was ze niet geweest wie ze was. En dan had hij nooit het alchemistische plezier gekend van hoe zijn laffe schaamte werd weggeneukt tot schitterende onbelangrijkheid.

Hij keek toe hoe Goran met zijn hoofd achterover bijna de hele literfles water leegdronk en zijn adamsappel mechanisch rees en daalde in de brede nek.

16

Kwik-Kabs bevond zich in een steegje vlak bij Shepherd's Bush Green. Twee restaurants: een Chinees afhaalrestaurant en een dat honderden verschillende vullingen voor je aardappels beloofde, waren er met hun achterkant naartoe gekeerd en zorgden ervoor dat het smalle paadje vol dampende vuilniszakken en vettige verpakkingen stond. Hoewel er zich nooit meer dan twee of drie klanten persoonlijk gewaagd hadden om een taxi te bestellen, had Bogdan Malici toch knipperende gele lichtjes boven het Kwik-Kabs-bord bevestigd. Die lichtjes deden hem aan New York denken, waar hij zelf nooit was geweest, maar waar hij uitvoerige fantasieën over had, en altijd als er een programma over op tv was, keek Bogdan ernaar. Onder het bord zat een klein luik in de muur, waardoorheen zijn schoonzus Zigana nu een vuurtje van een van de chauffeurs kreeg. Boven haar onverstoorbare gezicht knipperden en draaiden de lichtjes op de vuile bakstenen muren. Als het regende weerspiegelden ze in de plassen. Links van Zigana's luik was een deur met een onophoudelijk kletterend kralengordijn.

Goran had Mila gevraagd te wachten in Shepherd's Bush Green terwijl hij bij Kwik-Kabs langsging. Hij liet haar achter op een bankje, waar ze een oude krant bekeek die ze naast zich gevonden had. Twee lachende zwarte jongetjes waren aan het voetballen en een dronkaard die zijn voeten in plastic zakken had gewikkeld, zat een stukje verderop in het gras, maar Goran wist zeker dat die Mila niet zou lastigvallen. De aanwezigheid van de kinderen was geruststellend.

Hij vond het steegje waar Sergey gezegd had dat het zou zijn en liep erin. Hij glimlachte en hief zijn hand stellig naar Zigana op zodra hij haar gezicht zag. Hij sprak haar in het Servisch aan omdat Sergey gezegd had dat de baas van het bedrijf uit Montenegro kwam en graag andere Slaven hielp voor zover dat ging. Het voelde bijna als ontrouw om tegen iemand anders dan Mila Servisch te praten. Goran zei: "Hoi, ik ben hier voor een chauffeursbaantje. Mijn vriend

Sergey Gazi heeft me over dit bedrijf verteld. Kunnen jullie nog iemand gebruiken?"

Zigana fronste en antwoordde in het Engels. "Ik spreek geen Servisch", zei ze. "Ik ben Hongaarse, oké? Je moet bij Bogdan zijn."

Ze verdween bij het luik en Goran hoorde hoe ze op haar slippers een gang door werd gedragen. Hij glimlachte naar de taxichauffeur die haar sigaret had aangestoken en vroeg zich af of hij Koerdisch was. Hij was klein en erg mager en had een witte vlek in zijn dikke donkere haar. Ze glimlachten naar elkaar zonder een poging te doen iets tegen elkaar te zeggen. Ze stonden in de steeg op dezelfde grond, maar het was alsof wat voor hen beiden nog het meest echt was in verschillende landen bestond, ver van elkaar.

Met een oorverdovend geratel ging het kralengordijn vaneen en Zigana, wier slanke gezicht Goran niet voorbereid had op de breedte van haar heupen en dijen, die zacht en vol deuken waren in haar rode legging, gebaarde hem haar te volgen.

Het was donker in de hal en de vloertegels waren eigenaardig kleverig. Er hing een sterke kooklucht, die hij herkende. Het was de geur van *rasol*: een gerecht van bonen en gedroogd vlees dat op Zuid-Servische manier heel geleidelijk gebakken wordt. De combinatie leverde zijn eigen jus op, die rijk van smaak was en die, zoals zijn moeder altijd zei, lekkerder werd naarmate je hem langer bewaarde, net als een vrouw. Het water liep hem in de mond bij de gedachte aan rasol met een lekker stuk brood.

Rechtsaf leidde nog een kralengordijn naar een kleine keuken, die blauw stond van de sigarettenrook en etensdampen. Er stond een tv op het aanrecht waar een tenniswedstrijd op bezig was en de concentratie van de stilte van het spel droeg net zoveel bij aan de verstilde sfeer in de keuken als de warmte en de eenzame vlieg die door de damp zoemde. Een man van begin veertig zat aan de tafel met een vuil bord voor zich. Hij dronk Turkse koffie en rookte ontspannen een sigaret na zijn lunch. De rook kringelde omhoog, waarna hij het smerige openstaande raampje boven de gootsteen uit zweefde. Hij keek op toen het kralengordijn ratelend opzij werd geschoven.

"Deze man wil graag chauffeur worden", zei Zigana, die achter Goran in de deuropening stond, aangezien er maar één persoon tegelijk in de keuken kon staan.

"Bent u Bogdan?" vroeg Goran.

De man knikte en Goran sprak in het Servisch verder. "Het spijt me dat ik uw lunch verstoor", zei hij, "maar ik ben op zoek naar werk en ik vroeg me af of u nog een chauffeur kon gebruiken. Mijn vriend Sergey Gazi heeft me uw adres gegeven. Hij zei dat hij een paar jaar geleden een tijdje voor u gewerkt heeft."

Bogdan bekeek Goran eens goed en zei: "Chauffeurs komen en gaan. Waar kom je vandaan?"

"Uit Priština."

Bogdan floot even. "Mijn god. Welkom in Engeland."

"Dank u."

Hij drukte zijn sigaret uit en stak zijn hand naar Goran uit. Ze stelden zich aan elkaar voor.

"En, Goran, kun je een beetje goed rijden?"

"Ik rijd al sinds mijn zestiende. Ik ken alle Engelse verkeerswetten en -regels en ik heb de kaart van Londen bestudeerd. Ik heb me vooral gericht op de routes van hier in Shepherd's Bush naar de belangrijkste gebieden in mijn reisgids, zoals de theaters, bioscopen en restaurants en de grote bedrijven in de City."

"Heel praktisch", zei Bogdan. "Gidsen, kaarten, regels. Wat deed je in Priština?"

"Ik studeerde rechten, maar toen alle narigheid begon ... Je weet hoe het was. Daar ben ik jaren geleden mee gestopt. Maar op dit moment wil ik niets liever dan chauffeur van een minitaxi worden, Bogdan."

Bogdan lachte. "Rijd me maar een tijdje rond en dan zien we wel of we je veilig los kunnen laten op straat. Als je een ongeluk krijgt zal de politie mij via de auto traceren, dus ik moet er zeker van zijn dat je goed genoeg bent. Een klant laten verdwalen is één, maar brokken maken zonder rijbewijs is iets heel anders."

"Ik maak geen brokken", zei Goran.

Bogdan stond op en grijnsde. "Ah, het is fijn om Servisch te praten na zo'n heerlijke lunch. Die dikke Hongaarse teef kan in ieder geval wel koken."

"Zij is zeker de telefoniste?"

"Ja. Helaas is ze de vrouw van mijn broer. God mag weten waarom hij haar heeft gekozen. Maar ja, hij neukt achter haar rug om toch alles wat los- en vastzit."

Goran lachte met hem mee, hoewel hij Bogdan afstotelijk vond.

Ze stapten door de achteruitgang de straat op naar een aftandse Ford Mondeo. Bogdan vroeg hem naar Mayfair te rijden en daarna naar Baker Street en terug. Goran deed dit moeiteloos en raakte niet eens van de wijs door wegwerkzaamheden in Notting Hill. Bogdan kon niets anders dan onder de indruk zijn. Bijna al zijn chauffeurs hadden een stratenboek nodig en moesten de klanten nog om aanwijzingen vragen (niet dat ze die begrepen, want de meesten spraken amper Engels).

Toen Bogdan en Goran naderhand terugliepen door de steeg, gluurde Zigana steels door haar luik, met tegenzin toegevend aan haar nieuwsgierigheid. Haar telefoons gingen nu voortdurend over en ze had over beide schouders een hoorn hangen, terwijl ze door een rood-met-wit rietje een milkshake dronk. Op de enorme plastic beker stond een plaatje van een glimlachende aardappel.

Bogdan negeerde haar en nam Goran mee naar de keuken. "Oké", zei hij, "je loon is drie pond per uur. Je draait een elfurige dienst, van zeven tot zes. En je kunt vanavond beginnen."

"Een nachtdienst?"

"Ja, ik heb op het moment niemand meer voor overdag nodig. De Koerden komen me de oren uit."

"Drie pond per uur?"

"Dat klopt."

Er was Goran verteld dat hij dit kon verwachten en het was dan ook zonder hoop, meer uit een soort trouw aan zijn instinct, dat hij zei: "Maar ik dacht dat vierenhalve pond het minimumloon was hier."

"Betaal je belasting, Goran?" lachte Bogdan.

"Misschien kun je me ook helpen aan ..."

Bogdan wapperde met zijn hand. "Hoor eens, mijn broer kan alles voor je regelen wat je nodig hebt. Begin nou maar gewoon met werken zodat je wat verdient en dan zorgen we later wel dat je een paspoort enzovoort krijgt. Eén ding tegelijk. Ik ben een zakenman, Goran. Ik kan je niet je uitweg bieden zodra je hier binnenstapt."

Ze schudden elkaar de hand.

Sergey had hem verteld dat Bogdan Italiaanse en Spaanse paspoorten van goede kwaliteit voor hem kon regelen, en hoewel Goran van plan was ook ergens anders rond te vragen, betekende deze persoonlijke aanbeveling heel veel. Hij dacht niet dat hij via iemand anders sneller aan eentje kon komen, en zelfs al was dat wel zo, hoe kon hij dan zeker zijn van de kwaliteit? Nog belangrijker: Mila en hij hadden maar vijftig pond en ze zouden na vannacht een slaapplaats moeten huren, en dus zouden ze zich erbij moeten neerleggen dat ze een tijdje geheime, illegale arbeiders zouden zijn totdat ze hun nieuwe nationaliteit konden aanschaffen, en daarmee een paar rechten.

Goran was hoopvol. Bogdan leek een prima baas om voor te werken; hij was tenminste eerlijk over zijn oneerlijkheid, meer kon hij niet van een mens wensen ... behalve van Mila. Hij liep door het kralengordijn terug de steeg in. Hij bleef staan bij het luik en glimlachte naar Zigana, waarna hij haar in het Engels aansprak. "Hallo weer. Jij bent Zigana? Ik ben Goran", zei hij. "Ik ben nieuwe chauffeur."

Zigana gromde. Ze was niet onder de indruk van deze magere, moe uitziende man die net zo was als alle andere magere, moe uitziende mannen. Haar vriendin Yasmine zei altijd dat het wel geweldig moest voelen om de enige vrouw bij Kwik-Kabs te zijn en de hele dag mannen rond te commanderen, zoals Zigana deed. Maar Yasmine had gezónde mannen in gedachten, niet deze wanhopige, nietige schimmen die vaak twee elfurige diensten achter elkaar draaiden en dan letterlijk uit hun auto gedragen moesten worden.

De telefoons rinkelden allemaal terwijl ze Goran om de vuilniszakken heen zag lopen richting het licht aan het einde van de steeg.

Ze hadden afgesproken dat ze Luke zouden bellen als ze weer naar binnen wilden. Luke zocht naar zijn telefoon, vond hem verborgen in een sportschoen onder zijn bed en laadde hem op. Hij had een week lang zijn voicemail niet afgeluisterd. Er waren twintig nieuwe berichten.

De eerste paar waren van 'Jules van Videonation' over een nog niet ingeleverde dvd met de titel *Task Force*, waarvan Luke zich niet eens kon herinneren dat hij hem gehuurd had. Daarna een van een meisje dat hem een tijdje geleden haar nummer op een servetje had aangereikt en nu op de een of andere manier aan zijn nummer was gekomen. De lust in haar stem was weerzinwekkend; hij voelde zich erdoor aangerand. Daarna een paar oude rugbyvrienden die hem belden om hem mee te vragen voor een brunch in een pub voor fijnproevers in Pimlico, daarna om hem uit te leggen hoe hij er moest komen en daarna omdat ze zich afvroegen waar hij bleef. Er was een aantal berichten van Ludo. In het eerste zei hij dat hij zo snel mogelijk uit Londen weg moest, in het tweede dat hij een uitnodiging voor een 'heet feest' in Nice had geregeld en dat Luke zeker voor het weekend met hem mee moest. Na een paar mensen die zonder iets te zeggen hadden opgehangen, was er een bericht uit Nice met gelach, muziek en klinkende glazen op de achtergrond: "Je loopt het heetste feest aller tijden mis", zei Ludo. Luke vroeg zich af wat hij aan de telefoon deed als het zo'n geweldig feest was. Voor Ludo ophing hoorde hij nog een plotselinge explosie van ahhh's, alsof iemand een taart binnenbracht.

Jessica had ook een paar keer gebeld. "Weer met mij", "Daar ben ik weer", zei ze elke keer. De laatste keer zei ze: "Hé, weer met mij, ik blíjf je meedogenloos lastigvallen, want zie je, Luke, ik probeer je zo uit te putten dat je onderworpen genoeg bent om een keer naar me te lui-

steren. Ga je in godsnaam scheren en ga weer aan het werk, lieverd."
Luke moest altijd glimlachen om de genegenheid en humor in haar stem, maar de woorden drongen niet tot hem door.

Toen kwam er een schuldig klinkend bericht van zijn vriend James, die blijkbaar vond dat hij eigenlijk al had moeten bellen toen het verhaal over Lukes vader in alle kranten was verschenen. Luke bedacht hoe blij hij was dat die mogelijkheid zijn vrienden allemaal was ontgaan en dat zelfs Ludo zich erbij had neergelegd dat hij voor één keer niet wist wat hij tegen Luke moest zeggen.

Daarna was er onverwachts een boodschap van zijn zus. "Hé, Lulu", zei ze, "ik wilde even gedag zeggen en vragen hoe het met je was." Ze belde van buiten. Hij hoorde vogels op de achtergrond en het geluid van een sputterende tweetaktmotor die door mannenstemmen werd aangespoord. "Je zou hier ook moeten zijn, weet je dat", zei Sophie. "Er zijn hier waterbuffels, Lulu. Toen ik vanmorgen wakker werd bedacht ik dat je hier heel mooie foto's kunt maken. Maak je nog weleens foto's? Dat zou je wel moeten doen. Daar was je heel goed in, weet je dat? Nou ja, hou je haaks. En ... bedankt dat je er bent voor mama."

Luke vond dat haar stem anders klonk – aardiger. Hij was verbaasd dat ze hem ergens voor bedankte. Hij bleef even stilzitten, terwijl de verscheidene voicemailopties in zijn oor werden uitgesproken: "Om dit bericht te herhalen, toets één, om te verwijderen toets twéé, om te bewaren, toets dríé ..."

Hij verwijderde het uit gewoonte en wenste daarna meteen dat hij dat niet had gedaan. Het voelde als het weggooien van een brief.

Om de een of andere reden was er een herinnering bij hem opgekomen aan een keer dat Sophie naar een open dag van zijn kostschool was gekomen en had gevraagd of hij haar wilde rondleiden. Hij vermoedde dat ze alleen maar voor de andere jongens in haar minirok wilde rondparaderen, maar hij begon toch maar aan de tour die ze ouders van toekomstige leerlingen gaven, voor het geval ze oprecht in zijn leven geïnteresseerd was.

Als ze werkelijk aandacht had willen trekken, zou Luke haar met alle plezier melden dat ze pech had, want de school was vanbinnen uitgestorven. Alle jongens waren bezig met judodemonstraties of poëzierecitals of namen in het bijzijn van hun trotse ouders muziekdiploma's in ontvangst. Genietend van de gedachte aan haar teleurgestelde pronkzucht ging hij bekwaam verder met de tour, tot ze door de grote hal liepen en getuige waren van een onaangenaam tafereel. Jonas Gully, een jongen uit Lukes klas, was een brugklasser aan het pesten. De oudere jongen duwde het jochie tegen de muur en sloeg hem zo hard dat zijn neus begon te bloeden. Luke kende de gedragscode en liep door, en Sophie liep hem achterna, achteromkijkend.

"Wie is dat," vroeg ze, "die bullebak?"

"Hè? O, dat is Gully. Maar ... Dit zijn de scheikundelabs", zei Luke, die gewoon verder probeerde te gaan.

Sophie legde haar hand op zijn arm en hield hem tegen. "Mag ik jullie slaapkamers zien?"

"Eh ... natuurlijk. Goed. Maar het stelt niets voor, hoor. Net als bij jou, maar dan stinken ze meer, denk ik."

"Ik wil ze echt graag zien", zei ze, "zodat ik weet waar je slaapt, Lulu."

Gevleid nam hij haar mee ernaartoe. Op elke deur hing een plaatje met een jongensnaam erop. Toen ze de naam JONAS GULLY las, duwde ze die deur open. Voor Luke begreep wat er gebeurde was ze op het krakende bed gesprongen en deed daar een plas, terwijl ze haar rok opzijhield. Ze had er niet eens een onderbroek onder aan, bedacht Luke geschrokken.

"Wat doe je, Soph?" vroeg hij.

Sophie veegde zich schoon met wat zakdoekjes van Jonas en stapte nonchalant van het bed af. Luke greep haar bij haar pols en sloot zwijgend de deur achter hen. Hij bracht haar rechtstreeks terug naar de picknick, liet haar achter bij zijn moeder en tante en ging zich omkleden voor het tennistoernooi.

Toen hij later die avond alleen was en naar de gouden medaille met de gekruiste tennisrackets keek, was hij opgetogen om wat Sophie gedaan had. Iedereen vond Jonas een verschrikkelijk joch en er zou eindeloos geroddeld worden over deze 'anonieme wraakactie'. Luke was er trots op dat hij er deel van had uitgemaakt, ook al was dat slechts per ongeluk geweest. Eigenlijk vond hij Sophie gestoord, maar ze had wel een veel sterker rechtvaardigheidsgevoel dan hij. Hij bewonderde haar, ook al leken haar protesten altijd hardvochtig of maf of bedoeld om zichzelf in de problemen te brengen. Stiekem begreep hij wel waarom ze altijd zo boos op hem werd omdat hij zich altijd maar 'schikte'.

Terwijl hij deze herinnering opnieuw beleefde legde hij de telefoon in zijn schoot. Het was zonde dat hij Sophies boodschap had verwijderd. Hij keek naar de telefoon en dacht bij zichzelf dat hij zijn zus eigenlijk wel had willen bellen. Waar was ze? Zijn gestoorde zus! Ze had zo weinig gezond verstand ... en toch was een deel van hem er zeker van dat hij, omdat híj niet vier muziekinstrumenten had leren bespelen of een klas overgeslagen had, zoals gewoonlijk alles totaal verkeerd begreep.

Met een duidelijk voelbare pijn miste hij het 'wij tegen zij'-gevoel dat ze zo nu en dan als kinderen hadden gehad; als ze niet nog meer chocola mochten of ontmoedigend dicht bij de kust terug moesten zwemmen met het luchtbed. Misschien had Sophie geweten hoe hij het met Arianne moest aanpakken. Ze zou in ieder geval zijn hulp aan Goran en Mila hebben goedgekeurd. Haar goedkeuring was uitermate belangrijk voor hem, hoewel dat hem razend maakte.

Hij zag zichzelf al op een modderbank een foto van een waterbuffel nemen. Hij had er geen idee van gehad dat Sophie wist dat hij graag foto's maakte. Ineens vroeg hij zich af waar alle foto's die hij in Tanzania had gemaakt, waren gebleven en waarom hij ze aan niemand had laten zien, behalve dan aan Ludo, die alleen gezegd had dat ze mooi als omslag van een album zouden kunnen fungeren, wat helemaal niet als het juiste soort compliment aanvoelde.

Luke toetste nogmaals het nummer van zijn voicemail in om het laatste bericht af te luisteren. Het was zijn baas, die met een gepaste dramatische toon in zijn stem vroeg hoe het met hem ging en hoopte 'dat alles weer goed was' en 'alleen maar even informeerde' wanneer hij weer zou komen werken. Luke drukte onmiddellijk op '3' en voelde zich veiliger toen het bericht gewist was. Boven de gepolijste stem uit had de afgezonderde stilte van Sebastians kantoor onderdrukte passies en gedwarsboomde liefdes in zijn opgejaagde hart opgeroepen.

Hij smeet de telefoon op zijn bed en woelde woest met zijn vingers door zijn haar. Hij kon nu onmogelijk weer aan het werk gaan. Geen sprake van. Maar hij moest een manier bedenken om zijn terugkomst uit te stellen zonder ontslagen te worden. Hij besloot James te bellen.

Die had hij niet meer gezien sinds die ene avond in de Noise, toen ze allebei getroffen waren door een buitengewoon schouwspel: een lang, sexy meisje op een tafel. Het was bijna onmogelijk te bedenken dat zijn vriend was blijven bestaan – gewoon zijn ontbijt at, een douche nam, kranten las – terwijl het grote drama van Lukes leven zich in andere kamers had afgespeeld. Gelukkig hadden James en hij een makkelijke, ongedwongen vriendschap ontwikkeld, die lange afwezigheden voor James' artsexamens had leren toelaten.

"O, oké, dus je leeft nog?" vroeg James. "Ik ben eigenlijk een beetje teleurgesteld dat je je niet bij een of andere religieuze sekte hebt aangesloten. Met dat verhaal kreeg ik de meeste punten. Ik kan er vijfentwintig gram hasj mee winnen. Kun je het op z'n minst niet overwegen voor me?"

Luke begreep wat er van hem verwacht werd en probeerde te lachen.

"Geen religieuze sekte", zei hij. En daarna veranderde hij van onderwerp. "Hoor eens, James, ik bel je eigenlijk om je om een gunst te vragen. Ik heb een soort medische vraag voor je."

"O, jakkes", zei James. "Vieze sloerie. Ga maar lekker naar je huisarts."

"Nee, nee. Zoiets is het niet. Ik heb alleen een excuus nodig voor mijn werk."

"Vertel."

"Nou, als je bijvoorbeeld een maand niet naar je werk wilt, hoe kun je dat dan het beste aanpakken?"

"Hmm. Een maand is wel lang. Dan heb je een doktersverklaring nodig. Waarom wil je een hele maand vrij, spijbelaar?"

"Nou, misschien heb ik niet een hele maand nodig, maar ik zou graag willen weten of het kan. Je begrijpt wel wat ik bedoel ... ik wil gewoon niet dat mijn werk me steeds boven het hoofd hangt."

James lachte. "Interessante manier om ertegenaan te kijken. Moesten we jou vroeger niet achter je laptop vandaan sleuren? Je was zowat een computernerd. Ik zat eigenlijk te wachten tot je een ziekenfondsbrilletje zou aanschaffen en dat met steeds minder ironie zou dragen, samen met een stel Prada-gympen, zoals alle andere computernerds."

"Ha ha, grappig hoor", zei Luke, die zijn ongeduld probeerde te verbergen. Plotseling was hij bang dat James zou vinden dat hij zich raar gedroeg en het aan Ludo en Jessica zou vertellen. Hij zat er niet op te wachten dat anderen met hem begaan waren, omdat hij zich begon te realiseren dat daaruit sprak dat er geen hoop voor Arianne en hem meer was. Maar de stem klonk eerder geamuseerd dan bezorgd: "Goed, meneer Langford. U zegt dus dat u een doktersverklaring nodig hebt en u wilt dat deze alleraardigste dokter u gaat vertellen hoe u daaraan kunt komen."

"Precies. Maar het probleem is dat er niets met me mis is."

James snoof. "Niets mis met je? In deze tijd? Doe niet zo idioot."

Luke hoorde hem typen tijdens het praten. Het klonk alsof hij met iemand aan het chatten was. James kon multitasken; hij zei altijd dat hij geleerd had 'zijn buitenuniversitaire tijd te maximaliseren'.

"Het enige wat je nodig hebt is een onzichtbare kwaal", zei James. "Ik heb gehoord dat rugpijn het goed doet onder spijbelaars, maar daar krijg je waarschijnlijk geen hele maand voor. Als ik jou was, zou ik het op een depressie gooien."

"Een depressie?" Luke voelde een steek van wanhoop. Depressiviteit was Sophies probleem. Moest hij zo diep zinken?

"Ja, depressies zijn helemaal in", zei James. "Artsen zijn doodsbenauwd dat mensen zich van kant maken als ze het niet serieus nemen. Daar zou ik voor gaan, en je baas zal aannemen dat het allemaal met je vader te maken heeft, dus dat komt mooi uit. Ja, sorry als dat tactloos klinkt, maar je begrijpt wel wat ik bedoel. Ik probeer alleen maar te helpen."

"O, maak je niet dik. Het is een goed idee."

"Hoor eens, het spijt me echt, Luke ... van je ouders. Het moet wel een zware tijd voor ze zijn en zo ..."

Luke wist niet wat hij moest zeggen.

" ... en ik weet dat ik eerder had moeten bellen. Shit man, ik wil alleen maar dat je weet dat ik er voor je ben als je een vriend nodig hebt om wat mee te gaan drinken of zoiets ..."

James luisterde naar de doodse stilte.

"Oké", zei hij. "Ik heb de indruk dat je er liever niet over praat."

"Zoiets, ja", zei Luke.

"Okidoki. Helemaal begrepen."

Luke hoorde James op de Enter-toets drukken en een paranoïde gedachte kwam bij hem op: stel nou dat zijn zogenaamde vriend met Jessica of Ludo aan het chatten was en in real time aan hen doorgaf dat ze zich om hem moesten bekommeren?

James zei: "En, waarom wil je spijbelen, Luke?"

"Spijbelen? O, eigenlijk nergens om. Zomaar. Ik wil gewoon wat tijd voor mezelf, of zoiets. Ik moet even tot bezinning komen."

"Wat 'tot bezinning komen' in 'tijd voor mezelf'? Dat klinkt ongelooflijk hip. Komt er een yogamat bij aan te pas?"

De verbinding viel even weg.

"Woeps", zei James. "Nog een beller. Misschien wel een méísje. Hé, ik mail je wel wat symptomen, goed?"

Luke was opgelucht dat hem verdere ondervraging bespaard bleef. "Dank je, James. Ik sta bij je in het krijt."

"En onderhand niet zo'n beetje ook", zei James.

Luke maakte voor die middag een afspraak bij zijn huisarts. Hij las de mail van James meerdere malen, totdat hij precies wist waar hij over moest klagen. Hij was zelfs verbaasd om te zien dat hij, afgezien van de 'zelfmoordneigingen', aan de symptomen van 'klinische depressie' voldeed. Toen hij zich, terwijl hij voor de badkamerspiegel stond, afvroeg hoe iemand met een 'klinische depressie' eruit zou zien, besloot hij dat zijn ongewassen haar en vieze T-shirt wel aardig in de buurt kwamen. Dat was mazzel, dacht hij, want hij had echt geen fut om zich om te kleden.

Dr. Crawford had een kleine, gewitte kamer, waar de geur van nieuwe vloerbedekking en kunststof bekleding hing. Bij haar beeldscherm op het bureau stond een foto van een jongetje in een cowboypak. Aan de muren hingen waarschuwende overheidsposters, die mensen aanspoorden condooms te gebruiken, te stoppen met roken, een griepprik te halen en minder vet te eten. Het was een kamer in het souterrain en het raam keek uit op een groezelig trapje dat naar de straat leidde. In de strook licht boven aan het raam liepen schoenen langs de spijlen.

De dokter bekeek hem aandachtig terwijl ze haar wenkbrauwen had samengetrokken en langzaam knikte. Luke ging verzitten in de kunststof stoel. "Ik denk veel na over zelfmoord", zei hij.

"Aha. Oké", zei dr. Crawford.

"Verder kan ik niet slapen en heb ik geen zin in eten. Ik ben zo'n tien kilo afgevallen", zei hij, waarbij hij bedacht dat dat best eens waar kon zijn. "Vroeger vond ik van alles leuk, maar nu ... nu lijkt alles zo zinloos", zei hij.

De dokter typte iets in. "En hoe lang voel je je al zo?" vroeg ze.

"O, al best een tijd. Al maanden, denk ik wel."

"Maanden. Oké. En heb je enig idee wat de oorzaak kan zijn? Een tragische gebeurtenis of andere tegenslag?"

"O, ja. Ja, dat weet ik precies. Stress van mijn werk", zei Luke met nadruk, alsof hij zijn naam spelde voor op een formulier.

"Aha."

"Ik sta enorm onder druk en mijn baas zit me op mijn nek. Ik kan het gewoon niet meer aan. Ik heb rust nodig, of anders ... je weet wel ... knak ik."

De dokter gaf hem een recept voor iets wat Zylamaprone heette, wat volgens haar zijn stemming zou verbeteren en hem zou helpen te slapen. Ze gaf hem ook een doktersverklaring, waarin stond dat hij minstens een maand niet kon werken.

Toen hij het later uit nieuwsgierigheid opzocht op internet kwam hij honderden sites over Zylamaprone tegen. Er waren een heleboel postings van mensen uit plaatsen in Amerika waar hij nog nooit van gehoord had. 'Kayla' uit 'Paoli, Pennsylvania' schreef: "Ik ben twintig kilo aangekomen!!! En bovendien wilde ik mijn man vermoorden met een mes." 'Lolitaboy' uit 'Ybor City, Florida' schreef: "Farmavrienden! Zylie wordt beter en beter. Als je het fijnstampt, kun je het roken ..."

Luke vroeg zich af of hij dat eens moest proberen en stopte de pillen in zijn oude etui in zijn bureaula.

Daarna trok hij een schoon overhemd aan en ging op zoek naar Arianne.

17

Toen hij acht was had Luke een tijdje een jongen 'gevolgd' die twee jaar ouder was dan hij en die Carlos Navarro heette. Carlos was op hun basisschool de beste met tennis en zwemmen. Luke was de op een na beste. Ze waren allebei geselecteerd voor extra sportlessen, zodat ze de school nog beter konden vertegenwoordigen, en zwommen of speelden dus vaak tegen elkaar. Zonder die lessen zou Carlos nooit van zijn leven met een zoveel jongere jongen hebben gepraat, maar tijdens die buitenschoolse uren streden, doken en lachten ze samen. Daarna bespraken ze in de echoënde kleedhokjes geestdriftig alle leraren – wie 'wel oké' was en wie 'een ontzettende klootzak' – terwijl ze hun uniformen aantrokken met rode ogen van het chloor en hun haren nog nadrupten op hun schooloverhemden.

Het was nog steeds verwarrend en gênant voor Luke om terug te denken aan de obsessie die hij voor deze donkerharige, vroegtijdig gespierde jongen had ontwikkeld. Hij kon zich nog steeds de exotische geraffineerdheid herinneren die hij in Carlos' gewoonten had waargenomen: dat hij aangemaakte groene salade at tijdens de schoollunch (zoals ouders en leraren dat deden), dat hij Spaanse stripboeken las en 'voor mijn familie-eer' iedereen die zei dat zijn zus dik was een stomp gaf. Carlos was even mysterieus en mooi als zijn naam – de naam van een Spaanse koning, die je deed denken aan gouden paleizen en rondrennende lakeien. Zelfs nu nog kon Luke zich het boeiende contrast tussen het witte schooloverhemd en de sterke, karamelbruine hals voor de geest halen.

En Carlos was degene geweest die aan Lukes hart de eerste messteek had toegebracht. Toen Rosalind Luke op een zaterdagochtend liet wachten buiten de Peter Jones terwijl ze even binnenwipte voor Sophies nieuwe hockeyrokje, zag hij Carlos met een paar andere oudere jongens aan komen lopen. Ze kwamen bij de bioscoop vandaan en misschien waren ze naar de nieuwe kungfu-film geweest, want ze oefenden karatetrappen op elkaar.

In een opwelling van verrassing en blijdschap riep Luke: "Hé! Carlos! Heb je gezien hoe McEnroe de halve finale won?"

Maar na een verontwaardigde blik van die woeste bruine ogen werd hij genegeerd. Even stond hij als een idioot te zwaaien naar het niets aan de overkant van de straat, terwijl de lachende bende verderliep.

De duisternis was warm en teder; fluweelachtig en geurend naar jasmijn. De lichtjes van de restaurants en cafés gaven de donkere straten een fonkelende, schurkachtige aanblik. Mensen gebruikten late avondmalen aan tafeltjes buiten – salade niçoise en fruitsorbets. Het had zo een tafereel uit Frankrijk, Spanje of Italië kunnen zijn. De gezichten waren verbrand en vrolijk, beschaafd veranderd door het mooie weer. Er stonden grote glazen rosé en water met ijsblokjes, en obers liepen rond met kleine schaaltjes met olijven, olie en balsamicoazijn.

Voor Luke was alleen al het wandelen door de zwoele avond met zijn verborgen doel erotisch. Om gewoon op weg te zijn naar een paar van Ariannes favoriete tenten (Noise, Shanghai Sam's, Zaza's, Blue Monkey, zelfs Lanton's, waar Dan haar mee naartoe had willen nemen) maakte hem gelukkiger dan hij in weken was geweest.

Hij dronk en hij keek en hij wachtte tot ze naar binnen zou stappen. Waarom zou dat niet gebeuren? Niemand had ooit kunnen voorspellen dat hij het visioen van het meisje op de tafel kwijt zou raken, om vervolgens de vrouw zelf op de achterbank van de auto van zijn beste vriend terug te vinden. Tegen tienen had hij na drie appelmartini's de toestand van comfortabele overgave aan het lot bereikt. Hij ging aan de lange, witte bar van Zaza's zitten en stak een sigaret op. Een paar plaatsen verderop stond een leeg glas met roze lippenstift op de rand. Was dat van haar? Een steek van lust trok door hem heen. Misschien had ze het neergezet en was ze slechts enkele tellen voor hij was binnengekomen giechelend weggegaan met haar tas achter zich aan wiegend. En rook hij in Lanton's bij het damestoilet nou een vaag vleugje van haar parfum? Vrouwen doordrenkt met Chanel en Dior drongen zich langs hem, wat de fluisterende lucht verwarde. En weer later was in de rode zaal van de Blue Monkey de typische halfopgerookte sigaret die nog een kringeltje rook uit de asbak deed opstijgen, misschien nog wel vochtig van háár lippen. Toen hij om vijf uur thuiskwam kon hij niet slapen van de cocktails en de seksuele opwinding.

Internet afzoeken, de straten afstruinen en de tekenen interpreteren was een langzame striptease in zijn hoofd en iedere zinnenprikkelende aanwijzing bracht hem dichter bij Arianne. Het was pornografie voor het zesde zintuig en het werd zijn fulltimebezigheid. Het was een nachtdienst, dus had hij dezelfde uren als Goran.

Luke zag geen reden waarom Goran en Mila niet nog wat langer heimelijk in het tuinhuisje konden blijven wonen. Ze waren onzichtbaar en geluidloos, en zijn ouders hadden geen enkele reden om daarheen te gaan, aangezien ze, zoals Jessica correct opgemerkt had, dit jaar wel niet het befaamde Langford-tuinfeest zouden houden.

Luke liet sleutels bijmaken en een nieuwe manier van leven – parallel aan het leven in het huis – werd begonnen. In de ochtenden ging Luke rond zes uur achterom (zelfs op dit tijdstip nam hij voorzorgsmaatregelen voor het geval er toevallig een slapeloze ouder uit het raam keek) om Goran, die net uit zijn werk kwam, een biertje te brengen. De mannen rookten dan samen een sigaret. Mila had werk gevonden bij een schoonmaakbedrijf. Ze werd rond dat tijdstip wakker, kleedde zich aan in de kleine doucheruimte en kwam daarna een tijdje bij hen zitten kijken voor ze ging schoonmaken.

Ze was gezonder geworden, mooier. Haar gezicht leek niet meer op dat van een bedreigd dier en soms, als ze onbeheersbaar om Goran moest lachen omdat ze hem blijkbaar op allerlei manieren lachwekkend scheen te vinden, zag Luke waarom hij haar aantrekkelijk had gevonden. Het was moeilijk om niet te lachen wanneer zij lachte, helemaal aangezien het Goran zo irriteerde. Hij kon ontzettend trots en serieus zijn, op een manier die Luke eigenaardig en op zichzelf al komisch vond.

Hij had Goran gevraagd of Mila en hij het moeilijk vonden dat ze elkaar maar zo weinig zagen, met die verschillende werktijden en zo, maar Goran weigerde erover te praten. Hij wuifde het weg. "Over een paar week wij hebben genoeg geld voor paspoort en sofinummer te kopen. Dan ik neem een lening en dan wij beginnen. Weet jij ik word Spaanse man?" vroeg hij.

"O ja?"

"Spaanse en Italiaanse paspoorten zijn goedkoopst. Ik denk misschien ik zal Juan heten. Vind jij dat mooi, Juan?", herhaalde Goran. Hij probeerde zijn nieuwe naam uit, opgewonden van de nieuwigheid ervan. Hij zuchtte. "Luke, kun jij geloven wij gaan appartement in Lónden huren? En dan jij komt bij ons eten!"

"Dat lijkt me geweldig", zei Luke, waarop hij met zijn bierflesje tegen dat van Goran klonk. "Ik hoop alleen dat je het niet erg vindt als ik iemand meebreng." Hij glimlachte geheimzinnig. Vanuit de bar aan de overkant van het theater had hij de vorige avond een glimp van Arianne opgevangen toen ze een taxi in stapte. Ze praatte – of beter gezegd: schreeuwde – in een mobiele telefoon. "Ik wéét het. Hij is een bezitterige klootzak, Georgie", had hij haar horen zeggen voor ze het portier dichttrok. (Hij had een strak wit T-shirt, een mosgroene suède rok en beige leren enkellaarsjes kunnen waarnemen. Benen: bloot en bruin en lang en lang en ... Ze had ook iets glimmends om haar pols gedragen, wat hij uit zijn hoofd probeerde te zetten.) Hij had op dat moment besloten dat hij bijna klaar was om haar toneelstuk te zien. Tweeënhalf uur naar haar kijken vanuit de anonieme duisternis ... Zou het echt mogen? Hij kon amper geloven dat hij er niet voor gearresteerd zou worden. VN-troepen zouden hem toch zeker naar buiten geleiden, zoals dat in zijn dromen gebeurde? Het bleek uitverkocht te zijn.

Goran schudde zijn hoofd. "O, Luke. Jij praat altijd over haar. Jij weet wat denk ik van deze meisje. Ik begrijp jou niet."

"Ik weet het. Het is gewoon ingewikkeld, oké?" zei Luke.

Goran deed Luke na: "Het is verschríkkelijk ingewikkeld", zei hij. "Het is zo ontzettend ingewikkeld met mijn ingewikkelde Franse meisje."

Luke lachte met zelfspot.

"Góran", snauwde Mila onverwachts. "Jij weet niet alles wat hij voelt." Ze keek hem boos aan en legde haar hand op Lukes arm. Haar vingers waren zacht en warm. Luke glimlachte naar haar terug, verbijsterd om deze daad van trotsering en door haar plotselinge taalbeheersing. Ze was sterk, ook al zag ze er heel broos uit, dacht hij. Het voelde goed om serieus genomen te worden.

De volgende dag werd besloten dat Goran en Mila tot het einde van de maand in het tuinhuisje zouden verblijven. Toen Luke hun dit vertelde begon Mila te huilen. Ze stond drie keer op en ging weer zitten, haastte zich daarna naar hem toe, kuste hem, lachte om haar tranen en zei: "Bedankt, Luke. Bedankt. Hartelijk bedankt."

Hij voelde zich tegelijkertijd verlegen en trots. Maar het was wel heerlijk om weer eens de armen van een meisje om zich heen te hebben, want zijn eenzaamheid was een lijfelijke pijn.

"Echt, Mila, het is al goed", zei hij, terwijl hij vooroverboog zodat ze zijn andere wang kon kussen. "Het stelt niets voor. Ik ben blij dat ik kan helpen."

"Aardige man. Jij bent aardige man", zei ze, waarna ze de doucheruimte in dook en de deur achter zich op slot deed om tot bedaren te komen.

Even was er een stilte tussen de twee mannen in de kamer. Ze luisterden hoe Mila's huilen minder werd en hoorden daarna water in de wasbak lopen. Luke zei: "Wil je nog een sigaret?"

Goran schudde zijn hoofd en wendde zijn gezicht af. "Nee."

Luke stak er zelf een op. Hij stond er niet bij stil dat dit het enige tijdstip was waarop Goran en Mila samen waren. Hij was bang om terug naar het huis te gaan, naar de breedbandverbinding die met een onhandelbare snelheid van 500 kbps nieuws van Jamie Turnbull en Arianne bracht. Het slechte nieuws dat hij tijdens zijn nachtelijke kruistochten riskeerde te weten te komen had tenminste menselijke proporties, menselijke gezichten. Zijn zoektochten over het web voelden spiritueel gevaarlijk, zoals het raadplegen van een ouijabord, en ze spookten uren later nog door zijn hoofd.

Toch was het de angst waard, want hoe zou hij er anders achter gekomen zijn dat Ariannes naam 'de zeer heilige' betekende, of dat ze (ondenkbaar) trombone had gespeeld in het schoolorkest, of dat ze op haar twaalfde een triatlon op districtsniveau had gewonnen ... net als hij? Wat een geweldige foto, zelfs op gekreukeld A4-papier! De twaalfjarige Arianne die roze en glimmend de finish bereikte met haar haar dat achter haar omhoogwipte en een overwinningsgrijns op haar lippen.

Luke nam een diepe trek van zijn sigaret en gebaarde richting de deur van de douchecel. "Gaat het wel goed met haar, denk je, Goran?"

"Mila? Ja. Natuurlijk."

"Ze leek nogal overstuur."

"Nee. Dat is ze niet. Bedankt, Luke. Ze is gewoon gek."

Goran stond plotseling op en begon met zijn rug naar Luke de lakens op de roze bank op te maken.

"O", zei Luke. "Oké. Nou ... gelukkig."

Goran en Mila werkten hard voor hun geld. Hoe meer ze te weten kwamen over de kosten van het levensonderhoud in Engeland, hoe verbaasder ze waren over hun naïviteit om met slechts vijftig pond aan te komen om hun nieuwe leven mee te beginnen. Ze dachten aan de dromen waar ze zich door hadden laten leiden in Gorans slaapkamer in Priština, waar hun vriend Vasko hun oneindige verhalen leverde: "Die vent in Londen, Andjela's neef, heeft nu dríé huizen. Geen grapje. Echt, Goran, het geld is daar, het leven is daar. Jullie doen er goed aan."

Nu ze in Engeland waren maakten ze hun twijfels niet aan elkaar kenbaar omdat dat de wil om zo hard te werken misschien zou saboteren, of een verraad van hun vroegere ik zou inhouden. Toen ze Priština verlieten had Vasko zijn verhalen met zich meegenomen naar een nieuw leven in Belgrado.

Dus zat er niets anders op dan hard te werken en geld te verdienen, een paspoort te kopen en hun plan uit te voeren. Goran zei tegen zichzelf dat hij in gedachten moest houden hoeveel mazzel ze hadden dat ze Luke hadden ontmoet. Zonder hem zou hun loon nu aan huur opgaan, en hij had de kamer gezien die de Koerdische chauffeur Rajan huurde van Bogdans broer, Vuk. Het was een stinkend bed in een driekamerappartement dat omgebouwd was tot slaaphuis. Rajan had het bed 's nachts en een andere man huurde het overdag. Goran wist dat hij Mila nooit naar zo'n appartement meegenomen zou hebben. Niet zijn kleine Mila.

Mila's werk was eenzamer dan dat van Goran. Overdag zag of sprak ze amper iemand, behalve een enkele bezorger die aanbelde terwijl ze een van haar appartementen aan het schoonmaken was. Vaak waren het bloemen die bezorgd werden, en dan tekende ze met een verzonnen naam voor die schitterende, ritselende heerlijkheden en zette ze in de keuken in het water. Dertig centimeter lange roze rozen ... in de stad!

Het waren allemaal kinderloze huizen. Sommige werden bewoond door vrijgezelle mannen, andere door vrijgezelle vrouwen en weer andere door stellen. Ze keek naar de foto's terwijl ze ze afstofte en was vertwijfeld over de levens die ze afgebeeld zag. Er waren zeilboten en skihellingen en mooie, lachende meisjes die hun hand voor de camera hielden omdat ze niet in hun bikini gefotografeerd wilden worden. Ze vond het vreemd dat geen van de stellen getrouwd scheen te zijn – tenzij Engelsen geen foto's maakten op hun bruiloft – op een na dan, waar foto's stonden van een of andere blootsvoetse ceremonie op een strand, waarop de bruid een paarse sarong droeg en witte bloemen in het haar had.

Het meisje met de sarong was de mooiste. In de hal hingen foto's in zwarte lijsten van fotosessies van haar als model. Ook lachte haar halve meter brede gezicht met een vilten hoed over één oog getrokken neer van boven het kingsize bed. Mila had nog nooit zoveel flesjes en potjes crème, poeder en parfum gezien. Op de marmeren plank in de badkamer stond Chanel-nagellak in bijna alle kleuren van de regenboog. Vaak lagen er kapotte glazen in de keuken en was de inhoud daarvan tegen de muur gespat. Terwijl Mila het schoonmaakte vroeg ze zich af waar deze vrouw en haar man ruzie over hadden gehad.

Je kon veel over Engelse mensen leren aan de hand van hun rotzooi.

Ze dronken veel, dat was wel duidelijk. Ze aten afhaalmaaltijden en dure kleine porties van dingen die in folie verpakt zaten, en ze gebruikten hun pannen nooit, behalve plotseling op een vrijdagavond, wanneer ze ze ineens allemaal gebruikten en het hele appartement de volgende dag vol stond met servetjes, asbakken, borden en vieze kleine espressokopjes. Ze hadden heel veel verschillende medicijnen in hun badkamers – honderden potjes met gekleurde capsules: blauwe en groene en rode, feloranje en vaalgele. Het waren blijkbaar ongezonde mensen.

Sommigen van de mannen hadden gewichten in hun kledingkast liggen. Eén vrouw had honderden chocoladerepen in een tas achter haar schoenen verstopt. Mila vond dat ze het verdiende om er als een vet varken uit te zien als ze zoveel snoepte, maar op haar foto was ze angstwekkend dun.

Vaak lagen er naast de sigarettenpeuken ook stompjes van joints in de asbakken. Er stonden flessen champagne en pakken koffie in de koelkast. Enorme bergen van iedere fruitsoort die je je maar kon voorstellen lagen te rotten in glazen schalen en er moest altijd een schokkende hoeveelheid brood, kaas en dure vis weggegooid worden omdat het zelfs door de verpakking heen was gaan stinken.

Soms kwam ze, wanneer ze drie pakjes van dezelfde kaas in de koelkast zag liggen en wist dat ze die over veertien dagen allemaal beschimmeld weg zou moeten gooien, in de verleiding er een in haar tas te stoppen. Maar stelen was een zonde, direct en op de lange termijn. Mila was volgens de traditie van de Servisch-orthodoxe Kerk opgevoed. Dit hield in dat wanneer je iets verkeerds deed, je in een volgend leven gestraft zou worden, en zelf had ze besloten dat je zo in je huidige leven ook het ongeluk over jezelf afriep.

De tweede helft van deze formulering was eraan toegevoegd sinds de VN-aanvallen op Kosovo, sinds ze haar familie en vrienden uit Priština gedreven had zien worden door de Albanezen die ze zo lang onderdrukt hadden. Ze werd bijna gek als ze terugdacht aan hoe anders het leven in elkaar zat toen ze jong was, toen Albanese kinderen niet naar haar school mochten. Het was toen niet bij haar opgekomen dat daar iets verkeerd aan was. Albanezen waren smerige beesten die zich altijd maar voortplantten, volgens haar vader, volgens alle vaders. Dat hadden zij en al haar klasgenoten gedacht. Ze had de Servische politie jarenlang Albanezen zien treiteren op straat. Tijdens de etnische zuivering had ze toegekeken hoe Albanezen uit hun huizen gegooid werden en had ze hele stoeten van hen naar de treinen zien vertrekken, wat de straat onder haar raam in een kronkelende slang veranderde ... En nu was ze hier, toiletten aan het schoonmaken.

Soms zaten er pornofilms in de dvd-spelers. In een van de appartementen van een vrijgezel, eentje vlak bij Sloane Square, met prachtige schilderijen aan de muur, vond Mila een stapel tijdschriften met foto's van donkere mannen in leren suspensoirs en strings. Het choqueerde haar, maar ze moest er ook uitgelaten om lachen, om dit vreemde land waar ze nu woonden, dat helemaal niet formeel en gereserveerd was zoals haar altijd verteld was. Ze dacht aan de demonstratie in Dover en besloot dat Engelsen over het algemeen boos en seksverslaafd waren.

Ze stapte vaak bij dezelfde halte de metro in als iemand van wie ze het geslacht niet kon bepalen; hij of zij had lang roze haar en een gezicht vol ringen, staven en knopjes. Deze persoon had dezelfde lievelingswagon als Mila. De andere mensen in de metro bleven altijd onverstoorbaar in hun krant lezen, alsof iemand met roze haar die net als een robot overal metaal had, volkomen normaal was. Het was moeilijk om niet te lachen. De ene keer dat het toch gebeurde, keek diegene haar aan en glimlachte naar haar. Ze had teruggeglimlacht.

De huizen die Mila schoonmaakte stonden allemaal in de wijken Kensington, Chelsea en Mayfair. Ze kon niet geloven hoe rijk Engelsen waren. Met een gevoel van morele verbolgenheid gooide ze de kledingkasten van de vrouwen open om de gestreken blouses erin te hangen en wanneer ze die pracht zag – zulke rijkdom en pracht! –, vroeg ze zich af waarom dat in haar leven altijd voor haar verborgen was gebleven. Terwijl ze armbanden en ringen oppakte lachte ze bitter om de gedachte dat Goran ooit zoiets of zoiets of zoiets voor haar zou kopen. Wat deprimerend! Ze was pas tweeëntwintig en had helemaal geen sieraden meer omdat Goran die allemaal aan een dikke Albanese vrouw verkocht had.

In tegenstelling tot een aantal van de andere chauffeurs, die zwaar rookten en afval in hun auto achterlieten, hield Goran Bogdans bruine Ford Mondeo brandschoon. Hij vroeg de klanten altijd of ze er last van hadden als hij de radio aan had of met het raampje open rookte. Het kon hun nooit iets schelen, want er zijn maar weinig kwesties van smaak die tegen vier uur 's nachts niet al definitief beantwoord zijn.

Het verbaasde hem dat hij zoveel vrouwen moest ophalen die door niemand werden vergezeld. Ze waren vaak achter in de twintig of begin dertig, goed gekleed, zagen er welvarend uit en hadden gespierde, slanke lichamen. Meestal waren ze stomdronken en moest Goran ze uit de auto helpen of voor ze stoppen, zodat ze konden overgeven. Ze zeiden om de haverklap 'fuck' en 'shit': als ze hun kleingeld niet konden vinden, als hij ze zei hoeveel ze hem verschuldigd waren of als ze vergaten hun sigaret uit het raam af te tikken en er as op hun kleren viel. Het was twee keer gebeurd dat zo'n vrouw zwaaiend en schreeuwend op die belachelijk hoge hakken achter zijn auto aan was gerend, toen ze een handtas of telefoon achterin had laten liggen. Het verbaasde hem dat een vrouw zich zo gedroeg in een stille straat, de straat waar ze woonde en waar haar buren haar zouden kunnen zien en over haar roddelen.

Soms moest hij stellen ophalen en was hij niet minder verbaasd dat ze het doodgewoon vonden om het bijna met elkaar te doen op de achterbank van zijn auto. Goran richtte zijn blik strak voor zich uit en vroeg zich af waarom de vrouwen zich niet schaamden, waarom de mannen niet meer respect toonden in de aanwezigheid van een andere man. Toch was het ook wel fascinerend en opwindend, helemaal aangezien Mila vaak te uitgeput was van het schoonmaken om nog te vrijen. Soms kon hij het niet laten om te kijken. Hij zag delen van vrijpartijen in de achteruitkijkspiegel: een kluwen benen, een mannenhand die knoopjes of haakjes losmaakte, een behendigere vrouwenhand die hulp bood. Op een van die keren was Goran vreselijk in verlegenheid gebracht. Een jongen van een jaar of zeventien zag hem kijken en zei: "Hallo daar", in de spiegel. Hij had een veeg lippenstift op zijn gezicht. Gorans ogen schoten terug naar de weg. De jongen zei: "Het geeft niet, kijk maar goed, vriend. Dichter bij een meid als deze zul je nooit komen."

Het meisje giechelde terwijl ze haar topje omlaagtrok om haar beha te bedekken. "O, hou toch je kop, Gus, eikel."

Gus deed haar topje weer omhoog. "Toe nou, schatje, gun de armen ook wat", zei hij.

Tijdens een van zijn diensten zag Goran – nogal onverwachts – Luke. Het was eigenaardig om hem in zijn eigen leven te zien. Zigana had net via de radio omgeroepen dat er iemand opgehaald moest worden bij een kroeg die de Blue Monkey heette, vlak bij Kensington Church Street, aan de kant van Notting Hill. Goran was vlak om de hoek. Hij zei dat hij het zou doen en nam de juiste bocht naar links. Hij reed door de lege straat, langs de donkere restaurants, waar de tafels alweer gedekt waren voor de lunch van de volgende dag, en hij zag in de ramen zijn eigen spiegelbeeld voorbijflitsen. Hij keek ernaar, eerst hoger, toen lager, daarna uitgestrekt over twee ruiten. Wie ben jij, vroeg hij aan dit beeld van zichzelf. Hij was een man in een bruine auto die zich afvroeg of hij een vergissing had begaan. Hadden ze in hun eigen land moeten blijven?

Toen zag hij Luke staan – of liever: hangen – tegen de muur onder het enorme neonbord met de aap. Goran begon zich net zorgen om hem te maken toen er een meisje aan kwam rennen en op het raam van het portier tikte, wat hem opschrikte. "Kwik-Kabs?" vroeg ze. "Voor Claire?"

"Ja", zei Goran. "Ik ben van Kwik-Kabs."

"Oké dan. Kom eraan."

Ze stapte achterin en terwijl ze een van haar vriendinnen herhaaldelijk kuste ("Nee, echt, dóén we, dit doen we gauw nog een keer, lieverd"), vroeg Goran zich af of hij Luke moest roepen. Maar de manier waarop Luke erbij stond had iets vernederends, niet alleen de eerloosheid van de dronkenschap, maar ook iets diepers. Toen drong het tot Goran door dat Luke de komische grommende houding van een geslagen hond had aangenomen, een hond die tegelijkertijd terugdeinst en gromt, en niemand overtuigt.

Een lachende groep vrienden kuste elkaar gedag op de stoep en een zwarte taxi kwam voor hen aanrijden. Een verbazingwekkend lang, goed uitziend stel scheidde zich van de rest af en stapte in. Terwijl de taxi wegreed, leunde het meisje uit het raam en zwaaide naar Luke. Op dat moment besloot Goran dat hij weg moest rijden; deze glimpen van privéproblemen waren niet voor zijn ogen bestemd.

"Naar Old Brompton Road, alsjeblieft", zei het meisje achterin.

Goran reed er zwijgend heen, terwijl hij aan Mila dacht en aan haar geruststellende armen, die warm zouden zijn van de slaap. Hij keek op de klok. Over drieënhalf uur zou ze weer moeten schoonmaken.

Schoonmaken en rijden, schoonmaken en rijden, dacht hij. De dagen liepen in elkaar over. Misschien was Luke vandaag te dronken om langs te komen en zouden ze wat tijd alleen hebben om te vrijen. Met afschuw en bezorgdheid dacht hij terug aan Lukes gezicht toen het meisje vanuit de taxi naar hem gezwaaid had.

Goran zou willen dat hij nu meteen naar Mila toe kon. Maar hij had nog meer dan twee uur van de nacht te gaan.

Er ging bijna een maand voorbij voordat Luke echt nieuws over Arianne kreeg. En toen het eindelijk kwam, vernam hij het niet van een vriend in een van de kroegen waar ze kwam of van een kapper waar hij haar naar binnen had zien gaan, en ook niet van de portier van het theater die hij nooit durfde aan te spreken. Hij hoorde het niet van de maître d' van Lanton's, die hij nog niet gesproken had, of van het barmeisje van de Noise, en zelfs niet van de flirterige homo achter de balie van haar sportschool. Hij vernam het aan de ontbijttafel bij zijn ouders.

Er had zich stilzwijgend een routine ontwikkeld in het grote huis. Zijn ouders hadden zich nu neergelegd bij de behoefte van hun zoon aan 'wat vrije tijd', en zijn vader was duidelijk te bang om de aandacht op zichzelf te vestigen om het aan de orde te stellen. En op een manier die Luke niet herkende, was Rosalind te veel met zichzelf bezig om meer te doen dan zich om zijn eten te bekommeren. Hoewel deze ouderlijke nalatigheid hem schokte, wist hij dat die in zijn voordeel werkte. Hij wilde alleen gelaten worden. Laat ze maar laf en egoïstisch zijn, dacht hij, zolang ze me maar niet dwingen zonder haar terug naar het appartement te gaan.

Eigenlijk wilden ze alle drie het liefst alleen gelaten worden. Ze waagden alleen de meest oppervlakkige interactie: "Heeft iemand mijn bril gezien?", of: "Niemand wil zeker meer wijn?", of: "Is het goed als ik het journaal aanzet?"

Het leven functioneerde, het leven ging door, en Luke raakte eraan gewend dat zijn moeder een kamer uit ging zodra zijn vader er binnenkwam. Dit was ook wel gebeurd toen Luke een stapel zondagse post oppakte die op de ontbijttafel lag, niet wetend dat die een glasscherf bevatte. Hij pakte een van de tijdschriften. "Wilde je deze nog lezen, pap?"

"Nee hoor, ga je gang", zei Alistair, zonder op te kijken van zijn boekrecensie.

Op de cover van het tijdschrift las Luke: 'De hipste tenten om te eten, te drinken en te feesten.' De coverfoto bestond uit de onderste helft van het gezicht van een meisje dat met haar roze tong slagroom uit haar mondhoek likte. Luke bladerde het blad door, nam flitsen van woorden en foto's in zich op: 'Vitamine B12 ... poliklinische ingreep ... muiltjes ... eeuwenoude joodse geloof ... kalfsoester met pancetta ... Palme d'Or ... jaloezieën ... Japanse orchideeën ... Lapis-Lazuli.' Zijn vingers stopten bij die laatste woorden. Lapis-Lazuli was de naam van de tent die Jamie Turnbull samen met zijn vriend, de voetballer Liam Bradley, van plan was te openen. Luke had erover gelezen op de fansites van Turnbull en Bradley. Jamie had het tijdschrift *Stars* verteld: 'Ik had gewoon genoeg van al die rijen bij kroegen die niks exclusiefs hadden. Dit wordt alleen voor leden.'

Op de foto midden in het artikel stonden Liam en Jamie met hun armen om elkaars nek als twee maffiabroeders. Op de achtergrond herkende Luke de contouren van Ariannes schouder en arm. Ze droeg een jurk die ze nog niet had gehad toen ze met hem was: een gouden halterjurk. Luke las:

> Met het openingsfeest van de exclusieve club wordt ook meteen het recente succes van Turnbulls vriendin, Arianne, gevierd, die de hoofdrol speelt in het verrassende West End succes Hotel. Turnbull, die bekendstaat om zijn romantische gebaren, heeft onlangs de in ongenade gevallen tv-tuinman Owen Mackintosh ingehuurd om bloemperken bij zijn huis in Kensington te laten vervangen. De bloemperken waren zo aangelegd dat ze de naam van Jamies vorige vriendin, Elaine Dance, spelden in haar lievelingsbloemen; oranje lelies. Owen Mackintosh (52), die ervan wordt verdacht computers van de bbc gebruikt te hebben om pornomateriaal te downloaden, zei in het tijdschrift Flash: 'Jamies vader en ik kennen elkaar al jaren. Jamie is een goeie jongen en moet hier niet om worden bekritiseerd. Er is iets mis met dit land. Ik wil geen commentaar geven op de gemene leugens die over mij verteld worden. Het gaat hier om tuinieren.' De plannen voor het feest schijnen onder andere een groep variétédanseressen in te houden voor bij het blingbling-thema. Het gerucht gaat dat het stel ook van de gelegenheid gebruik zal maken om zijn verloving bekend te maken.

Luke stootte zijn koffiemok op de grond.

"Luke!" riep zijn vader geschrokken uit.

"Ik ... ik liet mijn mok vallen", zei Luke. "Het ging per ongeluk."

Alistair stond op en pakte de keukenrol van het aanrecht. "Ja, natuurlijk ging het per ongeluk", zei hij, en bezorgd sloeg hij het bleke gezicht van zijn zoon gade. "Niks aan de hand."

Luke hield een druipende scherf vast. "Hij is helemaal kapot", zei hij, met een stem die trilde van droefheid.

"O, dat maakt toch niets uit, Luke. Het was niks speciaals, gewoon maar een mok." Alistair probeerde oogcontact met zijn zoon te maken en naar hem te glimlachen, maar Luke was verwoed bezig stoelen achteruit over de vloer te schuiven alsof hij iets in de fik had gezet en het vuur zich zou kunnen verspreiden.

Rosalind kwam binnengerend. "Wat een herrie! Wat is er in 's hemelsnaam aan de hand?" vroeg ze.

De schrik op haar gezicht herinnerde hen er allemaal aan dat angst en wantrouwen vlak onder het kalme oppervlak lagen waarop ze zich bewogen. Ze keken elkaar aan en erkenden dit met tegenzin. Toen zuchtte Alistair en zei kalm: "Maakt niets uit. Een ongelukje. Gewoon maar een mok."

Rosalind schoof de tafel verder opzij en liet zich met haar wangen vol tranen op haar knieën vallen. Ze begon de scherven in haar linkerhand te verzamelen. Met op elkaar geklemde kaken zei ze: "Het was niet gewoon maar een mok, Alistair. Het was een van de mokken die ík op mijn pottenbakkerscursus gemaakt heb."

Ze scheurde de voorpagina van zijn krant af, wikkelde de scherven erin en gooide het pakketje in de vuilnisbak onder de gootsteen. Daarna stapte ze de tuin in en smeet de deur hard achter zich dicht.

Luke bracht de rest van de dag door in bed. Even voor zessen, op het moment dat Goran gewoonlijk opstond en zich aankleedde om naar zijn werk te gaan, liep Luke de voordeur uit en ging achterom om hem te spreken. Hij keek vluchtig door het gebladerte van de boompioen naar het leeg uitziende huis. Daarna gaf hij het speciale klopje zodat Goran zou weten dat het veilig was om de deur open te doen.

"Hallo Luke", werd er zoals gewoonlijk geroepen.

Luke duwde de deur open om naar binnen te gaan.

Goran stond in de opening van de douchecel. "Ik ben me aan het wassen. Kom eraan", zei hij. Hij kreeg de taal al aardig onder de knie.

Luke ging op de bank zitten waar Goran op sliep en liet zijn hoofd in zijn handen zakken. Zo bleef hij een paar minuten zitten, zich niet bewust van de tijd, of van het feit dat hij van achteren bekeken werd. Goran had het gele strandlaken om zijn nek. Zijn haar was nat en zwart, en glansde als ruwe olie. Hij streek het met zijn ene hand naar achteren en wreef het daarna droog met de handdoek, terwijl hij naar Luke bleef kijken. Hij koesterde een hevige woede en had liever geen bezoekje gehad vandaag, hoe eenzaam en wanhopig Luke ook mocht zijn.

"Hoe gaat het, Luke?" vroeg hij.

Luke schrok op. "O, je bent er. Je liet me schrikken."

"Sorry."

"Ik heb je hulp nodig."

Goran kon niet anders dan verbaasd zijn over de ongemaskeerde pijn op Lukes gezicht. Hij liet de handdoek vallen en trok zijn overhemd aan. "Oké, Luke, ik ben jou veel verschuldigd."

"Ik vraag je maar één ding", zei Luke. "Goran, je kunt me vast wel vertellen hoe ik aan een wapen kan komen."

Instinctief wilde Goran er een stoel bij pakken, Lukes nek vastgrijpen, hem vragen wat hij zich in godsnaam in zijn hoofd had gehaald en hem zeggen dat hij geen domme dingen moest doen. Maar uit een rancuneus soort nieuwsgierigheid zei de woede binnen in hem dat hij moest afwachten wat het domme idee was. "Wat voor wapen?"

"Een pistool", zei Luke alleen maar. "Ik weet geen namen. Eentje die ongeveer zo groot is. Ik zal ervoor betalen. Ik heb geld zat. Weet jij aan wie je zoiets kunt vragen?"

"Ja", zei Goran eerlijk. "Dat weet ik."

"En ... wil je dat ook doen?"

Toen begaf Gorans voornemen het. "Nee", zei hij. "Luke, ben jij helemaal gék geworden?"

"Nee?" herhaalde Luke.

"Nee, ik ga geen pistool voor jou regelen."

Luke stond op. "Dan vraag ik het wel aan iemand anders."

Goran lachte hem uit. "Ja? Aan wie dan? Mooie, rijke, Engelse jongen, ken jij zoveel mensen die een pistool voor jou kunnen regelen, Luke?"

"Je zei dat je me zou helpen, Goran, omdat ik jullie heb geholpen."

"Jou helpen om een moordenaar te worden? Een crimineel?"

"Wat maakt jou dat nou uit?"

Ze hoorden de deur opengaan. Het was Mila. Ze was een appel aan het eten en glimlachte naar hen beiden.

"Hallo, Goran. Hoe gaat het, Luke?" vroeg ze. "Het is prachtige avond."

Luke en Goran staarden haar allebei aan. Ze glimlachte nog steeds naar Luke. Ze had haar haar op een nieuwe manier vastgemaakt.

"Hoi, Mila", zei Luke.

Goran liep naar haar toe en sloeg zijn arm om haar heen, maar ze duwde hem weg. "Bah, jij bent nat!" riep ze. "Als grote, natte hond!" Ze lachte met haar blik op Luke gericht om hem uit te nodigen mee te lachen. Luke glimlachte uit beleefdheid.

Goran liet haar los en onderdrukte zijn woede terwijl hij zijn veters strikte. Hij droeg oude gympen van Luke. Plotseling wilde hij ze van zijn voeten rukken. Hij wilde op blote voeten de tuin in lopen en met zijn armen naar de rijke mensen in het grote huis zwaaien.

"Oké. Ik gaan douchen", zei Mila. "Ik vandaag vijf appartementen gedaan. En allemaal hadden etentje gehad", zei ze, waarbij ze walgend haar neus optrok.

Toen ze het water hoorden lopen, ging Goran op de armleuning van de bank zitten. "Waarom wil jij dat pistool, Luke?"

"Om hem te vermoorden", zei hij. Daarna keek hij naar de grond.

“Of om hem bang te maken. Ik weet het nog niet. Ik heb gewoon een pistool nodig, Goran.”

Goran wilde lachen, omdat het hem een goede grap leek: een pistool hier in Holland Park, waar de huizen zo hoog en wit waren, een pistool in de handen van deze mooie jongen. Maar Lukes gezicht was bleek en bezweet, en hij had zijn kaken op elkaar geklemd; Goran had dit vele malen eerder gezien in Priština. “Jij praat over de man die nu met jouw Franse meisje is?”

“Ja. Jamie Turnbull. Zie je, ik weet waar ze heen gaan. Hij geeft volgende week een feest.”

“Jij denkt echt dat zij van jou houdt en bij jou terugkomt, Luke?”

“Ja.”

Goran wist niet goed waarom, maar dit antwoord irriteerde hem bijzonder. “Waarom jij denk dit?” vroeg hij.

“Omdat ... Omdat ik erin geloof.” Luke balde zijn vuisten. “Ik geloof het echt, echt, echt. Weet je?”

“Nee, ik weet niet.”

Luke nam hem kritisch op met een flauwe glimlach om zijn lippen. “Nou ja, goed, dat maakt ook niet uit, Goran, want ík weet het wel.”

“Ja? Wat weet jij, Luke?”

Luke haalde zijn schouders op. “Ik weet dat God dit niet met mij zal laten gebeuren”, zei hij, en Goran moest lachen om alle egocentrische zelfingenomenheid die je maar met westers geld kon kopen die hier zo schitterend aan hem tentoongespreid werd.

“Gód? Waarom zeg jij God, Luke? Toen ik kind was, wij hadden schoolmeester in Priština. Hij was goede leraar. Hij was misschien vijftig jaar oud en communist, net als mijn vader, en hij altijd ons vertelde hoe geweldig ‘Moeder Rusland’ wel niet was. Ik herinner een dag wij met hem spreken over God, wij vragen: ‘Hoe ziet hij eruit, meester, houdt hij van ons, is hij aardige oude man?’, en al dat soort onzin.” Goran schudde zijn hoofd en grijnsde. “En deze meester zegt tegen ons, hij zegt: ‘Kinderen, jullie niet weten Rusland heeft grote ruimteschip naar maan gestuurd?’

“‘Ja, meester’, wij zeggen, ‘wij weten dit.’”

“‘Nou’, deze meester zegt, ‘en jullie niet weten dat ome Gagarin, hij stapt uit het ruimteschip, hij kijkt om zich heen ... en – o! – kinderen, er is geen God.’”

Luke luisterde naar de vreselijke karikatuurstemmetjes en begon te huilen. Op dat moment voelde Goran alleen nog pure haat voor hem. Mila flirtte met deze belachelijke Engelse jongen. Dat was de waarheid en hij kon het net zo goed onder ogen zien.

Kon het waar zijn dat, net als al die graaiende krengen in Priština, net als zijn zus Irena, die met een vent was getrouwd die optrad als pooier voor Albanese prostituees in Milaan, alleen maar omdat hij een BMW had, zelfs Mila uiteindelijk ook alleen maar in geld geïnteresseerd was? Het was hem toch ook opgevallen dat ze hem niet toestond haar aan te raken waar Luke bij was? Niet dat ze nou zo graag wilde dat hij haar aanraakte op de schaarse momenten dat ze alleen waren.

Een 'natte hond', dacht hij. Mijn Mila noemde mij een 'grote, natte hond'.

"Oké, luister maar niet naar mij", zei Goran. "Ik regel pistool voor jou."

Luke glimlachte opgelucht en Goran glimlachte terug, terwijl hij dacht: ja, breng jezelf maar lekker in de problemen. Kom maar in de gevangenis terecht, zodat je ver van ons opgesloten wordt, ver van Mila. Als je zo dom bent, dan verdien je het om de gevangenis in te gaan. Domme mensen zijn gevaarlijker dan wapens, dacht hij.

Goran wilde dat ze maar twee nachten in het tuinhuisje gebleven waren en het daarna zelf hadden gerooid, ook al had dat betekend dat ze net als Rajan in een stinkend bed moesten slapen in plaats van liefdadigheid van deze gestoorde rijke jongen aan te nemen. Hij haatte Luke om zijn zinloze angst – de kwelling van bevoorrechte mensen. Hij wilde zeggen: "Weet je wel wat echte pijn is?", en hem dan vertellen over de NAVO-bombardementen, als het geluid van de dood je tanden in je kaken deed nadreunen. Of daarvoor nog, over het schuldgevoel en de diepgewortelde angst die je voelde als je vanuit ieder slaapkamerraam op de Dragodan-heuvel de Albanese boerderijen in het hele dal als kerstkaarsen kon zien branden – en ja, er heerste stilte, maar je wist dat je eigen landgenoten in uniformen aan het verkrachten waren in het donker en dat het geschreeuw de hele nacht door zou gaan. Hij wilde Luke vertellen hoe het was om lichaamsdelen – een voet, een vinger – te zien liggen wanneer je over straat liep. En nu, nu het allemaal over zou moeten zijn, nu zowel de kerken als de moskeeën waren gebombardeerd, wilde hij dat Luke wist over de duizenden onontplofte landmijnen waarmee het hele platteland bezaaid lag en die door de duivel zo ontworpen waren dat ze er als speelgoed uitzagen.

Maar hij zei niets over dit alles, omdat hij ineens alleen nog maar aan Mila's gezicht kon denken en aan hoe ze schaamteloos naar deze domme, rijke jongeman grijnsde.

Luke staarde naar zijn eigen voeten en zag dat hij twee verschillende schoenen aanhad.

18

Het was een heerlijke droom geweest en Alistair had uitgeslapen. Hij ging glimlachend rechtop in bed zitten om wat water te drinken. De droom ging over zijn moeder en Ivy. Hij kon zich het precieze onderwerp ervan niet herinneren, maar hij had er het gevoel van gezellige uitgelatenheid aan overgehouden dat alleen maar geassocieerd kon worden met de regenachtige middagen van zijn vroege jeugd.

Er was een tijd geweest waarin er niets leukers was dan dat het te nat was om naar buiten gestuurd te worden om te spelen en hij 'een mok met wat lekkers' kreeg. Dan zat hij naast Geoff aan de keukentafel en stonden Ivy en zijn moeder tegen het aanrecht of fornuis geleund. Nu en dan veegde zijn moeder het aanrecht of de deur van een kastje met de vaatdoek af, alsof ze hun plaats in het vertrek moest rechtvaardigen. Ze was altijd bezig haar huishoudgoden te bevredigen en kon nooit rustig stilzitten zonder te stoffen of iets recht te zetten of een of andere offerande te brengen.

Het leven bestond uit huishoudelijke routine; het volwassen hart werd vertraagd tot acceptatie van hoe het was. Maar op die dierbare regenachtige dagen gebeurde er iets geweldigs. Het leek alsof er een goedaardig therapeutisch geroddel losbarstte, en dan brachten zijn moeder en Ivy voor de vuist weg vuurwerkvertoningen van alle lokale personages ten tonele. Ze deden zowel mannen als vrouwen. Hun imitaties gingen ver en waren absurd, maar accuraat genoeg om heerlijk vals te lijken. Het vijandelijke getik van regen op de ruiten deerde hem niet.

Ze hadden allemaal een mok chocolademelk, herinnerde Alistair zich; Geoff en zijn moeder en Ivy hadden er 'een extra scheutje' in en hij had marshmallows uit Geoffs winkel. (Die kregen Amerikaanse kinderen, vertelde oom Geoff hem terwijl hij ze als een tovenaar in de mok kieperde.) De marshmallows smolten en hij kon ze er in lange slierten uit trekken en van de achterkant van zijn lepel likken.

Iedere keer dat Geoff deze toverkunst opvoerde, klakte zijn moeder met haar tong, waarop Geoff naar haar knipoogde en ze steeds weer zei: "Oké, voor deze ene keer dan", maar het getuigde van heel slechte manieren als kleine jongetjes lepels aflikten. Deze magische losbandigheid, dit Amerikaanse voorrecht, droeg bij aan het gevoel van anarchie. Het was zo angstaanjagend dat je erom moest lachen! Geoff lachte tot de tranen over zijn gezicht biggelden. "Ik weet het niet, hoor, Al, maar volgens mij moeten die twee in het theater staan", zei hij dan terwijl hij zijn ogen afveegde. Zijn grote hand klauwde in de lucht om genade terwijl Ivy een theedoek als een zijden sjaal om haar hoofd bond om de bekakte domineesvrouw na te doen. "Die twee zouden ons rijk kunnen maken op West End", zei Geoff.

Alistair was elf voor hij zich realiseerde dat dit een illusie was en dat de rest van de wereld nooit van de verwaande mevrouw Nairne of van zijn moeders hoofdact Ben Singer, de hakkende, slissende slager, had gehoord.

Alistair moest lachen toen hij terugdacht aan de risico's die zijn moeder nam wanneer ze in een van haar 'komische' buien was. Hij had haar op die momenten aanbeden en gehaat, en had tegelijkertijd gelachen en zich ongemakkelijk gevoeld, heen en weer geslingerd tussen die twee uitersten.

Maar zijn moeder vond het altijd geweldig om hem tot de gemene intimiteit van een privégrapje te verleiden. Hij zag nu in dat dat hun meest succesvolle en levendige manier van interactie was geweest: samen lachen. Het was alsof zijn moeder hen er met alle geweld van wilde overtuigen dat, hoe ver verwijderd zijn brein ook van het hare was en hoe verschillend ook, ze nog steeds samen om een grapje konden lachen, lol konden trappen.

Hij herinnerde zich een keer dat ze vlees gingen kopen. Om de een of andere reden – misschien had een klant een fooi voor haar achtergelaten – had ze besloten dat ze iets speciaals verdienden. "Goeiemorgen, meneer Singer", riep ze onschuldig terwijl ze de deur rinkelend achter hen sloot.

Ben Singers dikke handen tilden een stuk lamsvlees op zijn snijplank. "Goeiemorgen", zei hij, met zijn vibrerende, vrouwelijke stem.

"Lekker weertje", merkte zijn moeder op.

Meneer Singer had de gewoonte het einde van zinnen van anderen te herhalen alsof hij ze in gedachten nog eens overwoog en ze inspecteerde als lamskoteletjes. "Lekker weertje", zei hij knikkend.

Alistair voelde dat zijn moeder speels in zijn vingers kneep. Hij wist maar al te goed wat dit betekende en zijn hart begon te hameren van afgrijzen en opwinding. Ze boog zich voorover en keek door het glas van de toonbank naar de verschillende vleessoorten. "Mmm", zei ze nonchalant, "ik ben een keertje op tijd, zeker?"

"Op tijd", stemde de slager glimlachend in.

"Keuze te over. Ongelooflijk. Nu kan ik niet kiezen, meneer Singer. Ik denk dat we vandaag geen kip nemen ..." begon ze.

"Vandaag geen kip ..." herhaalde meneer Singer.

" ... maar de vraag is nu: zullen we een stuk steak eten, of stoofpot met lam, of worstjes met puree?"

Alistairs hart trok samen van het mijnenveld aan sisklanken.

Meneer Singer liet zijn hakmes met een klap neerkomen en draaide zich om. "O, ik ben dol op puree ..." zei hij onverwachts. En daarna ging hij weer verder.

Alistairs moeder kneep onder de toonbank in zijn arm en rolde met haar ogen naar hem. "Puree?" zei ze. "O, ja, ik ook, meneer Singer. Maar wat zullen we daarbij doen, dat is de vraag. Wordt het ..."

En toen onderbrak meneer Singer haar vreedzaam glimlachend: "Teak of toofpot of wortjes?" zei hij. "Ik zou voor teak gaan. Met een lekker tautje eroverheen."

Het was alsof een luide band was begonnen te spelen. Pure muziek! Zijn moeder greep zijn hand vast. "Ah", zei ze nuchter. "Nou, meneer Singer, als het goed genoeg voor u is, is het ook goed genoeg voor mij", en Alistair viel bijna flauw van ontzetting over haar oneerbiedigheid. Meneer Singer (die alleen door de gemeenste jongens op school 'Tingetje' werd genoemd) was een gerespecteerd volwassene! Alistair trok zijn hand los en knielde om zijn veter te strikken. Hij veinsde een hoestaanval om zijn hulpeloze lachen te verbergen. Na een herculische inspanning om zich te hervinden stond hij op.

Zijn moeder zei: "Sirloin of reepjes?"

Ze was zo wreed als een kind. En soms was ze zo teder als een geliefde. Als hij niets bijzonders gedaan had – of zelfs helemaal niets, als hij de hele dag alleen was gelaten met zijn boeken – kwam ze thuis en haastte zich naar hem toe om hem in haar armen te sluiten. "Mijn kleine held", zei ze dan. "Je hebt het fort goed bewaakt."

Hij voelde zich bedrieglijk omdat hij haar lof aannam. 'Het fort bewaken' terwijl zij een van haar uitstapjes maakte leek een vreemde opdracht. Hij snapte niet wat het precies inhield. Hij zat daar alleen maar met zijn boeken en zijn puzzels en de boterhammen die ze voor hem klaargemaakt had, en als hij zo nu en dan geraakt werd door de plechtigheid waarmee ze hem in zijn eentje verantwoordelijk had gemaakt voor het lege huis, patrouilleerde hij met zijn speelgoedpistool.

"Je bent ontzettend lang weggebleven. Was het leuk, mam? Met wie was je?"

"Ik was met je ome Ian, lieveling. Je kent ome Ian toch nog wel?" vroeg ze.

Alistair knikte. "Die man met die snor."

"Snor? Ik vraag me af wie jij in gedachten hebt. O, nee, lieveling, dat is Bob Kelmarsh. Nee, die is getróúwd."

Alistair rook aan haar adem dat ze bier had gedronken. Hij voelde een bekende ongemakkelijkheid; al van jongs af aan had hij vermoed dat hij het slachtoffer was van een of andere truc en dat hij alle details moest bijhouden als hij niet volkomen voor schut gezet wilde worden.

Zijn moeder boog zich voorover, sloeg met haar handen op haar knieën en trok de grijns die ze naar baby's in kinderwagens maakte. "Wil je zien wat ome Ian voor je gekocht heeft?" vroeg ze. Ze rommelde in haar tas en liet hem een paar keer vallen. Haar oude sigarettenkoker kletterde op de grond. "Wat ben ik ook een stuntel", zei ze. En toen liet ze een piepklein speelgoedautootje, niet groter dan een postzegel, op haar handpalm zien. "Wat vind je daarvan?" vroeg ze hem.

"Dank je wel."

"Goed zo", zei ze.

Was híj zijn vader, dacht Alistair, de man die dat kleine speelgoedautootje had gekocht? Het zou hem kunnen zijn. Het zou zelfs de man met de snor kunnen zijn. Of anders Tony of Ray of ... Hij gooide het laken van zich af en ging naar de badkamer om zich te wassen en te scheren.

Het was een prachtige dag: goudkleurig, winderig en herfstig. Het geruis van vroegbruine bladeren langs het raam bevatte nog het parfum van de zomer. Hij ging vlug met zijn koffie de tuin in. Rosalind zat al op haar knieën bij een van de bloemperken en hij hief zijn mok naar haar op. Ze keek met tot spleetjes geknepen ogen omhoog en streek met haar pols wat haren van haar voorhoofd. De tuinhandschoen leek er lachwekkend groot bij. "Goed geslapen?" vroeg ze. Maar voor hij antwoord kon geven, zei ze tegen hem: "Ik ben vandaag de hele dag weg. We hebben een vergadering in de showroom van Home From Home."

"O, oké", zei hij. "Alles goed?"

"Ja. Hoezo? Wat bedoel je?"

"Ik ... Alles goed bij Home From Home?" Beeldde hij het zich nou in of had Rosalind spottend gesnoven?

Ze stond op en veegde haar knieën af. "Alles gaat goed, dank je", zei ze. "We zijn de volgende catalogus aan het plannen. Dat doen we altijd rond deze tijd van het jaar."

"O. O, aha."

Ze liep langs hem heen het huis in. Ineens was hij bang. Hij wilde nog iets tegen haar zeggen. Wat kon hij nog meer zeggen? Hij kon helemaal niets bedenken.

Hij keek omhoog naar de helderblauwe hemel. Als om hem van deze onzekere eenzaamheid te redden kwam het aangename gevoel van zijn droom terug. Hij hoorde dat Rosalind haar auto startte en wegreed, maar hij glimlachte weer toen hij die goeie ouwe Ivy voor zich zag met de theedoek onder haar kin geknoopt. Ze had briljante karikaturen gedaan (die hij nu pas volledig kon waarderen) om de kleingeestigheid en de verborgen driften van de belangrijkste lokale vrouwen belachelijk te maken. "Een náákte paasoptocht? Nee, nee, nee, mevrouw Dawson. (Wat? Een derde stuk van mijn battenbergcake? Maar natuurlijk! Hij is erg lekker ... is mij verteld.) Nee, nee, nee, ik ben bang dat mijn echtgenoot (de dominee, weet u wel) naaktheid nóóit zal toestaan, mevrouw Dawson ... al helemaal niet van mij. Wat zegt u daar? Slagroom én jam, mevrouw Dawson? Erbovenop? Weet u dat zeker? Nou, ieder zijn smaak, zoals ik altijd maar zeg. Noem me maar progressief, maar ... eh ... ja, maak de kan maar leeg, mevrouw Dawson, ga vooral uw gang!"

Hij miste Ivy. Hij miste Ivy al heel lang. Hoe dacht ze over hem, vroeg hij zich af. Dat hij zomaar was verdwenen. Ze had hem blijkbaar vergeven. In ieder geval gedeeltelijk, daar getuigde haar telefoontje van, wat heel grootmoedig van haar was geweest.

Hij sloot zijn ogen. Waarom was hij haar een paar weken geleden niet gaan opzoeken? Waarom had hij haar en Geoff alleen maar de reservesleutels van zijn moeders huis gestuurd? En dat laffe briefje!

> Wees zo vrij te nemen wat jullie willen uit de doos met spullen en foto's die ik op de keukentafel heb neergezet. Het zijn allemaal dingen waarvan ik dacht dat jullie ze misschien wel zouden willen hebben vanwege de herinneringen die ermee verbonden zijn. Als jullie wat van de meubels willen, neem die dan alsjeblieft ook mee. Hetzelfde geldt voor de doos met kleding. Alles wat jullie niet willen gaat naar het goede doel.

'Vanwege de herinneringen die ermee verbonden zijn'? Wat had hij een ijzige tang gebruikt om met hun gezamenlijke verleden om te gaan. Hij hield het een armlengte van zich af, bleef zo afstandelijk mogelijk. Wat moest het kwetsend zijn geweest om dat briefje te lezen. Hij had moeten vragen of ze allebei langskwamen, had thee voor hen moeten zetten en de dingen persoonlijk aan hen moeten laten zien. Hij had voluit in gezamenlijke herinneringen moeten duiken, al was het alleen maar om Ivy te bedanken voor het laatste restje geloof dat ze in hem gehouden had.

Eigenlijk had Ivy altijd in hem geloofd. Meer dan zijn moeder ooit had gedaan. Toen hij zijn rijksbeurs voor Oxford had gewonnen, zei Ivy: "Je hebt daar een briljant hoofd op die schouders van je, hè? Ik ben ontzettend trots op je, Al. Geoff en ik én je moeder, ook al weet ze niet hoe ze het moet zeggen, lieverd." Ze had moeten huilen, herinnerde hij zich. En ze had een cake voor hem gebakken met wit citroenglazuur erop en frambozenjam erin. Ivy kon vreselijk goed bakken. Had ze ook niet altijd zijn verjaardagstaart gemaakt?

Zonder erbij na te denken wat hij deed, ging hij naar binnen en belde om te informeren naar de vertrektijden van de treinen van Charing Cross naar station Dover Priory. Over een uur ging er een. Daarna bestelde hij een minitaxi. Hij ging naar boven en pakte een kleine tas in met schoon ondergoed en sokken, een overhemd en een trui. Hij deed zijn scheerdoos (met een prachtig ivoren handvat, een cadeau van Rosalind voor zijn veertigste verjaardag) erin, een tandenborstel, een tube tandpasta en een kam. Daarna ging hij naar beneden naar de keuken en belegde wat boterhammen voor in de trein met de laatste paar saucijsjes die ongetwijfeld waren overgebleven van een van Rosalinds vorstelijke ontbijtjes voor Luke.

Hij keek op zijn horloge. Over vijf minuten zou de taxi er zijn. Hij hoorde dat Luke boven het bad liet vollopen en heen en weer draafde van en naar zijn oude slaapkamer. Alistair overwoog naar boven te gaan en gedag te zeggen, maar kon het niet. De ongelukkigheid van zijn zoon beangstigde hem; die was bijna hoorbaar geworden, zoals het neutrale gebrom van een luidspreker die ieder moment dreigt te gaan rondzingen. Hij pakte de pen van het notitieblokje bij de telefoon om een briefje aan Luke te schrijven. Op het bovenste blaadje stond een uitvoerig versierde letter 'A' met hartjes, vlinders en bloemen eromheen. Wat ging er toch om in het hoofd van zijn zoon, vroeg hij zich af. Hij had Luke voor de vijfde opeenvolgende nacht om vier uur 's morgens thuis horen komen. Alistair werd gekweld door een emotionele reactie die hij niet kon bevatten en waar hij zich een beetje voor schaamde.

Hij wist niet hoe hij zijn zoon raad kon geven, hoewel de situatie daar duidelijk om vroeg. Toen hij stilletjes de trap af was gekomen en het einde van een gesprek tussen Luke en zijn moeder had opgevangen – "Maar voor de rest kan niets me schelen. Daar gaat het nu juist om. Ik moet haar gewoon terugkrijgen, mam" –, wist hij dat hij zich er op het moment beter niet in kon mengen.

Hij vermeed ook de kwestie van zijn dochter. Zo nu en dan keek hij richting de twee luchtpostenveloppen die op het bureau van zijn vrouw stonden en geadresseerd waren in wat zijn eigen handschrift leek. Rosalind had hem verteld dat Sophie een telefoonnummer en adres had gestuurd, zoals ze beloofd had, maar op de een of andere manier kon Alistair zich er niet toe zetten erom te vragen. Hij was afgeschrikt door het vleugje solidariteit tussen zijn vrouw en dochter. Die had hij nooit eerder gezien. Hij wist niet zo goed waarom, maar het stemde hem er nog minder optimistisch over dat Sophie hem ooit zou vergeven. Het leek alsof ze overgelopen was.

De gedachte dat zijn dochter nooit meer van hem zou houden was ondraaglijk. Het maakte hem gek. Zijn briljante, beeldschone dochter, met wie hij kon lachen en discussiëren zoals met geen ander, die hem door het dal der wanhoop en verwarring dreef met haar zelfvernietiging en naar de duizelingwekkende, trotse top met haar flamboyante successen. Ze was een en al woeste tegenstellingen: anorexia, zelfmoordpogingen, zelfverminking, beste van haar klas op de middelbare school, uitstekend afgestudeerd aan zijn oude Oxford-universiteit, een geweldige baan bij de *Telegraph*. De hele weg naar het station balde hij op de achterbank van de minitaxi steeds weer zijn vuisten, terwijl hij het volledige angstbeeld van de mogelijkheid dat Sophie misschien nooit meer met hem zou willen praten tot zich door liet dringen. Geen hoogte- en dieptepunten meer. Van nu af aan zou er alleen nog maar tijd zijn, en zou hij oud worden in een vlak niemandsland van eenzaamheid.

Alistair dacht helemaal niet aan Rosalind. Hij had voorzichtig geprobeerd een gesprek over Karen Jennings te beginnen, over zijn stomme fout in die hotelkamer, maar zodra ze doorhad dat hij het erover wilde hebben, had ze bedacht dat ze nog een telefoontje moest plegen. Toen stond hij opeens alleen in de woonkamer naar haar glas wijn te staren. Hij vroeg zich af of ze overwoog hem te verlaten en alleen maar het onvermijdelijke probeerde uit te stellen. Na die ene keer had hij deze gedachte niet meer geformuleerd.

Toen ze bij Charing Cross aankwamen stopte de chauffeur met een schok. "Vijftien pond, meneer", zei hij.

Alistair gaf hem een briefje van twintig pond en wuifde het wisselgeld weg. Toen de auto wegreed was hij lichtelijk geamuseerd door de vulgariteit van dit gebaar en hoopte hij dat de chauffeur de fooien voor zichzelf hield.

Het was vertrouwd druk op Charing Cross. Vanwege zijn werk als advocaat reisde hij vaak per trein. Dan moest hij naar Norwich Crown Court, Chichester of Leeds. Het einde van deze aangename manier van leven zag hij beetje bij beetje onder ogen, als een zwemmer die zich langzaam in de koude zee laat zakken. Nooit weer zou hij in een trein zitten met een blauw notitieblok van de rechtbank op zijn knie en zijn aktetas en zijn togatas naast zich, terwijl hij de laatste puntjes op de i zette van zijn betoog. Werk was vele jaren een goede vriend voor hem geweest.

Hij liep richting het loket, nog steeds langzaam vanwege zijn zere been, nog steeds in de verwachting dat de menigte gewelddadige bedoelingen had, en zich nog steeds schamend voor zijn wandelstok. Hij vroeg zich af of mensen konden zien dat hij gewond was of dat hij met de stok gewoon een oude man leek.

Een oude man léék, dacht hij. Hij wás praktisch een oude man. Terwijl hij in de rij stond bestudeerde hij een paar gratis folders en kwam erachter dat hij seniorenkorting op zijn kaartje kon krijgen. Hij had er nooit aan gedacht om de kaart die hij met zijn zestigste verjaardag opgestuurd had gekregen, te gebruiken. Die had hij in een la gesmeten zodra hij in zijn ascetische bruine envelop was aangekomen. Hij had zich er persoonlijk beledigd door gevoeld.

"U zou er echt aan moeten denken uw kortingskaart mee te nemen als u er een hebt, meneer. Dat scheelt stukken", zei de goedgezinde kaartverkoper.

"Ja, u hebt helemaal gelijk", zei Alistair, te moe om beledigd te zijn. En waarom zou hij eigenlijk beledigd zijn? Was het geen verademing om op zo'n vriendelijke manier te worden toegesproken?

Er was niet veel vriendelijkheid meer in de wereld. Nadat hij in de trein had plaatsgenomen, deed de gedachte aan een zachte, ronde, naar taart geurende Ivy met koude handen hem opgelucht de ogen sluiten. Misschien zou Ivy hem vergeven wat hij had gedaan. Terwijl hij in een lichte slaap doezelde, raakte hij in verwarring over wie hem welke fouten zou vergeven. Was hij Ivy ontrouw geweest, had hij Rosalind in de steek gelaten, Luke een klungelig, kwetsend briefje geschreven? En had hij Sophie zo hartstochtelijk gehaat omdat ze lachte en dronk en dronk en lachte tot diep in de nacht met al die mannelijke gasten?

De hele weg naar Dover droomde hij over mannen met snorren.

19

Buiten station Dover Priory stonden plaatselijke minitaxi's en Alistair liet zich op de achterbank van een ervan glijden. Hij voelde de inspanning van de reis al in zijn been en hij zou het graag even omhoog willen leggen. Hij vroeg aan de chauffeur om hem naar huis te brengen, naar Maison Dieu Road, waar hij zijn tas zou droppen en even uit wilde rusten voor hij naar Ivy ging.

De veranderde omgeving begon te wennen, hoewel het geenszins op het Dover van zijn jeugd leek. Er stonden hogere gebouwen en er hing een vooruitstrevende, industriële sfeer die er vroeger niet was geweest. De reclameborden waren ontworpen om vanuit voorbijrijdende auto's gezien te worden, de letters vol van het opdringerige Amerikaanse liedje, zo fel als tv-schermen, waar de hele wereld aan mee begon te doen. Op de plek van zijn prachtige oude Café de Paris was nu een rotonde; vrachtwagens reden dwars over de kleine hoektafel.

Maar rechts lag nog steeds de zee en de boulevardhotels waren er ook nog, sommige met een andere naam, maar over het algemeen waren ze nog steeds gebleekt, met zon overladen, pastelkleurig, en serveerden ze ongetwijfeld nog steeds hetzelfde Engelse ontbijt. THE CASTLE HOTEL, las hij, THE BRITANNIA, THE QUEEN ELIZABETH, en toen: WIJ ACCEPTEREN EURO's. Er was inderdaad het een en ander veranderd. Hij glimlachte naar zijn oude woonplaats met dezelfde genegen overgave als waarmee hij Sophies blauwe haar had begroet. Het was een zonnige, winderige middag zoals die het best bij Dover paste, want de geur van de zee joeg door alle straten.

Hij betaalde de chauffeur en liep met zijn tas in zijn hand over het oude tuinpad. De opknapbeurt waar hij opdracht toe had gegeven, had de boel geweldig verbeterd. De ontbrekende tegels van het pad waren aangevuld, het onkruid was uit de voortuin verwijderd, het gras gemaaid en al het samenklittende afval was uit de heggen gehaald. De kozijnen, hoe verrot ze ook waren, waren opnieuw geverfd. Het zag er weer fatsoenlijk, hoewel nog een beetje gehavend van de strijd, uit, dacht hij. Net als hijzelf. Het zag er nu feitelijk hetzelfde uit als toen hij veertig jaar geleden was weggegaan.

Hij wierp een vluchtige blik op de andere pensions in de straat, die bijna allemaal een bord met VOL buiten hadden staan. De zaken gingen blijkbaar goed. Een groepje magere, vermoeid uitziende mensen stond op de hoek van de straat te praten. De vrouwen droegen hoofddoeken en lange rokken. De mannen hadden donkere haren en ogen. Waren het Roma-zigeuners, vroeg hij zich af. Daar was een toevloed van geweest. De *Times* had erover geschreven: nog een groep mensen die er genoeg van heeft om vervolgd of gewoon genegeerd te worden, op zoek naar een beter leven, ook al is dat in een ander land, ook al moeten ze daar helemaal opnieuw beginnen. Hij zag een Engelse vrouw met een geruite boodschappentas de straat oversteken om niet langs hen te hoeven lopen.

Toen hij de deur opendeed voelde hij zich onmiddellijk opgelucht. De schoonmakers waren geweest en de bouwvakkers hadden alle kapotte dingen weggegooid – oude tafels en stoelen enzovoort –, zodat het nu zowaar goed was om daar te zijn, in het pas geschrobde huisje, met de weinige overgebleven meubelstukken. Ineens was het een enorme opluchting om te kunnen ontsnappen aan het verzamelde gewicht van zijn bezittingen en de stilzwijgende vereisten van hun elegantie. Hij wilde niets liever dan zijn voeten omhoogleggen in de voorkamer, zoals ze het altijd genoemd hadden, en zijn zere been een tijdje rust geven.

Terwijl hij in zijn moeders oude stoel neerzonk realiseerde hij zich dat hij vergeten was in de trein zijn boterhammen op te eten. Hij haalde ze tevoorschijn en pakte ze, ineens uitgehongerd, uit. Ze waren best lekker: saucijsjes, lekkere boter, zacht bruinbrood en een klein beetje grove mosterd. Welke maaltijd in een restaurant met Michelinsterren is er nu lekkerder dan deze, dacht hij. Met zijn zere been op het oude voetenbankje en zijn gewicht diep weggezakt in de doorgezakte groene stoel vroeg hij zich af waarom hij ooit gedacht had dat hij meer van het leven verlangde.

Maar Alistair had besloten het zichzelf niet gemakkelijk te maken en geen standpunt ononderzocht te laten. Was deze plotseling aantrekkelijke onaardsheid misschien niet meer dan de luxe van rijkdom, vroeg hij zich af. In zekere zin. Maar misschien zette hij ook wel echt een voet op een onontgonnen terrein. Misschien was de conclusie die hij begon te formuleren dat niet rijkdom en bezittingen ertoe deden, maar de noodzaak om jezelf van het verlangen ernaar te ontdoen. Het leek erop dat er twee manieren waren om dit te bewerkstelligen: óf door wijsheid, óf door slaafs verzamelen. Je zou er hoe dan ook komen.

Was hij maar verstandig geweest, dacht hij, in plaats van alleen maar slim. Had hij maar wat meer nagedacht en minder gewerkt.

Maar hij wist niet zo goed wat er dan anders zou zijn geweest. De veranderingen waren te divers; ze draaiden alle kanten op en maakten hem misselijk van de mogelijkheden. Het was veel makkelijker om te geloven dat het leven bestemd was om zich te ontplooien zoals het deed. Maar terwijl hij dit dacht, wist hij dat hij niet langer bereid was om berustend achterover te leunen en naar de rotzooi van zijn gevoelsleven te kijken.

Toen hij zich uitgerust voelde en zijn scheerspullen in de badkamer had uitgepakt en schone kleren in de lege kledingkast had opgehangen, ging hij naar buiten.

Oom Geoff en tante Ivy hadden vlak om de hoek gewoond. En al die jaren waren ze daar blijven wonen, op Hill Road 63, en waren ze ongetwijfeld nog steeds bij zijn moeder langsgekomen voor een kopje thee of hadden ze haar uitgenodigd voor een glaasje sherry. Onderweg door het stadscentrum in de taxi had hij een paar aankondigingen op het mededelingenbord van het stadhuis gelezen: WOENSDAGAVOND: BINGO!, DINSDAGMIDDAG: BREIEN EN BIJKLETSEN! Dat zou hun leven zijn geweest. Een spelletje bingo en daarna een glaasje bier in de pub, dacht hij. Zou oom Geoff nog steeds de drankjes hebben gehaald voor zijn 'meiden'? Natuurlijk. Alistair zag het allemaal voor zich.

Hij kwam bij de voordeur aan en trok aan de kleine bel. Er volgde een weergalmend *dingdong*, dat bij een veel groter huis hoorde. Hij wachtte een moment dat een eeuwigheid leek voor er een gestalte zichtbaar werd door het matglas in de deur. "Ik kom eraan", werd er geroepen.

Het was Ivy! Dat was Ivy's stem! Hij ontdekte tot zijn verrassing dat zijn hart sneller klopte en zijn handen klam waren. Waarom had hij in al die jaren dat hij leefde toch nog steeds zo weinig talent om te bedenken hoe hij zich zou gaan voelen?

De deur ging open en daar was ze: kleiner, dikker en haar haar nu helemaal grijs, maar voor hem stond niemand minder dan Ivy Gilbert. Hij rook haar vertrouwde geur. "Hallo, Ivy. Ken je me nog?" vroeg hij.

Ze keek hem aan en schudde glimlachend het hoofd. "Nee maar, wie hebben we daar!"

Typisch haar gevoel voor humor, dacht hij, en hij aanbad haar, had haar stem lief, haar lieve gezicht, haar spottende ogen. "Mag ik binnenkomen?"

"Nee", zei ze. "Niet voor je me een knuffel hebt gegeven."

Hij deed onhandig een stap naar voren en toen zijn neus tegen haar oor gedrukt werd en door witte haren werd gekieteld, steeg er een snik in hem op die omsloeg als een golf. Ze klopte op zijn rug. "Wat krijgen we nou? Tranen?" vroeg Ivy. "Mallerd. Waar ben je in 's hemelsnaam al die tijd geweest?"

Toen liet ze hem los en volgde hij haar de hal door naar de keuken. Ze liep erg langzaam, had duidelijk last van haar heupen, en haar handen waren vervormd door jicht. "Ik zet theewater op", zei ze.

De keuken was volkomen veranderd. De gootsteen zat aan de verkeerde kant van het vertrek en het fornuis stond ook op de verkeerde plaats. Hij werd er bijna duizelig van. "Dit is allemaal nieuw", zei hij.

Ze keek vluchtig naar hem om terwijl ze de waterkoker vulde. Haar handen beefden zo dat hij haar te hulp wilde schieten, maar hij wilde haar voor geen goud beledigen. Ze was altijd onafhankelijk geweest. "Nieuw? O, lieve schat, zo is het al jaren. Martin heeft het voor ons gedaan. Herinner je je Martin nog, ons neefje?"

Alistair knikte en glimlachte. Ja, hij herinnerde zich Martin nog. Martin met zijn ongelooflijke timmerkunsten die meer gewaardeerd werden dan alles wat Alistair kon, Martin die het échte neefje was van Ivy en Geoff. Was hij nog steeds jaloers? Wat ben ik toch een zielig mannetje, dacht hij.

Ivy ging verder: "Ja. Die schat van een Martin heeft al dat werk voor ons gedaan. Dat moet zo'n ... O, het moet zeker vijftien jaar geleden zijn. Hij is ongeveer vijf jaar geleden overleden, vandaar. Hij kreeg kanker en het was snel met hem gedaan." Ze klakte met haar tong terwijl ze de waterkoker door de keuken droeg en in het stopcontact stak. "Waarom is dat nou, hè? Zo'n oude tang als ik doet het nog prima, en Martin is voor zijn zestigste gestorven." Met een poging een pijnscheut te verbergen reikte ze naar het keukenkastje. "Als ik je een beetje ken", zei ze, "wil je iets zoets. Je treft het dat ik vanillekoekjes in huis heb."

Ze haalde een paar koekjes eruit en legde ze voor hem op tafel. Hij zag de gezichten van de pasgetrouwde prins en prinses van Wales op het bord eronder. Geoff was altijd al een aanhanger van het koningshuis geweest, herinnerde hij zich. Hij kreeg tranen in zijn ogen als hij het volkslied hoorde. Hoewel hij er nooit over sprak, had hij in de oorlog een onderscheiding voor moed ontvangen.

Ivy schonk het water in de theepot en Alistair pakte de kopjes en de melk die ze op het aanrecht had klaargezet.

"Dank je, lieverd. Sorry van de fles", zei ze. "De mooie melkkan die ik sinds mijn trouwen had, heb ik laatst met die waardeloze handen van me laten vallen."

"Maakt helemaal niets uit", zei Alistair. Hij ging aan de tafel zitten. Had ze geen geld om een nieuwe kan te kopen, dacht hij, waarbij zijn maag samenkneep, net zoals die van Luke.

Hij keek toe hoe Ivy de thee door de pot roerde en rook de zoetige geur. Ze schonk wat melk in de kopjes – was dat zijn eerste ontstellende ontdekking geweest: dat men in beschaafde kringen nooit eerst de melk erin deed? – en schoof daarna de suikerklontjes naar hem toe. Dus je kon suiker nog steeds in klontjes kopen! Vanillekoekjes, suikerklontjes en melkflessen ... Ivy leek in een tijdscapsule te leven, in een Engeland dat al lang geleden gestorven was. Het was geweldig.

"Hartelijk bedankt, Ivy. Dit is heerlijk", zei hij.

"Nou, je was altijd al dol op vanillekoekjes. Als het maar zoet was."

"Ja. Ja, dat klopt", zei hij.

Tegenwoordig was het Rosalinds tarte tartin. Hij nam een hap van een koekje. Het had de smaak van zijn jeugd.

"Goed. Wat dat betreft niets veranderd, dus", zei ze, beslist knikkend. Ze reikte hem de thee aan, waarbij het kopje op het schoteltje rammelde.

"Dank je. Nee, geen suiker, alsjeblieft. Is Geoff in de buurt?" vroeg hij.

"Nee, lieverd. Ik heb hem niet meer in huis. Hij zit in het ouwenvandagenhuis vlak bij Castle Hill. Ik ga nog wel bij hem op bezoek, maar het was gewoon ... Het was te veel voor me om hem hier te houden", zei ze.

"Wat akelig."

"Ik wacht al tijden op een nieuwe heup, zie je. En Geoff ... Nou ja, hij is al een tijdje niet helemaal in orde en dat werd me gewoon te veel." Ze sloeg haar ogen neer naar haar schoot en Alistair vond het typisch Ivy om zich schuldig te voelen terwijl het toch omstandigheden waren die volledig buiten haar macht lagen. Dat vond hij het engste aan oud worden: dat je de macht over dingen verloor. Ineens sloeg de balans om en was het lichaam de baas over de wil.

"Maar", ging ze verder, "er zijn daar mooie, jonge verpleegsters en hij zit er goed. Ik hoef me geen zorgen te maken."

"O, Ivy, het zal wel moeilijk voor je zijn om hem niet meer bij je te hebben", zei Alistair. En terwijl hij die woorden uitsprak wist hij al wat haar stoïcijnse antwoord zou zijn: "Nou, we hebben een goed leven gehad. Daar valt niets op af te dingen."

"Ja, dat is waar", zei hij. Ivy en Geoff moesten nu al meer dan zestig jaar getrouwd zijn. Daar hadden Rosalind en hij nog geen tweederde van achter de rug. Ze waren slechts beginnelingen. "Maar red je het hier wel in je eentje?"

"O, ik ben niet alleen, lieverd. Er komt iedere dag een geweldige meid van de tafeltje-dek-je met een lunch voor me. En van tijd tot tijd komt er een verpleegster langs voor mijn fysiotherapie. En ik ga regelmatig op controle bij dokter Hargreaves. En geloof het of niet, lieverd, maar ik ga nog steeds iedere week naar de bingo met degenen van ons die de pijp nog niet aan Maarten hebben gegeven."

Het was dus precies zoals hij had gedacht.

"Ging mam daar ook altijd heen? Jij en Geoff en mam?"

"Jazeker, tot een jaar of twee geleden. Ja ... met z'n allen naar de bingo. En naar een quiz in de pub met die goeie ouwe Ben Singer, jouw mam. O, jazeker, lieverd."

Ivy sprak over alles met nostalgie, zelfs over de lopende of recente dingen in haar leven. Daar stond ze dan, verheven door haar jaren, alsof ze letterlijk naar beneden tuurde vanaf een vredige plek ver boven het gezwoeg. Alleen haar vervormde handen spraken nog van directe gevoelens, van pijn. Haar handen en de korte opmerking over haar heupen.

Had ze een nieuwe heup nodig? Die verdraaide gezondheidszorg met zijn wachtlijsten ook, dacht hij. Hij hoopte dat ze niet voortdurend pijn had, maar wist zeker dat dat wel zo was. Rosalind en hij hadden veel geluk dat ze altijd hun particuliere verzekering zouden hebben, altijd een nieuwe melkkan zouden kunnen kopen of iets anders wat stuk was konden vervangen. Wat er nu ook zou gebeuren, door alle verstandige investeringen zouden ze tot hun dood in goeden doen zijn.

Ivy zei lachend: "Ja, iedere maandag in de George and Dragon, een klein glaasje sherry of een glas bier nam ze altijd, en haar pakje uitgebakken zwoerdjes. Ze had net als ik een slechte heup, maar je moeder was niet te stoppen. Altijd al zo geweest, hè?"

"Ja", zei hij lachend.

"Behalve als het om jou ging dan."

Alistair zette zijn theekopje neer en keek Ivy recht in de ogen omdat hij wist dat hij eraan moest geloven. Hij moest aanhoren wat het met hen gedaan had dat hij zomaar was verdwenen.

Hij herinnerde zich wat Rosalind hem verteld had over de bevalling van Sophie. Ze zaten op hun bed met hun wonderlijke kleine meisje voor hen op de deken. Hij had haar gevraagd of de bevalling erg pijnlijk was geweest. "Het is heel apart", zei Rosalind. "Je begint schreeuwend en gillend en zo, maar dan is het net alsof je plotseling beseft dat het baren van je baby het enige in het leven is waar je hoe dan ook niet onderuit kunt. Het is het enige soort pijn waarvan je weet dat je er niet boos om kunt zijn alsof het niet eerlijk is, want het is belangrijker dan je lichaam. Het is niet eerlijk of oneerlijk, het gebeurt gewoon met of zonder jouw instemming. Dus accepteer je het en ga je door, denk ik."

Rosalinds antwoord had uitermate veel indruk op hem gemaakt en hij wist dat hij nu net zo dapper moest zijn als zijn jonge vrouw was geweest.

"O, Alistair", zei Ivy, "waarom moest je nou zo verdwijnen?"

"Ik schaamde me", vertelde Alistair haar; hij wilde zo eerlijk mogelijk zijn, hoe hard het ook klonk. "Ik wilde bij slimme, rijke mensen in grote huizen zijn, ver van Dover."

"Maar hier ben je opgegroeid, hier kom je vandaan, lieverd."

"Ja, ik weet het."

"Had je niet kunnen schrijven? Langs kunnen komen?"

"Ik kon jullie niet in mijn leven houden. Ik had het niet uit kunnen leggen. Ik ben er niet trots op, Ivy, maar ik creëerde een nieuw leven voor mezelf en de mensen daarin ... Nou ja, ze zouden hebben neergekeken op ... op alles. En dat kon ik niet aan."

"We zouden ons niets van een stelletje verwaande je-weet-wels aangetrokken hebben. Ik niet."

Alistair lachte droevig. "Nee", zei hij, "daar was je altijd al te verstandig voor. Maar míj kon het wel schelen. Ik was degene die zich er iets van aantrok. Als ik heel eerlijk ben, was ik bang dat ze me niet zouden accepteren. En ik wilde zo graag hun leven, Ivy."

"Lieve help", zei Ivy. "Had je dan zo'n hekel aan ons? Zijn we zo verschrikkelijk?"

Alistair pakte haar kromme, knokige hand vast. "Nee. Ik ben heel fout en heel dom geweest", zei hij.

"En God heeft je nog wel zoveel hersens gegeven ... Wat zonde."

"Ja."

"Ze klonk wel aardig, je vrouw. Helemaal geen bekakt type."

"O, nee, Rosalind is helemaal niet bekakt", zei hij overtuigd. "Ze heeft in haar hele leven nog nooit iemand met de nek aangekeken ..."

En toen dacht hij: ik ben het dus altijd zelf geweest. Ik ben degene die de faillietmakende skivakanties in Val d'Isère nodig had en zijn kinderen naar buitensporig dure kostscholen wilde sturen, waar ze het bovendien helemaal niet naar hun zin hadden. Ik ben degene die de kroonluchters nodig had en het damastzijden behang van honderd pond per meter op alle muren in plaats van gewoon papier. Had Rosalind niet ooit gezegd dat het haar heerlijk zou lijken om in een klein plattelandshuisje te wonen en dat Alistair daar dan een geschiedenisboek zou schrijven, zoals hij had gezegd dat hij wilde doen toen ze hem pas had leren kennen? Hij zei haar dat ze de parels en haar bontjas zou missen, en haar kaartjes voor Glyndebourn, haar tennis bij Queens. Maar misschien sprak ze wel de waarheid.

"Nou, het is vast niet niks om na al die jaren weer thuis te komen", zei Ivy.

"Het is heel erg veranderd."

"Daar heb je gelijk in. Die enorme, afschuwelijke veerboothaven met al die drukte. En ook veel buitenlandse gezichten. Vanwege al die oorlogen in de wereld, hè. Ze komen hier op zoek naar veiligheid."

Je kon het wel aan Ivy overlaten om het zo te zien, dacht hij. Ze was een rasechte liberaal.

"Maar het is nog steeds jouw thuis, je wortels liggen hier", zei ze, waarna ze in haar hete thee blies.

Hij bekeek haar lieve oude gezicht en vroeg zich af hoeveel mensen in Engeland nog in dezelfde straat overleden als waar ze opgegroeid waren. Ze was twee huizen verderop geboren. "Ivy, jóúw wortels liggen hier", zei hij. "Ik denk niet dat ik ooit echt wortels heb gehad."

"Waarom zeg je dat nu? Ga toch weg, Alistair. Je had een huis en een moeder die zoveel van je hield als ze kon, en dan waren Geoff en ik er ook altijd nog."

"Ik weet het. Ik weet het. Alleen ... het kwam doordat ik niet wist wie mijn vader was, denk ik."

Ziezo. Hij had het gezegd. Het was eruit, en nu leek de wereld vrediger, zoals wanneer je helemaal omhoog het klifpad op rende met de wind en de regen in je oren en dan een inham zag waar je in dook, en alles vredig werd.

"Dat snap ik wel, lieverd", zei Ivy. En toen vestigden haar ogen zich lange tijd op de zijne – misschien wel dertig seconden lang –, terwijl haar wenkbrauwen samentrokken in overeenstemming met haar gedachten. Ze maakte hem bang. Hij staarde in het oude gezicht; dit was de ontoegankelijkheid van de gedachten van een ander menselijk wezen.

Hij dacht terug aan de buitengewone manier waarop hij die avond in het Ridgeley Hotel aan Karen Jennings over de kwestie van zijn vader had verteld. Zomaar spontaan, niets voor hem. Bij een glas whisky had hij heel kalm aan deze volslagen vreemde uit de doeken gedaan dat zijn moeder hem altijd verteld had dat zijn vader en zij van plan waren te trouwen, maar dat hij in de oorlog was omgekomen. Het was alleen maar een tranentrekker, had hij uitgelegd, die steek hield tot hij een jaar of acht was. Hij had haar zelfs verteld hoe hij dat besef had gemarkeerd door al zijn speelgoedsoldaatjes in de zee te gooien. Hij zei dat hij zijn moeder in geen veertig jaar gezien had – "waarschijnlijk om dat gesprek uit de weg te gaan."

Die formulering was zo absurd dat hij onmiddellijk had geweten dat er een kern van waarheid in zat. Hij had emotioneel contact met zijn moeder vermeden zoals hij fysiek contact vermeden had vanaf de dag dat hij onverwachts thuis was gekomen van zijn catechisatieles. (Nadien was hij er zeker van dat hij al geweten had dat er iets niet pluis was toen hij het tuinpad op rende; dat het huis ineens lelijk was geworden, de lucht koeler en donkerder scheen te worden zoals voor een regenbui.)

Hij vond ze in de hal, op het tapijt, worstelend. Eerst dacht hij dat meneer Bisset haar aanviel, maar toen hij omhoogkwam zag Alistair dat ze ervan genoot. Toen zag ze hem. "O, Alistair", zei ze. "Ik dacht dat je in de kerk was."

Ze drong er altijd sterk op aan dat hij op tijd op de zondagsschool moest zijn. En nu wist hij waarom. "Ik had mijn boterhammen vergeten", zei hij. "Ik had trek."

Zelfs nu had hij er nog moeite mee om een kerk binnen te stappen. Rosalind wilde dat de kinderen katholiek zouden worden, net als zij, en hij had het zonder problemen aan haar overgelaten. Hij had zijn handen van het hele smerige zaakje dat religie heette af getrokken.

"Ivy", zei hij, "weet jíj iets over mijn vader?"

"Ja, lieverd. Dat weet ik", antwoordde ze.

Hij staarde haar ongelovig aan. Om na al die jaren iets – wat dan ook – over deze afwezige te horen te krijgen. Wat hij het meest had gevreesd, was dat niemand iets zou weten, dat zijn vader gewoon een van zijn moeders 'uitstapjes' op een zonnige middag was, een van haar zondagse feestjes of nachtelijke 'gesprekken'. "Vertel me wat je weet, Ivy. Alsjeblieft?"

"Het is Geoff, lieverd", zei ze.

Dat een menselijke stem zo makkelijk kon antwoorden, dat die iets zo omvattends als een antwoord kon verschaffen, was bijna net zo verbluffend als het antwoord zelf.

"Geoff? Ome Geoff? Jouw man? Ik begrijp niet ... Hoe kan dat?"

"Geoff, mijn man", zei ze knikkend.

"Maar hoe kan dat ... Hoe kan dat nou, Ivy? Hoe?"

Ze zuchtte. "Het is gewoon zo, lieverd", zei ze.

Alistair staarde naar de voorwerpen op tafel: koekjes, schotels, kopjes en lepeltjes, dingen die tot hun louter fysieke aanwezigheid waren teruggebracht, van betekenis ontdaan. Het konden net zo goed kiezels op de waterkant of bladeren op het gras zijn. Even zag hij ze met de ogen van een geduldige historicus, tienduizend jaar later.

"Alistair?" zei Ivy. "Alistair? Gaat het wel?"

"Dat weet ik niet zo goed", zei hij eerlijk.

"Ik heb altijd gewild dat hij het je vertelde ... voor wat dat nu nog waard is voor je."

"Hoe lang waren ze ... Wannéér, Ivy? Wanneer is het begonnen?"

"Ze gingen niet meer dan een jaar of twee op die manier met elkaar om", zei ze. Hij keek hoe ze de koekkruimels van de rand van het bord plukte, onder haar wijsvinger plette en in de palm van haar hand veegde.

"Een jaar of twee? Maar jullie waren toen al getrouwd. Ze was je beste vriendin."

"Ja", zei Ivy. "Het klinkt vals. Maar je moet begrijpen dat het in die tijd anders was. Ik probeerde zwanger te worden, Al, ik wilde niets liever dan een baby'tje. Hoe dan ook, ik werd zwanger en in die tijd vond iedereen dat je niet mocht ... Nou ja, dat je niet met je man mocht verkeren als je een baby'tje in je buik had. Al met al had ik bijna twee jaar lang een baby'tje in me ..."

"Ik kan je niet helemaal volgen, Ivy."

"Wat ik bedoel is dat ik ze steeds verloor. Drie baby'tjes op rij – miskramen – voor we wisten dat ik het niet kon. En ... Nou ja, ergens in die tijd moet hij in de verleiding gekomen zijn. Ze was een heel aantrekkelijke vrouw, je moeder, June, met die prachtige bos rood haar en dat volle figuur van haar."

"In de verleiding gekomen?" herhaalde Alistair.

"Geoff en zij hielden als kind van elkaar, wist je dat?"

"Nee, dat wist ik niet."

"Ja. June was zijn kalverliefde. Maar ze heeft altijd een eigen willetje gehad en ze kreeg wat met die Nigel Benson, wiens vader eigenaar was van de onderdelenwinkel bij Britannia. Hoe dan ook, iedereen dacht dat ze in het huwelijksbootje zouden stappen, maar Nigel kwam om in de oorlog. Diepbedroefd was ze. Geoff en ik hadden niet zo lang voor het gebeurde iets met elkaar gekregen, toen Geoff naar huis was gekomen met die granaatscherf in zijn been. Ik had hem geschreven, zie je. Ik heb altijd een zwak voor hem gehad. Ik schreef hem brieven toen hij in dienst zat.

"O, Al, ik dacht altijd dat hij er spijt van had dat hij mij gekozen had, weet je dat. Ik had het idee dat hij wel het gevoel moest hebben dat hij, als hij iets langer gewacht had, June had kunnen krijgen. Ik kan je wel vertellen dat het een tijd aan me geknaagd heeft. Maar nu weet ik dat hij van me hield. Met meer dan zestig jaar valt niet te spotten, toch?"

"Nee." Hij schudde langzaam zijn hoofd. "Hoe kun je zo redelijk zijn? Ivy, je zei dat je altijd gewild had dat Geoff het me zou vertellen ..."

Haar gezicht leek te verschrompelen van pijn. "Dat is zo, lieverd. Dat heb ik altijd gewild. Een deel van me zal het hem nooit vergeven."

"Maar als je dat zo graag wilde, waarom dwóng je hem dan niet? Hij respecteerde je, Ivy. Je had hem zoveel vergeven. Hij zou naar je geluisterd hebben."

"Ik?" zei ze. "O, nee, lieverd. Je begrijpt het helemaal verkeerd. Zie je, je moeder en Geoff ... Ze hadden geen idee dat ik het wist."

Alistair leunde achterover in zijn stoel alsof hij een enorme stomp tegen zijn borst kreeg. "Wát?"

"Nee, lieverd. Tot op de dag van vandaag niet."

"Ik ... Ik begrijp het niet", zei hij.

Maar hij begreep het wel. Ze had niet willen bederven wat ze had en ze was zo nederig dat ze het eenvoudigweg verdroeg en hoopte dat de affaire zou eindigen.

Maar om nou zoveel in het gezelschap van haar rivale te verkeren en zijn moeders beste vriendin te blijven? Om te moeten verdragen dat Geoff hen liefkozend zijn 'meiden' noemde?

Maar zodra iets eenmaal gezegd was, kon het niet meer herroepen worden. Hij kende de vreselijke waarheid hiervan net zo goed als ieder ander. Hij bekeek Ivy's aardige, oude gezicht, de waterige ogen die nog steeds overliepen van humor en liefde – onverklaarbare liefde – voor hem, het onwettige kind van haar man. "Je hield van me als van een zoon", zei Alistair.

"Dichter dan met jou ben ik niet bij een eigen kind gekomen, lieverd. Martin was er natuurlijk ook nog, maar voor mij was jij altijd de ware. Mijn rare, kleine Alistair met zijn boeken en zijn grote frons." Ze keek hem met hartverscheurende tederheid aan en legde daarna haar hand op haar buik. "Zie je, ik kon hem geen kind geven. Ik deugde daarbinnen niet."

"Ivy, daar kun je jezelf toch niet de schuld van geven?"

"Nee. Niet echt. Niet meer."

"Geoff zou dat nooit hebben gedaan."

"Nee. Dat is zo. En, hoe dan ook, jij bent degene tegen wie ik eigenlijk sorry moet zeggen."

"Ik? Waarom? Je bent altijd geweldig geweest voor me. Al je aanmoediging, al die verjaardagstaarten ..."

"Ja", zei ze lachend, "je was dol op cake met citroenglazuur. Een beetje jam en room in het midden."

"Ja, Ivy, dat was zo", zei hij, bijna te ontroerd om te kunnen praten. "Hoe kun je nu in godsnaam denken dat je mij excuses verschuldigd bent?"

"Omdat ik je een vader heb onthouden, lieverd. Zie je, ik had een keus, en ik dacht dat die tussen mijn huwelijk en jouw vader was. En ik koos ervoor het huwelijksbootje in rustig vaarwater te houden. Ik was bang dat wanneer het bekend werd, hij me zou verlaten en ik het dan over mezelf had afgeroepen. Dan had je het geweten, lieverd, begrijp je dat? Maar ... o, ik weet het niet, ik dacht dat ze naar Londen zouden gaan. God mag het weten. Als je jong bent denk je dat liefde zo kan verdwijnen, hè? Maar het blijft voor altijd, alsof het in je botten gaat zitten. O, Al, ik dacht dat ze me zouden verlaten en jou mee zouden nemen en ergens het gezinnetje zouden stichten dat ik hem niet kon geven. Ik dacht dat ik hem en June én jou zou verliezen als ik iets zou zeggen."

"Ivy ..." Hij stak zijn armen naar haar uit en hield haar broze lichaam vast. "Zíj hadden het me moeten vertellen", zei hij. "Zij, niet jij." Ze lieten elkaar los en ze bette haar ogen met een zakdoekje dat ze altijd in haar mouw had. Hij zei: "Maar ik denk niet dat ik ooit zal begrijpen hoe mam het geheim heeft kunnen houden. Niet toen ik oud genoeg was om mijn mond te houden." Hij keek uit het raam naar de kleine achtertuin. "Zóú ik mijn mond gehouden hebben? Ik denk van wel ... O, hoe kon ze met al dat bedrog leven? Hoe kon ze al die verhalen aan haar eigen kind vertellen?"

Ivy had een milde glimlach op haar gezicht. Hij wist wat ze dacht.

"Zo moeder, zo zoon?" zei hij. "Ik denk dat je gelijk hebt."

"Al, je bent met iets aparts geboren. We begrepen je nooit zo goed. Die hersens van jou ... Het was je grootste zegen, maar het maakte je zo anders. Dat zei ik altijd tegen Geoff en hij piekerde er eindeloos over."

"Deed hij dat?"

"Ja! O, ja, dat deed hij, lieverd. Hij was niet zo'n lezer. Hij zei altijd dat hij je niets te bieden had, alleen maar zijn stomme snoepjes. En daar was je al snel te groot voor."

"O, nee, Ivy, dat heb je verkeerd. Híj had het verkeerd."

Alistair moest denken aan de talloze keren dat hij Geoff op zaterdag of na school was gaan 'helpen' in zijn krantenkiosk. Dan mocht hij van Geoff de planken aanvullen of de kranten of de verjaardagskaarten uitstallen. Geoff was net zo lief geweest als Ivy was wanneer ze hem liet helpen een cake te bakken, met een eigen schaaltje overgebleven deeg om in te roeren, net als zij had.

"Al die keren in de winkel", zei hij sprakeloos. Hij kon zijn gedachten niet overbrengen.

"Hij vond het heerlijk om je daar te hebben, Al", zei Ivy.

Te bedenken dat Geoff hem stilletjes perendrups had gegeven en door zijn haren had gewoeld, zonder ooit te zeggen dat ze vader en zoon waren. Het portret van zelfbeheersing was te pijnlijk om over na te denken.

"Ivy, begrijp je waarom ik wegging? Ik ben er niet helemaal zeker van of ik het zelf wel begrijp. Er was natuurlijk de bekaktheid, dat was het voor een groot deel, maar ik denk dat er ook woede was. Ik heb altijd geweten dat er geheimen waren, dat mama tegen me loog. Mijn eigen moeder, Ivy. Ik weet dat ik zelf niet veel beter ben, maar ik probeer alleen maar mijn gedrag van toen te verklaren. Ik denk dat ik gewoon ... Ik kon haar niet vergeven. Misschien wilde ik haar zelfs straffen. Begrijp je dat? Begrijp je hoe ik op een pad werd gezet en dat er geen weg terug meer was?"

"Je vrouw ..."

"Ja? Ze heet Rosalind, Ivy."

"Rosalind dacht dat je moeder al dood was, hè? Dat idee kreeg ik toen ik belde."

"Ja. Dat klopt. Toen we ons verloofden heb ik haar verteld dat mam overleden was. Het is onvergeeflijk, ik weet dat het onvergeeflijk is, maar er was gewoon geen weg terug meer, Ivy. Ik denk dat ik ook een keuze heb gemaakt: mijn moeder en jou en Geoff, of mijn huwelijk en mijn nieuwe leven."

"En je koos ervoor om het huwelijksbootje in rustig vaarwater te houden", zei ze.

"Ja."

En nu heb ik het laten kapseizen, dacht hij.

Hij legde zijn hoofd in zijn handen en begon te huilen. Hij voelde hoe ze zijn rug aaide zoals een moeder een klein baby'tje met buikkramp streelt. "Kom kom", zei ze. "Kom kom, lieverd."

Zijn gedachten maakten wilde sprongen. Die avond met Karen Jennings: het was een grof verraad van Rosalind geweest, maar was het op een bepaalde manier een daad van trouw aan zichzelf? Had hij deze crisis misschien opzettelijk teweeggebracht om de waarheid bloot te leggen?

Maar terwijl hij deze gedachte formuleerde wist hij dat hij, wanneer hij dat maar kon geloven, misschien nog een greintje zelfrespect had. Hij zou graag willen denken dat hij uiteindelijk bewezen had dat hij leugens niet tolereerde. Hij zou liever iets anders geweest zijn dan het gladde, ongevoelige wezen dat hij al die jaren belichaamd had. Hij wilde graag denken dat hij uit een soort vreemde logica, een manisch instinct, in die hotelkamer met Karen zijn lichaam aan de vernietiging van leugens beschikbaar had gesteld, net zoals hij dat deed wanneer hij in de rechtszaal opsprong.

Maar hij kon dit niet denken. De avond met Karen was een spelletje Russische roulette geweest. En het was zijn bedoeling geweest om het te overleven, met de vreugde van roekeloosheid nog een tijdje in zijn bloed, een roekeloosheid die hij zijn hele leven in bedwang had gehouden. Hij had dat gevoel als een souvenir met zich mee willen dragen, als een trofee voor zijn ego. Hij wist dat als Karen niet indiscreet was geweest, als hij niet aangevallen was en als Ivy niet gebeld had, hij nooit zelf de waarheid naar buiten zou hebben gebracht. Hij was te laf en te zeer gewend om met halve waarheden te spreken.

Toen drong het tot hem door dat hij zijn dochter had gevoed met een onverteerbare combinatie van ophemeling, gedeeltelijk voortgekomen uit eigenliefde en corrigerende toespraken die aan zijn eigen ondervoede ego waren gericht, en een onnauwkeurig versluierde vrouwenhaat waartegen de arme Sophie zich onmogelijk verweren kon. Geen wonder dat haar lichaam weggekwijnd was. Als iemand al lichamelijk op leugens reageerde, was het zijn geliefde dochter. "Ik denk dat ik even moet gaan liggen", zei hij.

"Er komt nogal wat op je af."

"Ja."

Hij liet zich door Ivy naar haar woonkamer leiden, waar ze nu haar bed had staan, zodat ze niet met haar slechte heupen de trap op hoefde. Hij liet haar de kussens achter zijn hoofd opschudden en een deken over hem heen trekken. Ze legde haar hand op zijn hoofd. "Ik heb altijd gewild dat je mijn zoon was", zei ze. "Maar zo is het leven, hè?"

"Ja", zei hij, "zo is het leven."

"Het verbaast me niets dat je boos op ons was, Alistair."

"Nee, Ivy. Ik ben nooit boos op jou geweest", zei hij. "Nooit op jou."

Hij luisterde hoe ze in haar stoel ging zitten en haar handen op haar schoot vouwde. Rustig, heel rustig aan, vulde het vroegeavondlicht het raam, en zelfs het geluid van de kleine tikkende klok werd gedempt door de aanwezigheid van sereniteit.

20

Bogdans broer, Vuk, kon paspoorten regelen, sofinummers, fictieve huishoudrekeningen, diploma's, speed, dope, cocaïne, crack, heroïne, auto's, stereo's, mobiele telefoons en wapens. Bogdan en hij zaten in de keuken van Kwik-Kabs naar het journaal te kijken en aten in de schil gebakken aardappelen van Spudworld.

Goran legde driehonderd pond voor Vuks neus op tafel neer. Ze spraken allemaal Servisch.

Vuk zei: "Hoe kan het dat je hier wel geld voor hebt maar nog niet genoeg hebt voor een paspoort?"

"Het is niet mijn geld."

"Dat is toch het beste soort?"

"Nee. Ik doe dit voor een vriend. Ik sta bij hem in het krijt."

"Oké. Oké. Shit man, ik wil eigenlijk helemaal niks van je leven weten", zei Vuk. Hij stak zijn hand in een sporttas die op de stoel naast hem stond en haalde er een pistool uit. "Alsjeblieft."

Goran pakte het wapen op en deed het in zijn tas, waarop op beide zijden SCUNTHORNE SCHOOL FOR GIRLS stond. Op één kant had Sophie op twaalfjarige leeftijd de wat zij als overbodige letters in de naam van de school beschouwde doorgekrast en de juiste vier letters die het Engelse woord *cunt* spelden met rode balpen ingekleurd. De adelaar erboven had een enorme met balpen getekende joint in zijn snavel. Goran was vergeten Luke om een tas te vragen en dit was de enige die hij in het tuinhuisje had kunnen vinden.

"Bedankt, Vuk", zei hij.

"Graag gedaan. Veel plezier op school."

Bogdan slikte een grote hap aardappel door. "Goran, je houdt het toch niet in de auto tijdens je dienst, hoop ik. Ik heb verdomme al genoeg om me zorgen over te maken als een van jullie een aanrijding krijgt. Wapens in het handschoenenkastje kan ik er dan echt niet bij gebruiken."

"Nee, ik geef het meteen aan die vent. Hij komt zo hierheen."

Bogdan keek op zijn horloge. "Je hebt nog een kwartier voordat je dienst begint, man."

"Hij staat vast al om de hoek."

Bogdan knikte als om Goran weg te wuiven en wendde zich tot zijn broer. "Geweldig dat ze die vent een socialist noemen", zei hij, terwijl hij met zijn vork naar Tony Blair wees die gemoedelijk naast president Bush in een tuin stond te glimlachen.

Goran trof Luke in een zijstraat van Goldhawk Road. Aan weerskanten stonden nette, twee verdiepingen hoge huizen. Hun ijzeren hekken gaven toegang tot kleine tuintjes die naar fleurige voordeuren leidden. Voor veel van de huizen stonden fietsen vastgeketend en bij sommige lag een kat languit voor de deur in de zon. Luke stond halverwege de straat, naast zijn auto. Terwijl Goran dichterbij kwam leek Lukes gezicht steeds verbaasder te worden, alsof hij er met de gedachte aan verscheidene uitgebreide schoolgrappen die nooit helemaal gelukt waren zeker van was dat dit niet zou slagen.

Nu hij Goran op zich af zag komen lopen, kon hij zijn ogen bijna niet geloven. "Heb je het?" vroeg hij.

Goran haalde zijn schouders op. "Natuurlijk."

"Oké. Goed. Je hebt het."

"Jij dacht niet ik dit kon regelen? Het is net als krant kopen. Dure krant."

"Nee, natuurlijk dacht ik dat wel. Ik wist dat het je zou lukken", zei Luke. Hij stak zijn hand uit – die licht trilde – en Goran gaf hem de tas.

Luke staarde ernaar met een verward gevoel en was ineens bang dat dit allemaal gefilmd werd voor een reality-programma. Maar hij hield stand. "Heb je vijftig voor jezelf gehouden?"

"Ja."

"Goed zo. Bedankt dat je dit hebt gedaan, Goran."

Er viel weinig meer te zeggen. Goran had al vaker meegemaakt dat de aanwezigheid van een wapen een einde aan alle gesprekken maakte. "Ik moet nu werken, Luke."

"Oké. Dan zie ik je wel als je terugkomt", zei Luke.

Waarom, dacht Goran, kun je ons niet gewoon met rust laten? Waarom moet je altijd bij ons langskomen? We houden van elkaar, we willen alleen zijn. Kun je niet zelf verder met je rijkeluisleventje? Hij staarde naar Luke bijna in de hoop dat deze kwade gedachten hem zouden bereiken, ondanks de vrolijke glimlach en op elkaar geklemde kaken waarmee hij ze had leren camoufleren.

Luke weifelde ook. Hij was bang om alleen weg te gaan, als enige verantwoordelijke voor het pistool. Er was nu nog het gevoel dat Goran en hij samen een geheimpje hadden terwijl ze daar zo in de zijstraat stonden. Hij probeerde iets te bedenken om te zeggen en herinnerde zich toen: "Mila zei dat ze iets voor me had. Een verrassing, zei ze."

Gorans hart kromp ineen, zoals een oester onder citroensap. "Verrassing?"

"Een cadeautje of zo. Ik dacht dat jij het wel wist."

"Nee. Ik weet het niet."

"O. Nou, dan zie ik je later."

"Ja", zei Goran.

Toen hij terugkwam was het huis leeg. Zijn moeder had gezegd dat ze de hele dag weg was voor haar Home From Home-vergadering en zelfs zijn vader was niet thuis. Misschien had hij een afspraak bij de fysiotherapeut, dacht Luke.

Hij ging naar zijn slaapkamer en opende de tas. Het pistool was klein en sierlijk, en had precies het goede gewicht in zijn hand; het voldeed aan een onbewuste zintuiglijke verwachting, zoals de klik van het portier van een dure auto. Hij legde het behoedzaam naast zich op het bed en stak daarna de joint waar hij eerder aan begonnen was, opnieuw aan. De fijngestampte Zylamaprone gaf hem een bizarre smaak en scheen het aangename, slaapverwekkende effect af te zwakken zodat hij zich, als hij al iets voelde, verkwikt voelde. Maar het was geen naar gevoel. Het was zelfs stiekem wel geweldig. Hij blies de rook in wolkjes de zonnige lucht in en merkte dat hoe meer hij erover nadacht, des te meer hij zich bewust werd van een structuur van zekerheid achter zijn angst. In feite leek het alsof zijn angsten niet meer dan een gescheurde vlag waren die misschien vervaald was door de zon en wat zielig wapperde, maar evengoed stevig aan een sterke mast zat gebonden. Misschien, dacht hij, bestond er toch zoiets als goed en kwaad, misschien overwon het goede het kwade wel echt. En in ieder geval durfde hij te dromen.

Hij pakte het pistool op. Stefan, de eerste man van zijn tante Suzannah, had hem leren kleiduiven schieten, dus wapens waren hem niet geheel vreemd. Maar Stefan en hij hadden grote geweren gebruikt, terwijl dit wapen niet groter was dan een mens. Luke herinnerde zich hoe Goran Mila's hand op hem had gericht alsof hij ermee wilde schieten. Goran was een boos mens, dacht hij. Mila wilde altijd lachen en grapjes maken en hem nadoen, maar Goran had geen gevoel voor humor waar het hemzelf betrof. Ze vond dit zo overduidelijk saai – ze rolde met haar ogen en trok rare gezichten – dat Luke zich afvroeg waarom Goran niet wat meer zijn best deed. Hij was de afgelopen week erg teruggetrokken geworden en het stond Luke niet aan hoe hij soms tegen Mila praatte als Luke en zij moesten lachen en ze door Gorans warrige haren streek of hem alleen maar een por gaf omdat ze wilde dat hij meedeed. Hij was bijna agressief tegen haar wanneer hij haar zei dat ze haar mond moest houden en moest gaan zitten.

Maar er waren belangrijkere dingen om over na te denken. Hij ging natuurlijk niemand vermoorden. Natuurlijk niet. Dat wist hij zeker. Hij wilde alleen Turnbull een beetje laten schrikken, dat schelle televisiesignaal even onderbreken en zien flikkeren. Dit zou op zich al gedeeltelijke gerechtigheid zijn, maar nog belangrijker: het zou Jamie aan een paar momenten van karaktervormende stilte blootstellen, net zoals Luke had ervaren toen Ludo's auto rustig richting de boom gleed en ermee in aanraking kwam. Misschien zou hij dan inzien wat hij met Lukes leven gedaan had. Misschien zou hij huilen en smeken, zodat Arianne kon zien wat een lafaard haar nieuwe vriendje was. Ze moesten een shock voelen, want een shock zorgde ervoor dat je dingen anders ging bekijken, liet je zien wat belangrijk was. Dat zei iedereen. Mensen 'zagen het licht' en werden heiligen. Vroeger gebeurde dat zo vaak, in de schoolboeken van zijn moeder. Iedereen wist dat St.-Augustinus een dronken rokkenjager was geweest. Maria Magdalena was een prostituee en de goede moordenaar die naast Jezus aan het kruis hing – nou, die was toch ook gewoon een moordenaar geweest?

Luke vroeg zich af of hij zijn kamer moest opruimen voor het geval Arianne meteen met hem mee zou komen.

Die avond ging hij niet uit. Waarom zou hij op het toeval vertrouwen als hij de absolute zekerheid had dat hij haar de volgende avond bij de opening van de Lapis-Lazuli zou zien?

Rosalinds auto kwam rond kwart voor negen aanrijden. Haar vergadering moest langer geduurd hebben dan ze verwacht had. Kort nadat ze binnen was gekomen en "Ik ben thuis, lieverd" naar hem had geroepen, ging de bel en hoorde Luke de stem van tante Suzannah in de hal. Zijn tante had een paar dagen geleden toch ook al bij hen gegeten? Hij zag niet bepaald uit naar nog een portie van de vreemde spanning tussen Suzannah en zijn vader, maar hij had zo'n enorme trek dat hij de trap al af rende.

Hij hoorde zijn tante en zijn moeder in de keuken: "Ik weet het niet.

Ik ben gewoon ontzettend enthousiast, Suus. Ik weet ook wel dat het niet om de wereldvrede gaat, maar iedereen zegt dat het de beste prospectus tot nu toe is en dat alle eer mij toekomt."

"Nou, wat goed."

"Dank je."

"Nee, ik meen het echt", zei Suzannah.

Luke ging naar binnen. Ze hadden een fles witte wijn opengetrokken en er lag een grote zak chips open op tafel. Hij vond het niets voor zijn moeder om ze niet in een schaal te doen. "Wat is hier aan de hand?" vroeg hij.

"Niets, lieverd. Suzannah en ik kletsen even. Wil je wat wijn?"

"Ja, graag."

"Pak maar een glas, dan", zei ze.

Hij ging naar het keukenkastje. "Wat eten we?"

"Een overheerlijke Indiase bezorgmaaltijd", antwoordde Suzannah. "Je moeder mag van mij niet koken."

"Ik hoefde niet echt overgehaald te worden. Ik ben kapot."

"Maar ... papa houdt niet van curry", zei Luke, een beetje van zijn à propos.

"Nou, dan is het maar goed dat hij er niet is, hè?" zei Suzannah.

"Waarom? Waar is-ie?"

Rosalind stopte een handvol chips in haar mond. "Weer naar Dover", zei ze krakend. "Nog iets met het huis."

"Ik dacht dat dat allemaal geregeld was. Wat moest er dan nog gebeuren?"

De deurbel ging en Rosalind stond op. "God mag het weten, schat. Maar hij klonk prima in orde aan de telefoon. Hoe dan ook, daar zul je het avondeten hebben. Ik verga van de honger. Jocelyn is op dieet, dus we kregen allemaal alleen een kleine salade."

Terwijl Luke een glas wijn voor zichzelf inschonk pakte zijn moeder een plastic tas vol bakjes met folie uit. Ze zette ze op tafel. "Oké, pak maar wat je lekker vindt, als je maar van de garnalenbiryani afblijft", zei ze. Ze pakte drie vorken. "Zullen we lekker zonder bord eten? Uit de bakjes eten is veel lekkerder, toch?"

Luke staarde haar aan. "Vind je het erg als ik wel een bord pak?"

Suzannah giechelde terwijl ze een half bakje gekookte rijst in de lamsjalfrezi kieperde. "O, toe maar, jeugd van tegenwoordig, maak ons maar te schande."

Luke pakte zijn bord. Hij dacht niet dat hij ooit zo'n trek had gehad, zelfs niet na het roeien of tennissen. Het was waar dat hij weer vergeten was te lunchen, en hij had een joint gerookt, maar evengoed was dit een ongewoon hongergevoel en hij vroeg zich af of het door de Zylamaprone werd veroorzaakt. Misschien hadden de pillen echt iets gedaan. Hoe meer hij erover nadacht, hoe bezorgder hij werd dat zijn honger misschien nooit meer gestild zou worden, dat er simpelweg niet genoeg kip tikka zou zijn.

"Mijn hemel! Je moet wel kauwen, lieverd", zei Suzannah tegen hem.

"Sorry", zei hij. Langzaamaan begon hij zich beter te voelen. Na het derde glas wijn leek de paniek voorbij. "Maar hoe is hij daar gekomen?" vroeg hij plotseling.

Rosalind legde de ring neer die Suzannah haar liet zien. "Wie? Papa, bedoel je?"

"Ja. Want laatst moest ik hem nog brengen. Ik dacht ... je weet wel ... met zijn been en alles."

"Hij heeft een taxi naar en van de trein genomen. De fysiotherapeut zal niet blij zijn. Maar het blijft paps keuze."

"Hij wilde er zeker alleen heen", zei Luke.

"O, lieverd, je wilde hem de vorige keer helemaal niet brengen. En nu wil je dat hij het je had gevraagd?"

"Ik vond het niet erg om te doen", zei Luke. "Het was wel oké."

"Nou, ik vind het persoonlijk niet loyaal van je", zei Suzannah. "Ik zou helemaal niets meer voor hem doen na wat hij je moeder heeft aangedaan."

"O, Suzannah, laten we het er niet over hebben", zei Rosalind. "Ik voel me net zo goed."

"Waarom voel je je zo goed?" vroeg Luke.

Rosalind lachte. "Mag dat niet dan?"

"Ja, natuurlijk wel."

"Nou, dank je wel, lieverd."

Luke dacht dat hij haar eigenaardige toon maar beter kon negeren. Hij zei: "Ik heb eigenlijk nog steeds trek, mam. Mag ik wat toast maken?"

"Natuurlijk mag dat. Dan nemen we toast met boter en honing als toetje."

"Heb je het ooit gegeten met een schep vanille-ijs erbovenop, Roz?" vroeg Suzannah.

"Nee."

"Ik ook niet." Ze giechelde.

"Nou, het klinkt geweldig smerig. Laten we het proberen", zei Rosalind.

Luke keek toe hoe ze giechelden als schoolmeisjes terwijl ze bananen en nootjes in stukjes sneden en ijs in de magnetron stopten zodat het 'lekker kledderig' werd.

Suzannah ging in voorraadkast op zoek naar nog meer ingrediënten. Ze riep: "Wat dacht je van stukjes gedroogde mango?"

"Te exotisch", riep Rosalind terug.

"Peren met calvados?"

"Te veel van het goede."

"Oké ... oké ... Ah, wie kan dit weerstaan? Een zakje met witte chocoladehazen, vast nog wel goed, als je zonder bril naar de datum kijkt."

"Precies wat er nog ontbrak", zei Rosalind. Ze liet nog een stuk toast uit de broodrooster springen en keek achterom naar haar zoon. "Gaat het wel, lieverd?"

"Ja, mam. Met jou?"

Rosalind liep naar hem toe en gaf hem een kus op zijn voorhoofd. "Ik wil je gewoon gelukkig zien, schat. Dat weet je toch wel? Dat is wat ik het allerliefst wil."

"Ja", zei hij.

"Het spijt me dat we al een tijd niet gepraat hebben."

"Dat geeft niet, mam."

Hij staarde in haar zachtaardige, mooie gezicht en het kwam haar voor alsof hij iets wilde gaan zeggen, toen Suzannah de voorraadkast uit kwam. "Goed", zei ze, terwijl ze de keuken door beende. "Eens kijken of deze haasjes bang zijn voor de grote boze deegroller."

Daar moesten ze allemaal om lachen en Rosalind kneep bemoedigend in haar zoons arm.

Terwijl Luke de lege bakjes van het eten weggooide en lepels en schaaltjes pakte, smeerden Suzannah en zijn moeder boter en dikke honing op de sneetjes warme toast; daarbovenop kwamen scheppen romig vanille-ijs, brokken witte chocolade, gesneden walnoten, bananen en amandelen. Rosalind hield een schaal omhoog en zei: "Jammie!"

"God, dit doet me aan vroeger denken, zeg", zei Suzannah.

"Ja, hè? Weet je nog na papa's veertigste verjaardagsfuif, dat we ons midden in de nacht volvraten toen de grote mensen naar bed waren?"

"Sinds die nacht kan ik geen kruisbessenvla meer zien."

"Nee, ik ook niet", lachte Rosalind.

"Gaven ze ons eigenlijk wel te eten?"

"Het kan nooit genoeg geweest zijn. We hadden altijd trek, hè?"

"Als paarden. Gemene ouwe mensjes waren het, hè? Toch?"

"Nou, voor Luke in ieder geval niet. Ze waren weg van hem", zei Rosalind glimlachend.

"Dat is omdat Luke de zoon was die papa nooit gehad heeft, Roz."

Het verbaasde Rosalind om haar zus dit te horen zeggen. "Papa was dól op jou, dat weet je best."

"Soms wel, maar hij wilde het liefst een zoon en erfgenaam. Hij heeft me zelfs verteld dat hij het verschrikkelijk vond toen hij zag dat ik een meisje was."

"Heeft hij dat echt gezegd?"

"Mm-mm", zei Suzannah, die haar lepel aflikte. "Altijd een zoon willen hebben. Mama ook. En ze zouden me natuurlijk Luke hebben genoemd."

"Nee, het is niet wáár", zei Rosalind.

"Wist je dat niet? Ik nam aan dat je er zo aan was gekomen."

"Ik had helemaal geen idee. Alistair heeft het bedacht. Wat een vreemd toeval. Nou", zei Rosalind, "pech voor hen, want ík kreeg hem."

Luke glimlachte terug naar zijn moeder en begon aan het uitzonderlijke ratjetoe dat hij gekregen had. Hun uitgelatenheid zorgde ervoor dat hij zich ongemakkelijk voelde en hij at zo snel als hij kon, omdat hij nu niets liever wilde dan terug naar zijn laptop en draagbare tv.

Toen hij naar boven was gegaan, zei Suzannah: "En, heb je al besloten wat je gaat doen?"

Rosalind keek naar het nieuwsgierige gezicht van haar zus en dacht: oké, ik vergeef je dat je het me vraagt, maar ik wil het er niet over hebben. Ze besloot van onderwerp te veranderen en wist dat ze dat het beste kon doen door haar zus naar haarzelf te vragen. "O, wacht eens, Suus. Wat stom dat ik ben vergeten dit te vragen", zei ze. "Heb je Stefan nog geschreven? Je zei dat je hem een brief zou sturen in de trant van 'kunnen we het verleden achter ons laten'."

"Mm-mm. Het plan was om één ex-man per keer te doen. Ik heb hem echt gestuurd, ja."

Rosalind was verbaasd. Haar zus had nog nooit iemand haar excuses aangeboden. De brief die ze van plan was geweest aan haar eerste man te schrijven, had nogal aandoenlijk geklonken.

"Nou, en wat gebeurde er?" vroeg Rosalind.

"Hij heeft niet geantwoord."

"O." Dat vond Rosalind ontzettend bot. "O, wat akelig, Suus."

"Nee, het geeft niet. Dat heb ik eigenlijk wel verdiend, na hoe ik hem heb behandeld."

"O, kom op zeg. Was je zó erg?"

"Jezus, ja. Ik ben bang dat ik een afschuwelijke slet was. Ik was pas tweeëntwintig en veel te jong om te trouwen enzovoort, maar ik heb de arme man echt belachelijk gemaakt. Nee", ging ze verder, "ik ben blij dat ik die brief geschreven heb, maar bij nader inzien verbaast het me niets dat hij niet heeft geantwoord."

Rosalind voelde zich nog steeds verbolgen namens haar zus. "Maar het was eigenlijk één lange verontschuldiging", zei ze. "Weet je honderd procent zeker dat hij hem wel heeft gekregen?"

"Ja. Ik schaam me ervoor het te moeten zeggen, Roz, maar ik heb toegekeken hoe hij hem oppakte toen hij na zijn werk door de deur naar binnen ging."

"Wat? Hoe? Vanaf de stráát, bedoel je?"

"Jezus, zo klinkt het wel erg schandelijk. Vanuit mijn auto, lieve schat. O, ik weet het niet. Op de een of andere manier ben ik eigenlijk nooit over hem heen gekomen, snap je? Eerste liefde en alles."

"Jeetje. Geloof jij daarin?"

"Ja, ik denk het wel."

"Ik niet", zei Rosalind. "Ik denk dat je gewoon iemand kiest en probeert om het zo soepel mogelijk te laten verlopen, maar het had net zo goed iemand anders kunnen zijn."

"Echt?" Suzannah lachte. "Is het niet gek? De cynicus is bijna veertig jaar getrouwd terwijl de romanticus voortdurend scheidingen aanvraagt."

"O, zo gek is dat nou ook weer niet. Het gaat altijd mis als mensen perfectie verwachten van het leven."

Toen Suzannah weg was ruimde Rosalind de vaatwasser in, veegde de tafel en het aanrecht schoon en schonk een glaasje cognac voor zichzelf in. Ze dronk alleen cognac als ze alleen was, want ze kreeg er altijd de hik van. Er lag weer een hele stapel post en ze voelde zich helemaal niet moe meer, dus nam ze die mee naar de woonkamer.

Toen ze hem bekeek kwam ze er tot haar schrik achter dat één envelop – niet de gebruikelijke luchtpostenvelop waar ze naar uitkeek – in Sophies handschrift was geadresseerd. Ze had al een week naar de volgende brief van haar dochter uitgezien. In de laatste had ze een paar van haar leerlingen beschreven en de dingen die ze hun leerde. Haar jongste leerlingen hadden allemaal braaf de 'S' van 'sneeuwpop' geleerd voordat Sophie zich realiseerde dat ze geen idee hadden waar ze het over had. Het klonk als een ontzettend interessante ervaring voor Sophie, een heel fascinerend land om te wonen. En wat heerlijk om met al die lieve kinderen te mogen werken.

Gelukkig was de brief pas die ochtend bezorgd. Rosalind nam een slokje cognac en opende de envelop.

Het was een fantastisch gezicht; Sophie had in alle kleuren van de regenboog geschreven.

> Lieve mam,
> Kun je dit lezen? Ik gebruik alle kleurpotloden van de kinderen. En deze keer schrijf ik op echt papier, want dat andere spul was niet goed genoeg om zoiets geweldigs op te schrijven. Ik krijg een kind.

Rosalind las de regel nog een keer – het was zo onduidelijk in het roze en geel en oranje en groen, maar –

> Ik krijg een kind [zag ze weer. Ze las door.]
> De vader is een lieve man die Kwame Okantas heet. Hij is Brits, maar zijn familie komt oorspronkelijk uit Ghana. Ik heb hem in Londen leren kennen en hij was degene die me op het idee heeft gebracht om hierheen te komen. We zijn maar één keer met elkaar naar bed geweest voor hij vertrok, de avond dat we elkaar ontmoetten, en hoewel ik weet dat je dat afkeurt, moet je toch toegeven dat het nogal wonderbaarlijk is dat het meteen de eerste keer raak was!
> Mam, ik hou van hem en hij zegt dat hij ook van mij houdt, en het mooiste van alles is dat ik hem nog geloof ook.
> Als ik naar mijn vrienden kijk, vraag ik me af of het wel goed is om rustig aan te doen en eerst samen te gaan wonen en zo. Ze gaan allemaal toch weer uit elkaar, en nadat je iets te vaak 'ik hou van je' en 'voor altijd' hebt gezegd, betekenen die woorden niets meer. Het lijkt me dat je het best maar niet na kunt denken en dat je als je iemand vindt die je kunt respecteren, alles wat je hebt in die persoon moet investeren – ook je DNA – en je uiterste best moet doen. Wat er ook gebeurt, ik word moeder. Ik huil van geluk terwijl ik dit schrijf.
> Kwame is echt geweldig, mam. Hij heeft geschiedenis gestudeerd in Oxford en hij is advocaat geweest, maar hij wil een jaar hier werken, waar zijn ouders zijn opgegroeid. Ik bewonder hem op vele manieren. Hij ziet het totaalplaatje waar ik me verlies in de details. En hij doorziet al mijn kuren.
> Ik heb je kaartje met die katten erop gekregen. Ik miste je er zo door, mam! Je rozen klinken beter dan ooit en ik kan niet wachten om je nieuwe catalogus te zien, omdat ik weet hoe hard je eraan gewerkt zult hebben. Je kiest altijd van die mooie

dingen. Je maakte altijd alles mooi, mam. Zelfs als we een villa huurden zette je bij ieder bed andere bloemen en liet je het fruit in de fruitschaal eruitzien als een schilderij. Dat was altijd heel belangrijk, weet je dat? Echt waar.
Ik ben ontzettend opgelucht dat je zo sterk blijft in dit alles. En ik denk dat ik het eigenlijk ook wel fijn vond om te horen dat pap zich erdoorheen slaat. Arme pap.
Schrijf alsjeblieft weer, maar ik heb ook mijn telefoonnummer onderaan gezet voor als je me wilt bellen na wat ik je net verteld heb. Ik ben tot en met morgenavond weg, maar ik zou het heel fijn vinden de dag daarna met je te praten.
Mam, ik ben zo gelukkig dat ik verder niks te zeggen heb. Ik ga nu naar de zonsondergang kijken met mijn hand op mijn buik en een tijdje mijn mond houden.
Heel veel liefs,
Sophie

PS. Kwame herinnert me er net aan dat de school een nieuw faxapparaat heeft gekregen, dus je kunt me ook een fax sturen als je wilt dat ik die zie zodra ik eind van de week thuiskom. Oké, je kunt wel raden dat ik razend benieuwd ben naar wat je ervan vindt!

'Thuis', dacht Rosalind. Sophie zou de fax zien als ze 'thuiskwam' ... in een dorpje in Afrika. Haar dochter had stukken meer verbeelding dan zij. Kon die nu aangewend worden om geluk te creëren? Ze glimlachte van intense vreugde om die gedachte en pakte een vel A4-papier. Ze schreef:

Lieve Sophie,
Ik heb je grote nieuws net gelezen. Ik heb nog nooit zo'n mooie brief gekregen, in regenboogstijl.
Als ik erover nadenk, denk ik dat je al die kleuren altijd al in je hebt gehad, maar ze kwamen er altijd boos uit; als je je haar groen of roze verfde of toen je je slaapkamer donkerrood maakte, of die blauwe lippenstift begon te dragen waar papa zo kwaad om werd. Ik geloof dat ik er altijd een beetje duizelig van werd, van al die kleuren in één meisje. Je moest altijd al lachen omdat ik alleen maar donkerblauw en crèmetinten droeg.
Lieverd, jouw nieuws heeft me zo gelukkig gemaakt als op de dag van jouw geboorte. Doe alsjeblieft de groetjes aan Kwame en

zeg hem dat ik niet kan wachten om hem te ontmoeten. Ik hoop dat dit allemaal goed doorkomt op jullie nieuwe fax. Natuurlijk bel ik je morgen. Ik ben zo blij dat je me wilt spreken. Xxxmama

Rosalind nam nog een slokje cognac, waarna ze met haar hand voor haar mond lachte van opwinding en schrik: een zwart kleinkindje! Ze wist dat je zo niet mocht denken, maar al die angstvalligheid was zo saai. Die probeerde ervoor te zorgen dat iedereen zijn mond hield en deed alsof ze hetzelfde waren. Dat was achterlijk. Wat was er mis met opgewonden zijn omdat iemand anders was? Een zwart kleinkindje, of in ieder geval half zwart. Het zou een andere huidskleur hebben dan Sophie of Luke of zij, en ander haar. Als het een meisje zou worden, dacht Rosalind blij, kon ze misschien van die vlechtjes met al die kraaltjes aan het uiteinde krijgen. Ze zag al voor zich hoe ze leerde ze te maken.

Haar hele leven had Rosalind haar sensualiteit onderdrukt. Het had haar altijd verontrust en heimelijk geamuseerd dat ze, als het sociaal geaccepteerd zou zijn, waarschijnlijk graag met haar vingers in de prachtige vetrollen die over de riem van haar vriendin Jocelyn heen puilden, had willen knijpen, met haar wang langs Julians kriebelende baard had willen gaan of diep met haar gezicht in Elises dikke, strokleurige haar was gedoken, dat de geur van bloesem verspreidde wanneer ze het naar achteren gooide en lachte. En het liefst van alles zou ze af en toe op een zondagochtend met haar man terug naar boven en naar bed willen gaan en langzaam, eenvoudig en teder willen vrijen zoals ze ooit gedaan hadden, hem recht aankijken en de adem met zijn prachtige mond delen.

Regelmatig ving ze boven de krant en het sinaasappelsap zijn blik en vroeg zich af of hij misschien hetzelfde dacht, tot hij haar een van zijn vernietigende pakkerds op haar wang gaf en ze wist dat dat niet zo was. Er was niets isolerenders dan een van Alistairs pakkerds. Ze waren nietszeggend en bezaten geen enkele hartstocht; ze verveelden haar letterlijk dood. En dus, in plaats van giechelend terug onder de warme lakens te kruipen, keek ze toe hoe hij alleen in zijn werkkamer verdween en ging dan op haar beurt verder met de tuin en het klaarmaken van de lunch. Ze stond onder hun vrienden bekend als iemand die overheerlijke zondagse lunches maakte: wijn, vlees, rijke sausen, romige toetjes en honingzoete likeurtjes; alle smaken verrukkelijk op elkaar afgestemd.

Ze had haar cognacje opgedronken en stond in de deuropening van de woonkamer met haar vinger op het lichtknopje. Er was in de afgelopen twintig jaar veel gebeurd in deze kamer. De belangrijke gesprekken hadden allemaal hier plaatsgevonden: toen Sophie van Scunthorne was gestuurd; of toen Luke, bizar genoeg, was betrapt op het stelen van de tennisbroek van een andere jongen, terwijl hij er zelf toch genoeg had. Bij iedere familiecrisis was ze blij geweest Alistair bij zich te hebben. Zij moest vaak huilen, maar hij sprak altijd heel verstandig en dacht zo helder na. Het indrukwekkendste was nog dat hij altijd alles begrepen en onthouden had wat de artsen over Sophies anorexia en depressie hadden gezegd. In deze kamer hadden ze stilletjes over hun dochter gesproken, waarbij Alistair haar verzocht rationeel te zijn terwijl hij de verschillende brochures van klinieken op de salontafel legde.

Ineens was Rosalind bang dat ze sommige dingen verkeerd hadden aangepakt, heel fantasieloos waren geweest. En waarom had ze er niet op aangedrongen dat Alistair wat vaker bij Lukes rugbywedstrijden ging kijken? Dat zou ze zichzelf nooit vergeven.

Met toenemende moeheid dacht ze terug aan alle andere gebeurtenissen waar de kamer getuige van was geweest. Al die etentjes, al die advocaten en rechters met hun beleefde vragen over de kinderen, wier namen ze duidelijk vergeten waren, en die stuk voor stuk eigenlijk met smart wachtten tot ze weer met de andere mannen konden praten. En steevast, als de vrouwen alleen bij de koffie kletsten, hoorde de kamer aan hoe ze allemaal op dezelfde plekken op vakantie waren geweest of op hetzelfde adres wel een keer voor gordijnstoffen of feesthapjes hadden gekeken. En het was fascinerend hoe ze tijdens deze gesprekken misschien een beetje te intens naar hun koffiekopjes waren blijven glimlachen, alsof hún leven aan de hand van een of andere ingewijde kennis was opgesteld, alsof alleen zíj de beste bloemist of de beste pianoleraar kenden. Natuurlijk waren in werkelijkheid hun levens allemaal hetzelfde.

Hadden de andere vrouwen zich daar ongemakkelijk bij gevoeld? Ze dacht aan de triomfantelijke gezichten en besloot dat dat niet het geval was. Het had haar niet per se dwarsgezeten, tot de kinderen naar school gingen en ze zich vreselijk eenzaam begon te voelen. Alistair werkte hard en ze brachten nooit tijd met elkaar door, wat andere echtparen ongetwijfeld wél deden. Niet dat ze ooit 'aanbeden' had willen worden en overladen met glimmende prullen, of op dwaze reizen naar Antigua of Jamaica had willen gaan, zoals haar zus met verschillende mannen had gedaan. Daar droomde ze helemaal niet van. Maar ze had graag wat spullen in een tas gestopt, was naar een pension op het platteland gegaan en had een paar mooie kerken bezocht waar Alistair haar over de geschiedenis kon vertellen. Ze hadden hand in hand in de buitenlucht kunnen wandelen, de dampen en de regen en het gras kunnen ruiken en in een pub kunnen lunchen, of een heerlijk glas wijn onder een appelboom kunnen drinken.

Maar Alistair moest áltijd werken, omdat hun leven zo ongelooflijk duur was. Eén keer had ze hem vol afkeer van de rekening van de zijden wandbekleding – boven op het schoolgeld en de gehuurde villa in Toscane – gevraagd hoe een vuilnisman of taxichauffeur een gezin kon onderhouden. Hij had om haar gelachen en haar haar gestreeld en niet eens de moeite genomen te antwoorden. Het probleem was dat hij alles op de ouderwetse Engelse manier wilde hebben, eigenlijk net zoals haar ouders hadden gedaan, en ze had hem altijd willen behagen. Hij was zo gelukkig, zo enthousiast, als ze een zondags braadstuk voor twaalf personen produceerde zoals ze dat als kind ieder weekend had gegeten.

Ze deed de lampen uit en zag het maanlicht in bundels op de houten vloer vallen, op het zitje bij de haard schitteren en zich voorzichtig om de vaas op de schoorsteenmantel vlijen. De woonkamer voelde nooit leeg aan; je kreeg het gevoel dat je kinderen zich schuddend van het lachen achter de gordijnen verstopten of dat een van hen jammerlijk onder de secretaire zat te huilen. Hij stond altijd bol van de gezinsperikelen, zoals iedere kamer in het huis.

Toen ze de trap op liep en over de overloop naar haar slaapkamer ging, hoorde ze dat Luke tv keek en op zijn computer zat te typen. Ze hoopte al niet meer dat hij werkte wanneer ze dat getyp hoorde. Ze vroeg zich af of hij al ontslagen was. Ze moest met hem gaan praten. Iedere avond ging hij tot god wist hoe laat uit. Hij dronk – je kon het onder de deur van zijn kamer door ruiken – en hij had tijdens het avondeten bijna een hele fles achterovergeslagen.

Wat ging er in zijn hoofd om? Ze leefde zo met Luke mee dat ze soms het gevoel had dat ze hem wás. Ze voelde hoe Alistair hem geringschatte, in het bijzonder dat hij voortdurend vergat wat Luke voor de kost deed, wat ervoor zorgde dat Luke met zichzelf in de knoop kwam en op een werkelijk schandalige manier over zijn salaris opschepte. Maar Alistair moest dit toch ook zien, en als hij er ook maar even over nadacht zou hij kunnen inzien dat elke geringschatting van Luke als een snee van een scheermes was, als een dood door duizenden steken.

Ze ging haar kamer in en sloot de deur.

Luke bleef achter zijn computer zitten en viel in slaap tijdens een dvd, en daarna tijdens een computerspel, tot het halfzeven was. Toen trok hij een trui aan en liep naar buiten, dwars over het gazon, naar het tuinhuisje voor zijn biertje met Goran. Het was koel en mistig, en iets donkerder dan normaal. De lucht rook naar natte bladeren. Hij klopte op de deur. Mila deed open. "Hallo, Luke", zei ze. Ze had duidelijk gehuild. "Goran zegt wij willen alleen zijn voor praten. Het spijt mij."

"O. Is alles ...?"

Ze keek weg.

"Het maakt niet uit. Geef hem dit dan maar", zei Luke, en hij gaf haar het flesje bier dat hij altijd voor Goran meebracht. Mila sloot even haar ogen terwijl ze het aannam. Ze zag er gekweld uit. "Het spijt mij heel erg, Luke", zei ze zacht, alsof ze buiten gehoorsafstand probeerde te praten.

Luke stond voor een raadsel.

"Het geeft niet, Mila", zei hij. "Ik ... je weet wel ... zie jullie morgen wel of zo."

Ze knikte, maar ze wisten allebei dat de routine nu voorgoed verbroken was.

21

Toen hij uitgerust was, liet Alistair Ivy alleen met de geweldige meid van tafeltje-dek-je en de shepherd's pie met peren en vla waar ze naar uitgekeken had. Hij gaf haar een liefdevolle zoen, bedankte het meisje, Rebecca, omdat ze zo goed voor haar zorgde, en liep terug naar zijn oude huis. Zijn been was nu zeer pijnlijk, maar het was geen lange wandeling. Want zijn vader had Alistairs hele leven nog geen twee straten verderop gewoond.

Ivy had hem verteld dat de bezoekuren van Rosewood Grange tussen halftien en twaalf en tussen halfdrie en zes waren. Toen hij de volgende ochtend in zijn moeders bed wakker werd, besloot hij Geoff 's middags te bezoeken. Hij wilde eerst wat nadenken, zei hij tegen zichzelf. Hij moest bedenken wat hij wilde zeggen.

Maar naarmate de ochtend vorderde besefte hij dat de scène onmogelijk van tevoren te bedenken was. Hij hoorde de woorden "Geoff, Ivy heeft het me verteld", of "Geoff, ik ben hier omdat ik het weet", en daarna werd hij getroffen door wat een uiterst ongepaste vermakelijkheid leek. Hij moest een paar keer hardop lachen, en omdat hij aannam dat hij hysterisch was liep hij de tuin in voor wat frisse lucht.

Rond enen ging hij naar de buurtsuper en kocht wat chips, chocola en een worstenbroodje voor in de magnetron waarvan hij hoopte dat het niet per se in een magnetron hoefde. Hij gebruikte deze eigenaardige maaltijd zonder er ook maar iets van te proeven en probeerde daarna gedurende het eerste deel van de middag een geschiedenis van het Ottomaanse Rijk te lezen. Hij had het boek meegebracht uit de lange gewoonte om ervoor te zorgen dat hij altijd iets te lezen bij zich had en glimlachte sardonisch toen hij bedacht dat dit altijd een effectieve manier was gebleken om elke vorm van persoonlijke bespiegeling te voorkomen.

Het boek was een verrassend kerstcadeau van Luke geweest. De met balpen geschreven, beverige opdracht luidde: 'Beste pap, ik hoop dat ik het goed heb. Volgens mij zei je dat je dit gestudeerd zou hebben als je geen advocaat was geworden. Hoe dan ook, het schijnt een goed boek te zijn. Een fijne kerst, Luke.' Hij was zich er niet van bewust dat hij tegen Luke ooit iets had gezegd over zijn interesse voor het Ottomaanse Rijk. Zoiets zou hij niet zo snel met zijn zoon bespreken. Misschien had Sophie het hem verteld.

Het boek bleek geschreven te zijn door iemand die tegelijk met Alistair op Oxford had gezeten. Hij herinnerde zich nog goed een dikkige man met scherpe trekken, en een karakteriserende discussie tijdens een van Philips theekransjes over wie 'een schat' wilde zijn en nog wat boter voor de crumpets zou halen. Ze besloten strootjes te trekken, maar Henry Downing weigerde mee te doen omdat hij als gast was uitgenodigd, het van slechte manieren getuigde en Philip, als gastheer, zelf zou moeten gaan. Alistair herinnerde zich ook hoe Henry bleef rondhangen na de colleges en probeerde de hoogleraren aan te spreken met een uitvoerige vraag van het soort dat eigenlijk bedoeld is om de reikwijdte van het brein van de vragensteller tentoon te spreiden.

Natuurlijk was professor Downing, zoals hij nu heette, een groot academisch succes geworden en was het boek over het Ottomaanse Rijk waarschijnlijk zijn levenswerk. Alistair woog het in zijn hand. Ineens drongen de wreedheid en volstrekte nutteloosheid van dit gebaar tot hem door en hij legde het boek weg.

Een plaatselijke taxichauffeur belde om vier uur aan en Alistair gaf hem het adres van Rosewood Grange. "O ja, Rosewood ken ik", zei de chauffeur. "Gaat u bij iemand op bezoek?"

"Ja, dat klopt."

Ze stapten de auto in.

"Uw oude moedertje? Of uw vader?"

"Mijn vader", vertelde Alistair hem.

De man aanvaardde deze ongelooflijke informatie alsof het niets was en zette zijn richtingaanwijzer aan.

Het was maar vijf minuten rijden. Rosewood Grange was een door klimop verzacht, modern gebouw aan het einde van een korte bomenrij. Er stonden zo'n twaalf tot vijftien auto's van personeel en familieleden op het parkeerplaatsje aan de voorkant. Terwijl ze aan kwamen rijden, schoten er twee kleine kinderen de voordeur uit, vlak voor de auto langs. Gelukkig reden ze langzaam genoeg om te kunnen stoppen. Een uitzinnige moeder greep de kinderen bij de mouw en hield ze tegen. Ze zei geluidloos "Sorry" tegen de voorruit en de kinderen keken beschaamd.

Jeugdige energie die iets te lang in toom gehouden was, dacht Alistair. Hun viel niet te verwijten dat ze opa of oma maar traag en saai vonden. Hij keek hoe ze in hun gezinsauto stapten. Hij kon zich herinneren dat hij toen hij vijf of zes was zonder enige reden ook zo had gerend, alleen maar om energie kwijt te raken, te voelen dat hij leefde.

Voor de hoofdingang lag een net gazon. De gewenste route eroverheen was van beneden naar boven gemarkeerd met stenen naar de laatste paar meter van de geasfalteerde oprijlaan, over een betegeld bordes de hoofdingang in. Op het bordes, dat werd begrensd door twee volmaakt symmetrische perken met felgekleurde bloemen, stonden drie enigszins spookachtig uitziende rolstoelen om de bewoners van en naar de auto's van hun familieleden te vervoeren.

Het was bepaald geen prachtige plek om je laatste dagen te slijten, maar het was ook niet louter functioneel. Het totale effect getuigde ervan dat de architect het hart op de juiste plaats had zitten, maar dat er niet genoeg geld was geweest voor meer dan de meest elementaire versiering.

Alistair betaalde de taxichauffeur en liep het bordes op, dat geen treden had maar licht glooide, en door de open deur naar de receptie. Hij werd begroet door een stralende jongeman wiens naam, Dave Pelham, op een naambordje op zijn borst stond. "Dag meneer, kan ik u misschien ergens mee helpen?"

Alistair legde uit dat hij voor een van de bewoners, Geoff Gilbert, kwam. Toen hij de naam zei dreunde de gewichtigheid van wat er op het punt stond te gebeuren als een vuist in zijn hart.

"Aha", zei de man, terwijl hij zijn ogen tot spleetjes kneep. "We hebben u hier nog niet eerder gezien, toch? Meestal komt voor Geoff alleen die goeie ouwe Ivy."

"Ja, mevrouw Gilbert heeft me gezegd dat ze zou bellen om mijn naam aan u door te geven", zei Alistair.

"Ah, o ja? Oké." De hardwerkende jongeman bladerde door een notitieboek. Zijn nagels waren gelakt en hij draaide de bladzijden voorzichtig om, waarbij hij zo nu en dan aan zijn vingertoppen likte. "O, ja. Hier hebben we het. U bent Alistair Langford?"

"Dat klopt", zei Alistair glimlachend, weer verbaasd over zijn uiterlijke kalmte. Hij was echt een geweldig acteur.

"Dan is het in orde." De jongeman riep naar een langslopende verpleegster: "Eh ... Julia, zou je deze meneer, meneer Langford, naar Geoff Gilbert willen brengen?"

"Ja hoor", zei ze. "Hoe maakt u het? Ik ben Julia."

Alistair probeerde gedag te zeggen, maar zijn mond was te droog om een woord te kunnen uitbrengen. Hij slaagde erin te knikken en ze gingen op weg.

Ook het interieur van Rosewood Grange hield de afkeer van de architect van het institutionele uiterlijk in stand, maar op de een of andere manier minder geslaagd dan aan de buitenkant. Misschien kwam het alleen maar door de aanwezigheid van al die medische apparaten, of misschien lag het aan de bewoners zelf, van wie Alistair glimpen opving door deuropeningen die hij voorbijliep. Ze zaten onderuitgezakt in een stoel en de tv stond op de achtergrond zacht aan.

Ze liepen door een lange gang. "Geoff krijgt niet veel bezoek", zei Julia. "Maar zijn vrouw komt wel regelmatig."

"Ja", zei Alistair.

"Ze is nog heel goed bij, hè? Ivy, heet ze toch?"

"Ja, Ivy."

"Dat dacht ik al. Aardige vrouw. Ze komt hier nu niet meer zo vaak, maar daar kan ze niks aan doen, ze is zelf ook niet piepjong meer."

"Nee. Ze komt wanneer ze kan", zei Alistair, die op de automatische piloot antwoordde en zich daarna bedrieglijk voelde omdat hij vertrouwdheid met Ivy's leven had geïmpliceerd.

Toen ze een laatste bocht om gingen, langs een bureau met een apotheek, een receptioniste en een aantal dienstdoende verplegers, zei Julia: "Ik hoop dat ik u niet te veel opgejaagd heb. Wij verpleegsters lopen nogal vlot. Wat hebt u met uw arme been gedaan?"

"Ik? Ik ... Mijn knieschijf en scheenbeen zijn beschadigd", antwoordde Alistair.

Hij keek even toe hoe ze wachtte, en toen, toen ze doorhad dat er geen verdere uitleg kwam, zei ze meelevend: "Lieve help. Wat pijnlijk. Nou, we zijn er. Dit is Geoffs kamer. Mocht er iets zijn, dan loopt u maar naar buiten en dan komt een van de verpleegsters van de balie u meteen helpen."

"Ja. Dank je wel."

Ze bleef naar hem staan kijken. "Meneer Langford, u lijkt een beetje ... Is alles wel goed met u?"

"O, prima. Dank je wel", zei hij.

Ze haalde haar hand van zijn arm en hij keek toe hoe ze terugliep naar de receptie. Ze leunde op de balie, hief speels haar onderbeen op en pakte een snoepje uit een zakje bij de telefoon.

"Hé, jij daar, koop ze zelf!" De receptioniste lachte en haalde de zak weg.

Alistair draaide zich van hen af en klopte op de deur. Er kwam geen antwoord, maar toen hij zijn oor bij de deur hield dacht hij stemmen te horen en hij vroeg zich af of Geoff al bezoek had. Hij keek even om naar de lachende verpleegsters en verweet hun in stilte hun onoplettendheid. Hij was ontzet over de nonchalante manier waarop hij bij de deur was achtergelaten, ten prooi aan diepgaande onzekerheden. Waren er andere mensen in de kamer? Waarom was het niet bij de verpleegster opgekomen hoe ontstellend ongepast dat was?

Hij duwde de deur toch maar open, en recht tegenover hem zat Geoff. In de eerste ogenblikken van zintuiglijke observatie zag Alistair dat hij een zeer oude man geworden was. Hij was veel drastischer ouder geworden dan Ivy, hoewel ze niet meer dan een paar jaar konden schelen. Een draagbare radio stond aan op het nachtkastje, wat de stemmen verklaarde die hij in de kamer gehoord had.

Geoff keek naar hem op en zijn gezicht, dat in tweeën werd gedeeld door een diepe kloof tussen zijn wenkbrauwen, scheurde van schrik. "O nee", zei hij eenvoudigweg.

Waarom werd de vuist altijd zo nauwkeurig op Alistairs hart gericht? Hij schraapte zijn keel en zei: "Geoff, sorry dat dit zo onverwachts is."

Geoff schudde zijn hoofd en sloeg zijn ogen neer. "O nee", zei hij weer.

Alistair voelde zich niet meer in staat om zijn eigen gewicht te dragen en ging op het voeteneind van het bed zitten. "Hoor eens, het spijt me. Ik heb je duidelijk laten schrikken. Ik wist eigenlijk wel dat dat zou gebeuren. Hoe kun je een stilte onopvallend verbreken? Je weet natuurlijk waarom ik hier ben. Ik ben gisteren bij Ivy op bezoek geweest en we hebben lang gepraat. Ik ..." Hij zweeg even. Het raam keek uit op het randje van het bordes en een kant van het gazon. Die lagen achter een corridor die door twee muren gevormd werd. Er reed een auto langs deze zonnige opening en de vrouwelijke bestuurder zwaaide naar iemand die blijkbaar vanaf het bordes naar haar stond te zwaaien. Achter het gazon wiegden de kastanjebomen in de wind.

"Ik weet niet zo goed wat ik moet zeggen", zei Alistair. Hij was zich ervan bewust dat Geoff nog steeds met tussenpozen zijn hoofd schudde. Als hij genoeg fantasie had gehad om zich het tafereel voor te stellen, zou Geoffs reactie de verwezenlijking van een doemscenario geweest zijn.

"O, jezus, je begrijpt toch wel waarom ik moest komen? Toch?" zei Alistair wanhopig. "Ik word ook al oud, maar het is ... Nou, het is nooit te laat. Alsjeblieft, Geoff", zei hij, "ben je boos? Wees in godsnaam niet boos op Ivy."

Eindelijk keek Geoff hem aan. Hij wees naar de radio. "Het cricket", zei hij droevig. "Het ziet ernaar uit dat het gaat regenen."

Alistair luisterde even naar de stemmen op de radio. Het was helemaal geen cricketwedstrijd, het was een soort kookprogramma. "Klop daarna het eiwit stijf", zei een vlotte vrouwenstem.

"O nee", zei Geoff. "Hij zegt dat het ernaar uitziet dat het gaat regenen."

Alistair legde zijn hoofd in zijn handen. Op de achtergrond ging de vrouwenstem verder: "Neem een sinaasappel en rasp de schil, waarbij u uit moet kijken dat u niet in de velletjes eronder snijdt. Sinaasappelschil bevat veel vitamine C, dus zorgt u goed voor uzelf, terwijl u ook nog eens een heerlijk toetje maakt."

Toen Alistair zijn handen voor zijn gezicht weghaalde, zag hij dat Geoff in slaap was gevallen. Heel voorzichtig, en met het soort ceremoniële eerbied dat alleen was voorbestemd om door hemzelf opgemerkt te worden, zette Alistair de radio uit.

Waarom had Ivy hem niet gewaarschuwd? Toen ze tegen hem zei dat Geoff haar 'te veel' was geworden, had hij zich dit niet voorgesteld. Hoe had hij zich dit kúnnen voorstellen? Hij keek naar het vredige, slapende gezicht van de oude man; de zorgen om het cricket waren weggevallen en de diepe kloof tussen zijn wenkbrauwen was verminderd. "Nou", zei Alistair zacht, "ik ben je zoon. En dat maakt jou mijn vader."

Hij keek even om zich heen, naar een foto van Ivy op de ladekast, die zonder dat iemand het gemerkt had naar de zijkant van het lijstje was gegleden, zodat haar gezicht nog maar half te zien was; hij keek naar Geoffs kam en tandenborstel en naar het kruisbeeldje dat ernaast stond. Alistair dacht dat Ivy dat waarschijnlijk had meegenomen. Hij liep ernaartoe, pakte het op en bekeek het figuurtje met naar beneden hangend hoofd.

Ouder worden had Alistair een paradoxaal inzicht gebracht. Aan de ene kant was hij zich wanneer hij op vredige zondagmiddagen terugdacht aan zijn jeugdige arrogantie en de uitgebreide middelen waarmee scholing die uit hem had gehaald, bewust van een compositie, van een kunstenaar wiens gevoel voor verhoudingen ver voorbij de grenzen van zijn zelfmedelijden en verlangens ging. Maar aan de andere kant, als hij aan recente gebeurtenissen dacht, die zo vaak slechts door stom geluk hun verhalende betekenis verkregen, leken ze door het toeval voortgebracht te zijn, door een computer misschien, die mathematische mogelijkheden uitspuwde.

Hij draaide zich weer om naar de slapende oude man in de stoel. Lieve oude Geoff. Lieve 'verleide' Geoff met zijn kiosk en zijn stapels kleurpotloden, zijn suikervingers en zijn rug om op paardje te rijden en zijn papieren vliegtuigjes, zijn glaasje bier en zijn 'meiden'...

En het was toch te laat geweest.

Dit impliceerde geen oog voor compositie! Het hele idee was op z'n hoogst roekeloos onafgemaakt, op de mensheid afgevuurd als een vermakelijk raadseltje om na het eten op te lossen. Als God bestond, dacht Alistair, was Hij geen groot kunstenaar, maar een cognac zuipende dilettant die in een jolige bui was.

Alistair liet zijn vingers over de kleine armpjes en beentjes glijden, de kleine polsen die aan het kruis waren genageld. Er kwam een vage herinnering bij hem op. Onmiddellijk wist hij zeker dat hij dit beeldje van Jezus vele malen eerder had gezien. Had dit niet bij zijn moeders bed gestaan? Dit moest toch het crucifix zijn waarvoor hij als kind had geleerd zijn gebed op te zeggen?

Wat deed het in 's hemelsnaam hier? Hij kon zich niet herinneren dat het in de doos met zijn moeders bezittingen had gezeten die hij voor Ivy had achtergelaten. En nu hij erover nadacht wist hij dat Ivy nooit erg gelovig was geweest, dus was het onwaarschijnlijk dat haar vriendin het haar voor haar dood cadeau had gegeven of dat ze het naderhand zelf als aandenken had gekozen. Nee, Ivy zou een broche of hoofddoek of een van de porseleinen hondjes gekozen hebben als aandenken aan haar vriendin June.

Er was slechts één verklaring: zijn moeder had haar kleine kruisbeeldje zelf aan Geoff gegeven. Deze handeling, die de langzame muziek van gedeelde schuld en medeleven en van blijvende genegenheid uitdroeg, greep Alistair sterk aan.

22

Lukes eigen schoonheid verraste hem. Hij had zich in geen twee weken geschoren of zijn haar gewassen. Hij stond met een handdoek om zich heen voor de spiegel en keek even naar zijn knappe gezicht met de scherpe trekken, het donkerblonde haar met de lichte strepen erin, de lichtgebruinde, gave huid, de sierlijke, symmetrische mond en grote grijze ogen die hij van zijn moeder had geërfd. Doordat hij was afgevallen, waren zijn jukbeenderen duidelijker uitgekomen en zag hij er bovennatuurlijk mager uit als een filmster. Zijn buik was plat, en glad en gespierd. Hij schiep geen persoonlijk genoegen in deze observaties, behalve dan dat ze hem het gevoel gaven dat hij goed voorbereid was, goed bewapend.

Hij deed wat aftershave op, liep daarna de slaapkamer in en trok een hemelsblauw katoenen overhemd en een crèmekleurige linnen broek aan. Hij koos een bruinleren riem, zijn witgouden-en-opalen manchetknopen en een afgetrapt paar lichtbruine mocassins. Hij keek naar zijn spiegelbeeld: een geweldige metroman; moeiteloze elegantie die alleen bereikt kon worden door veel passieve overweging en tegen een hoge prijs. Hij zou er helemaal op zijn plaats zijn. Hij zou er zelfs beter uitzien dan Jamie Turnbull, die qua kleding een nogal ordinaire smaak had, merken droeg en zijden overhemden, en zich door grillen liet leiden zoals beroemdheden dat deden – met slippers en Indische kragen en diamanten pinkringen. Goed opgevoede mensen die op goede scholen hadden gezeten, zouden het niet in hun hoofd halen zich zo te kleden, dacht hij.

Hij haalde het pistool en het laatste beetje Zylamaprone uit zijn bureaula. Het feest begon pas om halfnegen, en aangezien hij echt niet van plan was er stipt op tijd aan te komen, had hij nog tijd zat voor een joint. Er was nog maar een heel klein beetje oude marihuana over, dus verkruimelde hij ook nog bijna een hele sigaret, rolde alles in een kingsize Rizla en (nadat hij de Zylie met de achterkant van zijn tandenborstel had fijngestampt) strooide het poeder erbovenop. Hij wist nog steeds niet of het nou echt wel iets deed. Hij merkte niets van een verhoogde hartslag of klapperende tanden of andere duidelijke tekenen van euforie, maar hij was gestimuleerd door het grote aantal sites voor Zylie-verslaafden en op www.yourkidsandZylamaprone.com had een ongelooflijke lijst met waarschuwingen gestaan. Mensen waren niet helemáál gek, dus ze zouden er toch wel een reden voor hebben.

Op het bureau lag de goudkleurige uitnodiging voor de opening van de Lapis-Lazuli. Hij was eraan gekomen via Caroline Selwyn, de onaantrekkelijke, intelligente vriendin van Jessica die met zijn zus bij de *Telegraph* had gewerkt. Ze waren elkaar bij Zaza's tegengekomen. Het briljante idee dat Caroline, die nooit populair of modieus was geweest toen ze studeerden, weleens toegang tot feesten kon hebben vanwege haar werk, was bij Luke opgekomen toen hij haar door de draaideur naar binnen zag komen.

Hij wist dat Caroline hem altijd al leuk had gevonden. Ze kwam vaak bij Jessica op bezoek toen Ludo en hij een huis met haar deelden en het was duidelijk geweest dat ze altijd hoopte hem daar te zien. Caroline werd dan stil zodra hij de keuken in kwam lopen, wat hem een ongemakkelijk gevoel gaf. Ze was het soort meisje dat vaak verliefd was maar nooit een vriendje had, en hij wist dat Jessica haar ervan probeerde te overtuigen dat dit haar ongelukkig maakte. Het moest moeilijk zijn voor lelijke mensen, dacht hij, met een oprechte steek van medeleven door zijn hart. Dat je lelijk was betekende nou eenmaal niet dat je ook op andere lelijke mensen viel.

Hij zwaaide naar Caroline vanaf zijn uitkijkpost aan de bar van Zaza's. Ze had dus nog steeds last van acne, zag hij, wat wel erg sneu was op je achtentwintigste.

Nadat hij zijn kant van de hereniging had opgevoerd en haar vriendelijk een cosmopolitan had aangeboden, zei hij: "Dus, eh ... word je uitgenodigd voor alle belangrijke feestjes en zo?"

"Waarom zou ik ... O, via de *Telegraph*, bedoel je? Omdat ik journalist ben?"

Hij knikte en ze keek hoe hij een slok van zijn romige cocktail nam en zijn lippen aflikte.

"O. Nou, eh ... ik ben eigenlijk niet zo'n soort journalist. Ik schrijf speciale onderwerpen – eh ... je weet wel, de kritische stukken – en ik heb een column. Vooral politiek, eigenlijk. Niet zo erg showbizz, ben ik bang."

"O. O, oké", zei Luke, waarmee hij duidelijk liet blijken dat ze hem teleurstelde. Hij wist dat Caroline hem dom vond, maar hij wist ook dat ze hem evengoed wilde vanwege zijn ogen en mond en benen. Hij dacht dat hij haar waarschijnlijk zo kon vragen of ze nu met hem mee naar huis wilde gaan. "O, dat is jammer", zei hij.

Hij stak een sigaret op en blies de rook over zijn schouder, van haar weg. Ze kon wel een beetje initiatief van zijn kant gebruiken, dacht hij. Vanuit zijn ooghoek zag hij Carolines hand onbewust over de bar verschuiven als om hem terug te halen.

"Nee, maar ik kan ze wel kríjgen, hoor", zei ze. "Ik kan makkelijk uitnodigingen regelen. Tash, het meisje dat de agenda doet, krijgt altijd stapels. Of heet ze nou Sash, dat moet ik even navragen. Hoezo? Waar wil je heen?"

"O, gewoon, een opening van een club." Hij draaide zich weer naar haar toe en glimlachte verlegen. Toen haalde hij zijn schouders op en liet zijn haar voor zijn ogen zakken. Hij keek haar erdoorheen aan en streek het daarna met beide handen naar achteren, waardoor hij van het gebaar een rekbeweging maakte die zijn overhemd even een paar centimeter boven zijn leren riem trok.

Zijn buik was jongensachtig glad en bruin, en het water liep haar in de mond bij deze aanblik. Ze zou de romige cocktail eroverheen willen gieten en dan de zoete stroom willen oplikken die over zijn borstkas en welgevormde rug gleed ... "Een opening van een club? Nou, dat lijkt me geen probleem. Ik kan het aan Tash – of Sash – vragen als je dat wilt ..." zei ze.

"Echt? Zou dat echt kunnen? Wauw, dat is te gek van je."

Luke kreeg altijd makkelijk dingen gedaan van meisjes. Degenen met wie hij op de universiteit uitging, deden vaak zijn was of kookten voor hem. Er was een heel groepje van. Sophie noemde ze Liefje, Schatje, Poppetje en Dom Tutje, zijn vier 'intellectuele dwergen'. Hij was zich ervan bewust dat zijn vader de meisjes met wie hij omging ook dom vond. Luke schepte er immens veel genoegen in te denken dat de oude schoft groen van jaloezie zou zijn geweest als hij Arianne had ontmoet.

De uitnodiging voor het feest was een week geleden met de post gekomen met een briefje van Caroline erbij met haar telefoonnummer en het voorstel om te proberen 'elkaar niet weer uit het oog te verliezen'. Het leek een vreemde formulering, want ze hadden nooit echt contact gehad. Bovendien was hij zich niet meer van het bestaan van Caroline Selwyn bewust geweest sinds hij haar acht jaar geleden voor het laatst was tegengekomen toen ze samen met Jessica voor hun examens aan het leren was in de Duke of Clarence.

Luke legde de uitnodiging weg. Het was nu pas negen uur en hij ging naar de keuken, pakte een biertje uit de koelkast en ging op het trapje van de tuin zijn Zylie-joint staan roken. Hij keek richting het tuinhuisje en dacht dat Mila nu waarschijnlijk diep lag te slapen na een zware dag stofzuigen en strijken. Hij vroeg zich af wat haar verrassing was geweest. En waar hadden Goran en zij ruzie over gehad? Was het echt zo belangrijk dat ze hem niet eens binnen konden laten? Het was tenslotte zíjn tuinhuisje.

Maar hij zat er niet echt mee; op het moment hechtte hij niet zoveel waarde aan bezittingen en eigendom. Alleen leek het zo oneerlijk dat hij alleen maar door de deuropening een vreemde glimp had kunnen opvangen van iets wat een toevluchtsoord voor hem was geworden. Hij had toegang tot deze andere jonge mensen nodig omdat een slapeloze nacht net eenzame opsluiting leek. En het was altijd het allermoeilijkste nadat hij had moeten toegeven dat Arianne wel in bed moest liggen en dat er geen kans meer was haar ergens tegen te komen. Goran en Mila waren zijn enige effectieve afleiding van de pijn. Even vroeg hij zich af of hij hen meer nodig had dan zij hem.

Verbolgen schopte hij met de hak van zijn schoen tegen een tree. Hij had geen zin om daar rotgevoelens te staan herleven. Wat had dat voor nut? Het was een aanwensel om in het verleden te blijven hangen, omdat deze avond anders dan alle andere in zijn leven zou worden. Hij voelde vurig dat hij nooit eerder trouw aan zichzelf was geweest en dat het nu tijd was daarmee te beginnen. Hoezeer hij zich ook tot opgewekte middelmatigheid veroordeeld had gevoeld door Sophie, zijn vader en zijn leraren op school, hij was zich altijd bewust geweest van een enorm emotioneel potentieel en voorstellingsvermogen binnen in hem. In zekere zin had hij er altijd op gewacht ontdekt te worden. Hij wist zeker dat andere mensen zich niet zo voelden, dat mensen zich niet uniek zouden vóélen als ze het niet waren.

Arianne was uniek, en hij had haar gezegd dat hij van haar hield en had verwacht dat dat genoeg zou zijn! Hoe kon die doodnormale zin een vrouw als zij tevredenstellen? Ze was op zoek naar meer gegaan omdat ze meer verdiende – meer drama, meer glamour, meer vormen van expressie. Ze verdiende technicolor, niet het beperkte palet van emoties van de hogere Engelse bourgeoisie dat hij haar geboden had.

Het ironische was dat als zij had geweten wat hij voelde en wie hij echt was, verborgen achter de coulissen van een verkeerde voorstelling, ze nooit bij hem weg zou zijn gegaan! Hij had alles wat ze nodig had. Dat wist hij.

Nu moest hij haar laten zien hoe gepassioneerd hij echt was. Geen woorden, maar daden. Zijn vastberadenheid zou haar overtuigen, want dat was de enige taal die ze echt respecteerde. Ze had spelletjes met hem gespeeld wanneer ze vreeën – "Waarom doe je niet gewoon wat je wilt, Luke? Je hoeft niet altijd te doen wat ik wil. Zorg dat je zelf aan je trekken komt, zelfs al moet je me dan pijn doen" – en hij had niet begrepen dat ze het serieus meende. Tot nu toe was dat niet tot hem doorgedrongen. Hij had altijd gedacht dat je voorzichtig met meisjes om moest gaan en moest blijven vragen of je het wel goed deed, hun moest vragen of het lekker was, want in alle mannenbladen stond hoe makkelijk je het volkomen verkeerd kon doen. En meisjes wilden het net zo graag als jongens, dat had hij op de universiteit al snel doorgekregen: je hoefde maar een groepje bij elkaar te hebben met een fles wodka om daarachter te komen. En meisjes konden natuurlijk ook doen alsof, wat doodeng was, en het was voor hem altijd onmogelijk om niet bang te zijn dat ze dat ook deden.

Geen wonder dat Arianne verveeld was geraakt. Het was alsof hij geen idee had gehad hoe hij een man moest zijn! Tot hij in het bezit van het pistool was, had hij zo nu en dan met een schuldig gevoel gewenst dat haar kwetsuren na het ongeluk veel ernstiger waren geweest dan een paar gebroken botjes in haar voet. Als ze bijvoorbeeld een arm en een been had gebroken, had ze misschien lang genoeg stilgestaan om hem de kans te geven te leren hoe hij een man moest zijn.

Maar dat waren onwaardige gedachten. Hij was door deze fase van zelfmedelijden heen gegaan en eruit gekomen met de zekerheid dat hij haar had moeten verliezen. Hij was op de proef gesteld en nu was hij haar waardig. Hij zou haar terugwinnen door haar simpelweg de kracht van zijn liefde te tonen.

Met een bijna pijnlijk opgetogen gevoel nam hij een laatste trek van de joint en drukte hem uit tegen zijn schoenzool. Zijn hart hamerde en hij was een beetje duizelig. Rosalind keek naar hem door de deur van de hal en kwam de keuken in. "O, wat ben je toch een mooie jongen, lieverd", zei ze. "Ik snap niet waarom je dat allemaal verpest met die stinkende sigaretten."

Hij draaide zich om en glimlachte, en haar zoons schoonheid trof haar recht in het gezicht. "O, Luke, je ziet er echt geweldig uit. Die baard is weg, zie ik. Ik kan er niet rouwig om zijn, moet ik eerlijk zeggen."

"Geschoren", legde hij uit. Toen hij haar daar had zien staan, had hij al verwacht dat communiceren hem moeilijk zou vallen – hij had tegen zichzelf gezegd dat hij gewoon te 'opgefokt' was – en hij moest snel weg uit de keuken.

Rosalind zette een glas in de gootsteen. "Heb je de dingen die ik voor je had klaargezet nog opgegeten? De kipsalade?"

"Ja, dank je wel."

"Goed zo. Waar ga je heen, lieverd?"

"Een verjaardag", zei hij.

"O, wat leuk! Van wie? Ken ik hem of haar?"

"Van Arianne."

Bezorgd dempte ze haar stem. "O, dus je hebt haar gesproken?"

Hij liep naar de vuilnisbak en gooide de lege fles erin, waarmee hij de onaangeroerde kipsalade bedekte die hij er eerder die avond in had geschoven. "Yep. Dat klopt", zei hij.

Rosalind keek hoe hij zijn overhemd in zijn broek stopte. "Waar is het feest?"

"In een nieuwe kroeg. Lapis-Lazuli heet die."

"Wat een bijzondere naam. Het klinkt wel leuk."

"Vind je? Ik vind het niks. Ik vind het ontzettend ordinair", zei hij met een gespannen glimlach.

"O ja?" Ze lachte om de felheid van zijn reactie. "Nou, de naam doet er vast niet meer toe als je eenmaal binnen bent. Dan staan jullie toch allemaal te dansen en naar verschrikkelijke muziek te luisteren die veel te hard staat."

"Precies, mam", zei hij, terwijl hij haar op de wang kuste.

Toen Luke de trap op rende – hij had tegen haar gezegd dat hij zijn portemonnee moest pakken – vroeg Rosalind zich af of ze haar man moest bellen. Alistair had een bericht op het antwoordapparaat achtergelaten (hij had expres gebeld op een moment dat ze niet thuis zou zijn), waarop hij niet veel meer zei dan dat alles goed met hem was.

Wat was haar man in godsnaam aan het doen, vroeg ze zich af. Ze nam maar aan dat waarschijnlijk echt alles goed met hem ging en het deerde haar absoluut niet dat hij even weg was; hij was een drukkende aanwezigheid in het huis en ze wilde niet voor hem koken. Alistair zou zelf ook wel blij zijn dat hij naar het oude huis van zijn moeder kon vluchten. Het zij zo, dacht ze.

Het probleem was dat ze zich oprecht zorgen maakte om Luke en het tijd vond worden dat haar zoons buitenissige nachtelijke escapades en zijn gebrek aan interesse voor zijn werk aan de orde werden gesteld. Zou hij ooit nog teruggaan naar zijn appartement? Die dingen moesten op een gegeven moment toch echt besproken worden.

Maar moest dat nu meteen? Ze had helemaal geen zin om Alistairs stomme stem te horen. Al die angst- en schuldgevoelens ... Het was walgelijk; ze had er een teneur van genotzucht in bespeurd en was teruggedeinsd. En belangrijker nog: ze had nu even geen zin om 'de echtgenote' te zijn. En als ze erover nadacht, had ze eigenlijk ook niet echt zin om 'de moeder' te zijn.

Nee, het was een heerlijke avond en ze wilde een borrel en ... ze had zich nota bene achtentwintig jaar zorgen om Luke gemaakt; morgen zou hij er ook nog wel zijn om bezorgd over te zijn.

"Nou, doeg, mam", riep Luke vanuit de hal. Ze leunde achterover op één been om een glimp van hem op te vangen. Hij leek een jas aan te hebben, wat vreemd was op zo'n zachte avond, maar ze liet hem maar begaan. Laat hem maar in een trui in de zon lopen en met korte mouwen in de sneeuw, laat hem maar direct na de lunch zwemmen en lichte en bonte was bij elkaar in de machine doen. Dat zou haar tijdelijke houding zijn: hij stond er vanavond alleen voor. Hoe dan ook, hij klonk erg opgewekt, zei ze tegen zichzelf. Hij ging nota bene naar een fééśt, hij liep waarschijnlijk gevaar om plezier te maken. Ze zette de radio aan voor het tuinierprogramma.

"Dag, schat. Veel plezier op het feest", zong ze in zijn richting, maar Luke had de voordeur al achter zich dichtgedaan.

De Lapis-Lazuli was vlak bij Portobello Road, bij een viaduct dat was bedekt met gescheurde posters. Jamie Turnbull en Liam Bradley hadden een etablissement gekozen dat zich in het laatste 'authentieke' gedeelte van de wijk bevond, niet ver van de markt. Het zou binnenkort duur en trendy worden, zoals de rest van Notting Hill, en de appartementen die op de vervuilde straat uitkeken zouden allemaal gestandaardiseerd worden met parketvloeren en identieke 'natte cellen', maar voorlopig waren er nog dealers op de straathoeken en kinderen op skateboards, en dwarrelde er nog de scherpe, kruidige geur van wiet uit de bushokjes omhoog.

Het was een warme avond, maar Luke hield zijn jasje aan en zijn vingers om de loop van het pistool in zijn rechterjaszak. Hij had het ongewoon koud en vond het niet erg dat hij een extra laag droeg om het pistool te verbergen. Hij besloot naar de Lapis-Lazuli te lopen, aangezien hij het gevaar liep te vroeg te arriveren. Het zou zelfs nodig zijn om verderop een tijdje rond te hangen om de tijd te doden voordat hij er met goed fatsoen naartoe kon.

Eerst liep hij Holland Park Avenue door, langs Notting Hill, en daarna ging hij rechtsaf Kensington Church Street in. Aan het einde van de straat gekomen liep hij langzaam heen en weer over de hoofdstraat en staarde naar de felverlichte etalages. Er waren schoenen en blazers, beha's en onderbroeken, vazen, kussentjes, negligés, slakommen, badoliën, geurtjes en hoeden. Er waren zijden omslagdoeken en bikini's, oorbellen en gympen, cd's, stereotorens, surfplanken en boeken.

Na ongeveer een halfuur, toen de laatste winkels sloten, liep hij terug richting Portobello.

Toen hij aankwam stonden er zo'n dertig mensen voor de ingang van de club te wachten. Luke had aangenomen dat alleen vrouwen aan het blingbling-thema zouden voldoen, maar de rij was zo uitgedost dat het bijna pijn aan je ogen deed. Mannen droegen cowboyhoeden met lovertjes, lichtgoudkleurige overhemden, diamanten manchetknopen en goudkleurige leren broeken, en meisjes glinsterende hoge hakken, goudkleurige satijnen jurken, glitterende armbanden en zilverkleurige hotpants. Eén meisje had haar huid goud gespoten. Iedereen had een goudbruine teint. Gelukkig waren er nog net genoeg mensen in nette vrijetijdskleding zodat Luke er niet als enige bij afstak, maar hij bevond zich niettemin op de dunne grens tussen 'te cool' om zich te verkleden en 'te saai' om er iets voor te doen.

Terwijl de rij langzaam over de loper schuifelde weerkaatsten de gouden uitnodigingen in agressieve backhands het licht naar voorbijgangers. Bij de ingang stond een enorme uitsmijter met naast hem een meisje in een goudkleurige spijkerbroek, dat verwoed kauwgom kauwde en op een klembord vellen met namen doorbladerde. Luke nam de menigte in ogenschouw. Dit waren mensen die het normaal gesproken zouden verdommen om voor een club in de rij te gaan staan. Ze waren vip-gasten van het soort dat overal gratis champagne verwachtte: vrouwen die geen moment oogcontact maakten, mannen die hun autoritaire knikje zo geperfectioneerd hadden dat het toegangskoord al omhoog was voordat ze ook maar uit de taxi gestapt waren.

Maar ze stonden allemaal netjes in de rij. Het werd duidelijk gezien als een zeer speciale gelegenheid.

Voor zich zag Luke een stel dat hij herkende uit de roddelbladen. Hij wist dat het meisje model was, een van de dunne, lelijke die altijd de dochter van een miljonair blijken te zijn. Haar vriendje had gouden dreadlocks en Luke vroeg zich af of hij ooit iemand had gezien die zo stoned uit zijn ogen keek.

Het stel sprak niet met elkaar, behalve als ze sigaretten zochten of wilden aansteken. Ze staarden naar de straat terwijl ze wachtten. Luke trok zijn jas stevig om zich heen en voelde zich misselijk van opwinding en afschuw bij de gedachte aan wat erin verstopt zat: een zak vol duisternis tussen al het geglitter.

Geleidelijk aan belandde het stel vooraan in de rij en het kwam heel plotseling tot leven. De man trok een gezicht naar het meisje bij de deur. Daarna wendde hij zich tot zijn vriendin en zette een zeurderige, verwijfde stem op met een Amerikaans accent: "O, *man*, we moeten, *like*, onze namen zeggen voor de gastenlijst? Dit is volkomen bezopen. Wat vreet Jamie uit, die dwaas?"

Zijn vriendin zocht naar iets in haar tas. Hij zuchtte, streek zijn gouden dreadlocks naar achteren en zei met wat waarschijnlijk zijn eigen stem moest voorstellen: "Oké, dit is dus lay-dee Ann-er-bel Tun-der en ik sta er waarschijnlijk op als Si-mon An-der-son?"

"Ja, natuurlijk", zei het meisje, in verlegenheid gebracht. "Ik weet wel wie jullie zijn."

Hij greep lady Annabel bij de arm. "Schat! We zijn beroemd!"

Het meisje met het klembord glimlachte verontschuldigend naar hem. "Het is nou eenmaal het systeem." Daarna sloeg ze haar ogen neer. "Eh ... Slick, dit is ontzettend suf, maar ik wilde gewoon ... van deze kans gebruikmaken om tegen je te zeggen dat ik je nieuwste album echt geweldig vind. Wat je met de stem van die Braziliaanse boer hebt gedaan was echt ..."

Lady Annabel onderbrak haar. "Mijn tieten vriezen eraf."

Slick ging voor haar opzij. "Vond je dat goed? Echt? Echt waar?" Daarna liep hij lady Annabel achterna, weer jammerend met dezelfde stem: "Hé! Ze vond mijn muziek mooi en jij luistert niet eens naar haar. Ze was een aardig meisje. Aardig poesje. Slicky wil er nog een."

Ze verdwenen naar binnen en het meisje legde haar hand op haar borst en sloot een paar tellen haar ogen. Daarna keek ze blozend naar Luke en zei: "Fuck, man, ik kan het bijna niet geloven. Slick was zo verdomde dicht bij me."

"Jah", zei Luke vaag. Hij had zich een paar maanden geleden gerealiseerd dat er musici bestonden van wie je alleen gehoord had als je onder de zevenentwintig was.

"O, jezus, haal adem, Tanya", zei het meisje tegen zichzelf. Toen begon ze weer op haar kauwgom te kauwen en trok met hervonden zelfbeheersing een wenkbrauw naar Luke op. "Naam?"

Hij moest van Caroline zeggen dat hij Mike Cecil heette. Het meisje doorzocht drie keer de lijst met de C's.

"Sorry, je staat er niet op", zei ze sloom.

"Hè? Maar ik heb deze uitnodiging. Die hebben ze naar mijn krant gestuurd. Naar de *Telegraph*. Voor míj."

"O, je bent van de pers?"

"Jah. De pers."

"Dan had je niet in de rij hoeven staan. De pers mag zo naar binnen. Ja, je staat op de perslijst. Mike Cecil." Ze praatte tegen hem alsof hij niet goed bij zijn hoofd was, alsof hij de natuurlijke orde der dingen had verstoord.

Luke sloeg zich tegen het voorhoofd. "Drukke dag", zei hij.

Het meisje stak haar duimen omhoog naar de uitsmijter. Het koord werd opgetild en hij was binnen.

En nogal plotseling kreeg hij het gevoel alsof hij vanaf een rots het koele, blauwe water in dook en er een hele rits golven en bruisende bubbels langs zijn oren stroomde. De binnenkant van de kroeg was onmogelijk te rijmen met de broeierige, stoffige verkeersstroom buiten op straat, met de vervuilde stoep of de kauwgom kauwende voorbijgangers. De ruimte had geen ramen en daardoor bestond er geen tijd, en ook geen weer. Het kon net zo goed het begin van de avond in New York zijn als drie uur 's nachts in Saigon. Het kunstlicht was zacht en flatteus, en de muziek kwam uit alle richtingen tegelijk, maar scheen ook door middel van een of ander ingenieus trucje in stromen om rustige gedeelten met diepe fluwelen stoelen en lage tafels te gaan. Toegang tot deze ruimte was net zo'n voorrecht als een kijkje in de diepzee of een foto van een verre planeet.

De grootste zaal was niet enorm, maar het plafond was ontzettend hoog en halverwege bevond zich de galerij van de tussenverdieping met matglas in plaats van een balustrade, dus de mensen daar leken op het randje te staan van een val zo naar het midden van de dansvloer. Het plafond zelf was bedekt met een enorme spiegel die uit één stuk leek te bestaan en de menigte eronder kleurde hem tot een opzichtig, levendig fresco. De bar was – als om designclichés te voorkomen – van onopgesmukt zwart graniet. Daarnaast bevond zich een verhoogde en glimmende dj-booth waar achter het glas een meisje dat zich niet bewust was van het publiek in een roze Gap-shirt housenummers stond te mixen.

Er waren veel mooie mensen in de zaal. Luke bekeek ze uitgebreid. Geen van de meisjes leek ouder dan vierentwintig, hoewel sommigen een starre gezichtsuitdrukking hadden, die chirurgische ingrepen of injecties deed vermoeden. Ze hadden allemaal glanzend haar, en een kleurtje, en hadden een compact maatje 36 tot 40, afhankelijk van hun lengte. De mannen hadden de nodige aandacht aan hun bicepsen, tricepsen, schouders en grote rugspier besteed, en daarbij smaakvol voorkomen dat de monnikskapspier overontwikkeld werd, wat hun een dikke nek en een functioneel uiterlijk zou geven. Luke bedacht jaloers dat deze mannen waarschijnlijk ook goed ontwikkelde borstspieren hadden, terwijl die van hem de laatste tijd jammerlijk ingezakt waren. Het was een lust voor het oog: een zaal vol narcisten, van wie velen betaald werden om aan hun obsessie toe te geven.

Weer klemde Luke zijn hand steviger om het pistool in zijn jaszak. Terwijl zijn vingers het aanraakten, zei hij tegen zichzelf dat hij, als hij dat wilde, deze hele mooie zaal ieder moment tot zwijgen kon brengen. Daarvoor hoefde hij het alleen maar uit zijn zak te halen! Hij hoefde niemand te verwonden, hij hoefde niemand te vermoorden; het zou al genoeg zijn om alleen maar zijn arm in de lucht te steken.

Hij voelde een onverklaarbare scheut seksuele opwinding: een beeld van Arianne, recht voor hem tegen een muur gedrukt met haar benen om de zijne geslagen. Haar wang en haar schraapten op en neer over de muur, op en neer, op en neer, haar ogen waren gesloten, haar mond hing iets open, haar gewicht was overgegeven aan de kracht van zijn armen ...

"Hé, Luke", zei een stem achter hem.

Hij draaide zich vliegensvlug om. "Caroline? Wat doe jij hier?" vroeg hij.

"Ik ... Nou, ik ben toch gekomen. Soms doe ik dat", zei ze schouderophalend, "voor mijn werk."

Ze was een beetje aangeschoten. De alcohol maakte haar zelfverzekerder en ze glimlachte flirterig naar hem. Ineens was Luke ontzettend blij om haar te zien. Als zij er niet geweest zou zijn, zouden er onverdraaglijke dingen zijn gebeurd. Hij voelde dat hij in paniek dreigde te raken. Wat had hij zich in het hoofd gehaald? Hij kende hier helemaal niemand! Als Caroline er niet was geweest, zou hij gedwongen zijn geweest om alleen te blijven staan met een droge mond van angst en zichzelf toe te werken naar een daad die hij nog niet helemaal voor zich had gezien. Het ophanden zijnde moment van confrontatie brandde een gat in zijn hersens.

Hij probeerde vriendelijk naar haar te glimlachen.

Ze zei: "Ik heb dus nu al te veel gedronken. Ontzettend onhip. Het is niet goed om een broodschrijver die platzak is bij gratis drank te laten. Ik heb champagnecocktails met de fotograaf van de *Hello!* staan drinken. Die vent heeft echt de hele wereld voor zijn lens gehad."

Luke wist dat hij een reactie moest geven, iets moest zeggen, maar het enige wat hij kon opbrengen was: "Ga je mee naar de bar?" Hij verlangde enorm naar het brandende gevoel van alcohol achter in zijn keel en kon het op en neer schieten van deze vrouwenstem niet langer verdragen. Als hij niet binnen een paar seconden iets te drinken zou krijgen, zou hij onherroepelijk zijn zelfbeheersing verliezen, en hoewel hij nog niet precies wist wat er dan zou gebeuren, was dat wel beangstigend.

Caroline giechelde. "Naar de bar? ... Mijn god, Luke, ik kan bijna niet meer op mijn benen staan, maar goed. Je bent gewaarschuwd."

Luke wist dondersgoed dat ze alles gedaan zou hebben wat hij maar voorstelde, en die gedachte kalmeerde hem terwijl ze hem volgde naar de bar. Terwijl ze op de drankjes wachtten stak hij haar sigaret aan en probeerde zich te herinneren dat hij er goed uitzag en dat iedereen hém belde als ze wilden weten of er nog plannen voor zaterdagavond waren.

Caroline zei: "Het is wel een beetje een apart thema, vind je ook niet? Ik bedoel, hallo, is ook maar iemand zich ervan bewust wat het betekent, zich bewust van de ironie?"

Het pistool sloeg tegen zijn heup toen hij zijn sigaret naar zijn mond bracht. "Ironie?" vroeg hij.

"Jahah", lachte Caroline. "Ik bedoel, zo moeten ze thuis ook zijn ... Liam en die ene met dat haar. Jamie of zo, toch? Jezus."

Luke deed alsof hij haar begreep en lachte ook minachtend. Minachting tonen kostte hem geen moeite.

Ze snakte naar adem. O, god. Oké, is dat Slick? Het is hem écht. Mijn zusje slaat meteen aan het hyperventileren als ik haar dit vertel."

Luke volgde haar blik. Slick had zijn arm om niemand minder dan Arianne gedrapeerd. De gouden dreadlocks slingerden tegen haar blote schouder. Ze droeg een effen wit topje en een soort denim korte broek met een paar lichtgouden stiletto's eronder. Ze had helemaal geen sieraden om. Ze was als een seksueel statement tussen honderden kokette ontwijkingen.

"Mijn god, wat is die meid een stuk. Niet zoals die modellen uit B-films met die typische smalle heupen, maar net zo beeldschoon als de godinnen van het witte doek uit de jaren vijftig. Moet je die tieten zien. En hóé lang zijn haar benen? Ze moet minstens eentachtig zijn."

Gelukkig arriveerden de drankjes voordat Luke gedwongen was te antwoorden.

"O, dit zou ik echt, echt, echt niet moeten doen", zei Caroline, terwijl ze haar glas naar haar mond bracht.

De smaak van de drank stelde Luke onmiddellijk gerust. Het was een sterke cosmopolitan, bitter en zuur tegelijk, en de drank baande zich een warme weg door zijn keel. "Ben je al de hele dag aan het drinken, of zo?"

"Nee, nee, alleen in de pub na het werk. Je weet wel."

Hij wist het. Hij stelde zich zo voor dat een of twee collega's haar in de pub dronken hadden gevoerd met chardonnay en tegen haar hadden gezegd dat ze naar het feest moest gaan om te proberen hem te versieren. Met die drank in haar lijf moest dat haar wel een goed idee geleken hebben. Hij was haar vriendinnen intens dankbaar.

Maar hij zou wel tactvol met Caroline om moeten gaan. Hij moest haar genoeg aanmoediging geven om te blijven, maar niet zoveel dat ze een scène zou schoppen, dacht hij. Het zou verschrikkelijk zijn als hij haar moest vertellen dat hij niets in haar zag en ze hem dan alleen zou laten.

De angst dwong hem er weer toe zijn hand in zijn zak te steken. Een pistool had een onmiskenbare vorm; het voelde als niets anders ter wereld.

Toen drong het tot hem door dat hij een achtentwintigjarige man op een feestje was met een pistool in zijn zak, en hij vroeg zich af of hij zich ooit zo eenzaam had gevoeld. Hij keek hoe Caroline nog een sigaret opstak en de rook uitblies, waarbij ze een vrouw speelde die zich om niets hoefde te bekommeren dan om de warme lucht op haar huid. Ze gooide haar haar naar achteren. "Waarom wilde je hier eigenlijk zo graag heen, Luke?"

"Hier? O, ik ken hier gewoon iemand."

Ze wachtte. Daarna giechelde ze. "Oké. Dus dát is het? Bedankt voor de toelichting. Je bent een man van weinig woorden, hè?"

Precies op dat moment bliezen buizen aan het plafond met kracht enkele kilo's gouden sterretjes alle kanten op. Ventilatoren op vloerhoogte brachten ze weer omhoog de turbulentie in, zodat overal waar je keek vallende sterren tuimelden en schitterden in het licht. Caroline kreeg er een paar in haar mond en Luke schudde ze uit zijn haar en veegde ze van de binnenkant van zijn kraag. Mensen lachten en juichten en de dj zette een nieuw nummer op, zodat een enorme menigte begon te dansen. Het was deskundig gechoreografeerd.

"Krijg nou wat", zei Caroline lachend terwijl ze spuugde en haar mond afveegde. "Het spijt me als dit het feestje van je beste vriend is of zo, maar dit is echt de grootste ballentent waar ik ooit ben geweest."

"Het is niet het feestje van mijn beste vriend", zei Luke.

"Nee, dat is ook niet logisch, want dan had je mij niet nodig gehad voor een uitnodiging", zei ze, waarbij ze hem geamuseerd aankeek. Toen ving ze iets op achter zijn rug en ze trok hem aan zijn mouw en wees de zaal in. "Ooo, nou komt het, speech! Jamie Dinges gaat een paar woordjes zeggen. Dit wordt grappig, zeg."

Jamie Turnbull stond op de dichtstbijzijnde vrije stoel alsof hij spontaan even een paar woordjes wilde zeggen, maar zodra hij begon te praten werd duidelijk dat hij een microfoontje droeg. Hij maakte met zijn handen tegen elkaar gedrukt een flauwe Japanse buiging en stak daarna als een marathonwinnaar zijn armen in de lucht. “Dit is een gewéldige avond voor me. Een droom die uitkomt!” schreeuwde hij.

De menigte juichte en veel mensen hieven hun glas.

“Heel bescheiden, heel natuurlijk”, fluisterde Caroline sarcastisch met getuite lippen. Weer was Luke opgelucht dat ze er was. Eigenlijk was zij de enige stem van redelijkheid in de zaal, en ergens diep vanbinnen was hij zich daar bewust van.

Jamie ging verder: “Oké, dit gekke idee is dus zo’n twee jaar geleden ontstaan, als ik het goed heb onder het genot van een tequila sunrise in Club Santo op Ibiza.” Hij salueerde naar de dj. “Dat was een prima avond, Layla. Hoe dan ook, ik denk dat mijn maat Liam het met me eens zal zijn dat het een zware bevalling is geweest.”

Er werd beleefd gelachen toen Jamie en Liam samen een pantomime van uitputting speelden.

Caroline zei: “Heeft hij niet gewoon het geld van zijn pappie gebruikt?”

“Dus nu wil ik graag zien”, ging Jamie verder, “dat iedereen zo’n overheerlijk slecht drankje in zijn hand neemt, want ik wil dat al deze mooie mensen – en dat zijn jullie, als ik zo vrij mag zijn ...” Nog meer gejuich en mensen hieven nu lucifers en aanstekers in de lucht, alsof ze bij een concert waren en een echte klassieker hoorden. “... Ik wil dat jullie allemaal een supervette toost uitbrengen op mijn – sorry, ónze – opening.”

Caroline kieperde wat van Lukes drankje in haar eigen, bijna lege glas. “Laat me dat soort dingen toch niet doen, Luke”, zei ze. “Echt, hoor!”

“Maar voordat we het glas heffen, wil ik dat er even iemand hier bij me komt ... als haar hoge hakken dat toelaten. Arianne?” vroeg hij.

Onbewust schoot Luke naar voren en Caroline keek verbaasd zijn kant op. Arianne reikte met haar elegant bruine arm naar de uitgestoken hand. De spieren in haar lange benen spanden zich aan toen ze de stoel op stapte. Ze kuste Jamie op de wang. Hij wendde zich tot het publiek en zei: “Oké, deze meid hier is dus de liefde van mijn leven en dat mag iedereen weten.” Er werd nog meer gejuicht. “Oké, dus op een middag lopen we over een klein marktje en zegt ze dat lapis lazuli haar lievelingshalfedelsteen is.” Hij haalde zijn schouders op. “Dus kocht ik het hangertje dat ze zo mooi vond voor haar en de zoen die ze me gaf om me daarvoor te bedanken ... Nou, daar heb ik mijn kroeg naar vernoemd. Maar volgens mij is er niets halfedels aan deze dame, dus heb ik iets passenders voor haar gekocht voor deze gelegenheid." Hij had een diamanten choker in het borstzakje van zijn overhemd verstopt. Hij hield het sieraad voor haar omhoog en het schitterde prachtig op de palm van zijn hand. Daarna gebaarde hij dat ze zich moest omdraaien, zodat hij het haar om kon doen.

Het stond haar voortreffelijk. Haar hals leek ineens langer en het maakte dat haar gezicht eruitzag als een zeldzame bloem die hem bekroonde. Er werd weer gejuicht en nu ook gefloten door de menigte, en daarna versterkte de microfoon het groteske geluid van hun zoen door de hele zaal. Toen Luke zijn ogen sloot om de werkelijkheid buiten te sluiten zag hij twee enorme monden, twee paar gigantische, rubberachtige lippen. Na de zoen fluisterde de een iets tegen de ander en ook dat geluid werd prompt uitgezonden ... Het klonk als 'hou van jou'. Lukes gedachten fladderden schrikbarend in het rond. Was dat Jamies stem of die van haar? Was het 'hou van jou' of kon het misschien – heel misschien – ook 'had niet gehoeven' geweest zijn? Hij stond te trillen.

"Hé, gaat het wel, Luke?" vroeg Caroline.

Hij besefte dat hij nogal hevig beefde en probeerde het te stoppen, maar het maakte geen verschil.

Caroline pakte het drankje uit zijn hand en zette het op de bar. Hij hoorde haar zeggen: "O nee, het zit op je broek. En het is nog wel zo'n mooie. Hé, maar ik denk dat je het er met vlekkenverwijderaar nog wel uit krijgt."

Jamie riep: "Op de Lapis-Lazuli!", waarop de hele aanstellerige menigte oorverdovend brulde en overal handen met cocktailglazen de lucht in gingen. De zaal was een bos van zwiepende bomen geworden, met eigenaardige vruchten.

"Luke, zullen we even gaan zitten?" vroeg Caroline. "Hé, we kunnen daar wel heen. Laten we even weggaan uit deze verdomde drukte. Goed?"

Ze nam zijn arm en hij liet het pistool tegen haar elleboog slaan terwijl ze liepen. Ze duwde mensen opzij. "Sorry? Halló? Sórry? Ga toch uit de weg." Tegen de tijd dat ze zaten, werd overal verwoed gedanst. Ze bevonden zich in een van de wonderbaarlijke oasen van rust.

"Shit man, Luke, je ziet er niet goed uit moet ik zeggen", zei Caroline. "Heb je iets geslikt of zo? Moet ik water voor je halen, of iets anders?"

"Ik voel me prima", zei hij, waarna hij onbeheersbaar begon te rillen.

"Weet je wat?" zei Caroline, "Volgens mij voel je je helemaal niet prima. Ik denk dat ik maar beter iemand voor je kan gaan halen. Je bent helemaal bleek geworden en ik ... ik denk dat je medische hulp nodig hebt."

Ze stond op en hij legde zijn hand op haar arm. "Doe maar niet, alsjeblieft. Dat is echt niet nodig. Het komt gewoon doordat ik mijn ex-vriendin heb gezien, dat is alles. Oké? Het is gewoon de shock."

"O", zei Caroline. Ze liet het op zich inwerken en ging daarna enigszins moedeloos zitten, waarbij haar achterwerk de stoel eerder raakte dan ze had verwacht. Ze streek haar haar naar achteren. "O, oké. En ... En wie is dan je ex-vriendin?"

Hij zei niets, maar ze had het door. "O jezus, zíj? Dat stuk?"

Luke knikte. "Wilde je daarom hierheen? Om haar te zien?"

Hij knipperde om aan te geven dat ze gelijk had.

"O", zei Caroline. "Aha." Eigenlijk voelde ze eerder opluchting dan teleurstelling. De gedachte dat ze haar kleren uit zou moeten trekken voor de ogen van deze volmaakte man was verlammend geweest. Ze was blij dat ze niet langer belast werd door haar libido, dat ze ontsekst was door zijn focus op een andere vrouw. Het was tenslotte makkelijker om de meelevende vriendin te spelen dan al die intense hoop en een fysiek verlangen te ondergaan. Ze legde haar hand op zijn knie. "Hoe lang zijn jullie uit elkaar?"

"Ik weet het niet precies", antwoordde Luke. "Ik ben de tel kwijt."

Caroline keek even naar hem. Op haar bitterste momenten, toen haar acne op z'n ergst was geweest, had ze vaak gewenst dat een van de mooie, populaire figuren op de universiteit zo zou lijden. Emily, Alex, Richard, Ludo, Georgie ... Ze had ze allemaal gehaat om hun moeiteloze schoonheid, hun gave huid en hun enorme hoeveelheid kleedgeld. Kon je in zulke kleren nog wel pijn voelen?

Ze had nooit kunnen begrijpen hoe haar vriendin Jessica zo beheerst, zo normaal, tussen dit alles kon leven en een huis met Ludo en Luke kon delen. Caroline werd altijd verscheurd tussen liefde en haat voor hen. Ze herinnerde zich nog dat ze in Jessica's keuken rondhing, gekweld door zelfwalging, maar hopend op een sexy glimp van Luke na een voetbal- of tenniswedstrijd, of na het roeien.

In de jaren na de universiteit had ze vaak vol genot in gedachten een heerlijk stukje film herhaald. Luke was een keer in een zeer korte katoenen short de keuken binnengekomen. Hij nam niet eens de moeite om gedag te zeggen, maar trok zijn met gras besmeurde T-shirt uit en gooide het met een hypnotiserende beweging van zijn buikspieren in de wasmachine. Vervolgens liep hij naar de koelkast en dronk een halve liter melkdrank op voordat hij zei: "Die lulletjes met drie-nul in de pan gehakt." Daarna grijnsde hij en veegde zijn mond af aan zijn arm. Caroline dacht dat ze flauw zou vallen, en toen hij weg was morste ze warme chocolademelk op haar opstel over Schopenhauer.

Nu keek ze naar zijn bleke, bezwete gezicht. "O, je ziet er echt niet goed uit, Luke. Normaal gesproken is je gezicht net het plaatje dat je in het woordenboek naast het woord 'gezond' zou verwachten."

"Ik slaap de laatste tijd niet zo goed. Ik denk dat ik een beetje depressief was."

"Ik weet hoe het voelt", zei Caroline knikkend. "De hele nachtmerrie van over iemand heen komen en zo."

Luke maakte oogcontact met haar en zijn ogen onderzochten haar gezicht. "Echt waar?"

Ze was merkwaardig geroerd door zijn interesse voor haar gevoelens. "Ja, natúúrlijk. Fuck, man, ik heb het ook moeten meemaken. Het is verschrikkelijk. Het is de ergste pijn die er bestaat. Je hebt het gevoel van 'Wéét dan niemand hoe verschrikkelijk ik me voel? Hoe kan God dit laten gebeuren?'" Ze schudde met haar vuist naar het spiegelende plafond. "'Bestaat hij eigenlijk wel?' Je gaat overal aan twijfelen, hè? Nee, het is verschrikkelijk."

Luke staarde naar haar, walgend en bang. Om zijn persoonlijke gevoelens zo geparodieerd te zien, alsof iedereen ze kende ... zelfs mensen met acne! Wat wist dit onpopulaire meisje over hoe Arianne en hij van elkaar hielden? "Nee", zei hij, "nee, het is heel anders."

Ze schrok terug. "O. Nou, goed, sorry. Ik heb duidelijk geen idee wat er gebeurd is. Misschien haat je haar wel. Het gaat me eigenlijk niets aan."

Ze keek weg en Luke realiseerde zich ter plekke dat echte eenzaamheid erger was dan vernedering. Hij zei: "Nee, ik haat haar niet. Het is precies zoals je zei: de enige die ik haat is hij."

"Wie? Hij?" Ze keek met opzet scheel en porde Luke in zijn arm. "Jamie-met-het-haar?"

"Ja."

"Waarom gaat ze eigenlijk in godsnaam met hem? Behalve de diamanten en zo dan, bedoel ik."

"Nee, nee, zo is ze niet", zei Luke. Maar terwijl hij dat zei, besefte hij dat hij niet zeker wist of dat wel zo was.

"Dus misschien zijn ze een echt stel? Hoor eens, ik wil het niet inwrijven of zo – geloof me, ik voel met je mee –, maar misschien moet je het maar gewoon loslaten of zo. Snap je wat ik bedoel?"

"Nee."

"Maar als ze niet om de verkeerde redenen bij hem is, dan moet er toch iets zijn ..."

Hij had moeite met praten. Hij betreurde het dat hij het aan Caroline had toevertrouwd, deze aanval over zich had afgeroepen. "Nee. Ik wil hem alleen maar ... dood hebben."

Caroline glimlachte goedhartig. "O, Luke", zei ze, "maar eigenlijk weet je dat je moet vergeven en vergeten. Hoewel ik geen idee heb of iemand ooit volwassen genoeg kan zijn om zijn ex oprecht het beste te wensen. Als zo iemand zou bestaan, zou ik niet met diegene op kunnen schieten, denk ik." Ze fronste medelijdend. "Jezus, het leven is zwaar, hè?"

Luke zei: "Ik heb een pistool."

Ze trok haar gezicht in kreukels alsof hij een smerige mop had verteld. "Sorry?"

Hij tilde de kolf iets uit zijn zak.

"Ja, maar dat is niet echt, hè?" flapte ze er zonder na te denken uit. Toen ze er later aan terugdacht, realiseerde ze zich dat het, ook al was het een replica geweest, nog steeds bizar van hem was om het mee te nemen naar een feest.

"Het is echt", antwoordde hij.

Ze keek nerveus om zich heen en zei op neutrale, zachte toon, met een valse glimlach om haar mond: "Toe nou. Niet echt, toch? Echt echt, Luke?"

"Dat zei ik toch: het is echt."

Ze was duidelijk bang. Hij zag dat doordat ze wit wegtrok en haar puistjes zichtbaarder werden. Hij vond het heel lullig voor haar. Hoe had hij iemand als Caroline zo wreed met de nek aan kunnen kijken? Wie dacht hij wel niet dat hij was? Hij nam een slok van zijn drankje om zijn mond te bevochtigen. Hij zag haar blik door de zaal schieten. "Je maakt me bang", zei ze. "Is dat wat je wilt? Ik begrijp het niet."

"Nee, ik wil jou niet bang maken, Caroline. Ik wil hém alleen bang maken."

"Maar waarom? Wat is het nut? Wat heeft het voor zin om mensen bang te maken? Dan zijn ze alleen maar bang, meer niet; daarmee veranderen ze nog niet. Waarom zouden ze dan niet meer van elkaar houden? Wat heeft een pistool daarmee te maken?"

Caroline zweeg even. "Luke, jij bent niet gek, en dit is het gedrag van een gek. Je bent zo ver van gek, je bent de meest ..."

"Saaie, conformistische. Ga door", zei hij.

"Nee!"

"Dat ben ik wél."

"Nee, dat ben je niet. Je bent fantastisch, oké? Ik ben al stapelgek op je sinds onze studietijd. Het verbaast me dat het je nooit is opgevallen. Nou, nu weet je het."

Wat moest hij hier nou op zeggen? Want natuurlijk had hij het geweten, en het kon hem eigenlijk niets schelen. Deze trivialiteit, die in zulke belangrijke woorden was gevangen, droeg alleen maar bij aan het gevoel van waanzin. Hij stond op alsof hij het zo van zich af wilde schudden om de orde te herstellen, maar Caroline sprong tegelijk met hem op. "Luke!" riep ze uit, en daarna sloeg ze haar hand voor haar mond.

Er kwam een beeld in hem op van wat zij wel niet moest denken dat hij van plan was. Hij zag zichzelf langzaam het pistool uit zijn zak halen en afvuren – slechts één keer – in de lucht. Scheuren vertakten zich over het bespiegelde plafond en scherven kwamen naar beneden. Hij zag de menigte uit elkaar stuiven, achteruitdeinzen tegen de muur; de muziek werd afgezet en iedereen bleef roerloos staan, alsof ze op de foto gingen en wachtten op de flits.

Hoe kon hij zowel het gevoel van waanzin als Carolines beeld van hem laten verdwijnen? Hij dacht aan rennen; het geluid van rennen, hoe zijn adem eruit geperst zou worden bij iedere stap. Maar hij stond stil.

En toen kwam plotseling, vergezeld van de verrukkelijke geur van perziken en jasmijn, Arianne naar hen toe gelopen. Ze zei: "Hé, Luke, ik dácht al dat ik je gezien had. Wat grappig om je hier tegen te komen. Vind je het geen geweldig feest? Wat vond je van de vallende sterren? Dat was mijn idee." Voor hij antwoord kon geven, waar ze trouwens toch geen interesse voor scheen te hebben, wendde ze zich tot Caroline en kuste haar op beide wangen. "Hoi, wij kennen elkaar nog niet", zei ze.

"Hallo", zei Caroline, die haar naam stotterend uitbracht, niet zozeer uit ongemakkelijke loyaliteit aan Luke als wel door het overweldigende effect dat de aanwezigheid van deze vrouw had. Naast haar staan was als te dicht bij het randje van een perron staan waar de sneltrein voorbijraast: de absolute kracht van haar persoonlijkheid deed je tanden rammelen.

"Caroline Selwyn? Waar ken ik die naam van? Ben je van de tv of zo? O, jezus, je bent zeker hartstikke beroemd?"

"Nee, dat ben ik niet."

"Godzijdank. O, nee, Ik weet het al ... Jamie leest jouw column altijd 's zaterdags in de *Telegraph*. Dat klopt hè?"

Caroline was verbaasd. "Eh ... ja. Ja, dat klopt."

De twee vrouwen staarden elkaar aan en Caroline besefte dat Arianne misschien dacht dat ze Lukes nieuwe vriendinnetje was. Luke Langfords nieuwe vriendin, en dat na dit geweldige wezen! Fantastisch!

"O, wauw, je kunt echt ontzettend goed schrijven", zei Arianne. "Dat zegt Jamie elke keer. Nu moet ik het ook gaan lezen, nu ik je ontmoet heb. Dan kan ik me ontzettend belangrijk voelen bij mijn ochtendcappuccino, als ik de columniste daadwerkelijk kén." Arianne glimlachte zo schitterend – het was een volmaakt voorbeeld van een glimlach – dat het enorme geestelijke armoede zou vereisen om hem niet te beantwoorden.

"O. Nou, hartstikke bedankt. Ik hoop dat hij het blijft lezen", zei Caroline. Ondanks haar situatie was ze enorm gevleid. Ze vond het een geweldig idee dat de woorden die ze tot laat in de avond met een schaamteloze bak ijs en een zak nachochips naast zich zo nauwgezet redigeerde, hun weg vonden naar zulke beroemde handen. Stel je voor: haar puisterige gezicht boven het artikel op de ontbijttafel van deze vrouw, tussen de biologische yoghurt, de suikermeloen en de serene groene thee!

Daarna herinnerde ze zich dat Luke een pistool in zijn jaszak had en keek gekweld toe hoe Arianne zich tot hem wendde om met hem te praten.

Lukes gezicht was nu zo bleek dat het grijs van zijn ogen er fel en nep bij leek. Hij scheen in de laatste paar minuten te zijn vermagerd; zijn jukbeenderen staken scherp uit. Hij had beide vuisten gebald en glimlachte gespannen.

Arianne zei: "Je ziet er ... Je bent dunner geworden, volgens mij."

"Je ziet er prachtig uit."

"O, dank je wel. Maar dat komt gewoon door de ketting."

Caroline zei: "Het is echt een geweldig cadeau. Ik wou dat een van mijn vriendjes me ooit zoiets gaf."

"Ja, ik heb mazzel", zei Arianne zacht terwijl haar vingers de diamantjes bij haar keel betastten. "Ik had echt geen idee dat hij van plan was me iets te geven."

Jamie verscheen achter haar. "Loop je weer te pronken, schatje?" zei hij, terwijl hij haar haar in de war maakte. "Loopt ze over haar blingbling op te scheppen?"

Beschaamd liet Arianne zich een beetje zakken, zodat hij zijn arm om haar schouder kon leggen. Jamie lachte naar haar. "Doe maar lekker wat je wilt, lieverd. Ik wil dat jij gelukkig bent."

Ze glimlachte naar hem en wendde zich daarna tot Caroline, die, zoals Arianne heel goed wist, de enige vrouw in de zaal was die bescheiden genoeg was om haar de mogelijkheid te geven om op te scheppen. "Je mag hem wel zien als je wilt", zei ze. "Hij is uit de negentiende eeuw. De sluiting is een beetje ingewikkeld, dus misschien moet je even helpen. Ik draai me wel om, als jij hem dan even af wilt doen."

"O, natuurlijk. Geen probleem", zei Caroline. "Ik wil hem heel graag zien."

Jamie grijnsde naar Luke. "Vrouwen!" Hij schudde zijn hoofd, maar het sarcasme was niet overtuigend. "Zo", hij zweeg even om een slokje van zijn cocktail te nemen (iets lichtoranjes in een martiniglas), "Arianne vertelde me wie je bent. Jullie hebben kort iets gehad voor ze mij leerde kennen, zei ze. Je bent niet van de pers, toch?"

"Nee."

"Dat dacht ik al. Wat doe je dan, Luke?"

"Ik ben een account ... Ik zit in de reclame."

"Aha. Oké. Ben je zo'n creatieveling?"

"Nee, ik ..."

"O, oké, nee dus, ik snap het al. Je bent een van die jongens die ... hoe noem je dat?"

"Ik ben accountmanager."

"Zo! Klinkt als bankmanager."

"Dat is het niet. En jij bent soapacteur?"

"Nu nog wel. Er komt een Hollywood-film aan." Jamie glimlachte en nam nog een slok van zijn drankje. "Ik vraag me iets af, Luke ..."

Arianne gilde: "O jezus, je hebt helemaal gelijk! Hij kan ook fantastisch goed als armband. Denk je dat-ie overdag zo kan, je weet wel, bij een spijkerbroek en een trui of zo? Of is het iets te veel: 'HALLO, ZIE JE MIJN DIAMANTEN'?" Ze stond te kletsen met een verwijfde homoseksuele man uit de hautecouturewereld, die bij haar en Caroline was komen staan.

Jamie keek even naar hen en ging daarna verder: "Ja ... Nou, Luke, ik vraag me af hoe je binnen bent gekomen, joh."

"Door de deur", zei Luke. Hij voelde hoe zijn mond zich tot een glimlach probeerde te vormen en ondertussen dacht hij: schiet hem door het hart. Hij dacht: deze man heeft mijn geluk gestolen.

Jamie schaterde. "Door de deur. O, da's grappig man. Je bent erg grappig. Heb je een vuurtje?"

Luke haalde zijn aansteker uit zijn zak en knipte hem open onder Jamies sigaret. Jamie boog ernaartoe. "Boem", zei hij, waarbij hij zijn ogen opensperde. Hij blies rook uit terwijl hij weer rechtop ging staan. "Hé, moet je horen, ik wil niet lullig doen. Ik ben eigenlijk best een goeie gozer, echt waar."

Schiet hem door het hart, dacht Luke. Door het hart. Zijn vingers klemden zich om het pistool.

"Maar het lijkt erop dat je haar vólgt", zei Jamie. "Ik bedoel, waarom doe je dat?"

"Dat doe ik niet."

"Toe zeg. Je zit in je eentje in clubs waar ze vaak komt, kerel. Ik heb je zelf gezien. We hebben je allemaal gezien. We sluiten weddenschappen over je af. Ik heb vanavond zelfs driehonderd pond gewonnen. Ik zéí dat je een manier zou vinden. Ik gelóóf in je, man." Met een op een tedere manier scheef gehouden hoofd gebaarde hij naar Luke en daarna liet hij zijn arm weer zakken. "Hoor eens, je hebt twee mogelijkheden. Een is dat ik Steve bij de deur vandaan haal om je eruit te gooien. Nu moet ik zeggen dat ik het prima vind als je daarvoor kiest, aangezien we dan meer publiciteit krijgen: 'Ongenode gast uit exclusieve club Lapis-Lazuli gegooid.' Je begrijpt het wel. Dat is een hoop gratis reclame, dus voel je vooral vrij om voor die keuze te gaan." Hij legde zijn hand op Lukes schouder. "Of", zei hij, "of je kunt gewoon weggaan. Oké? Want ik wil je niet nog meer naar de kloten helpen dan je duidelijk al bent. Shit man, je moet nodig wat meer zelfrespect krijgen, kerel. Zo wil geen enkele vrouw je. Je ziet er goed uit. Wees eens een vent, oké?"

Luke staarde naar het gebruinde gezicht, de gepolijste tanden achter de wrede glimlach en de gladde zwarte haren. Dit was een man. Jamie Turnbull liet hem zien hoe je een man moest zijn.

"Oké", zei Arianne. "klaar met het saaie meisjesgedoe." Ze glimlachte naar Jamie, die haar op haar voorhoofd zoende. Met zijn arm om haar heen leek ze kalm, in plaats van boos of onbevredigbaar. Zonder die eigenschappen leek ze wel ... gelukkig. Misschien iets minder sexy, maar gelukkig. Ze keek vluchtig naar Luke en hij zag een korte flits van oprecht medelijden in haar ogen. Daarna tilde Jamie haar de lucht in en giechelde ze als een klein kind terwijl hij haar in haar zij kietelde en haar lange benen van de ene naar de andere kant zwiepte. "Zet me neer!" zei ze.

"En waarom zou ik dat doen? Geef me achthonderd goede redenen en ik zal erover nadenken."

Het gegiechel, gekietel en gezwiep ging maar door en door. Luke keek hulpeloos toe als een man die in zijn pyjama naar een brandend huis staat te kijken. Uiteindelijk kwamen twee andere vrienden op

Jamie af en was hij gedwongen Arianne neer te zetten om hen te begroeten. Een van hen droeg een showgirlkostuum met gouden veren op zijn hoofd en felrode laarsjes met stilettohakken.

Lukes vingers lieten het pistool los en het bungelde vrij heen en weer in de zak van zijn jasje, wiegde als een slinger tegen zijn been. Vanuit zijn ooghoek zag hij Caroline. Daar was ze, in elkaar gedoken, hem hatend, bang voor hem. Toen hij haar naam zei sloeg ze aarzelend haar ogen naar hem op. Ze zag eruit alsof ze ziek van angst was.

"Caroline?" zei hij, alsof hij niet zeker wist of ze hem door de mist van angst wel gehoord had.

"Ja, Luke?"

"Het is geen echt pistool."

"Wat?"

"Het is een speelgoedpistool", zei hij.

Even schrok ze alleen maar, maar daarna rimpelde haar hele gezicht zich van walging. "Wat wás dit? Jouw idee van een grapje? Is het een speelgoedpistool? Ik bedoel, wat wil je nou?"

Zo had nog nooit iemand hem aangestaard. Nooit van zijn leven. Het was de blik waarmee je naar mensen keek die tegen zichzelf schreeuwden op straat, mensen die op hun eigen handen beten, mensen die tegen vuilnisbakken spuugden en schreeuwden. Hij voelde dat de verscheidene lagen vernis tussen hem en die verloren zielen begonnen af te bladderen. Weg was het: stand, opleiding, rijkdom, scholing, sportjasje, mocassins, manchetknopen.

Op dat moment kwam er nog een ongelooflijke regenbui van sterren. Hij keek omhoog en zag ze vallen, in zijn haar, op zijn oogleden; ze gleden geluidloos over zijn gezicht. Hij hoorde Arianne opgewonden lachen. Obers in witgouden overhemden brachten dienbladen met champagnecocktails rond. De knipperlichten en de dwarrelende sterren belemmerden even het zicht.

"Caroline?" vroeg hij wanhopig. Hij graaide naar haar pols en kreeg hem te pakken. "Ik ... Ik heb je de verkeerde indruk van mezelf gegeven."

Ze lachte bitter, recht in zijn gezicht. "Jezus, Luke, dat is nogal een ... vréémde manier om het onder woorden te brengen." Ze trok haar pols los en terwijl ze dat deed kromp hij ineen en keek haar aan alsof ze hem door zijn maag had geschoten.

Hij zei: "Ja. Nee, ik begrijp wat je bedoelt."

Daarna draaide hij zich om en keek ze toe hoe hij zich langzaam door de laatste sneeuwbui van sterren en de golvende, gouden menigte richting de uitgang drong.

23

Mila dacht dat het bonzende geluid deel uitmaakte van haar droom, maar langzaamaan kwam het besef dat het op de deur van het tuinhuisje was. Slaperig riep ze: "Goran?"

Er kwam geen antwoord. Meteen zat ze kaarsrecht in bed en ze trok de lakens op tot aan haar nek. Ze was bang dat ze ontdekt waren, dat Goran en zij te veel lawaai hadden gemaakt en de mensen van het grote huis nu voor de deur stonden. Ze zouden naar Kosovo teruggestuurd worden – hun hele reis was voor niets geweest – en de rest van haar leven zou er niets anders dan strijd om hen heen zijn en Albanezen die hen haatten. Er zou geen vreugde meer zijn, alleen maar wrede graffiti op alle verwoeste schoonheid van haar kindertijd, alleen maar buitenlandse soldaten met wezenloze, onverschillige gezichten, die met hun geweren bij je in de rij stonden op de markt.

"Goran?" zei ze weer, nu smekend. Haar stem was zwak van angst.

"Nee, ik ben het, Luke", was het antwoord.

"O, Luke!" riep ze uit. En ineens werd ze overspoeld door vitaliteit, met het gelukkige, gezonde gevoel dat je alleen ervaart na een succesvolle ontsnapping. Ze dankte God terwijl ze haastig de kamer doorzocht naar haar kleren. Aan het oude hoedenrek vond ze een T-shirt en haar lange katoenen rok, die ze snel aantrok, waarbij ze de speelgoedglobe die naast de stapel tennisrackets lag, omduwde. De bol draaide een tijdje na op de vloer en ze mompelde geïrriteerd terwijl ze hem oppakte en terug op zijn standaard plaatste. "Ik ben zo daar, Luke", riep ze nerveus. "Het spijt mij."

Luke legde zijn oor tegen de deur, zodat hij alles kon horen wat Mila deed: ze ging het douchehok in, de kraan stond even aan, kwam er daarna weer uit, een metalen kleerhanger kletterde op de grond, daarna werd de stretcher verschoven en werden de twee helften tegen elkaar gevouwen. Uiteindelijk hoorde hij haar voetstappen naar de deur komen.

Haar haren waren helemaal pluizig van het borstelen. Ze was lichtelijk hysterisch. "Het spijt mij ik duur lang. Ik slaap", legde ze uit. "Luke, jij weet Goran nu in taxi?"

"Ja", zei hij.

Ze staarde hem aan, eerst verbaasd, maar daarna kwam met een hard inslaande erkenning van haar eigen vermogen tot zelfmisleiding in haar op dat Luke hen zelf uit het tuinhuisje kwam zetten. Waarom niet? Goran was heel onbeschoft geweest toen Luke de vorige ochtend vroeg langs was gekomen. Het was onvergeeflijk van hem om haar te dwingen hem weg te sturen. Goran en zij hadden toch al ruzie, maar daarna was ze te boos geweest om nog met hem te praten. Ze had hem toegesist dat het belachelijk was zo oneerbiedig als hij tegen Luke deed, dat Luke praktisch hun leven had gered – waar zouden ze zonder hem zijn? –, en daarna had ze zich in de douchecel opgesloten totdat hij het opgaf als een klein broertje op de deur te bonken. Het duurde een eeuwigheid voor hij wegging en hij zei steeds maar dat ze 'relaxter' moest zijn en vroeg haar: "Waarom maak je er zo'n punt van, Mila? Relax."

Het was zonneklaar waarom ze er zo'n punt van maakte. Relaxed doen? Hoe kon ze, als ze bedelaars waren, nietige wezens die het kleine beetje dat ze hadden met hun leven moesten verdedigen omdat ze anders in een van die pensions met stapelbedden eindigden, tussen de kakkerlakken en misdadigers? Had hij daar een relaxte oplossing voor? Na ongeveer een halfuur was ze de douchecel uit gekomen en had ze Goran aangetroffen in diepe slaap, lichamelijk uitgeput. Hij had zijn hand nog om het ongeopende bierflesje dat Luke haar in de deuropening had aangereikt. Ze haalde het flesje tussen zijn vingers vandaan en terwijl ze dat deed bedacht ze dat diezelfde handen haar sieraden aan een Albanese vrouw hadden verkocht. Ze had gehuild en gehuild en gehuild toen hij dat had gedaan.

"Maar we hebben toch afgesproken dat het voor onze busreis is? Voor onze toekomst", had hij tegen haar gezegd terwijl hij haar haar streelde. "Dat is stukken meer waard dan een paar ringen en kettingen, kleintje. En jij bent toch zo mooi dat je helemaal geen sieraden nodig hebt?"

Hij snurkte zacht op de bank en haar lippen krulden van afgrijzen. Ze verlangde naar haar mooie spulletjes. Alle andere vrouwen hadden mooie spulletjes, maar zij niet. En nu was Goran tot overmaat van ramp ook nog eens onvergeeflijk lomp geweest tegen Luke, de enige bron van troost en schoonheid in hun leven.

En nu was Luke hier, en hij stond op het punt hen eruit te gooien.

Ze zag dat hij binnen wilde komen en liet hem erdoor terwijl ze zelf in de deuropening bleef staan, helemaal verlamd van wanhoop. Ze keek even de tuin in, waar Luke net had gestaan. De temperatuur was iets gedaald en het voelde alsof het zou gaan regenen. Heel even miste ze haar moeder verschrikkelijk.

Waarom was ze eigenlijk naar dit land toe gekomen? Om als een slaaf te werken? Om bespuugd te worden door die boze roze gezichten bij de haven met hun vreemde borden en gescandeer? Had ze ervan gedroomd om luxe huizen schoon te boenen, gekweld te worden door de aanblik van de mooie kleding van ander vrouwen, door de ongebruikte keukens van andere vrouwen? Waarom had ze naar Goran geluisterd? Ze had ergens anders heen kunnen gaan, alleen, ergens waar het leven veel makkelijker was ...

Ze hoorde Luke met zijn schoen over de vloer sloffen en wist dat ze zich moest omdraaien. Ze kneep haar ogen stijf dicht en besloot met het kleine beetje energie dat ze in haar vermoeide lichaam overhad, een wonder te bewerkstelligen. Mila bezat een aangeboren optimisme. Ze was er intens dankbaar voor; het had haar en haar broers door een jeugd vol luchtaanvallen en bommen en door twijfel over wat de volwassenen aan het doen waren heen gesleept. Ze riep het te hulp in een soort gebed, of misschien was het een toverformule, want ze vroeg niet God maar haar eigen lichaam om steun.

Het bekende gevoel ging door haar heen: hoop. Misschien, zei ze tegen zichzelf, misschien wilde Luke hen er niet uit gooien, maar alleen kijken of ze geen schade hadden aangericht. Onmiddellijk schoot de gedachte wortel, zoals hoop dat altijd deed, hoe slecht alles er ook voor stond; het was als een woestijnplant. Ja, zei ze tegen zichzelf, natuurlijk was dat het! Goran was zo groot en onhandig – hij at op zo'n walgelijke, hondachtige manier – dat ze niet verbaasd was dat iemand die zo elegant was als Luke zich gewoon zorgen maakte over zijn familie-eigendom.

Luke stond naast de oude roze bank en streek met zijn vingers over een aantal van zijn sportmedailles die opgestapeld op de tafel lagen. Hij merkte dat Mila naar hem glimlachte en keek hoe ze de deur sloot. Hij zei: "Wat was er gisteren? Jullie wilden niet dat ik binnenkwam. Hadden jullie ruzie?"

Mila begreep hem niet. Luke praatte altijd zo snel. Het maakte haar woest dat ze Goran nodig had om te tolken.

"Goran en jij?" moedigde Luke haar aan. Hij schudde zijn vuist om woede na te bootsen "Gisteren? Toen ik met bier langskwam?"

Ze kende het woord 'bier' en begreep het meteen. Oké, dus hij was beledigd, dacht ze bij zichzelf. Maar ze zou kalm blijven, omdat ze gewoon haar verontschuldigingen aan zou bieden en Luke het daarna zou vergeten. Dat was wat er ging gebeuren. Ze lachte gespannen. "O, ik begrijp. Ruzie is vechten met woorden, ja? Ja, het is ruzie. Alsjeblieft, het spijt mij, Luke. Hele vele spijt. Goran het ook hele vele spijt."

"Geeft niks", zei Luke. Hij wist niet zo goed waarom hij erover begonnen was.

"Alsjeblieft, Luke. Hij praat slecht tegen jou. Ik dat weet. Alsjeblieft."

"Hoor eens, ik zei toch dat het niks gaf? Niets aan de hand."

Mila dacht dat haar hart zou breken van dankbaarheid. "Bedankt." Ze bloosde en zei daarna onstuimig: "Goran is boze man soms. Hij is domme man."

Luke schrok van deze woorden. Hij was gewend Mila Goran te zien plagen, maar over het algemeen leek ze altijd nogal bang en onderworpen. Goran hoefde haar maar te zeggen dat ze moest stoppen met lachen en zijn bier moest openmaken, of dat deed ze. Dat verbaasde Luke. Hij had zich vaak afgevraagd of waar zij vandaan kwamen de vrouwen gewoon respectvoller waren – of Servische vrouwen in tegenstelling tot Engelse vonden dat mannen nut hadden, een echte plaats in de maatschappij –, of dat Mila's respect voor hem te wijten was aan een speciaal soort macht dat Goran bezat. Hier peinsde Luke over als ze aan hun vroegeochtendbiertje zaten terwijl hij zijn laatste herinnering aan Arianne probeerde te verbannen; haar stralende gestalte die onbewust langs hem zweefde richting een tafeltje, of langsflitste in een taxi, of naar hem zwaaide in het knipperende licht van een volle dansvloer.

Hij observeerde Goran dan en vroeg zich af wat deze lange, nogal onbeholpen uitziende man had dat hij zo overduidelijk niet had. Hoe dwong Goran vrouwelijk respect af? Luke moest toegeven dat hij jaloers was, jaloers op een man die de hele nacht in een taxi rondreed en de oude gympen van een ander moest dragen omdat hij zelf geen schoenen had.

Maar misschien had hij een verkeerde voorstelling van zaken, zoals zo vaak het geval was.

"Vind je Goran dom, Mila?" vroeg hij.

Ze zat op de armleuning van de bank en trok haar knieën naar haar borst; haar blote tenen krulden zich achter de zoom van haar rok. "Soms ik vind. Ja. Soms ik haat. Soms ik ..." Ze nam haar gezicht stevig tussen beide handen en schudde het heen en weer.

In de duisternis keek Luke naar deze vertoning. Na een tijdje zei hij:

“Waarom hou je hem dan aan het lijntje? Waarom dump je hem niet gewoon?”

Weer begreep ze zijn Engels niet. “Weer ik jou niet begrijp, Luke.” Mila zuchtte. “Het spijt mij.”

“Het geeft niet. Dat dacht ik al.”

“Het spijt mij, Luke.”

Hij wenste met heel zijn hart dat ze zou ophouden met zich te verontschuldigen. Waarom verdiende hij haar verontschuldigingen? Voelde ze zich zo minderwaardig dat ze zich moest verontschuldigen tegenover een man die een pistool in zijn zak droeg dat hij niet durfde af te vuren? Hij voelde haat omhoogborrelen. Maar haat kon niet in stand worden gehouden; dat hield een te directe erkenning van een ander persoon in, van de buitenwereld, en zijn focus keerde vlug terug naar de smalle gang van de wanhoop.

Het was stil, tot de kat van de buren van de schutting af sprong en op zijn pootjes terechtkwam. Hij sprong op de vensterbank voor hen. Omdat het niet mogelijk was om ’s nachts het licht aan te doen zonder aandacht te trekken, was in het tuinhuisje alleen iets te zien dankzij de maan en de aanhoudende gloed van Londen. De kat ging zitten en verhulde het gedeeltelijke uitzicht op het gazon, waardoor er rond zijn zachte gestalte een borstelige halo van zilver-oranje licht zichtbaar werd.

Mila keek hoe Luke naar de kat staarde. Ze dacht dat hij gerustgesteld was over eventuele schade die ze konden hebben aangericht en begon zich te ontspannen. Ze liet haar schouders zakken en sloeg haar benen over elkaar, waarna ze iets op haar ellebogen naar achteren leunde. Ze keek graag naar hem; hij was zo knap dat ze wel een foto van hem had willen kunnen maken. Ze dacht terug aan toen ze gedaan had alsof ze sliep onderweg vanuit Dover en Goran Luke vroeg of alle Engelse mannen zo knap waren als hij. Luke had gezegd dat ze allemaal veel knapper waren! Ze had haar oren toen al niet kunnen geloven. En daar had ze natuurlijk gelijk in gehad, want Luke had gewoon bescheiden en betamelijk geantwoord. Hij had zoveel voor hen gedaan – hen behoed voor de hel van pensions en exorbitante huren – uit de goedheid van zijn hart. Ze haatte dat Franse meisje waarover hij met Goran praatte, omdat ze hem zo gekwetst had. Hoe kon een vrouw een man als Luke geringschatten?

Toen bedacht Mila iets en ze klapte in haar handen. “O, ik heb allemaal vergeten! Ik ben domme meisje! Luke, ik zeg jou ik heb cadeau voor jou, ja? Niet groot cadeau, maar ... ik zeg dat, ja?”

Hij keek haar even niet-begrijpend aan en herinnerde zich toen dat ze hem gezegd had dat ze een of andere verrassing voor hem had. Hij had het nog tegen Goran gezegd toen hij het pistool had gehaald en Goran had er niets van geweten.

"O ... ja", zei Luke. Haar enthousiasme putte hem uit, haar glimlach stompte op hem in. "Dat is echt nergens voor nodig, Mila. Echt."

Ze wuifde het weg met een wapperende hand. "Ja! Is niet groot cadeau. Ik ... Ik alleen wil zeggen hartelijk bedankt", zei ze. "Ik haal?"

Hij had het gevoel dat hij niet in staat zou zijn dankbaarheid te tonen en wilde dat ze erover ophield, maar haar opgewekte, dringende manier van doen zei hem dat dat niet zou gebeuren. Het was makkelijker om maar gewoon toe te geven. "Ja, goed", zei hij.

Hij liet zich moedeloos op de bank zakken en ze haastte zich achter hem langs naar de andere kant van de kamer, waar een ladekast stond. Hij hoorde haar een la openen en iets uit een plastic zak halen. Het was een enigszins nostalgisch geluid ... een kerstgeluid ... het geluid van zijn moeder die in de vroege uurtjes van kerstochtend een met pakjes volgestopte kous op het voeteneind van zijn bed achterliet. Maar geen enkele aangename gedachte zou het in de sfeer in zijn hoofd lang hebben kunnen uithouden.

Mila neuriede een melodietje. Haar levendigheid was zo zinloos dat Luke zich eraan begon te ergeren. Waar kon ze in 's hemelsnaam zo uitgelaten over zijn?

Ze had een klein bruin cakeje in haar uitgestoken handen. "Is Servische cake", zei ze. "Is voor jou. Ik maak in appartement van meneer Hugo Johnson. Is makkelijk. Luke, zij niet die mooie keukens gebruiken en alles het is zo mooi! Ik gewoon snel doen" – ze beeldde uit dat ze een beslag mixte – "en ik de cake in dat" – ze opende een onzichtbare ovendeur – "en waarom niemand vindt erg? Dan ik strijk alle overhemden en dan het is klaar!" Ineens schoot er een gedachte door haar dunne lichaam en ze keek bezorgd. "Luke, ik betaal geld voor eieren en andere, ik het koop. Jij begrijp? Ik niet van meneer Hugo Johnson gepakt. Ik betaal geld."

"Nee, natuurlijk", zei Luke. "Natuurlijk heb je dat gedaan." Dus ze had haar zuurverdiende centen uitgegeven aan ingrediënten voor een cake. Voor hem. Het was deerniswekkend, maar op de een of andere manier ook misselijkmakend. Hij zei: "Dank je, Mila. Heerlijk."

"Nee, jij weet niet! Jij alleen gekeek. Jij proef? Jij denkt gek, maar ik jou zeg cakes zijn lekker in midden nacht! Ja?"

"Ja", zei hij, en hij glimlachte naar haar terwijl hij zich afvroeg hoe het leven zo onheilspellend onverklaarbaar kon zijn, ervaringen zo uiteen konden lopen. Maar de waarheid was dat hij die dag helemaal niets gegeten had. Alle maaltijden die zijn moeder voor hem in de koelkast had klaargelegd voor ze naar haar werk ging, had hij weggegooid en zijn maag knorde bij de aanblik van de cake. Hij rook amandelen en ... was het honing?

Mila zei met zangerige stem terwijl ze de huishoudfolie eraf haalde: "Jij denkt Mila is gek, maar is heel lekker ..." Ze giechelde alsof ze samen ondeugend waren. "Cake in midden nacht!"

Ervaringen waren uiteenlopend en toch met elkaar verbonden. Hij grijnsde terug en dacht eraan hoe Arianne na een duik in Ludo's zwembad in niets meer dan een lichtgevende gele string die bijna verblindend was bij haar diepbruine huid, onbeschaamd in een kamer vol mensen had gezeten. Het water drupte uit haar haar en ruïneerde stilletjes de zijden kussens. Ze versneed lijntjes cocaïne op de salontafel. Hij herinnerde zich nog dat ze zich omdraaide om een stevige, gespierde man te bewonderen die door de kamer liep. Daarna had ze het opgerolde briefje van vijftig aan Luke doorgegeven. "Schat? Ook een lijntje? Het is érg goeie ..."

Mila gaf hem een plakje cake. Hij keek naar haar gezicht. Was dit onschuld? Hij vertrouwde er niet op dat hij die kon herkennen. Hij balde zijn vuist en zei: "Dank je. Het is heerlijk."

"Eerst jij eet, Luke. Misschien jij wordt ..." Ze deed misselijkheid na, zoals in een tekenfilm, met uitpuilende ogen, een uit haar mond hangende tong en haar handen om haar keel. Het was enigszins weerzinwekkend.

"Nee, nee", zei hij, omdat hij wilde dat ze ermee stopte.

Hij begon te eten. De cake was verrukkelijk. Hij was zacht en vol amandelen: stevige zoete stukken tussen de vingers en een stroom van honing in de mond. Mila keek naar hem met een uitdrukking van onnavolgbare trots. "Meer?" vroeg ze, voor hij het laatste hapje op had.

Luke realiseerde zich dat het heftige gevoel dat zijn lichaam gekweld had feitelijk niets meer dan doodnormale trek was geweest. Daar was hij een beetje verbijsterd over, want hij had gedacht dat zijn hart bezig was te breken. Hij wilde eigenlijk nog wel meer cake. "Eh ... oké. Ja, graag", zei hij. "Het is echt overheerlijk."

Mila giechelde van plezier en ging snel nog een plak voor hem snijden. Haar blote voeten dansten, de zoom van haar rok wiegde en ze zong een liedje in haar eigen taal dat hij Goran ook weleens had horen zingen: "*Samo nebo sna, koliko te volim ja ...*"

Door de handeling van eten keerde Luke terug naar zijn lichaam. Toen Mila terugkwam met de cake, met een gezicht dat verbaasd en zwijgzaam was, werd hij onmiddellijk overweldigd door seksueel verlangen. Hij raakte haar wang aan, en voor hij verbaasd zijn vingers terug kon trekken, had ze zich naar hem toe gekeerd en haar ogen gesloten. Hij keek naar haar gezicht: was dit onschuld?

Toen trok hij haar naast zich op de bank en maakte zijn riem los.

Hij had nog nooit een meisje zo behandeld en van walging kon hij niet klaarkomen. Ze leek het niet te merken. Hij rolde naast haar en ze trok hem naar zich toe, kuste zijn haar en zijn voorhoofd. Hij wilde van haar wegrennen maar ze klampte zich aan hem vast; haar magere armpjes en beentjes trokken hem naar beneden als een babyaapje op de rug van zijn moeder. Hij wachtte gekweld af en keek naar een wolk vliegjes die in het licht achter het raam rondcirkelden.

Hoewel het veel langer leek, zei hij slechts tien minuten later: "Mila, ik moet gaan."

Even spande ze de greep van haar lichaam aan en duwde haar wang tegen de zijne. Ze zuchtte. "Ja. Jij moet gaan naar jouw huis."

Hij begreep niet wat ze bedoelde. "Ja", zei hij.

"Is mooi daar?"

Hij keek geïrriteerd naar haar dromerige gezicht. Wat wilde ze? Hij wilde alleen maar weg. "Ik moet gaan, Mila", zei hij tegen haar, terwijl hij haar magere arm van zijn borst tilde.

"Ja, Luke", zei ze, en ze rolde opzij. Daarna glimlachte ze lieftallig naar hem en zijn maag draaide om van angst.

Hij wist meteen dat dit geen gewone, lichamelijke angst was. Het deed hem denken aan de keer dat Sophies ouijabord de woorden 'L-U-K-E-Z-A-L-S-N-E-L-S-T-E-R-V-E-N' had gespeld. Ludo was zo overtuigend bang geweest dat Luke hem geloofd had toen hij bezwoer dat hij het glas niet gemanipuleerd had.

Hij voelde dat hij weer begon te beven, net als toen hij met Caroline in de Lapis-Lazuli was. Hij trok zijn broek omhoog, maar kreeg zijn riem niet vast. Terwijl hij vooroverleunde om zijn jasje te pakken, liet hij zich door Mila in haar armen vangen en op zijn onbeweeglijke mond zoenen. Toen stapte hij de donkere tuin in en sloot de deur achter zich.

Mila bleef een paar minuten stil liggen glimlachen in de duisternis en smukte de korte, brute ervaring op met alles wat ze wist van hoop. Door de ruwe bewegingen van Lukes armen en heupen mengden zich gedachten over kisten vol oorbellen en armbanden, over potjes nagellak in alle kleuren van de regenboog en over grote witte huizen in Holland Park waarin je nooit schoten hoorde. Ze lachte van opwinding om de mogelijkheden die haar lichaam ontvangen had.

Ze wist dat ze onnozel deed, maar kon het niet laten. Wat was er mis mee om je een beetje te laten meeslepen? Kon je beter zoals Goran zijn en denken dat iedereen een leugenaar was en dat zelfs je eigen moeder je nog zou verraden? Zo was de wereld niet. Als Luke op een dag met haar zou trouwen – niet meteen, maar op een dag, als alles anders was –, dan zou ze misschien zelf een schoonmaakster hebben. Goran zou natuurlijk altijd haar beste vriend blijven.

Ze sneed een stukje van de cake voor zichzelf af en at dat hongerig op. Het was echt een van de lekkerste die ze ooit gemaakt had en hij was nu bijna voor de helft op. En waarom was er nog maar zo weinig over? Omdat Luke er weg van was! Dat had ze wel geweten. Ze kon niet geloven dat Goran er zo op tegen was dat ze het hem zou geven. Ze wist dat hij gewoon jaloers was. Maar daar wilde ze nu echt niet aan denken. Ze zei tegen zichzelf dat ze veel te opgewonden en gelukkig was om aan ruzies met Goran te denken. En toch bleek dat dit precies was waar ze aan dacht ...

Een van hun vaakst terugkomende ruzies – die in feite de kern van alle andere was – was teweeggebracht door een schilderij van de Maagd dat haar moeder aan de keukenmuur had hangen. Goran had willen weten wáárom, als hij zo vrij mocht zijn, Maria en Jezus altijd móói waren, altijd dotjes, zoals Hollywood-sterren. Toen hij er voor de eerste keer over begon had hij gezegd: "Jullie Bijbelverkondigers zijn zo simplistisch! Het is gewoon gevaarlijk!", en had zij haar hand over zijn mond gelegd om hem tot zwijgen te brengen omdat haar moeder het makkelijk gehoord kon hebben en ze Goran toch al niet mocht.

Hij had het geloof van haar ouders nooit met rust kunnen laten. Schop, schop, schop. Dat was typisch Goran. Niets mocht mooi zijn in deze wereld. Het bestond alleen uit werken en slapen en domme trots en de grote, lege hemel 's nachts die je wilde opslokken.

Nu lachte ze heimelijk terwijl ze de cakekruimels van haar hand in haar open mond kieperde en haar arm teder tegen haar buik hield. Goran had ongelijk over de Maagd, zoals over veel dingen. Natuurlijk gingen goedheid en schoonheid samen; je hoefde maar naar Luke te kijken om dat in te zien.

24

Verschillen we echt zoveel van elkaar dat we ondanks alles wat we zeggen over de grote kernkracht van liefde en haat elkaars bestaan weleens vergeten? De waarheid is dat een groot deel van de tijd wordt ingenomen door ademhalen en knipperen, door zweten en verteren, en helemaal niet door liefhebben of haten. Niemand die van Luke hield – Ludo, Jess, Rosalind, Sophie, Alistair, Suzannah zelfs – had enig idee hoe ongelukkig hij was. En niet een van hen dacht om drie uur 's nachts aan hem. Hij had wat de rest van de wereld betrof net zo goed niet kunnen bestaan.

Buiten glansden netjes geparkeerde auto's in het straatlicht. Vuilnisbakken stonden in de rij voor de ophaaldienst van de volgende ochtend. Achter een raam ging een licht aan en daarna weer uit, en er klonk een ver gesis van luchtdrukremmen. Binnen was het huis donker en warm. Het raam van de woonkamer naar de tuin stond op een kier, maar de lucht was zo stil dat de hemel zijn adem leek in te houden. De stekelige boom die onophoudelijk tegen het glas tikte wanneer het stormde, was volkomen bewegingloos. In de hal gleed een paraplu die al maanden niet aangeraakt was om en hij draaide rond in de paraplubak, tikte tegen de tafel in de hal. Een paar rozenblaadjes van de enorme bloemen die Rosalind in een vaas had gezet, lieten los.

Het huis was vredig. Er lag linnengoed gevouwen in de droogkast, flessen melk lagen koud in de koelkast, kamerplanten ontloken in de serre en in de provisiekast stonden nieuwe potten aardbeienjam die Carol iedere zomer maakte en aan haar vriendinnen gaf. Rosalind had nooit het hart gehad om haar te vertellen dat Alistair altijd marmelade at en ze in haar eentje nooit meer dan een pot per jaar op kreeg. Maar de enorme potten stapelden zich op, felrood en juweelachtig, de zoetste aardbeien van dat jaar als bewijs van vriendschap.

De kerkklok van de St. Ignatius, die in het dagelijkse rumoer nooit te horen was, sloeg heel zorgvuldig het verkeerde uur. Rosalind roerde zich in haar slaap en mompelde de woorden: "Kom eraan." Op haar nachtkastje lag de stapel krantenknipsels over Alistair, die ze in een envelop gestopt had. Een auto slipte bij de stoplichten op Holland Park Avenue en sjeesde richting Shepherd's Bush. Het was nog steeds donker.

Luke zat in zijn slaapkamer met het pistool op zijn schoot. Hij had een sigaret in zijn hand en hoewel hij er niet vaak aan dacht om hem naar zijn mond te brengen, keek hij hoe de rook hulpeloos door het open raam werd gezogen, om daar vervolgens tussen de bomen te verdwijnen.

Het was niet eerder bij hem opgekomen om zelfmoord te plegen. Natuurlijk had hij zich er net als ieder ander weleens om verkneukeld hoe erg iedereen het zou vinden, had hij in gedachten kladversies van zelfmoordbrieven gemaakt tijdens melancholieke busritjes of op regenachtige middagen, en had hij er zelfs weleens over nagedacht welke muziek er op zijn begrafenis gedraaid moest worden. Maar hij wist dondersgoed dat het zijn visioenen aan authenticiteit ontbrak, want als het op het eigenlijke sterfgedeelte aankwam stelde hij zich altijd voor dat hij op tijd gevonden zou worden.

Hoe zou het voelen om het echt te menen?

Zijn zus had het bijna gemeend. Ze had het tot zover gemeend dat ze had gedemonstreerd hoe het niet moest. Jezelf uithongeren was duidelijk extreem langzaam en pijnlijk. Met pijnstillers pompten de verpleegsters gewoon je maag leeg en leefde je nog en had je bovendien nog schade aan je nieren ook.

Maar Sophie maakte alles altijd veel te moeilijk. Die poëtische, artistieke kant van haar, waaraan ze al haar problemen om de wrange wereld te accepteren weet, zo wist Luke, was in feite haar bescherming. Om jezelf van kant te maken had je geen poëzie of kunst nodig, maar een van twee onaantrekkelijke goden: de Grote Hoogte of de Luide Knal.

Hij vroeg zich objectief af wat er mis was met hem en zijn zus. Mensen zagen hen en dachten dat ze alles hadden. Iemand had dat eens precies zo gezegd. Wie? Luke dacht even na terwijl hij rook uitblies en herinnerde zich toen dat het Ludo was geweest, toen ze een jaar of twaalf waren. Rosalind had net een stapel sandwiches met ham en wat sinaasappelsap voor hen neergezet. Ze waren aan het tafeltennissen in de kelder, of 'de Grot', zoals ze hem noemden. Er hingen daar James Bond-posters en een dartbord en er stond een scheikundedoos, en Sophie vond dat het er naar 'stinkgympen van jongens' rook en kwam er nooit binnen. Het was een toevluchtsoord.

Ludo liet zich op een zitzak vallen en zei: "Snap je?"

"Neuh."

"Ik denk dus dat wij thuis misschien wel mooiere auto's en het zwembad en zo hebben, maar dat heb je volgens mij allemaal niet echt nodig. Ik heb bedacht dat je eigenlijk alleen maar een gameboy en een beetje fatsoenlijke kleurentelevisie nodig hebt en een huis als dit."

Luke staarde naar zijn vriend terwijl hij een hamsandwich in zijn mond propte. Hij vroeg zich af of Ludo de zijne nog ging opeten, want daar zag het niet naar uit.

Ludo nam een filosofisch hapje en zei tegelijkertijd: "Waar het op neerkomt, Luke, is dat je mazzel hebt omdat jullie alles hebben wat jullie nodig hebben, en ook nog eens allemaal hier bij elkaar wonen. En bovendien kookt je moeder geweldig en zo." Ludo hield de sandwich – een keurige driehoek zonder korstjes – omhoog om zijn woorden kracht bij te zetten.

Luke had altijd gevonden dat Ludo het geluk van het Langford-gezin mythologiseerde. Ludo's ouders – Sandro en Isabella – waren in een slepende en bittere scheiding verwikkeld, die van Ludo's tiende verjaardag tot ver na zijn vijftiende zou duren. In Ludo's huis in Knightsbridge waren altijd telefonische ruzies te horen – "Nee, nee, nee, lieve schat. Dat is verdomme míjn villa, Sandro, *hijo de puta madre*" – terwijl je op de gameboy speelde en gombeertjes uit taxfree-winkels als avondeten at. Luke voelde zich soms ongemakkelijk door die telefoongesprekken, maar Ludo scheen er geen last van te hebben. Het was alsof ruzies slechts de achtergrondmuziek van zijn jeugd waren, en hij bleef gewoon zijn brutale zelf, altijd de grote waaghals op school. Een tijdje grensde die waaghalzerij aan kleptomanie, totdat ze een kussensloop met gestolen popmuziekcassettes en chocola in zijn kamer ontdekten en Isabella hem naar een psychiater aan Harley Street stuurde.

Luke aanbad Ludo en zag niets dan charme in de kinderlijke psychosen van zijn vriend. Het regelloze paradijs van Ludo's thuisleven droeg alleen maar bij aan de aantrekkingskracht, dus als hij dingen begon te zeggen over dat hij wilde dat het bij hem thuis net zo was als bij Luke, was dat erg verwarrend. Lukes volkomen redelijke afgunst werd verstoord. De crossfiets, de videorecorder in Ludo's slaapkamer, pizza's laten bezorgen wanneer je maar wilde en films voor boven de achttien mogen kijken – dat waren toch de dingen die ertoe deden?

Luke voelde zich ongelukkig en vroeg of hij het laatste stukje van Ludo's sandwich mocht hebben – als hij het niet zou opeten, natuurlijk. De sandwich werd prompt in zijn schoot geworpen.

"Jullie hebben echt alles, jij en Sophie", zei Ludo. "Soms zou ik willen dat ik jou was."

Toen hij ouder werd besefte Luke dat het er voor een buitenstaander ongetwijfeld zo uitzag. Je parkeerde voor het schitterende huis in Holland Park, zag de zon op de felrode deur schijnen en dacht: geborgenheid. Je dacht: samen kerst vieren, gezellige avondmaaltijden, een moeder die eraan dacht naar je bezoek aan de dokter te vragen. Het was tien miljoen kilometer af van de oorlogen op het journaal, er waren geen steekmuggen, geen moessons, geen bommen, zelfs geen vastelandse wispelturige emoties en scheidingen.

Dus als je het zo zag, wat was er dan mis met hem en Sophie? Het was alsof er een geest in het huis rondwaarde die vreugde stal. Waarom had Sophie zich uitgehongerd in plaats van haar moeders maaltijden te eten en gelukkig te zijn? Waarom had hij zichzelf na de zondagse lunch altijd veroordeeld tot verbanning in de tuin met Rosalind, terwijl Alistair en Sophie aan de tafel discussieerden als vader en zoon?

Het was raadselachtig. Het gezinsleven was complex. En hij had er nu genoeg van.

Rosalind was altijd een enthousiaste tuinierster geweest, en Luke had daar in allerlei weersomstandigheden met haar gestaan. Hij had mokken thee gedronken terwijl de koele lentebries de forsythia deed ritselen, had ijsblokjes in een glas Pimm's laten rinkelen terwijl de zon op een kamperfoelie brandde die vibreerde van de bijen. Maar op dat moment vermengde de herinnering van samen met haar in de sneeuw de clematis opbinden voor het naderende noodweer zich eigenaardig genoeg met het koude gevoel van het pistool tegen zijn slaap.

Natuurlijk had tuinieren hem nooit echt geïnteresseerd, maar hij hoopte dat zijn moeder dacht van wel. Toen zette hij zijn tanden op elkaar voor de knal.

Het is mooi en angstaanjagend tegelijk om te erkennen dat de gebeurtenissen die ons leven veranderen vaak op de kleinste kansen berusten. Een piepklein knipperend lichtje en een kort elektronisch piepje redden Lukes leven. Als hij zijn telefoon op stil had gezet, zou hij dood zijn geweest. Dan zou Rosalind de kamer in zijn gerend en had het bloed, de botten en de hersenen van haar zoon verspreid over het behang gevonden.

Langzaam bewoog Lukes blik naar de mobiele telefoon die vrolijk doorknipperde op het bureau waar hij al dagen in de oplader stond. Zijn vinger liet de trekker los. Niet dat hij wilde weten wie er belde, maar hij vroeg zich af waarom de telefoon knipperdeknipper deed, bijna alsof hij dit fenomeen nooit eerder had gezien. De nieuwsgierigheid die hij voelde was lichamelijk, zo elementair als het reukvermogen. Hij pakte het toestel op en las de woorden 'Pap MOB' op het scherm.

Op dat moment kon de ongewoonheid hiervan nog niet tot Luke doordringen. Het was drie uur, maar wat betreft het gevoel voor beschaving dat hij nog overhad, had middernacht net zo goed het midden van de grote donkere oceaan kunnen zijn. En nu kwam er uit het niets een flesje naar hem toe dobberen. Hij raakte het nieuwsgierig aan, verwachtte niets, maar voelde toch instinctieve angst. Hij onderzocht het zo doelloos als een snuffelend dier.

"Luke?" zei de stem. "Luke? Hoor je me? Luke?"

"Ja?" Het was een eigenaardig, hol geluid.

"O, je bent er wel. Luke, met mij. Je vader. Ik ... Het is midden in de nacht", zei Alistair streng, alsof Luke hém belde, "maar ik ... je zúlt wel denken dat ik gek ben, maar ik kon niet slapen, en hoewel het één volkomen onchristelijke tijd is, dacht ik – misschien ten onrechte –, dacht ik dat ... Nou ja, je bent vaak nog op en ik dacht dat ik je misschien niet wakker zou bellen. Ik heb je toch niet wakker gemaakt, Luke? Ik hoop van niet. Of wel?"

"Nee", zei Luke.

"O, goed. Gelukkig. Dat zou ik niet graag op mijn geweten hebben. Je slaapt al zo slecht, toch? Ik zou het mezelf nooit vergeven hebben als ik je wakker had gemaakt ..." Alistair liet zijn stem wegsterven en Luke hoorde zijn eigen ademhaling in de telefoon weerklinken. "Je dacht zeker dat ik niet heb gemerkt dat je niet slaapt", zei Alistair.

Het bleef stil.

"Dacht je dat, Luke? God, we hebben niet echt gepraat. Dus ik neem aan dat je dacht dat ik niet doorhad wat er aan de hand was, hoe ongelukkig je bent. Dacht je dat?"

Luke wist dat hij moest antwoorden, omdat hij anders vragen zou blijven stellen. "Ja", zei hij.

"Nou, dat had je mis."

Ja, mis. Natuurlijk had hij het mis. Hij had altijd alles mis. Luke wilde de telefoon neerleggen en bedacht hoe fijn het zou zijn om de stem het zwijgen op te leggen en dan met een luide knal de hele wereld het zwijgen op te leggen. Dan zou het feest in de Lapis-Lazuli evengoed nog ophouden.

Hij verlangde naar de stilte waaraan hij was blootgesteld in de seconden na het auto-ongeluk met Arianne, Ludo en Jessica, toen het zo stil was in zijn hoofd als vallende sneeuw in de nacht voor ze zich allemaal zichzelf weer herinnerden.

De stem ging verder in zijn oor, irriterend, volhardend: "Hoor eens, ik weet natuurlijk dat dit nogal vreemd is, maar ik heb een ongewone dag gehad en ik dacht ... nou, dat ik net zo goed in dezelfde trant door kon gaan. Het geval wil namelijk, Luke, dat ik een hele hoop dingen tegen je wil zeggen. Dingen waarvan ik vind dat je het recht hebt om ze te horen."

Luke voelde zijn kin achteruitschieten van verbazing. Het was een gevoelloze verbazing, als van een wetenschapper die afwijkende data aangereikt krijgt. Hij zei niets maar bleef naar de stem luisteren, naar de ademhaling, naar dit andere individu dat hij gewend was zijn vader te noemen maar dat met vreemde meisjes naar hotelkamers ging en eigenlijk net als ieder ander één grote chaos was.

Toen een week geleden de uitnodiging voor het feest arriveerde, had hij een tijdje naar de envelop zitten staren. Er stond 'Luke Langford' op. Hij was zich ervan bewust geweest dat dit de naam van een persoon was. Maar hoe kon ooit iemand te weten komen wie die persoon was als zelfs degene die de envelop openscheurde niet kon voorspellen wat 'Luke Langford' zou doen of voelen?

Maar het vertrouwen dat het in ieder geval mogelijk was om het te weten en te begrijpen, was essentieel. Waarom zou nog iemand de moeite nemen om te praten, of ook maar te handelen, als andere levens – zelfs je eigen leven – niets meer waren dan een verwarrende vertoning? Hoe moest je ooit begrepen worden door iemand, door iemand gekend? In een eenvoudiger stadium van zijn leven, misschien. Was het mogelijk dat zijn moeder alles wist wat er over hem te weten viel toen hij nog in de luiers zat?

Maar zelfs toen had hij al zonder haar weten gehandeld; hij had om geheime redenen liefgehad en gehaat.

Hij herinnerde zich dat hij een keer een paars kleurpotlood over alle muren van de pas opnieuw ingerichte logeerkamer had getrokken. Het was geweldig geweest om de kwalijke donkere lijn over die beschaafd beige muren te zien groeien. Toen Rosalind hem vond, sloeg ze haar hand voor haar mond in een uitdrukking van verbazing die hem buitengewoon veel voldoening gaf. Ze haalde dit voorval nog steeds aan als de uitzondering die haar zoons lieve karakter bevestigde.

Maar het was geen uitzondering. Er waren genoeg dingen geweest waar ze gewoon nooit achter was gekomen – de dag dat hij de grootste roos in de tuin had onthoofd, bijvoorbeeld, alleen maar om te zien of dat haar aan het huilen zou maken.

Nog vreemder waren de herinneringen aan handelingen om zijn moeder dwars te zitten om redenen die hij zelf niet eens begreep. Zijn vroegste herinnering was dat hij met zijn vuist op zijn kinderstoel sloeg en weigerde zijn aardappelpuree te eten. Hij was uitgehongerd geweest; hij kon zich de trek in zijn kleine blote buikje nog herinneren. Waarom had hij geweigerd aardappelpuree te eten terwijl hij trek had?

Hij was tot de conclusie gekomen dat niemand hem toen kende en niemand hem ooit zou kennen. Het enige wat deze theorie had kunnen ontkrachten, was als Arianne bij hem terug was gekomen. Dat zou een zegening zijn geweest – de vervulling van de beloften die de wereld hem als kind leek te doen, of tijdens de eerste liefdesweek.

De lijn ruiste en Luke luisterde weer even. Alistair had geen idee dat zijn zoon zo ver weg was geraakt, bijna te ver weg voor menselijk contact, in het domein waar het verlangen naar de dood zowel de uitgestrekte horizon als het hartverscheurende, hartzwellende verlangen om te worden begrepen overwint.

Maar natuurlijk was het slechts bíjna te ver: Lukes pols was net op tijd gegrepen. Geleidelijk aan begon hij te beseffen dat het geruis dat hij hoorde het geluid van een menselijke ademhaling was. Zijn vader huilde aan de telefoon.

"Luke, ik ben je mijn excuses verschuldigd", zei Alistair. "Ik bel om te zeggen dat het me spijt."

Zo stellig alsof het hem door een ambulancebroeder was toegediend, bracht de 50.000 volt die recht op de hartspier was gericht hem bij. Lukes bewustzijn kwam sputterend en snakkend tot leven en zijn eerste gevoel was boosheid – woede omdat hij nog in dezelfde gevangenis zat.

"Waarvan?" wilde hij weten, met het verbolgen gevoel dat zijn vader hem weer eens zijn rust had afgenomen. "Waar heb je spijt van?"

Er volgde een lange stilte, en toen zei Alistair: "Dat ik nooit naar je rugbywedstrijden ben gekomen."

Wat was dit voor grap? Luke zei niets. Hij vroeg zich af wat zijn vader in godsnaam wilde, welke nieuwe truc om zijn ondergeschikte verstandelijk vermogen aan te tonen in dit raadsel verborgen lag. Sophie zou het natuurlijk weer wel begrijpen. Maar terwijl die gedachten door zijn hoofd schoten wist hij dat hier geen sprake van misleiding was. Hij wist, zoals we dat allemaal weten wanneer het zo zelden op ons pad komt, dat hij hier met nederigheid te maken had. Het was onmogelijk te negeren.

Hij voelde zijn lichaam tot rust komen en weer buigzaam worden, alsof het zich herstelde in een aangenaam klimaat. Hij keek naar beneden en het pistool was nu een voorwerp in zijn greep geworden in plaats van een onderdeel van zijn hand dat hij alleen maar naar een soort vrijheid moest richten. Hij legde het op het bureau.

"Je bent er toch nog wel, Luke? Luke?" vroeg zijn vader.

"Ja, ik ben er nog", zei hij.

Alistair sprak dringend, bijna zonder adem te halen, en herhaalde de naam van zijn zoon alsof hij hem achternarende door een gang: "Luke, ik ben een slechte vader voor je geweest. Ik heb alles fout gedaan. Dat zie ik nu. Echt waar. Mijn instinct vertelde me niet hoe ik een vader moest zijn."

En alsof zijn vader hem bereikt had en van achteren zijn armen om hem heen had geslagen om hem tegen te houden, voelde Luke zijn hele lichaam schokken van de emotie. Net als Rosalind was hij hoofdzakelijk een goedaardig persoon, wiens joviale glimlach grotere diepten van medeleven en barmhartigheid verborg dan bij de meeste mensen.

Alistair herhaalde: "Ik heb erover nagedacht. Ik heb alles fout gedaan."

En Luke zei: "Nee, pap. Dat is niet waar."

"Wel, Luke. Niet schoolgeld enzovoort, niet kleding en dokters, maar ... de dingen die voor het innerlijk van een kind van belang zijn. Alles fout. In jouw geval niet eens fout, maar gewoon helemaal niet gedaan."

"Nee. Nee, ik kan dingen bedenken. Je hebt ons voorgelezen", zei Luke. "Weet je nog? Je vertelde ons alle Griekse mythen en zo."

"Maar die hoorden bij Sophies Griekse lessen. Je bent een schat, Luke. Dank je. Maar er was nooit iets alleen voor jou. Dat zie ik nu in. Waarom?"

Luke zei: "Dat weet ik niet." Hij wist het echt niet. Hij had er vaak over gepeinsd in de Grot, door de jaren heen, als Alistair vergat "Goed gedaan" te zeggen wanneer hij de jongste jongen ooit was die het zwemkampioenschap van Stanton had gewonnen, of toen Luke als een gek had gebuffeld, onder eindeloos gepest van klasgenoten en Sophies ongeduld als privélerares, om een 7,5 voor Latijn te krijgen. Verstopt in de hal naar de keuken had hij Rosalind horen zeggen: "Alistair, lieverd, doe je straks wel even enthousiast over Lukes Latijn? Hij wilde het je dolgraag vertellen en het leek je niets te schelen."

"Wat? Ik ... O, Rosalind, ik zit met een grote zaak en jij hebt het over een proefwerk van een brugklasser."

Sophie sloop op haar sokken door de keuken met de placemats. "En

ze zijn een makkie, Lukes proefwerken, gewoon *amo, amas, amat*."
"Ik moet je gelijk geven, Soph", had Alistair gezegd. "Het is een verdomd dure school voor de hoeveelheid onderwijs die ze geven, Rosalind. Ik weet dat je er een hoge dunk van hebt, maar het gaat eigenlijk alleen maar om de sport. Hersenloos gedoe voor een hoge prijs."

Luke was weggerend om hete tranen te huilen in de Grot, tot hij geroepen werd voor het eten.

Nu schraapte Alistair zijn keel en sprak duidelijk in de telefoon: "En je hebt nooit geklaagd. Waarom eigenlijk niet?"

"Dat weet ik niet", zei Luke.

"En je schreef me al die brieven vanuit school. Al die brieven met beschrijvingen van tennis- en zwemwedstrijden enzovoort."

"Ja."

"En mama was altijd degene die terugschreef. Jezus, ik ... ik zette alleen mijn naam eronder."

Luke kon hier niet op antwoorden, want hij was niet in staat iets uit te brengen.

Alistair ging verder: "Ik wil mijn verontschuldigingen aanbieden. Ik wil dat je weet dat het me meer spijt dan ik zeggen kan, omdat mijn woordenschat ineens heel beperkt blijkt. Ik kan je nu alleen zeggen dat ik geen idee had van wat ik deed – het verbaast me hoezeer ik er geen idee van had – en dat het me ontzettend spijt." Toen bedacht Alistair dat hij er zijn hele leven naar had verlangd te weten wie zijn vader was, maar dat het uiteindelijk veel belangrijker bleek dat hij zelf een goede vader moest zijn. Hij zei: "Denk je ... Denk je dat je me kunt vergeven, voor alles wat ik gedaan heb en alles wat ik niet gedaan heb?" Daarna lachte hij droevig. "Wat absurd om zoiets te vragen! Waarom zou je in 's hemelsnaam? Hoe kun je zoiets van iemand vragen? Maar het moet wel. O, denk er anders gewoon over na. Overweeg het. Laat het even bezinken."

"Nee, dat hoeft niet", zei Luke. "Ik weet al dat ik je kan vergeven. Dat heb ik namelijk al gedaan."

Maar het zat niet in Alistairs aard om de liefde te aanvaarden als het willekeurige wonder dat het was. Hij was er altijd mee omgegaan alsof het een filosofische stelling betrof, die aan de wetten der logica onderhevig was en daardoor begrijpelijk voor het menselijke verstand. En zo bedierf hij al zijn geluk. "Waarom?" vroeg hij, nog steeds hulpeloos in de macht van deze karaktertrek.

Lukes antwoord was simpel: "Omdat je mijn vader bent."

Alistair keek om zich heen naar de pasgewitte muren van zijn moeders slaapkamer. Daarna nam hij zijn hoofd in zijn handen en aanvaardde de volledige kracht van dit antwoord. Hij zag in dat de liefde die we voor onze ouders voelen feitelijk de enige is die we nooit zullen opgeven. Het is een pathologische liefde, maar niettemin liefde, ondanks het feit dat hij er voor de rest van de wereld soms als haat uit kan zien.

Luke hoorde ook zijn eigen stelligheid. In een stille vlaag vielen de angstaanjagende ontdekkingen van de afgelopen uren weg. Zijn blik rustte op het pistool en hij schrok zich rot. Wat was hij van plan geweest? Zijn hoofd vergat het. Zijn gedachten haastten zich nu weg van het onnoembare en het pistool voelde zo grotesk aan als een menselijk bot. Hij slaakte een diepe zucht en accepteerde zijn leven.

Hij zei: "Pap, kom je weer naar huis?"

Alistair zuchtte en kneep in zijn neusbrug. "Ja."

"Waarom breng je dan niet wat van haar spullen mee?"

Alistair zag het sentiment dat hierachter zat en was erdoor geroerd, maar dit gevoel week al snel voor de schaamte die onder het oppervlak van al zijn gevoelens lag. Vertwijfeld zei hij: "Maar porseleinen hondjes, Luke? Zulke smakeloze prullen? Waar moet mama die in godsnaam neerzetten?"

"Verdomme, pap, ze zou ze zo op de schoorsteenmantel zetten. Jij bent degene voor wie alles altijd chic moet zijn. Mama zou ze uit eerbied op de schoorsteenmantel zetten."

Alistair liet zijn ogen dichtvallen. "Luke, ik wou dat ik al veel eerder gebruik had kunnen maken van jouw raad", zei hij.

Ze spraken niet veel langer meer. Sommige gesprekken zijn qua inhoud zo zwaar dat ons voorstellingsvermogen ze niet lang kan verdragen en rust moet zoeken. Toen ze even later afscheid van elkaar namen was dat met een vredig gevoel dat ze beiden nooit eerder hadden gekend.

Alistair kroop weer in bed en trok de lakens over zich heen.

Luke kleedde zich uit en ging onder het dekbed liggen.

Ze legden beiden hun telefoon op het nachtkastje met een soort ontzag, een gedeelde verbazing over de kracht die zo'n klein apparaatje bezat.

Toen vielen vader en zoon in diepe slaap.

25

De volgende ochtend vroeg liep Alistair naar Ivy's huis met een envelop in zijn hand. Die bevatte een briefje waarin stond:

> Beste Ivy,
> Ik wil graag een aantal dingen voor je doen en ik hoop dat je mijn hulp zult accepteren omdat ik het met alle liefde doe en het me een groot genoegen zou zijn te denken dat ik je na al die jaren van nut kan zijn.
> Als je het goedvindt, wil ik regelen dat je huis goed wordt aangepast, zodat je een aparte slaapkamer en woonkamer krijgt en een badkamer op de begane grond. Ook wil ik regelen dat je naar een specialist kunt voor je heup, omdat ik denk dat het leven een stuk aangenamer voor je kan zijn.
> Hier heb je alvast wat geld voor een nieuwe melkkan, of waar je het ook aan uit wilt geven.
> Ik moet nu snel terug naar Londen, maar ik bel je over een paar dagen als je wat tijd hebt gehad om over mijn voorstellen na te denken.
> Hartelijke groet,
> Al

Het had hem beter geleken om niets over Geoff te zeggen. Dat zou later wel komen. Zijn eerste zorg was het verbeteren van Ivy's leefomstandigheden. Hij was van haar armoede geschrokken. Als hij niet met zijn eigen handen het huis kon renoveren, wat de weergaloze Martin ongetwijfeld wel gekund had, kon hij er toch op z'n minst voor betalen met het geld dat hij met zijn hersens had verdiend. Toen dacht hij eraan dat Martin aan kanker was overleden en kreeg hij berouw: Martin was een aardige, makkelijke man geweest en zou nooit hebben vermoed dat hij het onderwerp van Alistairs paranoïde rivaliteit was.

Nadat hij de envelop onder de deur door had geschoven strompelde Alistair weer de hoek om voor een ontbijt van crackertjes en sap, wat het enige was wat er in de keuken te vinden was. Daarna bestelde hij een taxi om hem naar het station te brengen.

De chauffeur was dezelfde als die hem de vorige dag naar Rosewood gebracht had. "Morgen, chef. Weer naar uw ouwe vadertje?"

"Nee, vandaag niet. Ik moet terug naar Londen", antwoordde Alistair.

"Oké dan."

Alistair legde zijn tas op de achterbank en tilde zijn zere been naar binnen. "Eigenlijk", zei hij. "Ik vraag me af ... Zou u misschien een kleine omweg willen maken voor we naar het station gaan? Het is zo'n heldere dag dat ik graag nog even het uitzicht wil zien", legde hij verlegen uit, waarbij hij tegen zichzelf zei dat hij zijn handelingen niet tegenover een taxichauffeur hoefde te rechtvaardigen.

"Naar het klif? Geen probleem", was het antwoord.

Ze reden naar de parkeerplaats onder aan het voetpad. Alistair stapte uit en zei: "Ik laat mijn tas liggen als u dat goedvindt. Ik ben zo weer terug, en ik betaal natuurlijk voor het wachten."

De chauffeur draaide zijn raampje naar beneden en begon een sigaret te rollen. "Haast u niet, chef. Zo zie ik mijn werkdagen graag", zei hij met een knipoog.

Alistair glimlachte en ging op weg.

Terwijl hij uitkijkend op zee omhoogklom en het zachte krijt onder zijn schoenen voelde knarsen, verbaasde het hem dat hij niets bijzonders voelde. Hij had bijna verwacht – en misschien eigenlijk ook wel gewild – dat hij op deze plek vervuld zou worden met een ontzagwekkende melancholie. Het barstte hier tenslotte van de herinneringen aan zijn kindertijd. Maar toen hij zijn lievelingsplekje bereikt had, was hij zich slechts bewust van een lichte glimlach om zijn lippen. Net als op die bizarre dag van zijn drieënzestigste verjaardag doemde alleen het beeld van zichzelf op zijn drieëntwintigste voor hem op, toen hij een laatste keer op het klif had gestaan voor hij aan een stralend nieuw leven in Londen begon. Toen hij zo vurig naar de golven had gestaard, zelfverzekerd als hij was omdat hij op het punt stond een groots, onuitwisbaar gebaar richting de wereld te maken. Alistair schudde mild zijn hoofd om zijn dwaze jonge zelf.

Nu begreep hij dat al onze handelingen minder definitief zijn dan we denken. En als het om liefde gaat, zijn we eeuwige optimisten. Onverklaarbare, heimelijke banden worden door de geest lang onderhouden. Misschien is alleen de dood lomp genoeg om de menselijke fantasie ervan te overtuigen dat het te laat is om iets recht te zetten.

Hij wist dondersgoed dat hij zijn hele leven bespiegelingen en confrontaties uit de weg was gegaan. Met die meedogenloze aandacht voor zijn werk en andere praktische zaken had hij elke herinnering aan zijn verleden of een enkel moment om ervoor te gaan zitten en zijn vrouw in vertrouwen te nemen in de kiem gesmoord. Hij had het uitgebreid zoeken naar informatie over gezondheidszorg of financiële zekerheid zelfs ver verkozen boven een middag met zijn kinderen, en nog veel verder boven tijd met zijn zoon. In de afgelopen negenendertig jaar was er op de een of andere manier altijd een brief geweest die direct na het avondeten geschreven moest worden, of een gigantische stapel rekeningen of een nieuwe opdracht die hij in het weekend moest doornemen.

Maar onlangs was natuurlijk gebleken dat zelfs onwrikbaar pragmatisme een bepaald soort geloof vereist. Het was alsof hem, zolang hij erover zweeg, in ruil voor zijn langdurige verering, kwijtschelding van disciplinaire maatregelen was verleend. Maar het geloof zelf had hij verloren. Nu het weg was, kwam Alistair erachter dat de vele kleine wilshandelingen of opofferingen die de solide contour van een persoonlijkheid vormen niet langer 'natuurlijk' aanvoelden.

Want hij stond hier tenslotte toch weer op het klif om na te denken.

Hij keek naar de golven die opkwamen, aanzwollen en tegen elkaar botsten. Na een tijdje kreeg hij het idee dat hij misschien altijd het verkeerde beeld van de zee en zijn vertoning van verheven onverschilligheid had gehad. De verdwijnende golven hadden hem doen denken aan alles wat vergankelijk en onbeheersbaar was in de wereld, en hij had zichzelf er letterlijk toe gedwongen ernaar te kijken. Maar nu was het alsof zijn perspectief ineens veranderde. Hij zag dat de zee met absolute consequentie met iedere omslaande golf zijn clou herhaalde: niets is blijvend, en daarom is het mooi. Dat leek hem het onverwachte geheim van geluk, dat hij zijn hele leven had proberen te vernietigen.

Hij wist dat de chauffeur op hem wachtte, maar bleef nog een paar minuten, hoewel hij wist dat hij het weer zou zien en dat dit beslist geen definitief afscheidsgebaar was, maar dat hij gewoon nog niet wilde gaan. Terwijl hij daar zo stond, vroeg of ontving hij geen groots filosofisch inzicht, maar een gevoel van voldoening trok door hem heen als hij zich voorstelde hoe hij de tijd letterlijk scheen vast te houden, als een marmeren ei in de palm van zijn hand. Er was een gewicht en het was glad, en daarna vervlogen die eigenschappen; misschien zag hij de tijd weerspiegeld in de koele, lege horizon.

Toen hij weer bij de taxi aankwam, zat de chauffeur een kruiswoordpuzzel te maken en ze bespraken de vragen tot aan het station. Alistair schepte er enorm veel genoegen in dat hij alle antwoorden kon geven en er zulke verrukte dankbaarheid voor terugkreeg. "O, dat is heel aardig van u. Ik ben alleen bang dat ik verder nergens voor deug", zei hij toen ze bij het station aankwamen en hij zich al die lof onwaardig voelde, hoewel die veel voor hem betekende.

"Maar scherpzinnigheid, hersens", zei de chauffeur, die er niets van wilde horen, "daar kun je het ver mee schoppen in het leven."

Alistair glimlachte en betaalde hem.

De eerste trein die zou komen, ging naar Charing Cross in plaats van het gunstigere Victoria. Het maakte niet veel uit. Op het perron haalde hij het boek over het Ottomaanse Rijk van zijn oude kennis Henry Downing tevoorschijn en toevallig herinnerde dit hem aan een uiterst ontroerende beschrijving die Henry in een boekrecensie in de *Times* over Charing Cross had geschreven. Hij vertelde daarin hoe Edward I, radeloos door de dood van zijn vrouw Eleanor van Castilië, haar lichaam van Schotland naar Londen bracht en een kruis plaatste op iedere plek waar haar lichaam en gevolg rustten. Alistair werd opnieuw geroerd door dit gebaar, helemaal aangezien Edward I altijd alleen maar om zijn wreedheid jegens de Schotten bekendstond. Er had toch iets goeds in hem gezeten: liefde. Alistair voelde tranen opwellen en vroeg zich af wat er in godsnaam met hem aan de hand was. Hij kocht een krant om te zien of hij nog een kruiswoordpuzzel kon oplossen.

Maar de kruiswoordpuzzel was niet interessant. Het nieuws ook niet. Terwijl hij in de treincoupé zat met zijn tas nogal oudevrijsterachtig achter zijn voeten geklemd, gingen zijn gedachten naar Rosalind, onvermijdelijk naar Rosalind. Zijn handen vouwden en ontvouwden het randje van zijn kaartje. Hij wist dat hij niet naar een adres terugging, niet naar een wit huis in Holland Park met een nummer op de deur, maar naar een vrouw met bruin haar en elegante handen en een ellendige teleurstelling in haar ogen. Hij was doodsbang.

Hij keek verbaasd naar buiten toen de trein zijn eerste stop maakte: Folkestone Central. Dit moest de snelste trein ter wereld zijn.

Alistair mocht dan zoals altijd met succes zijn huwelijkskwestie hebben vermeden, hij had evenwel onder spanning gestaan. Hij werd in het bijzonder geplaagd door de voor Rosalind onkenmerkelijke uitspraak die ze de avond dat hij belaagd was had gedaan: "Dan moeten ze wel zo stil als hónden geweest zijn ..."

Allereerst vroeg hij zich toen af of ze ooit een verhouding had gehad. Die paar kleine woordjes hadden zoveel twijfel gezaaid! Maar zijn vrouw had blijk gegeven van een veel groter voorstellingsvermogen dan anders en hij had zich bedreigd gevoeld. Als dat al mogelijk was, waarom zou ze dan ook geen seks met een ander hebben gehad? Waarom niet met een van zijn vrienden? Julian misschien? Julian had altijd een oogje op haar gehad. Elise wist dit, maar gedroeg zich keurig. Wat was het dan op z'n plaats geweest dat het juist Julian was geweest die er met zijn goede-buren-actie voor had gezorgd dat Alistair aan eer had moeten inboeten.

Ja, Rosalind en Julian, een ongewoon stel, maar wie wist waar vrouwen voor vielen? Of Henry Sanderson misschien, met zijn grote handen en brede kop vol haar, dat hij ogenschijnlijk nooit zou verliezen. Of Anthony Crichton, met zijn opdringerige aanbod om te helpen afruimen en de manier waarop hij haar 'Rozzy' noemde, wat verdomme niemand behalve haar zus deed: "O, Rozzy, wat ben je weer geweldig, zoals altijd. Laat een van ons stervelingen je een handje helpen."

Alistair hoorde Rosalinds giechel. Ja, zijn vrouw en Anthony Crichton. Hij kon het zich voorstellen, fysiek gezien. Anthony zou haar hals kussen terwijl hij haar blouse uittrok en met zijn stompe vingers tussen haar borsten door gaan.

Het zweet stond op Alistairs voorhoofd en hij klemde het treinkaartje in zijn vuist. Het beeld van Rosalind en Anthony maakte plaats voor de herinnering aan een verschrikking eerder in zijn leven: die van zijn moeder, de keer dat hij onverwachts terugkwam van zijn zondagsschool in de kerk. Daar lag ze, worstelend met het vette lijf van meneer Bisset, op de vloer in de hal. Hij herinnerde zich nog dat hij had gedacht: kun je met een paraplu een man vermoorden? Zouden ze je ophangen als je er het leven van je moeder mee probeerde te redden? Maar voor deze vragen relevant werden, ging de enorme schouder opzij om zijn moeders glimlachende gezicht te onthullen. Ze genoot ervan. Ze spoorde haar agressor zelfs aan. Wat had dat te betekenen? Wat voor verschrikkelijk mysterie speelde zich voor zijn neus op het groezelige haltapijt af?

"O, Alistair, ik dacht dat je in de kerk was."

"Ik had mijn boterhammen vergeten. Ik had trek."

Ondertussen raasde de trein langs een station; langs mannen met kranten, moeders met kinderen, een man met een hond, twee zoenende tieners. Het flitste allemaal zomaar voorbij, terwijl Alistair zich afvroeg of hij Rosalind ooit seksueel bevredigd had. Hij was er niet zeker van. Ze hadden altijd vrij regelmatig gevreeën, maar ergens vermoedde hij dat ze altijd elders was, dat hij misschien haar zachte, bleke armen en benen wel kon aanraken, maar dat haar gedachten voor hem verborgen bleven. Eén keer – en het was een marteling om hieraan terug te denken – was ze in slaap gevallen. Slechts enkele seconden, eigenlijk maar een paar hartslagen, maar ze had ontegenzeggelijk geslapen. Toegegeven, het was na een paar moeilijke maanden waarin Sophie constant in klinieken zat, Luke angina had gehad en Suzannah in scheiding lag, maar de slaap had meer op een ontsnapping dan op moeheid geleken. Hij was gestopt met bewegen en had naar het loze vrouwenlichaam gestaard dat, hoewel het zwaar was in zijn armen, hem met lege handen en beteuterd liet toekijken. Hij wist nog dat hij dacht: waar ik nu naar kijk is het tegenovergestelde van lust; niet verveling, maar afzondering, eenzaamheid. En toen ze wakker was geworden en hij net deed alsof hij niets gemerkt had, had hij om te kunnen overleven de gedachte weggestopt.

Je kon wel zeggen dat ze allebei behoorlijk wat seksuele frustratie hadden gekend.

Dat had hij haar natuurlijk verweten. (Daar was hij goed in.) Maar nu begon hij zich toch af te vragen of de schuld niet hoofdzakelijk bij hem lag. Met pijn in zijn hart moest hij nu denken aan hoe ze in de beginjaren ontroerend haar gezicht scheef had gehouden om gekust te worden, of haar jurk had losgeknoopt zodat hij op haar kon gaan liggen, tegen haar bleke huid. Vrijen met Rosalind was als naar het licht buigen. Ze was zo teder geweest, vertrouwde hem volledig, haar enige echte minnaar. En in het begin was het allemaal even prachtig. Hij had zich gezegend gevoeld met haar lichaam, en wanneer ze met haar ochtendjas om zich heen bij het raam naar het kleine tuintje van hun eerste huis stond te kijken, wist hij dat zij gezegend was met het zijne. Er bestond een wederzijdse voldoening die zich met zichzelf voedde, een genot van wat ze elkaar gaven en wat ze samen creëerden.

Maar het ging voorbij. Hij bracht het verdwijnen ervan in verband met de teleurstelling die Rosalind kort na hun huwelijk te verduren moest hebben gekregen. Ze hadden afgesproken de eerste paar jaar nog geen kinderen te nemen. Rosalinds ouders vonden dat Alistair niet genoeg verdiende. Haar moeder zei: "Om heel kort door de bocht te zijn, Alistair" – hij vroeg zich af of ze dat ooit weleens niet was – "hebben jullie nog niet de stabiele omgeving gecreëerd waarin je een kind veilig kunt opvoeden. Je kunt het je nog niet veroorloven om het goed te doen, om het te doen zoals het hoort."

Gekastijd en beschaamd zoals altijd had hij Rosalind ferm toegesproken over de ernstige gevaren die het met zich zou meebrengen wanneer ze nu al kinderen zouden krijgen. Ze hadden het advies tot op de letter uitgevoerd. Ze probeerden niet eens een kindje te krijgen totdat Rosalind achtentwintig was, toen hij zich de kindermeisjes en kinderwagens en kasjmieren omslagdoeken kon permitteren die Rosalind zelf ook had gehad. Alistair had ervoor gezorgd dat alle mystieke tovermiddelen die geluk en orde moesten brengen aanwezig waren.

Hij wist dat zijn jonge vrouw het pijnlijk had gevonden om toe te kijken hoe al haar vriendinnen eerder dan zij kinderen kregen. Ze werd tot twee keer toe peettante en hij vroeg zich af of hij ooit had ingezien met hoeveel bescheidenheid ze deze rol op zich nam. Hij herinnerde zich hoe ze avondenlang gesmokte jurkjes zat te borduren voor Laura en Harriet, haar twee peetdochters. Dat moest haar zo aan het hart gegaan zijn!

Hij had altijd geweten dat Rosalind er genoegen in schepte dat ze een buitengewoon intelligente echtgenoot had, maar toen hij haar Rory, de zoon van haar vriendin Camilla, in zijn wiegje zag stoppen, dacht Alistair dat hij haar gedachten kon horen: een man die heel wat in zijn mars had was natuurlijk leuk, maar zelfs een saaie assurantiemakelaar had zijn charmes als die je een leven om van te houden kon schenken. Alistair klopte onhandig op het hoofdje van de baby en liep daarna weer naar de mannen.

Waaróm hadden ze naar haar ouders geluisterd? Of, beter gezegd: waarom had híj dat gedaan? Want Rosalind had in feite naar hém geluisterd. Met ontsteltenis herinnerde hij zich hoe vaak ze erop had gezinspeeld dat zijzelf echt alles zou doen voor een baby, dat ze het eigenlijk dolgraag wilde en dat ze met plezier Camilla's tweedehandsjes wilde overnemen in plaats van dure nieuwe kruippakjes en zo te kopen. Maar hij had, omdat hij wel beter wist, die romantische dwaasheid weggewuifd. Hij had haar enkel om het gesprek te beëindigen een nietszeggende kus op haar voorhoofd gedrukt en was weer naar zijn bureau gegaan. Hij had haar behandeld alsof ze een kind was dat zwoer voor een cavia te zullen zorgen als het er voor kerst eentje zou krijgen.

Wat had hij Rosalind bevoogdend behandeld! Geen wonder dat ze haar verbolgenheid bij tijd en wijle fysiek had geuit. Zijn eigen kussen waren een subtiele vorm van geweld geworden; ze kreeg een klopje op haar wang, voorhoofd of mond als ze ooit eens op het punt stond zijn methoden in twijfel te trekken. Het was niet verrassend dat ze had geleerd haar ogen te sluiten en hem zelfs wanneer ze vreeën nog ontweek. Hij had haar op vele manieren beledigd.

In de loop der jaren was hij de eenzaamheid van zijn eigen lichaam als 'normaal' gaan beschouwen. Dus er was eigenlijk geen interactie nodig voor seks, maakte hij zichzelf wijs, geen mystieke verbondenheid. Na de daad sjokte hij op voeten van klei van het bed naar de badkamer. En natuurlijk zag hij dat ook andere stellen steeds minder van elkaar moesten hebben; hij zag welwillende schouderkneepjes geïrriteerd weggeslagen worden. Deze observaties stelden hem gerust, maar hij voelde evenzeer zijn versteende hart.

Maar geen van beide gevoelens hield stand, want op een bepaald punt was er altijd een verschil als het op Rosalind aankwam: hun aantrekkingskracht tot elkaar bleef veel sterker dan hun seksleven deed vermoeden. Wanneer ze stilletjes langs hem liep in de hal ving hij haar citroenachtige geur op en voelde zich zwak, net zo zwak als toen hij haar de punter op hielp tijdens het bal op de universiteit. Hij zag de heupen en de taille die nog steeds slank en glad waren onder haar badjas, en het water liep hem vanzelf in de mond, net als bij de smaak van frambozen met slagroom, een lekkere single malt of wild in een pikante rodewijnsaus. En wanneer haar haar langs zijn wang streek terwijl ze haar tandenborstel pakte, sloot hij zijn ogen om dat gevoel vast te houden.

Je kon het lichaam niet compleet verwarren, hoezeer de geest ook van slag was.

Zulke momenten waren er natuurlijk niet continu; daar zorgden gewoonte, schema's en de praktische zaken rond het opvoeden van kinderen wel voor. Maar ze waren er wel, en als het gebeurde, kon hij alleen maar concluderen dat haar aantrekkingskracht op hem tijdloos was, nog intact onder de aardverschuiving van het leven, en dat dat iets was om heel jaloers op te zijn.

Maar Alistair had nooit geweten wat hij met zijn geluk aan moest. Zijn stijfheid bedierf alles. Hij wilde haar pols grijpen, of haar naam roepen, maar elk gebaar leek geforceerd of op een bepaalde manier gênant, dus zag hij ervan af.

En toch ... toen vrienden hun vrouw ontrouw begonnen te worden, wist hij dat hij altijd het buitenbeentje zou zijn. Hij had geen rol in de prikkelende verhalen die ze elkaar opdisten tijdens hun mannenavonden. De anderen deelden hun beschrijvingen van afspraakjes met lekkere secretaresses of mollige au pairs zoals jongens op kostscholen vieze plaatjes rond lieten gaan. Maar hij kon alleen maar zwijgen. Algauw werd gedacht dat hij het 'afkeurde' en werden de verhalen in zijn bijzijn gecensureerd.

Om eerlijk te zijn begreep hij het niet. Hij verlangde absoluut niet naar andere vrouwen, want Rosalind was de vrouw die hij altijd had willen hebben en daarom was ze zijn vrouw.

Nu lachte hij bitter om die laatste bewering. Als deze alleraardigste veronderstelling gebaseerd op monogamie de waarheid was, wat was er dan onlangs gebeurd, op die avond in het Ridgeley Hotel?

Maar hoe vreemd het ook was, hij had Karen niet echt begeerd. Natuurlijk had ze sexappeal, en het feit dat ze zich tot hem aangetrokken voelde, hoewel dat duidelijk een freudiaanse oorsprong had, was vleiend voor een man van in de zestig. Maar hij had niet met haar gevreeën zoals hij dat met de jonge Rosalind had gedaan. Het was niet alleen het subtiele verschil tussen vrijen en seks hebben, maar het hartelozere verschil tussen vrijen en masturbatie. Eigenlijk was wat hij in het enorme bed had gedaan terwijl de vreemde beelden naast hem op het scherm flitsten, niet eens neergekomen op masturbatie. De voornaamste sensatie was niet eens seksueel geweest.

Hij was onthutst en bang voor zijn eigen raadselachtigheid. Waarom had hij – na bijna veertig jaar van trouw – gevreeën met een onbekend meisje, met een getuige in een zaak waarin hij procedeerde? Een meisje dat slechts de minimaal noodzakelijke lichamelijke reactie veroorzaakte?

Plotseling herinnerde hij zich iets wat Rosalinds neef Philip hem in zijn laatste weken had laten zien. De arme Philip had een berouwvolle, vrome fase doorgemaakt terwijl hij tussen de lelies en pioenen wegkwijnde in zijn hemelbed. Zijn tere, bevende handen en gele huid hadden zo pijnlijk afgestoken tegen de levendigheid van de bloemen en alle handgeschilderde kaarten. En het was afschuwelijk om te zien hoe zelfs met alle goede wensen die zo bijgelovig in de kamer verzameld waren, de levercirrose het gemakkelijk won.

Na een leven vol bedrijvigheid, of het nu seks was, eten, dansen of reizen – en, jammer genoeg ook altijd drinken –, was Philip veel gaan lezen en mediteren. Hij was begonnen in de Bijbel te lezen, wat Alistair uiterst hypocriet had gevonden. Philip had altijd met niets dan sarcasme over zijn katholieke opvoeding gepraat (het was het onderwerp geweest van al zijn gemeenste en briljantste grappen) en zijn promiscue, homoseksuele levensstijl had niet minder tegenbewijs kunnen leveren.

Alistair had zich altijd net zo aan hypocrisie geërgerd als aan iemand die voortdurend grammaticale fouten maakte. Maar in dit geval maakte het hem nerveus, bracht het hem zelfs emotioneel van zijn stuk. Philip was een intelligente, misschien zelfs briljante man, en wat deed hij nu? Hij sprak zichzelf tegen op het belangrijkste moment. Waarom?

Alistair zweeg hier natuurlijk over, omdat het niet bepaald het moment was voor een discussie, en uiteindelijk stierf Philip zonder enig idee dat zijn pietluttige oude maat, Al, hier zo mee zat.

Alistair keek door het raampje van de trein naar de lichte regen die tegen het raam waaide en de bomen die voorbijschoten. Natuurlijk zag hij nu in waarom hij zich zo druk maakte over Philips verandering van leesgewoonten. Het was geen obsessie met een logische consequentie. (En was het dat ooit wel echt geweest? Was het niet altijd zijn streven naar eerlijkheid in plaats van naar slechts oppervlaktedetails, helderheid?) De aanblik van Philips bijbel had hem van het afschuwelijke besef doordrongen dat het verleden je opwachtte, intact nog, hoezeer het ook te lijden had gehad.

Was hij altijd zo ontzettend doorzichtig geweest?

Het was een passage uit *Belijdenissen* van St.-Augustinus, die Philip hem zo moeizaam maar met passie in zijn ogen liet lezen. Augustinus beschreef het plezier dat hij als jongetje had gehad in het stelen van peren, onrijpe peren die toch niet te eten waren, om ze vervolgens weg te gooien. Hij biechtte aan God op: 'Ik genoot van mijn eigen zonden. Ik genoot van mijn fouten; niet van waarvoor ik het deed, maar van de fout zelf.'

Alistair las het, gaf beleefd toe dat het een prachtige passage was en legde het boek zo snel mogelijk weer weg. Gelukkig kwam op dat moment net Philips partner Jake binnen, met nog meer bloemen en een hele stapel foto's van vrienden die Alistair niet kende, en was dat een goed excuus om weg te gaan. Toen Alistair vertrok, neuriede Philip een deuntje, wat hij heel eigenaardig en oneerbiedwaardig vond nadat Philip eerder zo ernstig was geweest, zodat hij het maar toeschreef aan de dementie van een alcoholist.

Maar hij had het natuurlijk gewoon verkeerd begrepen. Boven zijn boek van St.-Augustinus neuriede Philip Frank Sinatra's *My Way*. Alistairs gevoel voor religie was nooit eerder samengegaan met berustend gelach. Hij glimlachte en schudde zijn hoofd. Goeie ouwe Philip, dacht hij.

Maar het was wel een raadsel. Waarom zou iemand onrijpe peren stelen of, zoals Alistair, een stuk boterkoek uit Ivy's keuken, om dat vervolgens in een zak te proppen waar het zeker onder de pluisjes zou komen te zitten en oneetbaar zou worden? St.-Augustinus had de peren weggegooid; Alistair had de boterkoek naar een hond op het klifpad gegooid. En veel later had hij bijna veertig jaar van trouw vergooid met een meisje in een hotelkamer, waarna hij terugging naar zijn vrouw. Hij herhaalde de woorden van St.-Augustinus in zijn hoofd: 'Ik genoot van mijn eigen zonden. Ik genoot van mijn fouten;

niet van waarvoor ik het deed, maar van de fout zelf.'

Ineens had Alistair het idee dat hij op een belangrijk punt was aangekomen – net als boven aan het klif, maar dan vanbinnen – en dat hij weer niets bijzonders voelde. Misschien, dacht hij, zijn we allemaal heimelijk in conflict met het leven dat we gekozen hebben. Misschien waren die momenten van moedwillige verdorvenheid in feite, op een afschuwelijke en gewelddadige manier, nodig. Ze waren geenszins te rechtvaardigen (nee, ze konden niet vergeleken worden met opspringen in de rechtbank om "Protest!" te roepen), ze waren gewoonweg vernietigend. Maar hoe kunnen we ons anders bewust worden van de opofferingen die we ons getroosten om een stabiele persoonlijkheid te zijn? Consequentie was tenslotte een onophoudelijke scheppende handeling, en Alistair had daar veel offers voor gebracht.

Maar het was misdadig om het weggooien van bijna veertig jaar trouw op wat voor manier dan ook te vergelijken met het jatten en wegsmijten van onrijpe peren! Toch bracht de vergelijking een belangrijke waarheid naar boven, en het leek wel of hij nooit eerder zoiets eerlijks en eerbiedwaardigs had bedacht. Peren of trouw, het vernietigen van hun waarde vereiste eenzelfde machtsvertoning. Genieten van je eigen fouten was in feite een vorm van zelfexpressie; het was een verlangen om het ruwe zelf achter de façade van het geloof vandaan te halen en tentoon te spreiden, ook al betekende dat dat je alles zou verliezen.

En als dit verlies dan bewees dat onze overtuigingen en ambities allemaal gekunsteld waren, dacht hij, dan is het belangrijk om te onthouden dat dat ze nog niet waardeloos maakt. Ze zijn natuurlijk, net als het web van een spin natuurlijk is. En op dezelfde manier zijn ze schitterend. Net zoals je weleens stilstaat in een tuin om te kijken hoe de zon van de dauwparels een ingenieus patroon weeft, zo is ook de structuur van ons leven het overdenken waard.

Alistair voelde in zijn tas of de beeldjes van zijn moeder nog in orde waren. Hij had er drie meegenomen: twee porseleinen doosjes en een porseleinen herderinnetje, die een voor een zorgvuldig in zijn kledingstukken waren gewikkeld. Wat had hij een eenzame en bange vrouw ernstig veroordeeld. Misschien had ze echt van Geoff gehouden, wie zou het zeggen? Hoe dan ook, als ze ook maar een beetje plezier aan haar louche minnaars had beleefd, aan haar zonnige uitstapjes met de gebruikelijke traktaties of haar incidentele plezier in een mannelijke gast, wie was hij dan om haar dat te verwijten? Deze beeldjes, met hun kitscherige sentimentaliteit, omvatten een leven van niet-verwezenlijkte hartstocht.

Hoe had hij haar zo hardvochtig kunnen blijven veroordelen terwijl hij ouder werd en de wereld in een breder perspectief zag, maar intussen zijn eigen leugens bleef vertellen? Had hij dan niet gezien hoezeer Engeland veranderd was? In de jaren veertig had een ongetrouwde vrouw met kind geen andere keus dan te zeggen dat ze 'weduwe' was, als een buitenstaander ernaar vroeg. Dit verzinsel had duidelijk kunnen blijven bestaan dankzij het feit dat ze binnen de gemeenschap populair was. Maar natuurlijk had niemand met haar willen trouwen.

En dus had ze, veel later, haar zoon een speelgoedautootje gegeven, terwijl hij alleen maar zijn vader wilde. Maar kon hij zeker weten dat dit haar ook niet had dwarsgezeten? Kon hij er absoluut zeker van zijn dat haar steeds frequentere dronkenschap en haar ontstellende onzekerheid over het feit dat hij boeken las die ze niet begreep en over het feit dat hij naar Oxford zou gaan, niet veroorzaakt waren door een intens schuldgevoel? Ze had natuurlijk gelijk gehad door te denken dat zijn boeken en zijn plaatsing op Oxford hem zouden leren hoe hij haar kon verlaten.

Het minste wat hij kon doen was haar beeldjes op zijn schoorsteenmantel zetten. Onmiddellijk wist hij dat zijn onvermogen om dit te doen nauw verbonden was met een leven vol erotische teleurstelling.

Even voor tienen was hij thuis. Lukes slaapkamergordijnen waren gesloten en Alistair hoopte dat zijn zoon na hun nachtelijke telefoongesprek nog steeds vredig sliep. Het huis rook naar toast en meubelpoets, en hij hoorde dat de vaatwasser in de keuken aanstond. Dit waren de geluiden en geuren van huiselijke vrede en voldoening. Maar het belangrijkste element ontbrak.

Hij wilde Rosalind dolgraag zien. Hij vroeg zich af waar ze was, maar bleef in de hal staan alsof het hem niet vrijstond om door het huis te lopen. En toen zag hij, discreet uit de weg gezet achter de paraplubak, de leren reistas die hij haar de afgelopen kerst had gegeven. De tas stond open en er zaten netjes opgevouwen kleren in.

Het was alsof plotseling al zijn hoopvolle verwachtingen wegvielen en hem lieten voelen hoe belangrijk ze waren geweest. Het leek alsof ze letterlijk zijn lichaam ondersteund hadden. In de hal stond een klein stoeltje dat nooit door iemand gebruikt werd, maar waar hij nu op neerzakte. Hij woelde met zijn handen door zijn haar.

Hij had er dus te lang mee gewacht. Rosalind ging bij hem weg en hij had niet het recht daar verbaasd over te zijn.

Slechts een paar tellen later kwam ze de keuken uit gelopen terwijl ze iets in haar handtas liet vallen en die dichtklikte.

"O!" zei ze, en haar hand ging naar haar borst. "Ik had je niet gehoord."

Hij keek naar haar op en glimlachte. "Sorry, ik had moeten bellen voor ik zomaar binnen kwam vallen."

"Nou ... dat is een beetje overdreven, niet? Het is je eigen huis."

"O ja, natuurlijk."

"Ik was je net ... Ik heb net een briefje voor je geschreven, Alistair."

"Ah", zei hij. "Ja."

Hij was veel eerder dan ze verwacht had. Ze had weg willen zijn voor hij terugkwam en ze was van zijn moedwillige verschijning geschrokken. De vastberadenheid waarmee ze al haar plannen had gemaakt, ontglipte haar. Even was ze te overrompeld om iets te kunnen zeggen en ze hekelde de macht die zijn aanwezigheid over haar had. Ze stond daar maar in de deuropening van de keuken naar hem te kijken en stamelde na een tijdje ongeduldig: "Dat had niet gehoeven. Een briefje schrijven, bedoel ik. Ik bedoel, ik had het je persoonlijk kunnen vertellen. Ik had alleen geen idee wanneer je terugkwam."

"Nee, ik ben buitengewoon egocentrisch geweest", zei hij met ontwapenende eerlijkheid.

Ze sloeg haar ogen neer naar de vloerbedekking. "Ja", was ze het met hem eens.

Toen zei hij nogal vaag: "Ik ben bang dat ik mijn verleden voor mijn toekomst heb laten gaan."

Dit irriteerde haar, want het was geen moment voor poëtisch klinkende taal. Ze zei: "Alistair, ik praat er liever niet over. Je hebt het nooit eerder met me willen delen."

"Ja, dat weet ik", zei hij, "maar dat had ik wel moeten doen."

Ze draaide zich boos om naar de halspiegel en deed alsof ze haar haar wilde fatsoeneren. "O, 'had gemoeten'." Ze snoof.

"Mag ik dan niet willen dat ik het beter had gedaan? Willen dat ik een betere echtgenoot was geweest?"

"Niet waar ik bij ben. Zoiets doe je gewoon niet."

Hij liet zijn hoofd weer in zijn handen zakken en terwijl ze via de spiegel naar hem keek, streed Rosalinds lichaam met contrasterende impulsen; ze wilde hem zowel slaan als hem omarmen. Ze haatte hem, maar hij had er nog nooit zo terneergeslagen uitgezien. Toch was het niet haar taak om hem te beschermen, en dat was het eigenlijk ook nooit geweest. Ze had hem niet bepaald geholpen door hem te beschermen.

Vlak achter zijn rechterschoen zag ze het randje van haar reistas en de opgevouwen jas, en ze realiseerde zich dat hij die ook gezien moest hebben.

Hij hief zijn hoofd weer op. "Rosalind, wil je me op z'n minst de kans geven om een paar dingen te zeggen? Over het meisje? Ik wil je op z'n minst een soort ... verklaring geven."

Ze lachte bitter. "O, Alistair, wat zou er in godsnaam kunnen zijn dat niet overduidelijk is voor iedereen? Jij denkt dat je een bijzonder geval bent, dát is jouw probleem."

"Misschien heb je gelijk", zei hij. "Maar er zit meer achter."

"Nee. Iedereen zit ingewikkeld in elkaar. Alleen denk jij dat jij dingen mag doen die andere mensen niet in hun hoofd zouden halen, alleen maar omdat je Alistair Langford bent, alsof je op de een of andere manier bij je geboorte niet te beurt is gevallen wat je verdiende. Wat verdient een mens? Jij denkt dat de dingen die je verkeerd doet op de een of andere manier ... ik weet het niet ... intellectueel geraffineerder zijn, dat je schuldig bent aan een hogere klasse van verkeerd. Maar ik kan je vertellen: een leugen is verdomme een leugen!" Ze werd nu boos. "En jij hebt er een heleboel verteld."

"Ja, ik heb gelogen."

"Dat kun je wel zeggen, ja. En ik heb je daar nog bij geholpen ook!"

"Nee, Rosalind, jou valt helemaal niets te verwijten."

"Waarom niet? O, houden ze in de hemel rekening met mensen zoals ik? Mensen die extra hulp nodig hebben?"

"Ik ... nee."

"Dan verwijt ik het mezelf, alstublieft dank u wel. We zijn op valse gronden aan dit huwelijk begonnen. Ik dacht dat je me niet de hele waarheid vertelde. Ik dacht al dat er iets niet klopte aan je volkomen gebrek aan interesse voor je verleden of aan het feit dat er op onze trouwdag niemand was die je niet in de laatste vier jaar had leren kennen. En ik dacht het toen mama zei dat het zo jammer was dat we niet eens een foto van je moeder hadden gezien. Soms vraag ik me af of zij het ook wist."

"Ja, dat heb ik me ook afgevraagd."

Rosalind schudde vol afschuw haar hoofd. "O ja? Je bent ook zo slim, hè?"

"Nee", zei hij.

"Echt waar, wat heeft jouw moeder je in godsnaam aangedaan, Alistair? Waar heeft ze het in 's hemelsnaam aan verdiend om zo afgewezen te worden? Was het moord? Ontvoering? Marteling?" Ze had rode wangen van kwaadheid.

"Het was omdat ze niet wist wie mijn vader was", zei hij zachtjes.

"Wat? Maar je vader is omgekomen in ..." Ze maakte haar zin niet af. "O, nog een leugen?"

"Het was háár leugen, Rosalind. Nou, in eerste instantie tenminste. Alsjeblieft, luister, ik snap dat dat niets uitmaakt. Natuurlijk snap ik dat. Maar ze heeft me nooit iets over hem verteld, behalve dat. Ik moest je ouders toch íéts vertellen! Het probleem was dat ik altijd heb geweten dat het niet waar was. Ik weet niet hoe, maar ik wist het gewoon."

"Ja, natuurlijk, dat weet je nou eenmaal. Iedereen weet het als iemand liegt. Zoiets ruik je."

Hij zette zich schrap voor de woede die hij nooit eerder in haar gezien had. "Maar Rosalind, ik bleef toch op de een of andere manier hopen dat het waar was ... en ik liet het wel uit mijn hoofd om erover te beginnen en dan zeker te weten dat het niet zo was. Ik hield mijn mond, en in de loop van mijn jeugd hebben mijn moeder en ik een soort overeenkomst bereikt dat we het er niet over zouden hebben. Maar dat kun je niet hebben in een gezin. Bij vrienden of collega's op het werk kan dat wel, maar in een gezin kun je geen leugens hebben."

"Nee, dat klopt."

"Ik ben zo ongelooflijk ... Rosalind, ik ... Ze loog over mijn váder."

"Maar ze was je moeder. Betekende dat dan niets?"

Hij keek haar bedroefd aan met ogen die om begrip vroegen, maar ze wilde niet dat hij zich begrepen zou voelen. Ze wilde dat hij zich verbannen voelde, want dat verdiende hij.

"Je moet haar wel heel erg gehaat hebben om te doen wat jij gedaan hebt. Om te zeggen dat ze dood was. Het was eigenlijk moord. Weet je dat?"

"Ja."

"Je háátte haar – je eigen moeder."

"Ja, ik haatte haar."

"En zo hevig."

"Ja, met heel mijn hart."

"Maar dat heb je aan mij beloofd", zei ze.

Ze drukte op haar slapen om niet te huilen. De simpele pijn die haar vingers toebrachten was een afleiding van het verraad. Het bloed klopte onder haar vingertoppen en ineens begreep ze waarom Sophie die sneetjes in haar armen had gemaakt en zag ze in wat haar dochter bedoeld had toen ze het probeerde uit te leggen door te zeggen dat het net zoiets was als even de tv op een ander kanaal zetten als de film te eng of verdrictig wordt.

Alistair zei: "Rosalind, ik begrijp dat het te laat is, echt waar, het is al jaren te laat eigenlijk, maar ik wil dat je weet dat ik mijn best heb gedaan, in ieder geval in sommige opzichten. Mag ik iets ter verdediging zeggen? Er waren andere, praktischere redenen om haar uit de foto te knippen. Ja, ik weet dat het een eufemisme is. Maar luister alsjeblieft naar me. Ik wil alleen maar zeggen dat je niet moet vergeten hoe Engeland ondertussen veranderd is, hoezeer houdingen veranderd zijn."

Hij zag dat ze luisterde. Hij ging verder: "Toen jij en ik ons verloofden zagen je vader en moeder me als een grote teleurstelling. Ze wilden dat je met iemand met geld en een landgoed trouwde, iemand met een titel, stel ik me zo voor ..."

"Het waren gewoon snobs."

"Ja, dat waren ze. En ik ook, omdat ik erin meeging, maar ik was jong en dom, en zij ... nou, zij kwamen uit een andere tijd. Heb je enig idee hoeveel moeite het me gekost heeft om je vader ervan te overtuigen dat ik geen verschrikkelijke mislukkeling was?"

Rosalind leunde met haar rug tegen de muur naast de spiegel en zuchtte. "Nee, dat wist ik niet."

"Ik kan je niet eens vertellen hoe vreselijk die gezamenlijke borrels van ons waren, Rosalind. Ze waren geestdodend. Ze lieten er geen twijfel over bestaan dat ik niet goed genoeg was, en dat was al hun mening over mij zónder dat daar mijn moeder nog eens bij kwam. Als ze haar ontmoet hadden, had die sentimentele onzin die ik hun over haar had aangesmeerd dat ze een vertaalster was enzovoort ..."

"Sentimentele onzin?"

Hij kon haar niet aankijken, want die 'onzin' had hij ook haar 'aangesmeerd'. Hij ging door omdat dat het enige was wat hij kon doen. "Rosalind, je moet begrijpen dat mijn moeder amper naar school was geweest. Ze was nagenoeg analfabeet. Ze had een totaal andere achtergrond. Ze was ordinair. Ja, ze was ordinair."

"Ordinair? Dus bedacht je dat je haar maar het best nooit meer kon zien? Dat was een passende straf?"

"Geen straf. Waarom zeg je dat? Ik wilde haar helemaal niet straffen." Maar terwijl hij dat zei wist hij dat dat niet waar was. Hij had gewild dat ze haar zoon zou missen zoals hij zijn vader gemist had. Als zij hem iets kon onthouden, kon hij dat ook. "Hoor eens, misschien heb je wel gelijk", zei hij. "Nee, je hébt gelijk. Maar er waren ook andere redenen. En een daarvan – een heel belangrijke – was dat ik met jou wilde trouwen. Ik wilde dolgraag met je trouwen, lieverd, en ik kon het niet riskeren om je vaders ... gevoeligheden te beledigen."

Rosalind wist dat haar vaders 'gevoeligheden', zoals Alistair zo tactvol zijn verachtelijke pedanterie omschreef, evengoed hopeloos beledigd waren. James Blunt had al snel vastgesteld dat Alistair geen landhuis, of zelfs maar een manor, zou erven. Er had eens een ontstellend gesprek plaatsgevonden voor een feestje toen haar vader de kamer in kwam lopen en terloops zei: "Hij heeft toch wel een fatsoenlijke blazer, hè, Roz? Want lady Seddon komt ook en ..."

"Nou, hij zal die van vorig weekend wel weer dragen, papa."

"Ja, dat dacht ik al. O, lieverd, ik weet dat je moet doen wat jou gelukkig maakt ... maar denk er wel goed over na."

Hun relatie was nooit meer helemaal goed gekomen. De gevolgen van die eenvoudige vraag waren te immens en te flagrant. Een fatsoenlijke blazer symboliseerde de juiste achtergrond, de juiste waarden, de juiste toekomst.

Rosalind voelde een steek van medelijden met haar man. "Maar je had het míj toch kunnen vertellen, Alistair. En als je dat niet meteen kon, dan toch wel érgens in bijna veertig jaar huwelijk!"

Hij verschoof in zijn stoel alsof hij een elektrische schok kreeg. "Ik weet het! Rosalind, ik ben een dwaas ... alsjeblieft!"

"Was je maar een dwaas, dan kon ik er nog in komen. Maar je bent een intelligente man. Dat heb ik tenminste altijd geloofd."

"Tot nu, natuurlijk", zei hij vol zelfmedelijden.

"Niet doen", zei ze.

"Het spijt me. Ik heb niet veel waardigheid meer over. Ik besef dat ik niks meer heb." Hij keek even naar haar, terwijl ze knipperde en ademde en haar blik door de hal liet gaan. Dit was de vrouw die hem twee kinderen had geschonken, die uren van eenzaamheid had verdragen terwijl hij in de weekends werkte en ze misschien wel wat aandacht had kunnen gebruiken. Dit was de vrouw die tijdenlang zowel vader als moeder voor hun kinderen was geweest en de andere ouders met sportdagen onder ogen was gekomen zonder man aan haar zij. En ondanks dat alles was ze hem trouw gebleven – dat wist hij eigenlijk wel zeker – en op de dag dat hij tot de Queen's Counsel werd toegelaten, had ze een lichtblauw pakje aangetrokken en gebeefd van trots. Hoe kon iets waarde hebben als hij het niet met haar deelde? Oké, ze had zijn zinspelingen op Homerus of Pope nooit begrepen, maar ze had als geen ander voor zijn geluk gezorgd. Hij kon het niet verdragen van haar genegenheid verbannen te zijn. "Rosalind, mag ik je iets vertellen?"

Omdat ze zich er onmiddellijk van bewust was dat hij haar vroeg iets voor hem te doen, op de een of andere manier voor hem klaar te staan, vervormde haar gezicht zich tot een frons. "Wat? Waarover?"

"Over mijn vader."

Hij zag de frons wegtrekken en ging verder: "Herinner je je de vrouw die over het overlijden van mijn moeder belde?"

"Ivy?"

"Ja, Ivy." Natuurlijk herinnerde Rosalind zich haar naam, dacht hij, want dit was zijn attente vrouw. "Nou, mijn vader was – is – Ivy's man. Hij heet Geoff Gilbert. Ik ben gisteren bij hem langs geweest."

Rosalind liep naar de trap en ging zitten. "Hemel."

"Hij zit in een verzorgingstehuis in Dover. Maar weet je wat het is, Rosalind? Het blijkt dat hij helemaal van de wereld is. Hij had totaal geen idee wie ik was."

Ze schudde ongelovig haar hoofd.

Alistair glimlachte. "Weet je, het is eigenlijk best komisch ... op een zielige manier dan. Ik bedoel, hij woonde maar twee straten verderop. Ik heb alleen nooit geweten dat hij mijn vader was. En dan, als ik het dan uiteindelijk weet ..."

"Is het te laat", zei Rosalind. Ze sloeg haar hand voor haar mond en trok haar wenkbrauwen naar elkaar toe in die uitdrukking van intens medeleven die hij altijd zo bewonderd had. Hij hield van haar om de manier waarop ze van andere mensen hield, om alle emoties die ze voor haar kinderen had ondergaan, ook al maakte dit hem soms jaloers.

"Ja, te laat", zei hij, en hij haalde zijn schouders op.

Deze zin had duidelijk weerklank en ze keek naar hem, er nu zeker van dat zodra hij haar ingepakte tas had gezien, hij verondersteld had dat ze hem verliet. Ze moest hem nu natuurlijk eigenlijk vertellen dat ze nog niet besloten had om dit te doen, maar iets weerhield haar ervan iets te zeggen. Natuurlijk was dit deels slechts een verlangen om een situatie waarin ze zich volkomen machteloos voelde onder controle te houden, maar het kwam ook voort uit een nieuwsgierigheid naar wat Alistair zou zeggen nu hij geen verhaaltjes meer had om op terug te vallen.

"Nou", zei hij, "op de een of andere manier kan ik niet zo goed geloven dat dit mijn leven is, dat dit het verhaal is, als je begrijpt wat ik bedoel. Maar nu weet je het. Je ouders hadden gelijk: ik was niet goed genoeg voor jou."

"Je praat alsof je dood bent."

"Dat kan ik volgens mij ook net zo goed zijn als het enige wat ik mijn vrouw te bieden heb het uiterst zinloze woord 'sorry' is." Hij keek haar aan. "Ik zal je niet beledigen met allerlei holle frasen. Je hebt altijd openhartig met mij gesproken. Ik wil alleen maar dat je weet dat ik betreur wat er gebeurd is, dat ik met iedere cel in mijn lichaam betreur wat ík heb gedaan – ikzelf – met dat meisje. Ik ben altijd bang om de dingen eenvoudig te zeggen", zei hij.

"O, al die stomme angsten van je", antwoordde ze bitter.

"Ja. God ... al mijn stomme angsten."

Ze staarde hem even aan en vouwde uiteindelijk haar handen in haar schoot, zoals ze altijd deed wanneer ze tot een besluit gekomen was. "Het lijkt me", zei ze, "dat van iemand houden eigenlijk uiteindelijk neerkomt op angst."

Hij keek verward. 'Ik denk dat ik ... Sorry, ik begrijp het niet."

"Het lijkt me dat het er uiteindelijk op neerkomt dat je de angst – de stomme angst – in het gezicht van een ander ziet en evengoed van diegene kunt houden. Had jij er maar op vertrouwd dat ik evengoed van je gehouden zou hebben."

Hij keek haar hopeloos aan. 'Ja, ik begrijp het", zei hij.

"En had ik het ondanks jou maar kunnen doen. Ik neem aan dat je aanneemt dat ik bij je wegga?"

Zijn blik schoot naar de volle reistas en toen weer terug naar haar, zijn gezicht één brok verwarring. Ze draaide zich van hem weg en wist dat ze eerder opgelucht was dan dat ze het jammer vond dat ze haar macht moest opgeven. "Nou, dat is niet zo. Ik ga alleen weg", vertelde ze hem.

Toen ze zich uiteindelijk weer naar hem toe draaide, zat hij nog steeds naar haar te staren, en ze realiseerde zich dat dit was omdat hij niet durfde te praten of zelfs maar te bewegen. Ze was geen haatdragend persoon en aangezien ze gewend was voor hem te zorgen, voelde ze medelijden en wilde ze onmiddellijk een einde maken aan zijn pijn. Ze reikte hem haar hand aan, maar in plaats van de koele druk van haar vingers te aanvaarden greep hij met beide handen haar pols vast, bijna alsof hij verdronk en zij op het droge stond. Het deed haar denken aan de manier waarop Luke zich aan haar vastgeklampt had toen ze hem bij zijn appartement kwam ophalen. Ze was geschokt, maar paste zich aan aan de radeloosheid op zijn gezicht en wist dat ze het aankon. "Alistair, dwing me niet te snel te gaan. We zijn er nog niet."

"Ik weet het", zei hij, "ik weet het, maar ik kan het niet helpen. Ik hou van je en ik wil een betere echtgenoot voor je zijn. Er is nog zoveel van het leven over! Ik ben iets eerder met pensioen gegaan dan de bedoeling was, en nu kunnen we een heel ander leven hebben."

"Waarom? Alleen maar omdat jouw leven veranderd is? Misschien herinner je je nog dat ik een bedrijf heb?"

Alistair schaamde zich. Het leek erop dat de gewoonte om egocentrisch te zijn moeilijk af te leren was. "Ja, natuurlijk. Dan wil ik er meer over weten."

"Tafels en stoelen en tapijten, Alistair? Dat is niks voor jou. Je vindt het vast ontzettend saai."

"Nee. Nee, echt niet. Ik wil er alles over weten. God, het is alsof ik jou wil leren kennen. Ik wil meer weten over wie je bent."

Het gebaar was niet vijandig bedoeld, maar Rosalind haalde voorzichtig haar hand van de zijne. "Meer weten over wie ik ben?" vroeg ze. "Je bent altijd maar op zoek naar kennis, hè? Nog meer kennis. Maar volgens mij kun je geen kennis van andere mensen krijgen, hoe hard je dat ook probeert. Wat jij wilt zijn feiten, maar mensen zijn als muziekstukken die gewoon voor zichzelf spelen, en andere mensen kunnen ernaar luisteren als ze dat willen. Je leert geen feiten door naar muziek te luisteren, toch?"

"Denk je niet dat ik je kan kennen?"

"Ik denk werkelijk waar dat alleen God dat kan."

De staande klok in de hal was eindeloos bezig aan te geven dat het elf uur was.

"O! Mijn vliegtuig", zei ze.

"Vliegtuig?"

"Ja. Ik ga naar Ghana, op bezoek bij Sophie en haar vriend."

"Heeft Sophie een vriend?"

"Er is veel wat jij niet weet, Alistair. Ik had het je waarschijnlijk – nee, ik had het je zeker moeten vertellen, maar ik ... Nou, dat heb ik niet gedaan."

"Me wat vertellen?"

"Dat ze zwanger is."

Ze keek toe hoe hij zijn best deed dit te begrijpen. Het voelde volkomen ongepast om dit heilige nieuws te produceren alsof ze hoger inzette in een spel van verrassingen, en ze betreurde het dat ze het hem niet eerder had verteld, al was het alleen maar hierom.

"Hij heet Kwame Okantas en ze hebben besloten het kind samen op te voeden. Ik denk dat ik het je niet heb verteld omdat het het enige was waar ik blij om kon zijn, en daar verdiende jij verdomme geen deel aan. Het spijt me."

"Mijn god, alsjeblieft, Rosalind, excuseer je niet tegenover mij", zei hij.

"Nee, ik had het recht niet om het geheim te houden, wat jij ook verkeerd hebt gedaan. Ze is ook jouw dochter."

Ze keek hoe haar woorden bij hem aankwamen. Hij schudde zijn hoofd van pure inspanning om deze nieuwe realiteit te accepteren: een baby, een nieuw leven. Zijn kleine dochter met een kind in haar buik.

Rosalind zei: "Hij is in Engeland opgegroeid, maar zijn ouders komen uit Ghana."

"Dus hij is ..."

"Ja, dat klopt, Alistair. En ze houden van elkaar en ze is gelukkiger dan ze ooit geweest is en ze krijgt een kind. Ik heb hem gesproken en hij klinkt erg charmant. Hij is advocaat, net als jij."

Alistair knikte instemmend.

"Sophie en hij halen me op van luchthaven Kotoka."

Het leek of die tastbare details hem een soort stimulans gaven. Hij stond op en terwijl hij zijn hand op de trapleuning legde, zei hij: "Rosalind, ik ga met je mee. Ik kan makkelijk op het vliegveld nog een ticket kopen en ik heb mijn tas zo gepakt." Hij begon de trap al op te hinken. "Er is geen betere tijd om weg te gaan en dan kan ik met Sophie praten en alles uitleggen en ..."

"Alistair", zei ze zacht voordat hij ook maar halverwege was, "kun je het begrijpen als ik zeg dat ik liever alleen ga?"

Hij stond stil en draaide zich om om haar aan te kijken. "Ja", zei hij. "Dat kan ik volkomen begrijpen."

Hij stak ter geruststelling zijn hand over de leuning heen, maar deze keer gebaarde ze dat hij naar beneden moest komen omdat ze voelde dat ze er klaar voor was om in zijn armen te kruipen. Hij drukte haar tegen zich aan en in haar nek voelde ze zijn adem, die even vertrouwd was voor haar lichaam als de stroom van water langs stenen die door de tijd heen gladgesleten waren.

Er kraakte een vloerplank in Lukes slaapkamer en ze lieten elkaar los en glimlachten naar elkaar. Rosalind keek vluchtig op haar horloge en zei: "Wat is dit voor tijd om op te staan, zeg?" Maar hun goedaardige gelach had niets te maken met hun zoon of met de tijd; het voorzag twee geliefden die net zo ongemakkelijk als oprecht waren alleen maar van een vocabulaire.

Rosalind pakte haar handtas en haalde er een stuk papier en haar paspoort uit. Opgewonden zei ze: "Dit heeft Sophie gisteren naar Suzannah gemaild, Alistair. Is het niet geweldig? Ze kreeg het op jouw computer. Ik dacht dat je daarvoor thuis moest zijn, maar het maakt niet meer uit waar je bent."

"Ja, handig, hè?"

"En je hebt niet eens meer een ticket nodig. Je geeft ze gewoon een code op het vliegveld en dan zwiepen ze je zo naar Afrika!" Haar ogen knepen zich dromerig tot spleetjes. "Heel anders dan toen wij jong waren. Jeetje, ik heb zelfs helemaal niet het gevoel dat ik ervoor betaald heb, ik heb alleen maar wat letters en nummers ingetypt. Wat een gekke wereld is het toch."

Alistair lachte naar haar, genoot van de zenuwachtige opwinding in haar vingers en dat hij het twintigjarige meisje zag en hoorde op wie hij zo hartverscheurend verliefd was geworden. Hij zei: "Rosalind? Mag ik je naar het vliegveld brengen?"

Haar glimlach verdween. "O. Maar ik heb al een taxi gebeld."

"Ik kan altijd het bedrijf bellen en zeggen dat hij niet hoeft te komen."

"Maar je been, Alistair."

Hij wist dat hij eigenlijk degene was die om een gunst vroeg en begreep dat ze aarzelde om hem haar plannen binnen te laten dringen. Hij zei: "Mijn been overleeft het wel in jouw automaat. Het is allang niet meer zo pijnlijk als in het begin. Laat me je alsjeblieft naar het vliegveld brengen, Rosalind."

Ze keek naar haar bagage, naar de spullen die ze gisteravond laat met zoveel haast bij elkaar had geraapt toen Sophie gebeld had en ze het plan uitgebroed hadden en Sophie de boekingsbevestiging van het ticket naar Suzannah had gemaild. Natuurlijk had ze 's morgens ook alles kunnen pakken, maar het had nodig geleken om het meteen te doen. Ze had zich aan de opwinding overgegeven.

Ze bukte zich en ritste haar tas dicht. Toen ze weer rechtop stond en Alistair aankeek, voelde ze hoe haar hart volstroomde met liefde voor hem, zoals het altijd had gedaan, zelfs in de afschuwelijke kleurloze tijd nadat de kranten uit waren gekomen, toen haar vriendinnen haar vroegen of ze wilde scheiden. Als Jocelyn vond dat het huwelijk 'zelfbeperkend' was, vond ze dat best, want het zelf had nou eenmaal beperkingen nodig. Houden van Alistair was een van de dingen die ze had besloten te doen met haar leven, en in de wetenschap dat haar woede voorbij zou gaan, wist ze dat ze wilde leren nog meer van hem te houden.

Hoe kon iemand de dingen die hij een ander had aangedaan echt helemaal goedmaken? Je kon hem alleen vergeven en besluiten verder te gaan. Liefde legde deze beperking op, en als je dat accepteerde, was je beloning: liefde.

"Goed", zei ze. "Breng me maar naar het vliegveld."

26

Luke werd wakker met erge dorst en stommelde de badkamer in om uit de kraan te drinken. Voor het eerst sinds weken had hij zeven uur achter elkaar geslapen en hij voelde zich leeg en versuft. Hij stond lange tijd te drinken en bleef daarna hijgend over de wasbak geleund staan terwijl hij zich afvroeg of er iemand thuis was. Hij dacht zeker te weten van niet.

Hij ging een tijd onder de douche staan, droogde zich zorgvuldig af, kleedde zich aan en ging naar beneden. In de hal zag hij de tas van zijn vader staan. Ernaast lag het geschiedenisboek dat hij Alistair lang geleden voor kerst had gegeven. Aangezien hij niet had gezien dat het gelezen werd, had Luke altijd aangenomen dat het boek om de een of andere niet te bevatten reden verkeerd was, dat het de foute keus was van iemand die niets van geschiedenis wist, of van boeken, of van zijn vader. Maar het controlestrookje van het kaartje van Dover naar Londen stak er op tweederde deel uit. Dat deed hem genoegen. Hij raapte Alistairs jas op en hing hem behoedzaam over de rugleuning van het stoeltje.

Op de tafel in de hal stonden de beeldjes die Alistair had meegenomen. Luke herkende ze onmiddellijk en was weer geroerd doordat er naar hem was geluisterd. Hij pakte een van de doosjes op. Er zat een lok babyhaar in en zijn hart maakte een sprongetje van tederheid bij de gedachte dat die misschien van zijn vader was geweest. Hij pakte de kleine krul aan zijn blauwe lint op en stopte hem daarna, alsof er ieder moment een enorme windstoot kon komen, weer snel veilig terug in het doosje. Rosalind had op precies dezelfde manier lokken van Sophie en hem bewaard.

Met een plotselinge vlaag van inspiratie liep Luke naar de spiegel achter de tafel toe en keek zichzelf in de ogen. Hij sprak niet hardop, maar de stem in zijn hoofd was streng en duidelijk: "Je bent haar kwijt", zei hij, "en je weet dat je nooit meer iemand als zij zult ontmoeten. Wat de liefde betreft zul je de rest van je leven compromissen moeten sluiten. Maar de waarheid is dat ze niet van je hield. Daar kan niemand iets aan doen."

Het voelde alsof er jodium in een wond was gegoten. Terwijl hij tranen wegknipperde, liep hij de keuken in om zichzelf af te leiden door koffie te zetten. Hij haalde de cornflakes uit de kast en pakte een kom. Daarna pakte hij melk en sinaasappelsap uit de koelkast. School er niet een soort simpele genoegdoening in die dagelijkse rituelen? Je ging er stilletjes in op. Hij vroeg zich af of hij suiker of stukjes fruit in zijn cornflakes zou doen. Fruit was gezonder, besloot hij. Maar zou hij dan een appel of een banaan nemen? Hij staarde naar de fruitschaal. Aan de andere kant was muesli al gezond genoeg zonder dat er fruit in zat. Misschien zou hij toch suiker nemen. Hij wist zeker dat hij ergens gelezen had dat als je toch geraffineerde koolhydraten moest eten, je dat 's morgens moest doen, omdat je ze dan het best verbrandde. Dan was het maar beter om nu suiker te nemen, als hij die al zou nemen, tenminste. Hij vroeg zich lichtelijk bezorgd af wanneer hij voor het laatst multivitaminen had genomen.

Pas toen hij melk op de vloer morste en zich bukte om die op te vegen werden zijn gedachten onderbroken. Daar, door het keukenraam, zag Luke het tuinhuisje, op de een of andere manier solide en afschrikwekkend achter de bladeren van de boompioen. Hij legde het doekje weg en greep de rand van het aanrecht vast. Hij luisterde naar de grasmaaier bij de buren: heen en weer, heen en weer. Het was een angstaanjagend geluid. Daarna rende hij de keuken uit, de woonkamer in.

Maar overal waren ramen. Er viel niet aan te ontsnappen. Zelfs in de woonkamer, waar alles rustig en vredig was – het licht dat aangenaam op de kroonluchter scheen, de flessen en glazen klaar op het dienblad, de klok die stoffig tikte op de schoorsteenmantel – kon hij nog het topje van het dak van het tuinhuisje zien. Hij dacht erover in zijn auto te stappen en weg te rijden, maar verwierp dat idee meteen weer. Hij dacht erover de fiets uit de kelder te pakken en weg te racen zoals hij als klein jongetje had gedaan.

Maar in plaats daarvan ijsbeerde hij een tijdje met kloppend hart heen en weer. Er drukte een vreselijk gewicht op zijn hersens, dat hij nog geen logische vorm had kunnen geven. Het was een monoliet van ijs en smolt onverbiddelijk, sijpelde in onwillige synapsen.

Nu was hij zich er alleen maar van bewust dat hij iets vreselijk verkeerds had gedaan, maar dat dit geen stand kon houden en hij dat nu eindelijk doorkreeg. Hij kreeg een droge mond en het zweet stond op zijn voorhoofd. Hij begon te fluisteren: "Het spijt me zo. Het spijt me zo." Maar tegen wie had hij het? Luke rende naar de spiegel en keek hoe zijn lippen mompelden. Het stelde hem niet gerust!

Hij draaide zich naar het raam en zag meteen iets: een flits van een menselijke gestalte achter de struiken. Het leek of iemand richting de achteringang liep. Maar het was veel te vroeg voor Goran en veel te laat voor Mila. Zijn geest was gevoelig voor waanvoorstellingen.

Hij schudde zijn hoofd alsof hij water uit zijn oren probeerde te krijgen en liep daarna naar het bureau van zijn moeder. Weer was hij op zoek naar afleiding. In de brievenstandaard stonden een paar luchtpostbrieven in het handschrift van zijn zus. Wat apart, dacht hij, dat Sophie precies hetzelfde handschrift had als hun vader. Het zijne was kinderlijk en slordig. Het was het zoveelste wat hem van hen onderscheidde, maar door die gedachte voelde hij zich niet minderwaardig, zoals anders, en hij liet haar maar varen. Hij vroeg zich af wat er in de brieven stond, maar het was niets voor hem om de post van een ander te lezen.

Hij dacht terug aan Sophies onverwachte bericht op zijn voicemail, over de waterbuffels, over dat ze had bedacht dat hij daar prachtige foto's van kon maken. Hij was natuurlijk geroerd geweest, maar ook verontwaardigd, want ze had nooit eerder gezegd dat ze zijn foto's mooi vond of dat ze ook maar iets wat hij deed interessant vond. Die minachting had hem door de jaren heen zo vaak gekwetst! Hij had zich door zijn intelligente zus altijd beoordeeld en nonchalant verworpen gevoeld.

Terwijl hij dit afschuwelijke gevoel herleefde kwam het in hem op dat Sophie hem zo lang als hij zich kon herinneren altijd boeken met foto's voor kerst en verjaardagen had gegeven. Enorme, schitterende, dure boeken vol foto's – van dieren, steden en natuurverschijnsels. Hij had aangenomen dat ze ermee wilde zeggen dat hij niet kon lezen. Was het mogelijk dat hij zich had vergist?

Met schaamte herinnerde hij zich dat hij ze allemaal ontstemd ongeopend in zijn kledingkast had opgestapeld.

Luke keek naar de luchtpostbrieven. Waar was zijn zus? De enveloppen, die het antwoord hadden kunnen leveren, waren weggegooid. Hij wist dat zijn moeder het de afgelopen weken zo nu en dan over Sophie gehad had, maar hij had niet echt geluisterd. Zijn zus kon overal op de wereld zijn: China, India, Afrika. Hadden ze waterbuffels in China? Zijn lichaam deed pijn van bezorgdheid. Bovendien werd hij geplaagd door het gevoel dat hij zichzelf van iets belangrijks en opwindends had uitgesloten, net als die keer vroeger na het verspringen op het gazon in Suzannahs oude villa in Spanje.

Jean-Pierre, de zoon van Suzannahs tweede man, was overduidelijk een hele centimeter achter Lukes voetafdrukken neergekomen, maar Sophie had het bewijs ontkend en gezegd dat het gelijkspel was. Die middag had Luke geweigerd volgens plan met 'smerige valsspelers' te gaan zwemmen. Hij had excuses verwacht en enige vorm van rechtvaardigheid als antwoord op dit immense gebaar. Maar Sophie, Jean-Pierre en Gabriel, een jongen uit de buurt met wie ze bevriend waren geraakt, hadden hun handdoeken gepakt en waren zonder hem naar het zwembad gerend. Beseffend dat hij toch verreweg de beste zwemmer was, moest Luke de hele middag luisteren naar geplons en lachend geschreeuw terwijl hij de voetafdrukken bestudeerde en droge takjes doormidden brak.

Hij hoopte met heel zijn hart dat die fotoboeken nog in de gangkast lagen. Het zou echt iets voor zijn moeder geweest zijn om ze vrolijk te verzamelen en aan een ziekenhuis of ander goed doel te geven.

Hij beet op zijn lip terwijl hij voor de eerste keer de afwezigheid van die iele zus van hem, met wie hij zijn hele leven zo'n hartstochtelijke strijd had gevoerd, naar waarde schatte. Waar was ze nou? Hij dacht aan al die eindeloze autoritjes door Frankrijk toen ze nog kind waren, het gezamenlijke rollen met hun ogen om de wijngaarden en kerken waar hun vader zo enthousiast over was, en hij herinnerde zich dat ze op de achterbank een koptelefoon gedeeld hadden alsof popmuziek hun enige hoop op verlossing was. Ze hadden met elkaar gecommuniceerd door middel van knijpen of het uitsteken van hun tong. Ze ruilde altijd haar winegums met zwartebessensmaak voor die van hem met citroensmaak, en hoewel hij zich corrupt voelde als hij ze accepteerde, deed hij dat toch. Hij glimlachte bij de herinnering aan haar magere beentjes die tegen de zijne schopten in bad wanneer ze niet wilde dat haar haar gewassen werd. Een half leven van voortdurende nabijheid, en nu kon ze overal ter wereld zijn.

Waterbuffels? Wat moest dat voorstellen? Maar hij wist het precies. Sophie had altijd gefantaseerd over verre reizen; stuk voor stuk hadden haar fantasieën haar vurige geloof belichaamd dat als ze zich maar van de enorme afmetingen van de wereld kon overtuigen, haar problemen onbelangrijk zouden lijken.

Ineens was Luke bang dat zijn zus hierin ongelijk had, dat het niets meer was dan een prachtige gedachte. Voor de eerste keer in zijn leven dacht hij niet dat hij er plezier in zou hebben om haar tegen te spreken. Ze was soms gewoon ronduit verschrikkelijk en ze kon sarcastisch en intellectueel pretentieus zijn, maar ondanks dat alles wist hij dat hij van haar hield en dat zij net zoveel van hem hield.

Arme Sophie. Ze was bijna nooit gelukkig geweest en hij had nooit geprobeerd haar te helpen of het zelfs maar te begrijpen. Hij had alleen maar toegekeken hoe ze magerder en magerder werd, en tegen haar gezegd dat niemand haar leuk zou vinden als ze er zo uit bleef zien. Het was afschuwelijk om te bedenken dat hij nooit met haar gepraat had, nooit oprecht in haar leven geïnteresseerd was geweest, nóóit! Op de een of andere manier was hij altijd te moe of te gestrest geweest, of had hij weer eens een kater gehad. Ze was zo dramatisch, zo luidruchtig. Als ze weleens alleen waren, blokkeerde hij liever zijn oren met de tv in plaats van naar haar scherpe twijfels over het huwelijk van hun ouders te luisteren, of haar haar overtuiging dat Luke en zij ongeneeslijk egoïstische kinderen waren die bol stonden van het zelfmedelijden. Ze hield nooit eens op!

En dan al die wonden die ze hem had toegebracht, die hij zo nauwgezet had opgeteld, in de verrukking van het martelaarschap verzorgd had en naar buiten gebracht om het paas- of kerstbezoek of de visite op de verjaardag van hun moeder mee te choqueren.

Het leek erop dat ondanks alles liefde zou volharden. Zijn gehechtheid aan Sophie was onlogisch maar niet te ontkennen, bijna alsof die in zijn genen was ingebakken. Misschien was dat ook wel zo. Deze gedachte gaf hem een uiterst vredig gevoel.

Maar hoe had het gewelddadige mechanisme van Lukes brein langer dan een seconde onderdak kunnen bieden aan vredigheid? Het spatte daar uiteen als gesponnen glas en zijn blik schoot weer naar het raam.

Was er net nou echt iemand in de tuin geweest? Hij liep naar het raam en ging met zijn gezicht dicht tegen het glas aan staan om de kou te voelen die ervanaf kwam. De doornige boom tikte tegen de ruit en maakte hem aan het schrikken. Alsof hij nu weer wat verder was ontwaakt, maakte hij de openslaande deuren open en liep het gazon op.

Luke kon van een afstand zien dat de deur van het tuinhuisje openstond. Zijn onmiddellijke gedachte – hoe afschuwelijk hij het meteen daarna ook vond – was dat Goran en Mila alles gestolen hadden en waren vertrokken. Op dat moment besefte hij dat, wat hij zichzelf ook aangepraat had toen hij gezelschap in zijn lijden zocht, de wanhoop van Goran en Mila hem in wezen vreemd was. Zij hadden niets, en hij kon zich niet eens voorstellen hoe dat moest zijn. Hij dacht: ik heb wanhopige vreemdelingen op het eigendom van mijn familie toegelaten. Even was hij met schrik vervuld en probeerde zichzelf gerust te stellen met het idee dat het tuinhuisje niets van waarde bevatte.

Door het gat van de deur zag hij Mila aan de tafel bij het raam zitten. Ze zat met haar rug naar hem toe en haar hielen bonkten tegen de tafelpoot in dat kordate, militaire ritme waarmee ze soms met haar tong klakte of met haar vingers tikte. Hij keek even naar haar en zei daarna zacht haar naam: "Mila?"

Ze draaide zich iets om en glimlachte.

Hij duwde de deur verder open en keek de kamer rond. Er was niets gestolen; alles was nog zoals hij het voor het laatst had gezien. En toch was hij zich ervan bewust dat er iets niet klopte, dat er iets gebeurd was.

"Mila? Waar is Goran?" vroeg hij.

Ze gaf geen antwoord, dus liep Luke na een paar seconden naar de tafel. Het licht van het raam verlichtte haar gezicht en toen hij het van voren zag, moest hij naar lucht happen. Haar rechteroog en -wang waren donkerrood en opgezwollen. Hij zei: "Je gezicht!" Toen besefte hij dat hij op iets vreemds plakkerigs stond. Toen hij naar de vloer keek, zag hij dat het de overblijfselen van de Servische cake waren. Het bord eronder was gebroken. Hij keek weer naar haar op en zei weer: "Je gezicht!"

Mila haalde haar schouders op. "Is niet pijn voor mij. Ik hem dit gezegd maar is maar één keer geslagen."

"Wie? Wie heeft je geslagen?" vroeg Luke met toenemende paniek. "Mila, dit heeft hij je toch niet aangedaan? Goran toch niet? Dat kan ik niet geloven."

Ze haalde haar schouders op. "Is de cake."

Luke zag geen betekenis in dit onheilspellende raadsel. "Hè?"

Alsof ze een grappige anekdote vertelde, lachte Mila en zei: "Hij zei mij: 'Mila! Jij hebt niet halve cake gegeten!'" Ze stak in overtuigende overgave haar handen omhoog.

"Wat? Ik begrijp het niet", zei Luke, die het maar al te goed begreep.

"Hij kijk en kijk naar die cake", zei Mila, "en hij zegt tegen mij: 'Ik ken jou!' En het is zo, Luke, want Goran ken mij vanaf ik ben dertien. Altijd ik maar kleine beetje eet." Ze herhaalde haar imitatie met zwaardere stem en het opgeheven vingertje van een schoolmeester. "'Mila! Jij hebt niet halve cake gegeten!'"

Ze dacht even na en raakte toen haar gezicht aan. Daarna keek ze vluchtig op naar Luke en glimlachte verlegen. "Jij weet het wordt zo rood? Het wordt zo en dan ik weer goed?"

Hij staarde haar verbijsterd aan.

"Is vandaag lelijk maar ik weer ben goed", hield ze vol. Daarna kneep ze haar ogen stijf dicht, balde haar vuisten en zei: "Jij geloof als ik denk hard het misschien gaat snel?"

Lukes stem was niet meer dan gefluister: "Mila, waar is Goran?"

Naast haar lag een kaartje van Kwik-Kabs. Er gingen een paar seconden voorbij voor ze haar ogen weer opendeed en hem ernaar zag staren. Ze zei: "Ja. Hij mij dit geeft voor misschien ik geld nodig. Goran niet werkt bij Kwik-Kabs nu."

"Waarom? Wat is er gebeurd?" Luke moest meteen aan het pistool denken. Natuurlijk: Goran was ontslagen, misschien zelfs gearresteerd, vanwege het pistool. En nu zou de politie voor hem komen.

"Is niets ergs. Is alleen omdat hij nu in keuken van hotel werkt omdat is overdag dus net als mij." Ze schudde haar hoofd om de dwaasheid hiervan. "Is cadeau voor mij. Maar nu is niet. Nu hij wil niet ik weet waar hij woont. Hij zegt hij gaan alsof is dood is beter. Hij zegt mij hij is geef geld aan vriend bij Kwik-Kabs. Is Koerdische man die ook rijdt taxi. Hij zegt het is 'Mila-bank'." Ze lachte sarcastisch. "Dode man is gedaan geld daarin voor ik kan kopen paspoort."

Ze kneep haar ogen tot spleetjes. "Maar ik tegen hem zeg ik wil niet geld van dode man."

Luke herinnerde zich Gorans plan om een sofinummer en een paspoort en – wat was het – vervalste telefoonrekeningen te kopen. Hij zou met zijn nieuwe naam een bankrekening openen met die documenten als bewijs. Hij zou ze nu wel bijna allemaal of allemaal in zijn bezit hebben en de baan in de keuken was waarschijnlijk 'legaal'. Mila en Goran waren van plan geweest hierna haar papieren te kopen, omdat hij zo hun toekomst geordend had: met hem als kostwinner. Luke had de indruk dat het hele plan om naar Engeland te gaan van Goran afkomstig was. Waar moest Mila nu in godsnaam heen? Ondanks alles wat ze in Kosovo doorgemaakt had, was ze onnozel wat betreft het reilen en zeilen van een grote stad als Londen. Toen ze terugliep van haar werk had ze zich er een keer over verbaasd dat er een auto vaart had geminderd, waarna het elektrische raampje naar beneden was gegaan en een mannenstem had geroepen: "Hoeveel?" Goran en Luke moesten het haar uitleggen: wat dacht hij dat ze verkocht?

Maar ze kon niet langer in het tuinhuisje blijven. Dat zou onmogelijk zijn na wat er gebeurd was. Goran zou toch zeker niet echt weg zijn, alsof hij, in Mila's woorden, 'dood' was? Luke zei tegen zichzelf dat hij vast overhaaste conclusies trok. Ze hadden duidelijk ruzie gehad, maar Mila zou de halfopgegeten cake toch wel op de een of andere onschuldige manier hebben uitgelegd? Dat zou toch wel haar instinct geweest zijn?

"Ik begrijp het niet. Wat heb je tegen hem gezegd, Mila?"

Ze keek weg. "Ik hem gezegd alles, Luke."

Hij staarde naar haar, voelde angst en woede opkomen. "Welk alles?" vroeg hij.

"Ik hem gezegd wat is gebeurd laat in nacht is zo mooi voor ons." Ze keek naar de grond. "Ik weet is verkeerd voor God maar is mooi voor ons. En ik hem gezegd ik nu van jou hou."

Toen ze hem weer in de ogen keek was het alsof het uitspreken van die kostbare woorden hun waarheid alleen maar had doen toenemen. Ze hield van hem. In een waas van geluk hoorde ze hoe Luke tegen haar zei dat hij even weg moest en ze zuchtte teder om de gedachte aan zijn verfijnde leventje. "Ja, Luke. Jij moet in jouw huis gaan."

Hij knikte naar haar en zei ja.

Mila rilde en trok haar knieën op tegen haar borst. "Luke, ik vraag stellen? Jij zegt ik ben slecht als dit? Ik denk ik niet schoonmaken in Tesse Campbell-Sutcliffe-appartement vandaag. Ik jou zeg is miljoenen en miljoenen kleren voor te strijk en altijd zij schreeuwt naar mij." Mila deed een schelle, hese stem na: "Wees alsjeblieft voorzichtig. Is couture. Jij weet wat dat betekent?" Ik denk is beter Hugo Johnson maar is morgen. Vandaag is moe voor Tesse Campbell-Sutcliffe. Jij denk ik ben slecht als dit?"

"Nee", antwoordde Luke. "Nee."

Lieve, goede Luke, dacht ze. *Ljubavi*, mijn liefste. Hij wilde niet dat ze werkte!

Hij keek toe hoe ze op de stretcher ging liggen, en zij keek naar hem, zag het lichte goudkleurige haar en de mooiste grijze ogen die ze ooit had gezien. Haar liefde voor hem vermengde zich met haar lichte hersenschudding. Na een tijdje werd ze zich ervan bewust dat zijn hele gezicht bleek was geworden, zelfs zijn mond. Hij was duidelijk verschrikkelijk bezorgd om haar. Ze kon het niet aanzien ... Hij hoefde geen seconde zorgen te hebben! Haar gezicht deed zeer, maar ze dwong het tot een enorme glimlach. "Ah, Luke", zuchtte ze, "jij weet ik ben gelukkig en ik lig in dit bed en is mooi. Is niet pijn. Jij weet dit? Jij weet dit, Luke?"

"Ja", zei hij, waarna hij snel naar de deur liep.

"Ik ben slaap en is niet pijn", riep ze hem na.

"Nee", zei hij. Hij sloot de deur achter zich.

Is het mogelijk om net zoveel naar lichamelijke kastijding te verlangen als naar lichamelijk genot? Zo vurig als hij ooit met Arianne had willen vrijen, zo graag wilde Luke nu dat Goran hem zou slaan, zijn neus en zijn ribben zou breken. Kon hij naar Goran toe gaan en hem vertellen dat het allemaal zijn schuld was, dat hij Mila verleid had en dat ze zo overstuur was dat ze wartaal uitsloeg? Zou dat wat uithalen? Het feit dat hij dapper genoeg was om het op te biechten, dat hij spijt had, moest toch iets waard zijn?

Hij herinnerde zich hoe Goran om hem gelachen had omdat hij had gezegd dat hij Arianne zou vergeven en haar terug zou nemen als ze maar 'heel veel spijt' had. Luke zag het sardonische gezicht nog voor zich, de wangen die vervormd waren door het kauwen op een grote homp kaas. Toen herinnerde hij zich met een huivering hoe Goran Mila's hand had opgepakt en de vingers op hem gericht had alsof ze de loop van een pistool waren. "Ik jou vermoord", zei hij, "en dan ik heb 'heel veel spijt'?"

Goran maakte geen ideaal van gerechtigheid, of waarvan dan ook. Hij kende alleen maar het knikje met opeengeklemde lippen voor respect voor het overleven tegen alle verwachtingen in, voor aanpassing. Luke had zich afgevraagd hoe het moest zijn om de dingen zo te zien, alsof menselijke wezens niet veel meer waren dan koeien of vleermuizen of andere dingen die aten en zich voortplantten. Hij was geschrokken van de felheid waarmee Goran aan zijn grimmige principes vasthield: hij verwachtte geen hemel, geen langverwachte verklaring, geen erkenning, alleen maar dat het aan het einde van iedere dag donker zou worden.

En toch had Goran op de middag dat ze elkaar ontmoet hadden, toen ze samen van Dover naar Londen reden, al Lukes rijkdom tenietgedaan met de woorden: "Ik heb ook geluk. Ik heb Mila."

Hij had dan misschien naar Mila uitgehaald omdat ze hem gekwetst had, haar gemept als een van de zwoegende beesten in zijn visie op de wereld, maar hoe zat het dan met de liefkozend benoemde 'Milabank'? De tegenstrijdigheid ervan was hartverscheurend.

Langzaamaan dwong Luke zichzelf te accepteren dat het geen zin had om hierover na te denken, omdat het alleen maar bijdroeg aan het verlangen om gestraft te worden, en het maanden zou kunnen duren voor hij Goran gevonden had. Want wie wist waar hij was? Hij had tegen Mila gezegd dat hij niet gevonden wilde worden. De Koerdische vriend bij Kwik-Kabs was ongetwijfeld verteld dat hij moest zeggen dat hij niets wist. Goran was zonder enig spoor verdwenen, zonder een enkele aantekening van zijn aanwezigheid in het land. Zijn nieuwe baan kon in een van de honderden hotels in Londen zijn en hij kon ook de stad verlaten hebben. Hij had zelfs een nieuwe naam! Misschien kon er op de een of andere manier een boodschap aan hem doorgegeven worden, via de vriend, maar dat zou enige tijd duren.

Nu, nu het zo dringend nodig was, zou er geen beslissende vuistslag zijn. In plaats daarvan was er een lichtblauwe lucht en een briesje, en tjilpten de vogels in de kastanjeboom. Het was een prachtige, Engelse herfstochtend met de geur van afvalverbranding in de lucht. Luke staarde naar het statige witte huis en wilde het plotseling met de grond gelijkmaken.

Had de ontmoeting met Arianne hem het ontzagwekkende belang van zijn hart geleerd? Maar het was niet belangrijker dan al het andere!

Hij sloeg zijn hand voor zijn gezicht en dacht aan zijn ex-vriendin Lucy en aan het tienregelige mailtje dat hij haar gestuurd had als afwijzingsbrief. Hij dacht terug aan de talloze berichten die ze op zijn voicemail had achtergelaten, als handenvol bloemen op een graf. Lucy en hij hadden twee volle jaren verkering gehad! Ze hadden honderden keren gevreeën! Ze hadden geleerd vredig naast elkaar te slapen, ze had voor hem gezorgd als hij een kater had, ze had zijn nek gemasseerd als hij moe was, ze wist waar hij allergisch voor was, wat hij lekker vond, wat hij vies vond. Ze had er altijd aan gedacht om hem succes te wensen of hem te feliciteren. Ze had dingen gedaan in bed om hem te behagen waarvan hij wist dat ze ze gênant vond.

En het afschuwelijke was dat ze al die dingen gedaan had terwijl ze zijn onzekerheid over de vraag of ze wel het juiste meisje voor hem was, verdroeg. En uiteindelijk had hij haar in de loop van één avond in de steek gelaten voor iemand met een mooier gezicht, langere armen en benen en een levendigere persoonlijkheid. En op zijn beurt, zoals Jessica had opgemerkt, was hem hetzelfde overkomen.

Al dat gepraat over het 'juiste' meisje of de 'juiste' man met z'n romantische astrologische implicaties. De waarheid klonk veel praktischer: mensen gingen voor heldere ogen, vol haar, lengte, IQ. En toch kwam na al het schipperen liefde. Hij had echt van Arianne gehouden. Maar het leek alsof liefde de ontwerpfout in een verder effectieve genetische machine was.

Wat het waarheidsgehalte van deze gedachte ook was, het was zeker dat de vraag niet moest zijn of Lucy het 'juiste meisje' voor hem was, maar eerder of hij niet gewoon de 'verkeerde man' was, voor wie dan ook.

En het was ook zeker dat, hoe oprecht zijn schuldgevoel over wat hij Lucy had aangedaan ook was, hij erbij bleef stilstaan omdat wat hij Mila had aangedaan nog veel erger was. Wat hij Mila had aangedaan was ondenkbaar. Toen de herinnering eraan zijn horizon dreigde te bedelven kon hij niets anders bedenken dan te rennen. Eerst rende hij het tuintrapje op en sloeg de deur achter zich dicht en deed hem op slot. Daarna pakte hij snel zijn portemonnee en sleutels van de tafel in de hal en rende de straat op.

Uitermate hoffelijk droeg Alistair Rosalinds tas door de incheckhal. Daar had hij op aangedrongen, hoewel zij duidelijk fitter was dan hij, met zijn belachelijke gehink. Hij knikte naar haar – "Ja, ja, natuurlijk, loop jij maar vast vooruit" – en ze ging snel op zoek naar de juiste balie. Toen ze die gevonden had, zwaaide en glimlachte ze naar hem en strompelde hij met een zeer onbevallig gevoel haar kant op. Hij had meer pijn dan hij toegegeven zou hebben.

"Gaat het wel? Gaat het goed met je been?" vroeg ze toen hij bij haar aankwam, maar ze zat aan haar tas te friemelen en wachtte niet echt op zijn antwoord. Hij zag dat ze ernaar vroeg uit gewoonte, wat hij op dat moment alleen maar prachtig kon vinden.

"Ja hoor, dank je", zei hij, wetend dat ze het niet zou horen. Ze was zo opgewonden, het was gewoon geweldig om te zien. Haar stem klonk gespannen van ingehouden adem.

Er stonden twee stelletjes en een man voor hen. Ze schuifelden naar voren toen de man met zijn tas en zijn ticket naar de balie stapte.

"Dit duurt niet lang", zei Rosalind.

"Nee", was hij het met haar eens, "zo gepiept."

Terwijl hij toekeek hoe ze voor de zoveelste keer controleerde of ze haar paspoort en boekingscode wel had, herinnerde hij zich een eigenaardigheid over de omstandigheid waaronder ze zich verloofd hadden. Ze zagen elkaar na een lange tussenpoos weer. Hij had zich er voor negenennegentig procent bij neergelegd dat ze te hoog gegrepen was en had het contact laten verwateren. Maar Rosalind was onverwachts op het kerstfeest van een oude vriend van hem van St. Hilda verschenen. Die vriend, wiens naam hij nu vergeten was, kende Suzannah, die haar zusje meenam.

Voor zover Alistair zich kon herinneren, had het feest plaatsgehad rond de tijd dat hij bij Alan Campbells kamer was aangenomen. Hij was stomverbaasd geweest Rosalind in Londen te zien. Met een glimlach herinnerde hij zich hoe hij had voorgesteld dat ze met hun glazen eggnog zouden proosten op Sint-Gerardus, de heilige voor verloren zaken.

Maar waar dacht hij dan dat ze zou zijn? Hij kon zich duidelijk herinneren hoe opgelucht hij was haar daar te zien. Hij besefte erdoor dat hij nu geen lange periode zou hoeven doorstaan waarin hij tegelijkertijd probeerde haar uit zijn hoofd te zetten én, in de hoop haar ooit versteld te doen staan, treurig aan te vangen iets van zichzelf te maken. Ja, hij herinnerde zich de opluchting duidelijk, maar niet waar ze eigenlijk had moeten zijn of waarom ze niet was gegaan.

De incheckrij schuifelde weer verder naar voren en hij pijnigde zijn hersens. Ineens had hij het. Natuurlijk: het Grote Avontuur! Lara Siskin en zij waren van plan geweest om door Italië te reizen, maar Lara was gewond geraakt of ziek geworden en dus werd de reis afgelast. Suzannah had het vaak kribbig genoemd in het begin van hun huwelijk, toen ze mopperde dat ze niet vaak genoeg op vakantie gingen. Dan had ze het over de verspilde tickets en zei ze hoe jammer het was dat Rozzy het lef niet had gehad om alleen te gaan.

Hij was woedend geweest op Suzannah, omdat ze zo naar tegen haar zus deed, die alleen maar haar schouders ophaalde en zichzelf een 'suffie' noemde. Maar hij herinnerde zich ook – en dit gaf een minder gunstig beeld van hem – dat hij blij was geweest dat Rosalind 'het lef' niet had gehad om in haar eentje te gaan. Hij was in praktische zin blij geweest, omdat ze op het feestje was, maar ook in emotionele zin, want hij wilde liever geen vrouw met 'lef'. Hij had zich altijd meer op haar afhankelijkheid van hem verlaten dan hij wilde toegeven. Had hij die gegarandeerd door haar te bevoogden, door haar interesses als onbelangrijk af te doen, door te impliceren dat ze alleen geschikt was om een mening over huishoudelijke zaken bij te dragen? Hij had haar ondergewaardeerd, dat was zeker, maar het was nooit tot hem doorgedrongen dat deze verwaarlozing weleens een subtiele vorm van huiselijk geweld zou kunnen zijn.

De grondsteward deed labels om Rosalinds bagage en schoof die op de lopende band. "Nou, daar gaat-ie dan", zei Rosalind, duidelijk verbijsterd dat het echt allemaal gebeurde.

"Ja. Daar gaat-ie", zei Alistair, die naar haar glimlachte. Kennelijk kon hij alleen maar variaties op haar woorden tegen haar herhalen. Alsof hij er zelf geen had. Hij wist dat hij moest proberen kalm te blijven.

Ze liepen richting de vertrekhal en kwamen aan bij een rij balies en paspoortcontroleurs. Rosalind stond hiernaar te kijken, beschaamd door de letterlijkheid van de hindernissen. Ze vond dat Alistair er erg verdrietig en buitengesloten bij stond. "Nou, hartstikke bedankt voor het brengen", zei ze.

"Heel veel plezier, lieverd. Maak er een mooie tijd van."

Ze keek hem recht aan. "Je redt je toch wel, Alistair?"

"Ik? Natuurlijk. Ik zal je missen. Maar ik red me wel. Nou", zei hij onhandig, en hij drukte zijn lippen op haar wang omdat hij wist dat hij het recht niet had om haar op de mond te kussen. "Nou, je kunt maar beter gaan."

Maar toen hij een stap naar achteren wilde zetten, kwam hij erachter dat hij haar helemaal niet los wilde laten en grepen zijn handen haar armen vast, net zoals ze eerder die dag thuis in de hal hadden gedaan. Zijn hart ging tekeer van angst dat ze van gedachten zou veranderen en hem toch nog zou verlaten. Ruimte ... onafhankelijkheid ... perspectief ... Ze zou inzien hoe dom ze altijd was geweest om van hem te houden!

Zoals altijd begreep Rosalind zijn angst. Ze zei: “Zal ik wat foto's voor je mee terugbrengen?”

Alleen zij had het kunnen bedenken om zoiets te zeggen, dacht hij. Het was de perfecte, meest verzachtende geruststelling – een koele hand op zijn voorhoofd. Ze was van plan foto's mee terug te nemen. “Dat lijkt me geweldig, lieverd”, zei hij.

Alistair vroeg zich af hoe hij gedurende hun huwelijk ooit opgehouden was zich te verbazen over hoe edelmoedig Rosalind voor hem was. Het was alsof hij niet in staat was geweest het belang ervan te erkennen juist doordat haar edelmoedigheid aan hem verspild werd. Ineens had hij het gevoel dat hij wel kon huilen, maar hij wist dat dit uitermate ongepast zou zijn ... en louter zelfmedelijden.

Ze glimlachte naar hem en hij wist dat ze elkaar begrepen. Ze beloofde hem niet dat ze onmiddellijk gelukkig zouden zijn – zoals ze het zo verstandig had gezegd, waren ze er nog niet –, maar ze beloofde in ieder geval terug te komen. Dat was meer dan genoeg, veel meer dan hij verdiende.

Niettemin was hij geneigd meer te eisen, haar te ondervragen tot hij haar bedoelingen helemaal zou kennen, tot hij een of andere juridisch bindende garantie uit haar had getrokken. Zijn hart raasde weer, maar hij hield zich in. Hij wist dat het nergens op sloeg.

Zijn hele leven lang had hij zichzelf een standaard voorgehouden die geen enkel mens zou kunnen bereiken. Het kwam ineens bij hem op dat als hij altijd gewanhoopt had, dit er een passende straf voor scheen te zijn dat hij zijn tijd had verbruid. Natuurlijk was het enige wat hij wilde iets helemaal stil houden – op z'n minst zijn eigen reflectie in het zwembad – om de constante stroom van twijfels te trotseren, de angst om ontmaskerd te worden. Maar wat was hij eenzaam geweest met zijn eigen veeleisende gezelschap!

En nu waren hier zijn grootste angsten. Hier waren verandering en onzekerheid, in het intiemste domein van zijn leven: Rosalind. Hij liet ze maar begaan. En met een gevoel dat de onrechtvaardigheid van de wereld raadselachtig mooi was gaf hij toe dat hij, na alles wat hij fout had gedaan, zich gezegend voelde met ... hoop.

Misschien zijn er twee soorten mensen op de wereld: degenen die het leven tot hun lijdend voorwerp maken en degenen die door het leven lijdend voorwerp worden gemaakt. Eén gewelddaad had Alistair Langford van de eerste categorie naar de tweede geslagen. Hij keek hoe zijn waardige vrouw haar paspoort aan de controleur gaf en hij zwaaide en glimlachte naar haar toen ze erdoorheen was.

Luke was buiten adem. Hij had een hectische anderhalf uur achter de rug waarin hij terug naar huis was gegaan om bewijs van zijn identiteit te halen en bij meerdere filialen van zijn bank langs was geweest. Nu kwam hij van de hoofdstraat af gerend. In zijn zak had hij een pak met briefjes van vijftig pond, bij elkaar tweeduizend pond. Dat was alles wat hij nog op zijn rekening had staan.

Hij was nu al een paar weken 's morgens niet buiten geweest. Alles was helder en druk in de hoofdstraat, en hoewel het lawaai een bedreiging van zijn grafstemming was, was hij blij dat andere mensen gelukkig waren. In de rij bij de bank had hij zelfs geprobeerd de dingen op te sommen waar hij blij mee was: alleen al om blank en man te zijn, geen erfelijke misvormingen te hebben, een veel voorkomende bloedgroep – zulke dingen gaven je een enorme voorsprong.

Natuurlijk had hij bij zijn geboorte veel meer dan dat meegekregen. Maar zelfs met alles wat hij had, had Arianne niet van hem gehouden, hem niet eens erkend als een ontvanger van liefde. Hij was niets meer dan een 'tijdelijk iets' geweest, zoals zij het noemde. Haar hart was niet bij Luke Langford stil blijven staan omdat het haar geen eerlijke ruil leek. Zijn hart en ziel en lichaam voor de hare? Nee, geen goede deal. Hij had naar haar gestreefd, maar zij niet naar hem.

Waarom had Rosalind hem in 's hemelsnaam altijd geleerd dat hij perfect was? Hoe had ze dat kunnen doen?

Vol zelfwalging spuugde hij die laatste twee gedachten letterlijk uit zijn hoofd. Hij wist dondersgoed dat zijn moeder hem altijd onvoorwaardelijk gesteund had en altijd haar best had gedaan om te voorkomen dat hij door de gaten van Alistairs liefde zou vallen. En de enige keer dat zijn moeder zijn bescherming nodig had, na alles wat er met haar huwelijk en in feite met haar hart gebeurd was, dat ondanks haar leeftijd niet minder echt was dan het zijne, had hij niet echt geluisterd. Hij had haar zijn geklutste eieren laten maken zoals hij ze lekker vond en over zichzelf nagedacht.

Toen hij weer bij het tuinhuisje kwam was Mila wakker. Ze keek hem verward aan en zei: "Ik niet slaap. Maar ik ben zo moe."

Hij nam de kalme stem aan die hij zich voor de gelegenheid had aangemeten. "Nou, je hebt nogal wat meegemaakt", zei hij tegen haar. "Je bent overstuur."

"Wij zijn zo hetzelfde", zei ze, naar hem glimlachend. "Jij ook niet slaap als jij bent overstuur."

Luke klemde zijn kaken op elkaar en legde het pak geld op de armleuning van de bank. Maar precies op dat moment draaide Mila zich om en rende naar de spiegel in de badcel. Even wist hij niet zeker of ze het gezien had, maar toen ze iets zei wist hij van niet.

"O, is zo lelijk mijn gezicht!" riep ze. "Ik denk is slecht als kinderen zien mij!"

Hij kon haar door de deuropening zien. Ze probeerde haar haar zo te laten vallen dat het de zwelling gedeeltelijk bedekte, maar het wilde niet blijven zitten. Ze riep naar hem: "Luke? Hoe zeg jij plaats in de zee waar is niemand? Is kleine kleine land ... heel klein."

"Een eiland?" opperde Luke. Hij wilde dat ze zich gewoon zou omdraaien, maar wie was hij om haar geluk te onderbreken?

"Ja, precies. Altijd jij weet! Het is zo knap."

"Maar het is mijn eigen taal", zei hij.

Mila negeerde dit. "Ja, ik ga naar eiland voor mijn gezicht is weer mooi. Is niemand daar kijk naar mij." Ze giechelde. "Maar ik denk ik wil ook jij gaat mee. We zijn twee mensen op hele eiland. Daar is paspoortcontrole: 'Alleen Luke en Mila'! Ja?"

Hij gaf geen antwoord en voor een toeschouwer zou het geleken kunnen hebben alsof hij niet luisterde, maar met iedere hoge noot van haar vreugde voelde hij zich vanbinnen instorten. Heel langzaam begon hij aan het opvouwen en opruimen van illusies over zijn eigen wezenlijke goedheid die hij lang in zijn hoofd had meegedragen. Ze zouden hier blijven en hun plaats innemen tussen de andere souvenirs uit zijn jeugd: zijn oude sportmedailles en schoolfoto's, zijn EHBO-diploma's.

Zich niet bewust van dit alles ging Mila verder: "En ook wij eten fruit van bomen en wij gaan naar zee voor wassen en is prachtige zon!"

Ze kwam de doucheruimte uit en liet tegelijkertijd het haar dat ze boven op haar hoofd bij elkaar had gehouden, over haar schouders naar beneden vallen. Ze glimlachte en toen ze de bankbiljetten in de gaten kreeg dacht ze eerst nog heel even dat Luke op een wonderbaarlijke manier haar droom voorzien had. Hij had geld meegenomen voor een vakantie! Ze zouden samen weggaan – natuurlijk niet Engeland uit, want ze had geen paspoort –, maar ergens waar het net zo stil was als op een eiland.

Door de blik in zijn ogen duurde dit niet lang. Ze begreep het onmiddellijk. Haar lichaam kromp zichtbaar; haar schouders kromden, ze liet haar hoofd zakken en ze trok haar armen naar zich toe. Ze dook in elkaar. Luke zei: "Hoor eens, Mila, alles komt goed. Ik heb mijn vriendin Jess gebeld, oké? Je kunt een paar dagen bij haar logeren totdat je iets vindt. Je kunt hier nu gewoon niet meer blijven, dat is alles. Het spijt me. Maar Jess is heel aardig en ... er komt zo een taxi", zei hij. "Ik heb een taxi voor je gebeld."

Ze leek niet in staat haar gezicht op te heffen om hem aan te kijken. Dat zag hij, maar hij had besloten wat hij moest zeggen en zou volharden. Hij ging verder: "Dit geld ... Dit is tweeduizend pond, Mila. Daarmee kun je je paspoort kopen en je sofinummer en de telefoonrekeningen – alles wat je nodig hebt om een bankrekening te kunnen openen. Weet je nog dat Goran vertelde dat er Serviërs bij Kwik-Kabs zijn? Volgens mij regelt de broer van de baas paspoorten. Dat weet je allemaal natuurlijk al. Ik bedoel dat het fijn is dat ze het allemaal in je eigen taal uit kunnen leggen, toch? Dus het enige wat je echt nodig hebt", zei hij, "is geld. En dat heb je hier."

Zijn stem was aangezwollen tot een tingelend crescendo van optimisme. Toen dat uitgetingeld was en in de lucht verdwenen als het geluid van een bel, kon ze hem weer aankijken. Kon ze weer staren. Ze staarde en staarde hem aan, totdat hij zich tot een denkbeeldig punt in de hoek wendde.

Na ongeveer een minuut begon ze haar bezittingen bij elkaar te zoeken. Hij hoorde hoe ze ze in een plastic tas stopte. Hij dacht aan het moment dat Arianne de tas met Lucy's spullen onder de gootsteen vond toen zij aan het pakken was. Ze had gezegd: "Het is allemaal eigenlijk niet meer dan een spoor van plastic tassen, ja toch?" Ze had hem gevraagd te onthouden dat zij er niets aan kon doen.

Arianne kon er niets aan doen. Maar waarom had hij gedacht dat hij meer controle had dan zij over zo'n woest fenomeen? Net zoals hij vol zelfwalging tegen muren had geschopt wanneer zijn team een toernooi niet gewonnen had, had hij zichzelf de schuld gegeven van de tijdelijke aard van de liefde. Misschien was dat al die tijd een vorm van eigenwaan geweest.

Lukes mobiel ging en hij nam op, omdat hij wist dat het het taxibedrijf zou zijn. "O, oké. Dank u wel", zei hij. "Je taxi staat voor", zei hij tegen Mila, "maar er is geen haast bij. Doe maar rustig aan."

Ze greep haar tas beet en terwijl hij naar haar verbeten gezicht keek vroeg hij zich af hoe dit had kunnen gebeuren. Wat werden er op de belangrijke momenten van het leven aardverschuivingen van consequenties in gang gezet. Een paar maanden geleden had hij een sexy meid op een tafel zien staan. En nu? Nu wilde hij geld in Mila's hand stoppen. Maar daar lag het, smerig ongepast, op de armleuning van de roze bank. Na een tijdje greep haar hand ernaar en met een uitdrukking van teleurstelling die haar gezicht nadien nooit meer helemaal zou verlaten, zei ze: "Ik neem geld. Wat ik heb anders?"

Daar kwam geen antwoord op. Zwijgend keek Luke toe hoe ze het tuinhuisje uit liep. In een beeld dat hij nooit zou vergeten werd haar gezicht gevangen, even ingelijst: een verloren meisje dat huilend langs een raam een prachtige tuin in liep.

Terwijl het vliegtuig opsteeg zag Rosalind de velden in kleurrijke lapjes van een abstract schilderij veranderen. Engeland kleurde bruin en geel voor de herfst. Het was bijna niet voor te stellen dat tijdens het dagelijkse bestaan, terwijl zij daar beneden was en geloofde dat de werkelijkheid bestond uit de rotzooi van mensen en de gecompliceerde details van het leven, dit uitzicht hier was voor iedereen die het maar wilde zien. Voor de passagiers in een vliegtuig dat over haar tuin heen vloog was zij niet meer dan een deel van de wazige aarde. En voor haar waren zij slechts een deel van de wazige lucht. Wie had er gelijk? Het antwoord was: iedereen ... of niemand, natuurlijk.

Ze herinnerde zich een programma over de oorsprong van het heelal dat ze een keer met Sophie had gezien. In de krant was het aangekondigd als *Het verhaal van de Aarde* en ze hadden zich afgevraagd hoe dit in godsnaam in drie kwartier verteld kon worden, mét reclames ertussen. Sophie had om de voiceover moeten lachen, die de overgesimplificeerde natuurkunde deed klinken als de trailer van een horrorfilm. Ze had hem later voor Alistair nagedaan en haar vinger naar hem opgeheven terwijl hij een whisky inschonk. "'Giftige gassen wervelden rond en temperaturen zwenkten tussen enorme extremen.'" Maar hoe suf het programma ongetwijfeld was voor opgeleide mensen, Rosalind werd door één gegeven diep geraakt. Energie was blijkbaar onverwoestbaar. Die kon niet gemaakt of vernietigd worden, maar nam gedurende de eeuwigdurende fasen van haar bestaan alleen verschillende vormen aan. Energie kon een gas worden of een steen of een persoon of een sinaasappel of een boom, of zelfs een heel harde knal. Dit betekende dat alles op aarde uit energie bestond en door de tijd heen slechts veranderde.

Rosalind vond dit om de een of andere reden nog steeds een geweldige gedachte. Ze herinnerde zich de vredige stem van zuster Margaret die hun op school voorlas uit Prediker: "'Wat er was, zal er altijd weer zijn; wat er is gedaan, zal altijd weer worden gedaan. Er is niets nieuws onder de zon. Wanneer men van iets zegt: "Kijk, iets nieuws", dan is het altijd iets wat er sinds langvervlogen tijden is geweest.'"

De Bijbelse woorden waren ongetwijfeld mooier, maar het klonk wel als hetzelfde verhaal.

Nu bedacht ze dat emotie misschien net als energie onverwoestbaar was. Zelfs als die lijkt te zijn verdwenen of uit het niets lijkt te komen, heeft ze alleen maar een andere vorm aangenomen. Misschien, dacht ze, heeft ieder gezin een samengevoegde voorraad liefde en pijn. En als mensen niet hun hele portie gebruiken, nemen de gevoeligsten het lijden op zich.

Ze dacht aan alle strijd die Alistair en zij vermeden hadden, of Luke en Alistair, die eigenlijk altijd al slecht samengingen. Misschien was Sophie een soort zondebok voor de familie geworden, die het allemaal uitvocht met haar eigen uitgehongerde lichaam, haar eigen ondergekraste armen.

O, wat had ze zichzelf toch beschadigd in de loop der jaren ... en zij hadden haar er in gedachten van beschuldigd dat ze de rust in huis verstoorde! Had Sophie in feite op de een of andere mysterieuze manier omwille van hen gehandeld?

Emotie moest toch ergens heen, dacht ze, als hij niet kon worden vernietigd.

Zowel Rosalind als Alistair werd vaak door de angst gegrepen dat het lichaam van hun dochter niet volledig zou herstellen en dat ze nooit kinderen zou kunnen krijgen. Ze hadden deze bezorgdheid niet uitgesproken, maar Rosalind wist dat haar man die met haar deelde. Ze wist dat hij deze 's nachts ook beleefde. En ze was zich er ook van bewust dat, als dit het geval was gebleken, ze allebei hem verantwoordelijk hadden gehouden. Hoe dan ook was hij degene die haat in het huis had gebracht, want Rosalind had nooit van haar leven iemand gehaat.

Maar was dat een reden om zichzelf te feliciteren? Ze had dan misschien niet gehaat en niet zo'n onhanteerbare lading van emotie aan de gezinsvoorraad toegevoegd, maar ze had ook niet genoeg liefgehad, zei ze tegen zichzelf. Haar liefde was in de aanwezigheid van angst gestopt – de angst van haar dochter, en zeker die van haar echtgenoot. Maar zelfs het alcoholisme en de scheidingen van haar zus waren onmogelijk onder ogen te zien. Suzannah kon Rosalinds emotioneel schone gedachtegang niet vergeven ... en daar had ze gelijk in, dacht Rosalind. Na de breuk met haar eerste man was Suzannah kapot geweest, en haar eigen zusje had, uit de lange gewoonte te overleven door middel van zelfbeheersing en schijn, doodgewoon voorgesteld om een kopje thee bij Kew Gardens te gaan drinken! Suzannah, die gewoon zichzelf was, had de uitnodiging beleefd afgeslagen en genoeg jenever gedronken om een paard mee te vellen.

Alleen Luke was makkelijk geweest om lief te hebben omdat hij, tot voor kort, dezelfde gematigde emotionele taal sprak als zij. Het was makkelijk geweest hem lief te hebben omdat hij zoveel op haar leek.

Maar dit was gewoon niet goed genoeg! Je moest buiten jezelf liefhebben. Het was makkelijk om gevangen te worden door gelijksoortigheid, maar van verschillen houden – hoe beangstigend en mysterieus dat ook mocht zijn – was de tweede en grotere liefdesdaad.

Wie, dacht ze, konden zulke domme ouders anders bedanken dan God zelf voor het feit dat hun dochter zwanger was, voor het feit dat de Afrikaanse zon de haat had weggebrand? Ze had zich nooit hechter met Sophie verbonden gevoeld dan nu, op dit dierbare moment, nu haar eigen kind moeder werd.

Maar ze was zich nu ook bewust van een afwezigheid; er ontbrak iets, en ze keek naar de lege stoel naast haar. Onmiddellijk zei haar lichaam haar dat ze moest gaan kijken of alles wel goed was met Alistair, want hij leek wel erg lang weg te blijven.

Rosalind boog zich voorover, maar haar hand stopte voor die de gordel had bereikt.

Toen ze weer rechtop ging zitten, zag ze de tickets van de reis door Italië voor zich die ze, lang geleden, niet had durven gebruiken, die ze aan hun lot had overgelaten achter de klok op de schoorsteenmantel van haar slaapkamer. En haar angsten leken ineens ongewoon onbelangrijk: ze waren primitief en ietwat onheilspellend, als beeldjes van de Azteken.

Ze keek hoe onder haar het land overging in zee en die zee langzaamaan achter de wolken verdween.

DANKWOORD

Ik wil graag John Harwood-Stevenson bedanken, die me heeft voorzien van essentiële informatie over het leven van een Londense advocaat. Ik ben Michael Birnbaum QC dankbaar omdat ik hem mocht volgen door het gerechtsgebouw Old Bailey. Ook dank aan dr. Brian Kaplan, een geniaal arts die mijn gezondheid herstelde en me daarna alleen maar om op te scheppen ingenieuze suggesties aan de hand deed voor de eerste hoofdstukken van mijn roman. Ik had niet over Goran en Mila kunnen schrijven zonder het advies van Sergey M.